BRÄNNANDE SOL, ISANDE VIND, LEVANDE STÄPP

Dulat Isabekov

BRÄNNANDE SOL, ISANDE VIND, LEVANDE STÄPP

Översättning: Bengt Samuelson

GUN FÖRLAG
2020

© Gun Förlag 2020
Svensk översättning: Bengt Samuelson
Redaktör: Ak Welsapar
Språkgranskare: Karin Frisendahl
Grafisk Form, Inlaga: Sofia Welson
Tryckt: Raamatutrükikoja, Tallinn
ISBN: 978-91-982449-7-7

INNEHÅLL

DULAT ISABEKOV OCH HANS VÄRLD

Dulat Isabekov kommer från de trakter där det välsignade Turkestan frikostigt sprider den högstes ljus. Själv är jag från Aralsjöns kustland. När jag redan hade fyllt arton och spanade som en liten örn efter flickorna från grannkvarteren, kom han till världen under Arys mäktiga himmel och tog en snidad vagga i besittning. De arton år som skiljer oss båda kan för somliga verka som en kort tid, för andra en lång tid. Frågan om den är lång eller kort, är i själva verket helt ovidkommande. Om man betraktar saken ur matematisk synvinkel handlar det enbart om ett naturligt tal, en siffra. Om vi däremot ser saken ur historiens synvinkel, så kommer vi att upptäcka att det rör sig om ett helt liv. Ett liv som berör *en* person, eller flera, en isolerad individ, en hel generation eller ett folk, en period som omfattar ett livsöde.

Och i det här speciella fallet förhåller det sig just så. Under dessa arton år, som för den ene framstod som en kort tid, för den andre som en lång tid, genomled vårt folk en fruktansvärd svältkatastrof, och utan överdrift förintades vår nation till hälften. Och innan vi ännu återhämtat oss från denna olycka, som om den inte vore nog, kastades folket ut i ett fyraårigt krigs fasor och hundratusentals män dömdes till en förtidig död enligt ordspråkets stränga logik: *den som faller skall krossas.* Och till sist kom dagen då alla barbenta smågrabbar i staden Arys, och bland dem lille Dulat, på sina bara och smutsiga fötter rusade iväg för att möta krigets överlevande. Nu växte han upp under beskydd av sin far och sina farbröder, krigsveteraner, som hade hört kulorna vina om öronen och mött döden varje dag. Han växte upp, mognade till man och stod snart på egna ben. Oavsett hur vi i dag ser tillbaka på dessa händelser måste vi erkänna att vi upplevt de viktigaste sociala och politiska förändringarna i vår tid, händelser som format den unga generationens tänkande och medvetande och hela vårt samhälle. Och den nya generationen av författare, som kan jämföras med de sparsamma ljusen i Plejadens stjärnbild, och som nu firar sina jubileer, intog sina platser i litteraturen under den så kallade töperioden på sextiotalet, någon i början av perioden, någon i mitten. Denna generation berikade litteraturen var och en med sin individuella röst och förändrade till stor del berättandets estetiska natur: de introducerade ett nytt socialt typgalleri, ett nytt färgrikt språk, nya tankar, ett elegiskt tonfall, lyrisk sensibilitet. Samtidigt har denna generation burit ett särskilt ansvar under denna period av utveckling och litterär förnyelse, en strävan att bibehålla den höga nivå som vi förknippar med våra stora föregångsmän – Muchtar Auezov, Sabit Mukanov, Gabit Musrepov. Och de har fyllt sin uppgift. Ja mer än så, de har höjt ribban ännu en nivå, tagit ännu ett steg framåt. Och ett levande bevis på detta är Dulat Isabekov.

Vi sofistikerade storstadsförfattare, som trodde att vi visste och kunde allting, tvingades av dessa grabbar att lära oss namnen på hittills okända författare, världslitteraturens stora gestalter, vars böcker de läste i sin avlägsna hemby. Så snart de öppnade munnen strömmade som ur en skattkista namn som Franz Kafka, Heinrich Böll, Erich Maria Remarque, William Faulkner, Ernest Hemingway. Som en vårflod flödade samtidigt deras egna arbeten, som visade upp okända sidor av tillvaron på ett sätt som gjorde oss stumma av förvåning. Precis som när gräset skjuter upp kraftfullt och obändigt efter ett långt varmt majregn började nya talanger välla in i litteraturen, den ena mer begåvad än den andra.

Och samtidigt måste jag betona en sak: det har aldrig hänt att jag känt mig stå utanför, betraktat mig som en främling för den lilla grupp av särpräglade profiler som gjorde sitt inträde i litteraturen för ett drygt halvsekel sedan. De själva och deras verk står alltid för mina ögon. Oavsett vad Abisj Kekilbajev, Askar Sulejmenov eller Tolen Abdikov skapade, lät jag inte ett enda av deras verk gå mig förbi. Dulat Isabekov är yngre än dessa tre. Men ödet ville att en tidigt spirande kreativitet, mognad, självtillit och begåvning skulle placera honom i nivå med dessa tre, bland de främsta i sin generation. Dulats första roman blev omedelbart en favorit bland studenterna, en bok som gömdes under kudden på natten och som ingen lade ifrån sig på dagen. När Dulat fäste sina innersta tankar och känslor på papper var det liktydigt med att som författare följa sina moraliska skyldigheter gentemot folket. Oavsett vilken av hans böcker vi slår upp – vare sig det rör sig om drama, lyrisk prosa eller en essä – är detta förmodligen anledningen till att var och en av dem, särskilt i sitt idéinnehåll, tydligt visar hans sympati för den enskilde medborgaren. Det är omöjligt att i detta sammanhang förbigå ett kännetecknande drag hos författaren Dulat: den kreativa princip som han följer. Dulats tveklösa dragning till ämnet "den lilla människan" placerar honom i en betydande konstnärlig tradition, som inleddes av Balzac och senare fördjupades och utvecklades av de stora ryska författarna – Gogol, Dostojevskij, Tjechov, Gorkij – till att omfatta de yttersta humanistiska värdena. Samma motiv, som en gång formades till en egen genre i världslitteraturen, har fått sin rättmätiga plats hos Muchtar Auezov och Beimbet Mailin, och därefter förts vidare av Dulat Isabekov i tre romaner samt i novellerna "Gauchar tas", "Musslan", "Malört", "Vi upplevde aldrig kriget" och "Transitpassageraren", där detta tema går som en röd tråd genom berättelsen.

Dulat är konstnär. Dulat är författare. Det korta, innehållsrika ordet "författare" är i sig självt ett svar på frågan hur människan ska göra bruk av gudagnistan, med andra ord den talang som skaparen skänkt honom.

Hjälten i berättelsen "Malört" är en ensam gammal man. Vid sin sida har han sitt barnbarn, en föräldralös pojke som tidigt förlorat både far och mor. Och dessa ödmjuka människor som inte kan göra en fluga förnär tvingas leva i en svår tid, när medlidande och medkänsla människor emellan snabbt förflyktigas, de tvingas leva bland hårdhjärtade människor som saknar barmhärtighet …

Dessa berättelser introducerade både i form och innehåll en

9

ny humanistisk anda i vår litteratur. Med sitt höga andliga intellekt avslöjade de för oss den djupa humanism som vilar i den mänskliga naturen – förmågan till obegränsad medkänsla, sympati, empati. Sannerligen, där det finns rum för medkänsla, där finns det en människa. När allt kommer omkring vilar världen på barmhärtighetens princip. Dessa tre verk låter oss lära känna en man vars stora hjärta blöder av medlidande med de små människorna som av ett oblitt öde blivit utsatta för smärta och lidande av både samhället och enskilda människor. Nyligen läste jag om dessa berättelser och bläddrade igenom boksidorna och sökte undermedvetet efter författarens osynliga tårar mellan raderna. Den gamle kotknackaren, den kloke gubben och hans lilla barnbarn, som båda kommit till världen genom skaparens outgrundliga vilja och som tömt sitt ödes kalk i botten, har kanske redan lämnat denna jämmerdal. Kanske den nuvarande generationen inte längre kommer ihåg dem? Men ännu återstår de vackert skulpterade bilderna av den gamle kotknackaren och den kloka gubben och hans lilla barnbarn, som formats av denne talangfulle man, som fostrats i vårt land som sedan urminnes tider varit födelseplatsen för stora helgon och rättrådiga män, som alltjämt lever inom oss. De är eviga bilder som kommer att fortsätta leva när vi själva är borta, för otaliga kommande generationer.

Jag kan inte dölja att jag älskar denne författare. Han finns ofta i mina tankar. Det är en mycket opretentiös person. Om vi inte visste att hans böcker trycks i upplaga efter upplaga, att floder av artiklar om honom publiceras i pressen, att teatrarna slåss om att sätta upp hans pjäser, och vi skulle råka möta honom på gatan i oknäppt skjorta, skulle vi aldrig kunna föreställa oss att denne något bohemiske figur som stod framför oss var en stor författare och en prosans mästare.

Men – begåvning förnekar sig aldrig. Låt vara att han kan förefalla något slarvig och vårdslös till sitt yttre, men låt oss inte glömma att han lyckats erövra de stora scenerna och teatrarna i det fjärran London, i Korea, Turkiet, Bulgarien och inte minst i Sankt Petersburg och Omsk, denne hjälte – en kazak med lätt haltande gång, i sliten vadderad *kupi* och den traditionella päl-smössan *tymak*. Det är hans förtjänst att vi i dag blivit erkända, att främmande länders forskare kommer till oss och att begreppet "Dulat Isabekovs värld" blivit etablerat inom litteraturvetenskapen. Om vi nu återigen faller tillbaka i sömnig dvala och låtsas att allting är som det alltid har varit, är det naturligtvis inget som anstår ett civiliserat samhälle, dit vi räknar oss. Det är hög tid att visa upp för världen vad vi förmår, att lyfta fram frukterna av vår utveckling och erkänna dess sanna betydelse.

Abdizjamil Nurpeisov,
författare, grundare och ordförande för Kazakstans PEN-klubb

GAUCHAR TAS

Tastan är förbluffande lik sin far, frånsett att han är en ung man. Axelbred, en riktig bjässe – en och en halv gång så stor som jag. Och när han tar av sig skjortan är han en syn för gudar: på bringan och armarna spelar musklerna som om någonting levande rörde sig under huden. Det fanns en egendomlig sak med honom som alltid förvånade mig – han hade aldrig bråttom. Även när ropet gick "Varg bland fåren!" kom han motvilligt på benen och knatade makligt iväg till den fallfärdiga jordkulan, tog fram sadeln och släpade sig sedan lika långsamt tillbaka till jurtan efter ridpiskan. Därefter hämtar han lika motvilligt sin häst, med den rödbruna hårremmen och vit stjärna i pannan, och börjar långsamt att sadla honom. Och när han äntligen tänker masa sig iväg, det är det aldrig någon som riktigt vet. Åtminstone verkar det på mig som att det brukar gå till just så.

Hans tröghet är det enda som far inte gillar hos honom. I alla andra avseenden är Tastan för honom en furste bland ryttare, en äkta *djigit*. En riktig karl! Tastan är stark så det räcker och blir över! De stora säckarna, som av någon anledning brukade kallas "ryssarna", tog han en under var arm och marscherade iväg med, obekymrad av allt som råkade komma i hans väg.

Hemma använde vi aldrig de där ryska säckarna. Men i jordkällaren, där mor förvarade sina matvaror, där stod rader av *kanary*, svarta, randiga, olikfärgade jutesäckar. Mor hade vävt dem själv. De var enorma och packade till brädden, och verkade vara nära att spricka allesamman. Även dessa lyfte han med lätthet och bar iväg med – utan att anstränga sig.

Tastan överraskade alla med sin lidelse för *kokpar*, getdragning-

13

en. Så snart han fick höra att en tävling var på gång i närheten blev han som förbytt. Han började till och med andas på ett särskilt sätt, näsborrarna fladdrade otåligt. De stora mörkbruna ögonen blixtrade. Från denna stund hamnade fåren och alla deras bekymmer helt i skymundan. Nätterna igenom höll han på med sin häst: tvättade den, borstade och kammade manen. Och han slösade så mycket vatten på sin springare att vattentunnan var alldeles tom på morgonen. Det var mestadels min sak att hämta vatten, och jag var alltså ganska arg på Tastan – ett sådant slöseri! Jag skällde för mig själv på min slösaktiga bror. När detta inträffade kallade far på mig med fingret och sade: "Gå till fåren du, vattnet tar jag hand om."

Far uppmuntrade Tastans passion: han hade själv tävlat en gång i världen och ville alltid vara den bäste och nu kände han sig stolt över att hans äldste pojk var en äkta *batyr*. Han gillade också att Tastan inte lät munnen gå hela tiden, utan var tystlåten, ja nästan vresig – raka motsatsen till mig, hans yngste. Sådana här dagar behandlade han Tastan med särskild uppmärksamhet, talade gärna och länge med honom och kom med råd. Men far höll tummen i ögat på sin son, som det heter. Ja, vi var alla lite rädda för honom. Han var en sträng far, oj oj oj! Tiga och lyda fick vi lära oss. Tastan verkade för oss vara en jätte som kunde förflytta berg, men det räckte att hans far höjde rösten för att han skulle bli mjuk som bomull. Kanske är det därför som också jag ser fram emot nyheter om kommande *kokpar*, fastän jag inte är någon anhängare av den här gamla leken. Hur det än är blir stämningen i huset lättare, alla känner sig på något vis bättre till mods.

Varken far eller Tastan skämde bort mig. Jag minns inte om någon av dem sagt ett smeksamt "ajnalajyn". Men däremot kunde vi ofta höra far tillrättavisa mor: "Pjåska inte så mycket. Du förstör pojken. Han kommer bara att växa upp med en massa idéer i huvudet."

… I dag är huset ovanligt tyst. På sängen i hörnet sover Tastan sin ljudlösa sömn. Han har dragit över sig en tunn bomullsfilt och vill inte bli störd. I morgon ska jag resa långt bort för att börja

studera. Ända till Alma-Ata. Mor brukar säga att den allsmäktige
Aziret-Sultan ska hjälpa mig. I så fall börjar jag på högskolan, an-
nars kommer jag hem igen. Man kan leva utan högskolan också.
Bara man får vara frisk. Och skolan går ingenstans.

Far är inte hemma. Vart han har åkt vet vi inte. Han har inte
för vana att berätta vart han ska för oss därhemma. Rätt som det
är kan vi få för oss att vi begriper oss på en massa saker! Och vi
brukade inte diskutera med honom, det är bäst att hålla tyst – rätt
som det är får du känna av hans vrede. Och det blir en vana som
går in i blodet, in i skinnet.

Far borde ha varit tillbaka på kvällen. Men nu hade det blivit
nästan midnatt och han var fortfarande borta … När Tastan gick
till sängs lovade han att ta mig med på sin häst till stationen nästa
morgon. För att gå med på detta fick han övertalas med milt våld.
"Hästen går sig trött", svarade han, "rid på åsnan. Du kan lämna
honom hos Sopybek, så tar vi hem honom på något sätt." Men
mor grep in. "Du borde skämmas! Att du bara vågar tala på det
viset! Han är rädd om sin häst! Och sin egen bror vill han sätta
på en åsna! Vad ska folk säga? Din häst kommer inte att dö av
detta. Nu tar du honom på hästen, och så talar vi inte mer om den
saken!" Tastan blev alldeles tyst, men vågade inte säga emot. Han
muttrade bara: "Då gör jag väl det då! Och inte ett ord mera!"
Sedan somnade han.

Men mor höll på och ordnade och ställde runt omkring mig.
Hon fyllde den slitna svarta resväskan med allt som hon tyckte var
nödvändigt. Och när väskan var fylld började hon packa om allt-
sammans på nytt. "Adyra kalgyr", mumlade hon – man ska varken
synas eller höras. Har de verkligen hjärta i kroppen? Deras eget
blod, den enes son och den andres bror ska resa långt bort till en
främmande stad, och den ene är ute och slarvar någonstans, och
den andre han sover. Och hon strök i smyg bort en tår från sin
kind. Så kom hon fram till mig, smekte mig över håret och kysste
mig. Heta tårar föll på min panna. Jag kände att det började kittla
i ögonvrån också hos mig själv. Antagligen är jag precis en sådan
lipsill som far påstår. Jag tyckte så synd om mor, jag förstod hur

15

fattigt hennes liv skulle bli när jag hade rest. När allt kom omkring var det hennes enda glädje att jag fanns där. Varken far eller Tastan tycktes ha behov av hennes omsorger. Åtminstone var detta vad de så kaxigt påstod! Till sist hördes ljudet av hovslag utanför. Far steg in i jurtan.

– Sover ni inte? frågade han och hängde upp ridpiskan vid dörren.

En sällsam värme hördes i hans röst. Jag blev glad: inför min avresa hade han äntligen mjuknat. Mor började omedelbart duka bordet.

– Vänta, sade far, vänta ett ögonblick. Han tystnade. Han tog av sig sin gula pälsfodrade jacka, som han inte avstod från ens på sommaren, drog av sig sina impregnerade stövlar och kastade dem på golvet, och satte sig på sängen bredvid mig. Mor blev tyst och såg förväntansfullt på honom. Det var tydligt att far kom med nyheter. Skulle han annars ha suttit där med en så hemlighetsfull uppsyn?

– Krullepojken! ropade han plötsligt.

Jag ryckte till.

– Vadå, far?

– Gå ut och se till fåren. Ibland får de matvraken för sig att det finns bättre bete ute på stäppen.

Jag förstod att saken inte handlade om fåren utan om någonting helt annat, men utan ett ord steg jag upp från sängen, stack fötterna i mors stövlar och gick ut. Stjärnorna blinkade glatt till varandra. Den röda månskivan höjde sig långsamt över Karatau. Vid den slocknade härden låg Bajkanshik, den gamle gårdvaren. Ett stycke längre bort, från den mörka kullen, kom det dämpade skallet från Syrttan. Fåren hade jagats ned i en dalgång, där de fridfullt mumsade på det gröna gräset. Det verkade som om de saknade lust att flytta sig vidare, de hade slagit sig till ro i den svala nattluften.

Vår far är en praktisk karl, han älskar och känner sina djur, men han skickade inte ut mig i natten för att titta till fåren, och därför återvände jag inte omedelbart, utan vandrade runt en stund så att de vuxna skulle få prata fritt med varandra.

Till sist vände jag hemåt. Precis vid ingången hostade jag till så att de skulle höra mig, och sedan öppnade jag dörren. "Undrar just vad de pratar om? Vad är det för hemlighet som jag inte ska veta någonting om?" Tastan satt mittemot sin far. Han var uppenbarligen inte riktigt vaken ännu. Ögonlocken var svullna, ögonen bara små springor. Hans slätrakade huvud blänkte i det svaga ljuset från fotogenlampan. När han fick se mig reste han sig upp, sträckte på sig och sade likgiltigt: "Ja, det är ni som bestämmer, gör som ni vill ..." och föll i sömn på fläcken.

Jag ville fråga vad som hade hänt, men vågade inte riktigt. Först efter midnatt, när far och Tastan hade somnat, satte sig mor hos mig och utan att utelämna den allra minsta detalj berättade hon alltsammans för mig.

... Så här låg det till: far hade bett Tastan att gifta sig. Nyheten gjorde mig omtumlad. Jag visste förstås att Tastan förr eller senare skulle gifta sig och flytta in i en ny *otau* – de nygiftas egen jurta. Men jag hade inte tänkt eller föreställt mig att det skulle hända så oväntat. Tastan verkade inte ha haft någon i kikaren. Jag hade svårt att förstå hur det skulle gå att lösa en så viktig fråga under den tid som jag fanns kvar på gården.

Ända fram på morgonen ringde Tastans ord i mina öron: "Ja, det är ni som bestämmer, gör som ni vill ..." Vad var han för människa egentligen? Brydde han sig egentligen om alltsammans? – Jag funderade och tittade upp mot nattstjärnorna genom tundiken, jurtans översta öppning. Han låg där och sov som om ingenting hade hänt ... Gifta sig! Det är något som man gör för livet. Ja, om detta hade hänt med mig, hade jag verkligen kunnat sova då? Fast en riktig karl ska kanske reagera på det sättet?

Jag mindes att två får hade gått bort sig förra året, och han oroade sig betydligt mer för dem.

Sover han verkligen, eller bara låtsades?

Uppriktigt sagt hade jag själv alltid drömt om en hustru. Min egen hustru! Och nu, ensam med mina tankar, lyssnade jag till nattens tystnad och kände en glädje som strömmade som en sval-

17

kande våg till mitt hjärta. Jag rös rentav en aning. Hur kommer hon att se ut, Tastans brud, min *zheneshe*? Av någon anledning föreställde jag mig henne som både klok och vacker och tillgiven. Hon kunde ju inte vara lika trist som far eller Tastan! Nej, om jag ska skaffa mig en hustru, så kommer säkert att vara glad, vänlig och rolig. Vem vet, när hon kommer i huset med sitt glada humör så kanske hela den här järnhårda ordningen kommer att förändras? Kanske far blir mildare till humöret? Och tillsammans kan vi försöka, hon och jag, att få fason på Tastan också..! Jag fick inte en blund i ögonen den där natten, så upphetsad var jag av alla tankar som for runt i skallen. Och det verkade på mig som om allting skulle bli precis så – det kunde helt enkelt inte vara annorlunda!

... Jag gladde mig alla de följande dagarna, trots att Tastans bröllop satte stopp för alla mina planer. Far hade plötsligt sagt till mor:

– Låt Dudar-bas vänta med sina studier. Det är ingen brådska. Det kommer många gäster – de måste tas om hand. Och det finns ingen som kan sköta djuren. Vi måste först låta vår svärdotter finna sig tillrätta i huset, och sen, nästa år, skickar vi iväg honom att studera. Ett enda år kan inte göra någon skillnad.

Jag sade inte emot: jag insåg att min insats var nödvändig för en ensam fåraherde med en familj att försörja. Dessutom ville jag inte resa bort riktigt än, eftersom jag så gärna ville uppleva alla förändringar som skulle ske i vårt hem, och som jag hade drömt så mycket om. Mor kunde inte dölja sin glädje över att jag stannade. Enligt henne var jag "fortfarande för liten". Låt honom få växa till sig, sade hon, och lära sig att skilja på höger och vänster. Och då kommer det inte att göra lika ont i hjärtat för henne att ha sin pojke långt borta hemifrån ...

En högsommardag med en sådan hetta att man kunde tro att fåglarna skulle lägga hårdkokta ägg, gav sig Tastan iväg i riktning mot Togansaj, åtföljd av två djigiter och två åldermän. När unga ryttare som vuxit upp under en sträng faders uppsikt fick frågan: "Hur är det, är du beredd att gifta dig?" brukade de vanligen svara lite skamset: "Äh, sluta tjata, farsan ..." Och inte heller

18

nu förnekade sig Tastan. Dagen efter det minnesvärda samtalet som ägde rum i min frånvaro ställde far samma fråga till Tastan: "Vill du kanske inte? Har du ingen lust att gifta dig med gamla Kyzhyms dotter?" Tastan tuggade ihärdigt på ett stycke lufttorkat kött som han sköljde ned med fet *ayran* – vår egen syrade fårmjölk – och sade likgiltigt: "Inte direkt, far ... de säger att det är en hyfsad tjej ..." Inte ett ord mera. Och så satt han där en stund och så gick han ut till fåren.

Samma dag som han skulle ge sig iväg för att hämta bruden var han också ute och skötte om djuren. Jag minns att jag sprang efter honom vid middagen och ropade på honom. "Kom, far kallar på dig. Gästerna börjar komma. Du måste klä om, ni ska rida iväg strax." Han låg i gräset. Han vek undan blommorna som täckte ansiktet och tittade på mig som om han aldrig hade sett mig förr. "Är det redan nu? Jag trodde att det var i morgon." Så reste han sig och tog lädersäcken med kall *shalap* – ayran spädd med friskt källvatten – som jag höll i handen och drack ivrigt.

Hans häst gick på bete i närheten. Tastan kastade över honom tyglarna, drog åt sadelgjorden och steg långsamt upp i sadeln. Han sade åt mig att hålla ett öga på hjorden och red sakta hemåt. Han såg sig inte om en enda gång. Jag följde länge min brors kraftfulla gestalt med blicken, tills han försvann bakom en kulle.

Han kom tillbaka två dagar senare. Vår jurta var rest på stranden till Arshabay. Det är en liten bäck, tio steg tvärsöver, inte mer, men för mig verkade den väldig och djup. Den rann upp i det avlägsna Kyzygurt och mynnade någonstans i Arys. Somliga påstår att Arshabay en gång varit vild och brusande. Och som bevis på detta kunde man se de slätslipade klipporna längs flodstranden och den grova sanden som nästan var som småsten. Större delen av flodbädden är numera frodig betesmark. Här växer svingel, ferula, backsilja och andra saftiga gräs. Boskapen som söker sig hit kan inte slita sina huvuden från marken och det söta gräset.

Bilen med Tastan och hans brud dök upp på vägen när stäppen i den nedgående solens strålar visade sig särskilt högtidlig och imponerande. Ett femtiotal gäster som kommit resande till festen strömmade ut ur jurtorna. Alla pratade livligt med varandra och följde ekipaget med blicken från kullens höjd. Flera ryttare och unga flickor som inte kunde hålla sig stilla skyndade dem till mötes. Varken mor eller jag kunde hålla oss lugna. Mor skrattade och grät om vartannat. Hon märkte inte själv om hon grät eller log, och hon mumlade sitt oupphörliga "Ajnalajyn" – K*ära barn!* – till sin mörkögde pojke och sin blivande svärdotter, i tankarna omfamnade hon och kysste dem båda.

Bilen hade kommit nästan ända fram. Den kom från Aydars bilklubb. Aydar brukade hälsa på oss ibland och ha med sig film från stan. Varje besök blev en fest. Vi tittade inte bara på film, utan pumpade Aydar på skvaller. Först far, som ville ha nyheter om sina gamla vänner, herdarna runt omkring i trakten, och sedan resten av oss, vad vi nu ville veta. Tillsammans med Aydar nådde en fläkt av den stora världen fram till vår jurta. Det kändes som en frisk vind när Aydar berättade allt för oss, och jag kunde märka hur ansiktena ljusnade på invånarna i vår jurta. Till och med far lättade för ett ögonblick på sin stränga uppsyn medan han överöste Aydar med frågor. Vid Aydars senaste besök hade far övertalat honom att följa med ungdomarna hit.

Vi kände inte igen Tastan. Visserligen steg han ur bilen lika långsamt som alltid, men hans solbrända runda ansikte verkade ha befriat sig från sin vanliga dysterhet – det strålade, en rodnad flammade på hans kinder och de breda näsborrarna darrade av upphetsning. Han såg elegant ut i sin halmhatt och den blå tunikan, som framhävde hans kraftfulla gestalt, och de blankputsade kromgarvade stövlarna. Han påminde om statyn över sagans *Batyr*, och nu hade denna staty åter väckts till liv för ett kort ögonblick.

Tastan hälsade inte på någon av oss. Han såg inte ens på oss, lyfte inte ens ett ögonbryn när han hälsade. Han tog bara mor i famnen för ett ögonblick och lät henne kyssa honom. Sedan fortsatte han direkt mot kullen där far höll rådslag med några av de äldre.

Jag var på väg att rusa efter, men utan att se åt mitt håll vinkade han avvärjande med handen: lämna mig i fred. Men jag avgudade min bror i det ögonblicket. Jag beundrade hans oberörda ansikte och den imponerande gestalten, hans majestätiska rörelser. Motvilligt fascinerades jag av samma enastående behärskning och beslutsamhet som min far uppskattade så mycket.

... Bröllopsfesten varade i tre dagar. På ängen busade de unga och roade sig. Den ljusblå himlen över Arshabayfloden uppfylldes av sång. Den eviga stäppen slöt sina söner och döttrar i sina väldiga armar och sjöng med dem, skrattade och gladde sig tillsammans med dem alla. Flickorna och pojkarna, som nu var upplagda för roliga och bullrande lekar, spelade tärning i den månljusa natten, sjöng, tävlade i att spela på dombra och satte sedan igång med att leka kurragömma, och snart dämpades de klingande flickskratten i det höga gräset. Kärvänliga tanter omringade brudgummen och pressade honom på de allra sista brudgåvorna.

Det var min uppgift att ta hand om gästerna, och därför kunde jag inte vara med i lekarna. Under dagen fick jag hela tiden springa bort till fåren, eftersom jag inte litade på att småpojkarna som skickades iväg skulle göra vad de fått order om, och på kvällen när jag kom hem hann jag bara med att sätta på samovaren, servera alla rätterna och sedan tjudra hästarna och fodra dem.

På tredje dagen, efter middagen, när jag som alltid var ute på betesmarken, kom en grabb springande med andan i halsen.

– Kaiyrken! skrek han. Jag stannar här. Du ska springa iväg nu med detsamma för att ta slöjan av bruden.

– Allah förbjude! Varför just jag? Det finns ju vuxna djigiter ... Inte kan väl jag det, en vanlig snorunge ta slöjan av bruden?

Under en bred baldakin som spänts upp särskilt för gästerna ljöd ett oavbrutet sorl. Det visade sig att de inte hade lyckats hitta en enda karl som var tillräckligt modig för att gå ut i den öppna ringen och lyfta slöjan av brudens ansikte. Inte ens någon av alla de djigiter som var kända för sin vältalighet tordes träda fram.

Det envisa kvinnfolket försökte knuffa in en lång mörklockig grabb i ringen. "Hör du", ropade de, "slänga käft, det är du duktig på, kom igen nu och visa vad du kan!" Äntligen hade kvinnorna chansen att få betalt för gammal ost! Många av dem hade fått känna på hans vassa tunga. "Nä, nä, varför ska ni envisas med de där mossiga sederna? Komsomolbröllop, det är en annan sak!" fräste han tillbaka. "Oj, har ni hört hur han maler, den där långe drasuten", ropade en av de gamla kvinnorna sarkastiskt. "Så ni ska ha kul, ni unga, och vi gamlingar ska helst sitta hemma?" "Ni med era mossiga seder ... Tänka sig, blotta brudens ansikte..." "Vad är det nu för fel med det? Så har vi gjort i århundraden. Ni kan fira på komsomolvis på era bröllop. Men här gör vi på vårt vis! Har jag inte rätt kanske, Tastan? Jo, nog har jag det! ... Och du där, om du inte är karl nog att tala på en gammaldags bröllopsfest så kan du lika gärna hålla klaffen. De som bara låter munnen gå duger faktiskt inte till någonting. Och nu, Kairken", sade hon och vände sig till mig. "Du ser själv hur mycket man kan lita på de där slashasarna. Vi har suttit här sen solen gick upp. Bry dig inte om de där. Men vi läser allt dina dikter i tidningen. Gå ut i ringen! De kan gärna spricka av avund, de där pratkvarnarna! Hördu, min vackra brud, ta med dig en brödkavel hemifrån!"

Innan jag hunnit säga ett ord stacks ett vitt tygstycke i min hand. Jag blev alldeles förvirrad. Det vita tyget låg i mina händer, det fanns ingen väg tillbaka. Och genast började alla uppmuntra mig att inte vara rädd – hitta på någonting som roar gästerna!

Att avtäcka brudens ansikte är över huvud taget ingen lätt uppgift. Innan du rör vid brudens vita huvudduk måste du hålla ett tal och hitta på någonting som överraskar alla, och inte bara överraskar, utan som lockar alla gästerna att skratta. Men man måste skämta utan att såra någon – alla ska skratta, men ingen får bli stött. Det har ingen betydelse vem som blir utsatt för skämtet – det kan vara en äldre släkting, eller någon av ungdomarna, kanske far i huset till och med. Vem det än träffar, så är personen skyldig att svälja skämtet. Naturligtvis finns det alltid sådana som inte tål ett skämt utan att kasta oförskämdheter tillbaka. Men detta är samtidigt en del av skämtet. Alla skrattar ... Länge efteråt kan folk ha roligt åt en lyckad brudvisning.

Jag hade faktiskt skrivit saker som hade kommit in i tidningen.

Men att tala inför så många människor hade jag aldrig varit med om. Och när jag nu skådade alla förväntansfulla ansikten blev jag förvirrad. Jag vet inte hur brödkaveln hamnade i min hand och hur jag fäste den vita duken vid den. Jag såg bara på dem och förstod en enda sak: alla tittar på mig och väntar sig något alldeles extra. Det var för sent att backa ur. Nu gäller det, sade jag beslutsamt till mig själv, kom igen, Kaiyrken!

Jag såg plötsligt min *zheneshe* omgiven av sina uppvaktande flickor. En tunn vit sidenduk täckte ansiktet. Hon var smärt, aningen längre än jag. Händerna låg tryckta mot bröstet. Hennes vita tunna fingrar darrade en aning. Det såg ut som om hon inte andades, eller om hon kanske hejdat sig för ett ögonblick. I går, när jag släppte hästarna på bete, såg jag henne sitta vid foten av kullen och tala med sina väninnor. Solen höll just på att gå upp och floden blänkte som guld. En handmålad sjal täckte axlarna. Jag märkte att en av hennes väninnor viskade något i hennes öra och pekade på mig, och jag förstod att hon bekantade *zheneshe* med hennes *kajny*.

… Till sist tog jag mig samman, strök svetten ur pannan och började läsa en dikt som jag tyckte kunde passa för detta tillfälle. Så övergick jag till huvudnumret. De församlade gästerna var alla välbekanta för mig, jag kände till var och ens förtjänster och avigsidor, och därför artade sig mitt skämt att bli lyckat …

Mitt tal drog ut i en hel halvtimme. Gästerna skrattade. Sedan gick jag fram till min *zheneshe* och kastade försiktigt tillbaka slöjan från hennes ansikte. Hon lyfte ögonfransarna och såg på mig och slog genast ned blicken. Ögonen var stora, med långa ögonfransar som böjde sig lätt uppåt. För ett ögonblick drog en rodnad över ansiktet, men strax återtog hennes kinder sin naturliga färg, de alltjämt barnsliga läpparna darrade en aning, och det var svårt att se om hon skrattade eller grät.

Jag lämnade ifrån mig brödkaveln och gick tillbaka. Kvinnorna viskade avsides: "En sån vacker brud! Tastan – bra gjort! Han är tyst och säger inget, men se vilken brud han har sett ut åt sig! Gud belönar somliga! Kommer ni ihåg henne som fru Rysbeks pojke kom hem med när han läste i Tasjkent? ... Ojbaj, mamma lilla, det kan inte jämföras på samma dag. Sylvass näsa och gröna ögon ... "

Ja, min *zhenesbe* var sannerligen en skönhet och jag kände mig ofrivilligt stolt över att alla tyckte om henne. Jag hade gärna velat veta vad Tastan tänkte på just då! Jag fick strax syn på honom. Han satt på en rissäck och sörplade förtjust te ur en skål och strök sitt rakade huvud med handflatan. Är hans fru, tänkte jag, lika klok som hon är vacker, så är Tastan den lyckligaste mannen på jorden! Men Tastan själv tänkte uppenbarligen inte så, han verkade inte inse detta. På mig verkade han likgiltig till allt som hade hänt. Med uppknäppt krage satt han där och njöt av sitt te, och inte ens med blicken sökte han sin unga brud. Egendomligt nog kunde jag inte klandra Tastan just nu. Jag greps plötsligt av en oförklarlig ilska mot min far. Var det inte han som hade uppfostrat Tastan till den han var? Var detta i själva verket inte den ende Tastan han kunde acceptera? Och var det inte just därför som far aldrig hade gillat mig – för att han visste att jag aldrig skulle gå i hans ledband och att jag, oavsett hur eftergiven han ansåg mig vara, skulle välja min brud själv?

Far hade många anledningar att tänka just så. Jag erkänner att jag inte alltid gav efter för hans ilska, ibland bestämde jag mig för att säga emot. Ibland kunde Tastan sitta stum som en fisk efter en utskällning, medan jag hävde upp min röst: "Hördu, har du inte mål i mun? Varför säger du ingenting? Har du inget att säga till ditt försvar?" Och Tastan slingrade sig alltid undan från mig på ett och samma sätt, med en hurril.

I morgon avslutas bröllopsfesten med en *kokpar*. Säga vad man vill, men Arshabaydalen är den idealiska platsen. Här finns varken gropar eller grästuvor att se upp för. Flera hundra meter bort sträcker sig fullkomligt slät mark, täckt av tjockt gräs. Drömmen för en *djigit*! Släpp tyglarna och sätt full fart och låt stäppvinden piska ditt ansikte! Tastan och far pratar utan tvivel om tävlingen. Jag ser hur Tastan blir röd om öronen och ögonen skjuter gnistor! Han har till och med glömt bort sitt te. *Yapyr-ay!* tänkte jag. Skulle han verkligen rida en *kokpar* på sin egen bröllopsdag? Efter slöjceremonin avtog det roliga märkbart. Gästerna började strax ta adjö. På kvällen var bara de som var intresserade av den kommande tävlingen kvar i huset. Gästerna gav sig av till häst och på åsnor. De kvinnor som hade barn med sig och de gamla klämde in sig i Aydars bil.

Festen var över. Även kokparen, som hade gjort Tastan så upphetsad. Åter stod jurtan ensam och övergiven vid stranden av Arshabay. Livet återgick till det normala. Allt blev tyst omkring. Jag hade hunnit vänja mig vid festsorlet och hela stämningen, och en lång tid efteråt ville jag bara ge mig iväg bort, hitta på någonting. Men det fanns inga fler roliga saker att hitta på, det återstod bara det gamla vanliga, och därför greps jag av dysterhet, som om jag varit mol allena på den öde stäppen. Allt oftare följde jag med fåren ut på betesmarkerna för att vara ensam med mig själv. Jag stod inte ut med att se vår välbekanta gård med brunnen och den gamla jordkällaren. Jag gav mig iväg ända bortom Karatumsyk, lät fåren beta och lade mig på rygg och tittade upp i den fridfulla blå himlen över Arshabay. Dessa härliga stunder! Inte ett ljud som hördes! Bara fåren som knaprade på sitt gräs ... Högt däruppe i skyn svävar en lärka som en liten prick ovanför mitt huvud. Jag lystrar till sången. Jorden doftar, jag känner igen malört och den fräna doften av kuraj. Stäppens luft är uppfriskande, och stegvis skingras dysterheten. Jag känner en berusning som jag inte själv kan förstå, jag vill skrika och sjunga av en känsla som överväldigar mig. Och jag sjunger. Glädjen som spränger mitt bröst letar efter utlopp, och detta utlopp blir till en sång. En sång som kommer från djupet av hjärtat. Men inte ens detta tillfredsställer mig. Då börjar jag skriva poesi ... Om ni bara visste hur många anteckningsböcker jag har fyllt! Men de ville inte bli bra. Ibland verkade det som om lärkan som sjöng i skyn, och Arshabays dal, magisk och gåtfull i den månbelysta natten, var förnärmade på mig. Att dikterna trots allt bara var en blek spegling av skönheten som härskade runt omkring.

Jag märkte först nu att fåren tagit sig in i videsnåren och att

25

solen höll på att gå ned. Fram på kvällen brukade Tastan komma till min hjälp, mindre ofta far. När han såg mig ligga där och dagdrömma log han försmädligt och muttrade något i stil med "När ska det bli en riktig karl av dig?" Och när han började samla ihop fåren, som var utspridda åt alla håll, sade han många fula ord. Men Tastan brydde sig i alla fall inte om var jag höll hus, och inget annat heller. Utan ett ord samlade han flocken och drev den hem.

En månad hade gått sedan Tastans bröllopsdag. Men ingenting verkade ha förändrats i hans liv. Efter bröllopet reste vi en separat fyrdelad jurta för de nygifta, och de flyttade in och bodde där. Tastan var likgiltig mot sin hustru, talade knappt med henne och uppträdde som om hon inte existerade. Jag tyckte synd om henne och kände mig orolig. Jag ville att hon skulle känna sig hemma och välkommen i vår familj, men i stället möttes hon av en ständig kyla. Bara ibland, när jag kunde höra hennes barnsliga, spontana skratt, gladde jag mig med henne och kände mig lättad, som om en sten hade lyfts från mitt bröst. Men det hände så sällan! Saltanat visade sig vara precis sådan som jag hade förväntat mig. Hon tog omedelbart tag i hushållssysslorna. Mor försökte först hejda henne: "Ojbaj, kära du, jag klarar detta själv. Hushållssysslor tar aldrig slut. Du kommer nog att få tid med hårt arbete." Men Saltanat gav inte efter så lätt. "Det gör inget, mor, jag kommer nog att få arbeta vad det lider, och nu också", svarade hon. "Hur skulle jag ha tid att vara ledig? Vila dig nu, så ska jag ta hand om det här." Hon lyfte av oket med hinkarna från sin svärmors axlar och gick den långa vägen till brunnen, och rätt som det var kom hon släpande till jurtan med den väldiga, rundmagade samovaren, som säkert var kvar från tsar Nikolajs tid.

Och nu hade hon hängt den stora svarta kitteln över härden och fyllde den med vatten. Solen hängde just över horisonten. Det var en blåsig dag, så fåren fick beta i närheten. Saltanat hade hämtat en famn kurajgräs och lagt under kitteln och tänt på. En bitter blå rök spred sig från grytan, men snart dansade de glada eldsflammorna runt grytan och efter hand försvann röken. En klar eldslåga slog upp. Ljuset från elden lyste upp Saltanat, och hon tycktes mig i det här ögonblicket ännu vackrare, på ett nytt sätt.

– Kairken, ropade hon.

– Här!

– Kan du gräva en jordugn?

– Jag vet inte … Jo, det kan jag nog.

– Gör det då åt mig. Men inte här. Den här är på tok för djup, elden når inte upp till kitteln. Jag har bett Tastan, men han sa bara "Gräv den själv." Och samma ursäkter: "Ingen tid …" Han kan väl inte, antar jag, eller?

Ett klingande skratt dränker hennes sista ord. Ett vackert skratt, lekfullt. Ett oskyldigt skämt med sin man. "Jag kan gräva den med en gång", säger jag. "Det är för mörkt", säger hon. "I morgon, när du har tid, ska vi säga så?"

Hon har fått rök i ögonen och gnuggar sig med händerna. Jag sitter på en sadel vid dörren och knäpper på dombran. Hon kommer fram och böjer sig ned, frågar:

– Gauchar tas, Pärlan, kan du spela den?

– Gauchar tas? Är det en sång?

– Ja, en sång. Har du inte hört den?

– Nej … Jag tror inte den låter bra på en vanlig dombra. Kui är en annan sak …

– Nej, säger hon och reser sig upp. Kui är en sak för sig, men sånger kan också låta bra på dombra. Jättebra till och med..! Men du kan kanske inte …

Saltanat försvann in i huset. Jag var förvirrad. Hennes skratt dröjde länge i mina öron …

Saltanat vande sig fort vid mor och med mig. När far eller Tastan inte var hemma brukade hon ofta skämta och skoja med mig och hade mor som sin förtrogna: "Håller du inte med mig, mor?", "Vad säger du, mor, har jag inte rätt?", "Men mor då, det vet du väl?" Och mor nickade och höll med. Saltanat trivdes, och mor skrattade med. Hemmet blev trivsamt och rart.

En gång hade jag berättat för Saltanat om en dröm som jag hade haft. Jag drömde att jag gick omkring bland en samling flickor. Alla var skönheter, och alla liknade till utseendet och klädseln hjältinnor ur Tusen och en natt. Jag satt mitt bland dem och knäppte på min dombra. Och jag hade redan förälskat mig i en av dem. Och hon älskade mig. De andra var svartsjuka och bestämde sig för att dränka oss i havet. Vi hamnade i en båt och seglade bort. Då förvandlade de sig till stora havsvidunder och jagade oss. Min älskade förvandlade sig då till en mört och jag till en gädda. Vi kröp längs botten och tog oss upp på en strand. Där förlorade jag plötsligt medvetandet. Flickan sprutade vatten på mig ... Och då, ska du veta, då öppnar jag ögonen och då ligger jag ute i regnet. Och fåren har försvunnit långt iväg. Jag hade sovit och inte märkt ett dugg.

Saltanat skrattade först, och sedan log hon hemlighetsfullt och sade att jag skulle få ett långt liv och att jag skulle hitta en vacker hustru. Men hon hade något finurligt i blicken och i leendet som låg på hennes läppar. Hon hade uppenbarligen något rackartyg i görningen.

Och en dag, när hon och mor retade mig som vanligt, berättade Saltanat som av en ren tillfällighet min hemlighet för henne. Jag rodnade ända till hårfästet, men Saltanat, som inte låtsades märka någonting, bara skrattade:

– Jag ska läsa några dikter för dig, mor, som han tillägnade den här flickan, vill du höra?

– Gärna det, kära du.

– Lyssna då:

> I drömmen fagra flickor fem
> jag mötte – och helt fräckt
> jag kysste genast en av dem,
> den lågan blev ej släckt.

> Den smärtan har jag alltjämt kvar,
> jag bär den med mig i mitt sinn,
> Käraste! Din blick ger svar!
> Jag hoppas du en dag blir min ...

– Ingen dålig poet, eller hur?

Vad skulle mor säga? Hon satt tyst, log bara. Jag var mest förvirrad. Det som överraskade mig var Sultanats minne. Jag hade bara läst dikten för henne en enda gång, och hon upprepade den ord för ord … Men uppriktigt sagt sårade hon mig – varför gjorde hon detta…?

… En dag när jag kom ut ur huset fick jag se hur Tastan och Saltanat höll på med att dra upp ett rep ur brunnen. Det var vid middagstid. Långt borta, på stäppen, drev min far fåren till vattenhålet. Hettan var outhärdlig. I den brännande luften flöt spindelväv som silvertrådar. De landade i gräset, täckte de glesa buskarna och klibbade fast i ansiktet. Gröna gräshoppor yrde i luften. Lärkan, som tagit skydd under malörtsbusken, låg och gapade av törst. Min närvaro oroade honom, men han rörde sig inte, antagligen ur stånd att lyfta från marken.

– Vad har du här att göra? skrek Tastan ilsket när han fick syn på mig.

– Vadå "här att göra"? Hjälpa till, förstås. Du leder kamelen i tygeln och låter Saltanat dra repet …

Tastan såg på Saltanat, men slog dövörat till:

– Säger du det, din mes! Hon dör inte av att dra rep. Låt henne dra. Kvinnorna förr brukade gräva brunnar på fyrtio meter, och så var det inte mer med det.

Orden stack som en tagg i hjärtat. För Tastan var det uppenbarligen likgiltigt om Saltanat kände sig förnedrad eller inte. Kamelen hade stannat vid slutet av plattformen, och hinken hängde vid brunnslocket. "Dra!" skrek Tastan. Med darrande händer grep Saltanat repet och tippade vattnet i *astaun*, trärännan som fåren dricker ur. Så kastade hon hinken tillbaka ner i brunnen. Hon rätade på ryggen och förde tillbaka en slinga av vått hår från pannan, och jag såg till min förvåning inga tecken på uppgivenhet i hennes ansikte. Hettan hade gjort henne röd om kinderna och hon såg mer tilldragande ut än någonsin. När hon såg mig log hon. Hon torkade svettdropparna ur pannan och sade urskuldande "Det är en tung hink …"

– När du ändå är här, sade Tastan och vände sig till mig, kan du ta kamelen, så går jag och vattnar hästen.

Tastan gick. Jag blev förvånad när Saltanats ansikte plötsligt slocknade. Någonting sorgset skymtade i hennes ögon.

– Han tycker inte synd om mig, sade hon mjukt. Jag vet inte varför. Han tror att jag är lika stark som han. När vi kommer till brunnen säger han åt mig att dra i repet, och han går med kamelen. Och ändå skäller han på mig, "Du drar dåligt", säger han.

Saltanats röst röjde inte så mycket vrede som förvåning. Och egendomligt nog anade jag rentav en ömhet för mannen i hennes ord.

– Du är trött, ge mig repet. Ta kamelen, säger jag och räcker henne tygeln. Hon vägrar först och börjar sedan retas. "Du är lika klen som en flickunge", säger hon, "och dessutom kommer du att ramla i brunnen ..."

Orden sårar mig. Men Saltanat sitter på brunnskanten och tittar ner. Hon märker inte att jag är sårad. Hon dinglar glatt med benen och ropar: "Kairken, kom Kairken, titta här! Jag ser min spegelbild i brunnen!" Jag säger inget. Hon tittar upp på mig med sina pepparkornsögon och jag vill inte längre visa att jag är arg på henne och förstöra hennes humör.

– Var då?

– Där, titta.

Jag tittar ner i botten av brunnen. Två ansikten tittar tillbaka på oss därnere i djupet. Bakom dem syns en blå himmel. Vi skrattar, och de skrattar. Vi pekar finger åt dem, och de pekar finger åt oss.

– I förrgår visade jag det här för Tastan, säger Saltanat.

– Jaså? Och vad sa han?

Jag ville verkligen veta.

Hon gav upp ett klingande skratt.

– Vad han sa? Han röt åt mig. "Du är ju inte klok", sa han.

Det blev snart tid för vårens fårklippning. Själva proceduren tar inte särskilt lång tid, bara några dagar, men redan på denna korta tid hinner herdarna springa benen av sig. Klippstationen ligger långt från oss, cirka tre–fyra mil bort. Det tar två eller tre dagar att sig dit och sedan driva flocken tillbaka. Skärarna arbetar skickligt. Om det inte är någon kö avverkar de en hel paddock per dag. Vi kan alltså klara av hela flocken före middagstiden. Far och Tastan stack iväg tidigt. Dagen innan hade det bestämts att jag skulle följa med far, men oturligt nog kom Askerbek farande, som hade fått order av kolchosordföranden att installera en pump. Askerbek ställde omgående till en massa väsen och krävde att far skulle ordna en hantlangare.

– Att installera en pump är inte lika enkelt som att valla får! sade han snorkigt. Jag behöver åtminstone någon som kan spänna skruvarna.

Far blev omedelbart illamående av skrikandet och sade åt mig att stanna hemma, "Du som begriper dig på järn och skrot", som han sade. Jag hjälpte till att driva flocken hela vägen till Kostobe, ungefär tre kilometer från vårt sommarbete. När jag kom hem hade solen redan tittat fram bakom Karataus höga kammar. Både stäppen och sluttningarna badade i ett milt rosa ljus. Himlen var klar, klar. Och just ovanför vårt hus hängde som fastfrusen en liten kant av en alldeles genomskinlig måne. Den var nätt och jämnt synlig mot himmelens blå, och den tycktes smälta av ansträngningen: hela natten igenom strödde den sitt silver över jorden.

Arshabaysänkan i sin djupa dalgång ligger alltjämt i skugga. En eld brinner framför våra jurtor. Saltanat är upptagen av elden och förbereder frukosten. Det är en vindstilla morgon, och den blå röken från elden stiger rakt upp i en utdragen, hög pelare. Jag hör tydligt min mors "tu-tu-tu" där hon går och matar hönsen. Från dalsänkan, där de långa morgonskuggorna kryper undan, kommer en frisk fläkt som blandar sig med den fräna röken från elden.

– Åh, ajnalajyn! ropar mamma. Kommer du först nu? Varför gick du så långt? Du kunde tagit vägen genom dalen. De där lymlarna tror inte att barn kan bli trötta. Saltanat, raring, ge Kairken lite kall ayran.

Till skillnad från andra gamla kvinnor, som föredrar att ropa på sina svärdöttrar och kalla dem "Kelin", brukade mamma kalla

31

Saltanat vid förnamn, hon blev genast förtjust i sin svärdotter. Jag kände på mig att Saltanat tyckte om det. Hon försvann in i jurtan ett ögonblick och kom tillbaka med en stor målad tostak, en träskål full av kall, fet ayran. Jag drack girigt. Min blick föll av en händelse på Saltanat, som stod mittemot mig. I fem månader hade hon varit min svägerska, men jag kunde ännu inte uppfatta henne som en kvinna. Hon såg mer ut som en flicka som nätt och jämnt nått vuxen ålder. Likaså nu, när hon stod framför mig, ung och söt, och mest av allt liknade en ung flicka på sin första dans.

– Mera? frågade hon.

– Nej, tack.

Jag driver återstoden av fåren på gården till Karatumsyk och vid middagstid återvänder jag hem. Tastans gnisslande säng hade efter bröllopet övertagits av mig. Nu hade Askerbek lagt sig där. Han sov. Håret ligger utspritt över kudden, hans huvud verkar enormt. Jag gick ut till brunnen och satte igång att meka med pumpen. Solen stod högt på himlen. Det började bli hett. Inifrån huset hörde jag någon ropa "Kairken!" Jag vände mig om. Saltanat stod på en uppochnedvänd tunna och vinkade åt mig. Jag tvättade av mig i fårens ränna och gick till jurtorna, och torkade av mig i ansiktet med händerna medan jag gick. Askerbek hade vaknat och kisade mot solen och gäspade. När han fick se mig kom han närmare.

– Var kommer du ifrån? frågade han likgiltigt.

– Från brunnen.

– Har du sett pumpen?

– Ja då.

– Peta inte på den, du bara förstör den.

Han vände sig bort och harklade sig grundligt. Han tar mig för en snorunge! Jag vet lika mycket om pumpar som han. Vi hade gått igenom det i skolan.

– Fy fan, hur kan ni leva så här? frågade han efter en stunds tystnad. Jag skulle dö av tristess, sade han. Jag skulle inte stå ut en dag. Finns det nån vodka i huset?

– Var skulle herdar få tag i vodka?

– Äh, din snorvalp! Var skulle det finnas vodka, om inte hos herdarna? De köper lådvis, grabben ... Du kanske ljuger.

– Nej.

– Och röka?

– Ingen röker här.

– Fy fan, vilka människor? Ingen kultur..!

Han såg nedlåtande på mig och blicken sade ungefär "Fan vad ni är jobbiga!" Jag insåg att det inte skulle bli någon pump monterad i dag.

Efter frukost gick vi ut på stäppen. Framme vid brunnen väntade han länge och studerade motorn från alla håll, vred på ett reglage och skruvade på ett annat för att få tiden att gå. Solen stekte.

– Spring och hämta lite *soumala*, jag är törstig, sade han. Ayran luktar härsket.

Jag hämtade den åt honom. Han tömde skålen till hälften, så sträckte han ut sig på marken.

– Din brors fru är vacker. Hur kunde hon få för sig att gifta sig med Tastan? Såna brudar är ingenting som typer som Tastan, eller ens vassare djigiter, som jag till exempel, har en chans på. Din farsa måste ha pröjsat ordentligt för henne! Va?

Orden träffade som ett piskrapp. För första gången kände jag ett sting av svartsjuka. Jag såg honom rätt in i ögonen:

– Nu ska du höra på mig. Ta din pump ... och stoppa den ... Vet du var? Du behöver inte montera någonting här. Men sluta med ditt skitprat. Fattar du?

Jag hämtade andan ett ögonblick.

– Du tror att du är bättre än Tastan? Idiot..! Om du inte kan skaffa en tjej så är det ditt problem!

– Du kanske inte vet, unge man, att det var din far som köpte henne? Och Tastan, det enda han kan är att rida en häst. Tjejer struntar i cirkuskonster numera. Fattar du det? Så håll klaffen. Om inte din far hade funnits så skulle din bror ha fortsatt som ungkarl tills han blev gråhårig. Nähä, han rodde själv hem brallisen..! Jag lovar att hon inte kommer att stanna hos honom, förr eller senare så sticker hon sin väg.

Där gick gränsen. Jag flög upp och högg honom i kragen:
– Håll käften, din jävel! Annars krossar jag skallen på dig!
Jag höll en tung hammare i handen. Han såg på den, sedan på
mig och blängde ilsket:
– Ta bort den där. Nu. Annars kanske du själv får smaka på
den.

Jag insåg att jag trots min beslutsamhet inte kunde slå honom,
jag kunde inte slå någon över huvud taget, och jag släppte greppet
om hans krage. Men så fort jag vände mig bort tog han min arm-
båge i ett hårt grepp. Hammaren fanns nu i hans hand. Jag backa-
de bakåt. Askerbek såg fruktansvärd ut. Han verkade inte stoppa
för någonting. Du lät honom slippa undan, din idiot!

– Okej! Du kan krossa skallen på mig, sade jag och höll mig
fast vid brunnen. Men kom ihåg: allt vad du har sagt kommer Tas-
tan att få veta. Så får vi se vad han hittar på med dig!

Tastans namn verkade som en kalldusch. Handen med ham-
maren sjönk. Men för att inte visa att han var feg spottade han
föraktfullt och väste mellan tänderna:

– Jag vill inte skita ner mina händer.

Han kastade hammaren åt sidan och gick snabbt ut på vägen,
där en lastbil just dök upp. Jag såg efter honom och tänkte för mig
själv: Vi ska nog fixa pumpen själva. Dig behöver vi inte!

Jag arbetade med pumpen tills solen började gå ned. Jag hade
byggt upp en sockel av stockar som ett fundament och drog upp
pumpen på den, och jag hade just börjat vinda upp slangarna då
jag kände ett par mjuka händer som höll för mina ögon. Först
stelnade jag till, men sedan förstod jag vem det var – min *zhenese*.

– Saltanat!

– Vem annars! Vem skulle annars vara här, om inte jag?

Saltanat stod bredvid mig.

– Var är montören?

– Han har gått.

– Varför?

Jag tvekade en stund, så beslöt jag mig för en nödlögn:
– Hans flicka väntar på honom i stan. Han var otålig hela dagen.

– Jaså. Kommer han i morgon?

– Nej.

– Det är lika bra att han inte kommer. Han är lite uppblåst, vill göra sig märkvärdig. Vi klarar det själva, inte sant?

Vi gick uppför kullen mot jurtorna. Den låga solen förlängde våra skuggor. Saltanat ville gärna att skuggorna skulle vara precis lika långa och sträckte sig på tåspetsarna.

– Kairken, sade hon vid dörren, kan inte jag få driva fåren i morgon?

– Visst.

Jag blev överraskad av hennes fråga. Och hon måste ha anat det, för hon skyndade sig att förklara:

– Det är så fint på stäppen om morgonen!

Mor hade väntat sig att montören skulle vara trött, och hade kavlat ut deg till en besjbarmak* i skuggan. Kycklingarna sprang omkring framför fötterna, och hon sjasade bort dem med ett kort "kysj kysj!" När hon såg att vi var ensamma blev hon förvånad:

– Ojbaj, var är montören?

– Han har åkt, sade Saltanat och skrattade. Han hade en flicka som väntade på honom, så han fick bråttom.

Mor smällde med tungan.

– Dagens flickor orkar inte vänta. Jag trodde att han var hungrig. Men vattenpumpen då, hur blir det med den?

– Den ordnar Kairken, mor. Han har redan byggt en sockel och förberett allting.

– Herregud, vad säger du? Hur kan han göra det?

– Varför inte? Vad är det för speciellt med det? sade jag och försökte låta som om jag visste allt.

Mor sken upp. Berömmande ord haglade över mig och Saltanat, hennes "kära svärdotter". Alla var på gott humör. Mor blev alltid lika glad och uppspelt när Saltanat stannade hos oss. Och hon hittade till och med på små rackartyg och tänkte tillbaka på sin egen ungdom.

Och på det hela taget blev huset alltid gladare och vänligare när Tastan och hans far var borta.

---

*Köttstuvning med nudlar

* * *

När jag öppnade ögonen nästa morgon upptäckte jag att jag var ensam hemma. Mor och Saltanat hade ordentligt lagt sina filtar i kistorna. I Tastans frånvaro hade Saltanat tillbringat natten hos oss. Jag klädde på mig och sprang ut. Solen hade just gått upp. Mor var upptagen med samovaren och gjorde morgonte.

— Varför är du uppe redan? frågade hon. Livet kommer att bli jobbigt ändå framöver, tror du inte det?

— Jag kan ju inte sova halva dagen, sade jag och skrattade och såg mig omkring.

Alla fåren var borta.

— Har Saltanat tagit fåren?

— "Låt Kairken sova", sa hon, "så tar jag fåren till betet."

Jag väntade inte på teet, utan tömde en kopp kall ayran i ett drag och sprang till brunnen. Jag hade just plockat upp en spade för att gräva gropen jag lovat, när jag hörde en lång, utdragen röst bortifrån Karatumsyk. Jag hejdade mig och lyssnade. Andra gången var rösten lika lång och utdragen. Det påminde mig om en bortglömd melodi. Vilken kunde det vara? Jag gick upp på kullen, rösten hördes tydligt. Definitivt någon som sjöng! "Gauchar tas"? Då måste det vara Saltanat..? Inte någon annan..! Inte kan djävulen sjunga i öknen!

Jag vet inte vad som hejdade mig, men jag sprang i riktning mot Karatumsyk. Den svala morgonvinden från Arshabai fläktade glatt i ansiktet och fyllde skjortan med luft. Under mina fötter knastrade de torra kurajväxterna. Vindbruset i öronen dämpade sången. Andfådd stannade jag för att hämta andan. Rösten var tydligare nu. Jag fortsatte springa.

Till sist nådde jag toppen av Karatumsyk och satte mig på en stor svart sten och tittade ned. Där var hon, Saltanat, mitt bland dalens flammande blommor, som inte bleknar förrän långt in på hösten, själv som en stor ängsblomma, som gungar i vinden och sjunger.

Och som hon sjöng! Min rörande, min hjärtegoda *zheneshe*!

Det verkade som om stenarna på marken, och själva stäppen som sträckte sig kilometer efter kilometer, lyssnade girigt till hennes röst.

När jag ser ditt ansikte, min vän,
dina ögons natt och läppars gryningsljus,
som ett mirakel tar jag mot dig i min själ
och tackar för att ha dig i mitt hus.

I dina ögon möttes vi helt kort,
den blicken kan ej längre vändas bort.
Jag tar emot dig som en evig pant
min dröm är du, min himmels diamant!

Saltanat sjöng utan att ta ögonen från den klara himlen, från den lilla lärkan som fladdrade högt däruppe. Hon sjöng med armarna utsträckta, som om hon ville sluta allt i sina armar: himlen, solen och stäppen.

Jag satt orörlig och lyssnade. Saltanats röst trängde djupt in i mig. Jag kände hur sången fjättrade min vilja, mitt förstånd, hela min person. Hennes sång tog mig fullständigt till fånga.

Saltanat tystnade för ett ögonblick. Jag tog ett djupt andetag och reste mig tyst. Jag klättrade upp på en av de svarta stenarna och ropade:

– Saltana-a-at!

Hon ryckte till som en hind, såg sig om. Hon gömde ansiktet i händerna och sjönk ned bland blommorna. Så kom hon hastigt på fötter och försvann in i det höga gräset. Jag förlorade henne ur sikte, men hon dök snart upp. Hon tittade åt mitt håll och hötte med näven åt mig.

Jag gick nedför slänten och stannade bredvid henne. Saltanats ansikte flammade. De klara ögonen utstrålade kärlek, glädje, sång. Kinderna blossade av en kraftig rodnad.

– Hörde du alltsammans? frågade hon.

– Ja…

37

– Du är inte lite fräck, du? Och om du … Åh, Kairken, snälla, berätta inte för någon.

– Det ska jag visst det. Nu med en gång. Jag ska berätta för mor: Saltanat sjunger så vackert! Jag kommer allt ihåg min dröm och dikten! Så nu är vi i kvitt, du och jag!

Saltanat klippte förnärmat med ögonfransarna.

– Berätta du bara, sade hon. Jag kommer att säga att jag inte sjöng alls.

Hon knöt sin sjal om huvudet och vände sig bort. Hon ryckte av en tuva stäppgräs och gick till fåren. Jag hade haft mitt roliga. Jag beundrade henne på avstånd.

* * *

… Lika vackra och festliga som sommardagarna är i våra trakter, lika bistra och obarmhärtiga är vintrarna. Så snart gräset vissnat och de kalla höstvindarna börjat blåsa flyttar hela familjen till Kosigenterritoriet över vintern. Emellanåt snöade det redan om nätterna. Det varade dock inte länge och snön smälte bort före middagstid. Men två veckor efter flytten var himlen täckt av grå moln och en fuktig vind blåste från Karatau.

En morgon gick jag ut ur jurtan och – stannade som förblindad. Allt var täckt av snö. Vintern hade kommit! Torkade gula strån av gräs och kuraj stack upp ödsligt ute på den vita slätten. Vojlocken och mattorna som hade lämnats ute under natten var täckta med snö. Tastan skakade dem noggrant. Jag såg Saltanat komma ut och ropade:

– Saltanat! Titta, snö!

– Så vackert! Så underbart! Titta här! Saltanat tog en handfull fluffig snö, böjde huvudet bakåt och stoppade den i munnen.

– Toka! sade Tastan. En sån toka! Spotta ut genast! In med dig!

– Mmm, retades Saltanat och tog en handfull till. Kom, så leker vi. Är du med?

– På vadå?

– Kasta snöboll?

– Du är inte klok, du!

Men Saltanat var definitivt som besatt. Hon hade en snöboll i handen och kastade den på Tastan. Han lyckades inte ducka, och snöbollen slog av honom pälsmössan.

– Du är galen! Gå in med dig, säger jag!

Saltanat skrattade.

Jag hade inte sett att hon en enda gång blivit arg på Tastan. Och även om han ofta skrek åt henne och ibland lyfte handen mot henne, tog hon alla dessa reaktioner med lugn. Hon väntade tyst tills han lugnat sig och började skratta igen. Hon skrattade och kastade huvudet bakåt som ett barn. Och Tastan brukade konfunderad gå sin väg. Och nu skällde han på henne igen utan att det fick någon effekt, hon bara skrattade åt honom.

– Vad flinar du åt? sade han och satte på sig mössan. Vad är det som är så roligt? Du kanske väntar på stryk, så kanske du förstår lite bättre.

– Hota mig inte, svarade hon. Ta en tugga snö i stället, så svalkar du av dig.

Hon tog upp en handfull snö igen och skrattade och visade sina vita tänder. Så satte hon den fluffiga bollen i munnen.

– Jag blir nog tvungen att ta med dig till mullan, så du får lära dig lite seder, sade Tastan och försvann in i jurtan.

Jag såg att Tastan inte förstod Saltanat, att hennes smeksamhet var honom främmande; han hade tydligen inte ögon för hennes skönhet, uppfattade inte lockropet att dela hennes glädje i det klingande, bubblande skrattet. Ack, Tastan, Tastan, du är så döv, så blind ...

En morgon satte jag mig på fars hingst och drev fåren till vinterbetet. Snön som hade fallit under natten runt husen var upptrampad av många klövar. För varje dag drog vi oss längre och längre bort hemifrån i jakten på betesmark. Återstoderna av malört eller kameltorn och andra stäppgräs tycktes vara renslickade av fåren.

Jag drev fåren i riktning mot Kyzylzhar, där stäppen var så platt

att ögat inte hade något att fästa blicken på. Inga hovar eller klövar hade trampat dessa marker denna vinter. Harar och rävar som jagade sin middagsmat var de enda som hade lämnat spår. Dagen var mörk, men betesmarken var egendomligt varm. Alla tecken tydde på att en snöstorm var att vänta.

Far gillade inte när betesmarkerna inte hölls i ordning. "Fåren ska inte breda ut sig över hela stäppen", brukade han säga, "betesmarkerna bör användas med förstånd. Vem vet vilka tider vi har framför oss?" På djurfarmen hemma hade vi berg av höstackar. Foderbingarna var överfyllda. Men vi utnyttjade ännu inte våra förråd, och fåren gick fortfarande lösa och kunde leta upp malört under snön, som knastrade mellan tänderna.

Djuren, som blivit hungriga under natten, spred ut sig över fältet. Jag steg av hästen, lossade sadelgjorden och lät djuren beta fritt. Jag hade med mig en tjock stor fårskinnsrock. Jag bredde ut den på snön, slog mig ned bekvämt och började läsa. Fåren höll lyckligtvis ihop för tillfället.

Efter en stund råkade jag titta upp i riktning mot vår jurta och lade märke till en svart prick långt i fjärran – helt tydligt en ryttare som närmade sig. Jag reste mig och ställde mig att vänta, och snart kunde jag urskilja ryttaren på hästen. Jag blev plötsligt osäker på mina ögon. Jägare brukade inte ha sina vägar förbi dessa trakter, och Tastan hade inget ärende hitåt. Far hade just lagat sina stövlar när jag gav mig iväg hemifrån, och verkade inte heller ha några planer på att lämna hemmet. Vem var det då? Och dessutom på Tastans fux? Ingen i huset vågade röra hans häst ...

Ryttaren vände åt vänster och försvann in i ravinen. "Någon är ute efter räv", tänkte jag och satt upp på min häst och red honom till mötes. Min gissning var helt riktig. Den andra ryttaren kom plötsligt ut ur ravinen, och framför sprang en räv i snabba språng. Jag sporrade min häst för att hjälpa jägaren. Räven var listig: den lyckades skära av en vinkel just framför näsan på ryttaren, och medan denne vände sin häst fick räven en vilopaus och sprang igen. Jag kom ikapp dem. Ryttaren verkade bekant. Något som förvånade mig var ryttarens egendomliga sits. Men här fanns det inte tid att fundera på sådant, för räven befann sig rakt under mina fötter och tog nu hela min uppmärksamhet. När räven fick se mig svängde den åt sidan och försvann rakt över fältet i riktning mot Kyzylzhar. En röd blixt passerade under hingstens hovar. När jag vände mig om hade den lyckats komma ett stenkast ifrån mig. Jägaren störtade i samma ögonblick förbi mig. Saltanat? Hur kunde Tastan vara så generös att han lånade henne sin häst? Och hur fick hon lov att ta på sig hans skinnmössa och päls?

– Saltanat! skrek jag, men hon såg sig inte om.

Räven hade nu nått Kyzylzhar och försvann ur sikte. Hon måste ha dykt ned i ett hål. Saltanats fart förde henne framåt, så vände hon sin häst och red fram till mig. Hon tog av sig pälsmössan, skakade ut håret och pustade ut:

– Uff!

Hon log.

– Hon slank ner i grytet! sade hon, och tillade:

– Och du är just en snygg jägare. Du tittar inte på räven, utan bara på mig hela tiden. Kände du inte igen mig?

– Icke. Jag gör det fortfarande inte. Jag frågar mig bara hur du lyckades tigga dig till Tastans häst ...

– Tigga! Hon skrattade. Skulle han lämna ifrån sig den frivilligt? Tastan sover fortfarande. Jag tar en tupplur, sa han, före middag ... Och jag gick ut och då får jag se att fuxen är sadlad. Och så ville jag rida – kunde inte kämpa emot. Jag brukade rida mycket medan min far levde. Fast nu har jag visst glömt hur man gör ...

– Var träffade du på räven?

– Räven? Efter Burgendisaj. Och jag kunde inte hejda mig! Jag satte efter.

Jag tog inte ögonen från hennes ansikte. Det strålade av glädje. Saltanat klappade fuxens strama nacke och gav honom en kärvänlig smekning. Men den svettiga hästen reagerade inte, tuggade bara på bettet, ögonen glittrade.

– Tastan kommer inte att förlåta mig, sade Saltanat. Eller vad tror du?

– Hm... Vem vet..?

– Då får han låta bli! Men jag har åtminstone fått rida, och släppa mig lös ... Han gruffar ett tag, sen går det över. Du ska se att han själv kommer att säga: "Saltanat, ta en häst när du vill!" Tror du inte det? Då tror du fel. Han är snäll, bara lite surmulen ...

Hon tystnade ett ögonblick. Jag vet inte om hon verkligen trodde på vad hon sade.

– Adjö. Jag rider hem ... Jo, jag höll på att glömma. Lite nötter, här har du ...

Hon drog upp en handfull nötter ur fickan och gav till mig. Handen var varm, varm.

– Hej så länge! Hon svängde i luften med pälsmössan och red bort. Den passade henne perfekt. Allting klädde henne.

– Jag ska berätta för Tastan om räven. Absolut! ropade hon över axeln.

På eftermiddagen kom Tastan ridande. På en åsna. Han red aldrig sin fux tillsammans med fåren, och tillät inte heller någon annan att göra det, inte ens sin egen far. Han var sur, ansiktet grått.

– Stick hem, far vill tala med dig, sade han. Rösten var arg, hes. Jag tänkte att han var arg på Saltanat.

– Tastan, vi skrämde upp en räv i Kyzylzhar ..., började jag, men han avbröt mig:

– Jag skiter i dina rävar. Sätt fart!

Ett broderligt samtal, som det brukar heta.

Far väntade på mig i dörren. Jag band hästen och försökte slinka förbi honom, men han stoppade mig:

– Dudar bas! Rösten lät arg. – Var det du som jagade räv på fuxen?

Jaså, det var alltså detta! De tror alltså att det var jag som red fuxen. Inte Saltanat! Jag svarade utan tvekan:

– Ja, far.

– Jaså. Jag har ju sagt åt dig! Var det din brors fru som gav dig hästen?

– Ja.

I början tyckte jag att det fanns något förlåtande i fars tonfall, men plötsligt exploderade han:

– Och du rider efter en räv som en vettvilling? Du kunde lika gärna ha brutit nacken på er båda två! Du har plågat livet ur min häst! Och inte en tanke på att få Saltanat att ta reson, djävulen allena vet vad du försöker uppmuntra henne till. Du borde ha en omgång stryk för det här!

Han var nära att höja ridpiskan, men lät handen sjunka. Jag rörde mig inte ur fläcken, som om jag inte hade märkt hans åtbörd. Han stod tyst en stund, så stack han piskan i stöveln och gick till stallet. Jag fortsatte in i huset.

Mor satt framför spisen och vävde. Hon hade inte kunnat undgå att höra hur min far skällde på mig, hon kastade en blick åt mitt håll och suckade. Saltanat var inte där. "Hon är väl inne hos sig", tänkte jag.

– Mor, vad har hänt? Varför säger du ingenting?

Hon lade ifrån sig spindeln och suckade.

– Min pojke, varför skulle ni tvunget ta just den där tokerns häst? Hon rörde om i kolen på härden med eldgaffeln. – Det blev ett herrans oväsen, och här som var så tyst och lugnt. Han fick stackars Saltanat att gråta …

– Vad säger du? Slog han henne?

Mor sade ingenting. Jag rusade upp och sprang över till min brors rum. Saltanat låg på sängen med ett stickat täcke över huvudet.

– Saltanat, ropade jag och gick närmare. Hon svarade inte. Jag kallade på henne igen.

Jag drog undan täcket: hon grät med ansiktet dolt i händerna. Det var första gången jag såg henne gråta. Han hade misshandlat henne! Vilket svin! För en häst …

Saltanat drog täcket över huvudet igen, hon ville inte visa sina tårar.

– Saltanat, har du ont?

Mor suckade i rummet utanför:

– Varför ska du störa henne? Gå din väg …

Jag drog undan täcket och lossade Saltanats händer från ansiktet. Det syntes ett blåmärke under hennes ena öga, och ett rött märke efter ett käpprapp på högra kinden.

En otäck, ond rysning for igenom mig.

– Odjur! Odjur! Vad är det som händer i vårt hus?

Utan att lyssna på min mor tog jag slaktkniven som vi använde till boskapen och sprang ut. När jag kom in i stallet hejdades jag av far.

– Har du helt tappat förståndet? sade han ilsket. Vart ska du ta vägen? Och i samma sekund föll hans ögon på kniven. – Och vad hade du tänkt göra med den där?

– Om en häst är värd mer för honom än en människa, så dödar jag den! Så kan han göra vad han vill med mig sen!

– Har du inget vett i skallen, pojk! Ge mig kniven!

Far sträckte sig efter mig, men jag gömde handen bakom ryggen. Han grep mig om handleden och snurrade mig runt. Kniven föll till golvet. Han plockade upp den och tryckte ned den i stövelskaftet. Visserligen var han i sextioårsåldern, men det fanns inte många som rådde på honom. Jag gjorde inget motstånd, han var trots allt min far.

– Du vill hämnas på Tastan, slita upp magen på hans häst? Nej du, mumlade han. Tokdåre..!

När min ilska hade lagt sig något satte han sig bredvid mig och talade med låg röst:

– När jag är död kan ni göra upp räkningen med varandra. Åren går, kan man tycka, men förståndet blir inte större … Tänk efter själv, om du skulle dödat hans häst – skulle det gjort saken bättre? Nej du. Du skulle ha gjort dem till fiender för evigt. Nu tar det en vecka eller två, så är de sams igen. Hon är hans hustru. Hustru! Ena dagen slåss de, nästa dag är de vänner igen, vart ska de ta vägen? Det hjälper inte att ta till kniven av varje anledning.

Han satt tyst och gned sina starka nävar mot varandra och började återigen tala om dessa saker som jag hade hört många gånger tidigare.

– Tastan är man. Han har rätt att höja käppen mot sin hustru. Men du är för vek. Du kommer att bli som ett löv i handflatan på din kvinna. När hon vill knyter hon näven, när hon vill blåser hon iväg dig. Ja … Jag vill inte slösa ord på dig. Du lyssnar ändå inte. Och se inte så sur ut, sluta upp med det där! Jag pratar, och du grinar illa. Far slog uppgivet ut med handen. – Det är bedrövligt att se på dig!

* * *

… Två dagar senare var Tastan och jag i full fart med att reparera uthuset. Nya plankor skulle sågas upp, soltaket som hade fallit in måste förstärkas på flera ställen. Det var stort nog att ge skugga åt en hel flock får. Vi spände en kamel för släden och drog iväg till Burgendisaj efter virke. Efter historien med fuxen pratade Tastan inte med mig. Han skällde inte ens.

Vi var framme vid skogsdungen utan att vi märkte det. Vi valde ut några lämpliga träd och satte igång med arbetet. Vi arbetade hårt, vi var rädda att en snöstorm skulle stänga in oss. Det ångade om Tastan när han arbetade. Med varje hugg av yxan föll snö från grenarna.

– Tastan, försökte jag när vi gjorde en liten paus.

Han svarade inte.

– Tastan!

– Vad vill du?

Jag visste att jag borde ha pratat med honom om det som hänt, men orden fastnade i halsen.

– Varför … Varför gör du så här..? varför är du så elak mot Saltanat..?

Jag hade äntligen klämt fram det.

Han stirrade på mig och snäste:

– Dra åt helvete! Det angår dig inte! Jobba på i stället!

Det var hela samtalet. Det fanns så mycket som jag ville ha sagt till Tastan om Saltanat, om hennes inneboende ömhet, hennes barnsliga spontanitet … Det tycktes mig som om jag inom mig bar en oskattbar väska fylld av de vackraste ord om min *zheneshe*. Locket hade bara öppnats på glänt, när Tastan omedelbart slog igen det …

45

Vi höll redan på att lasta trädstammarna på släden när en ryttare dök upp från vårt vinterkvarter. Det var far. Han höll in hästen och frågade:

– Är ni klara?

– Jag tror att vi har så det räcker, svarade Tastan med en blick på lasten av fällda träd. Vad tror du?

– Antingen det räcker eller inte så lasta släden på momangen. Vinden friskar i. Och du, Dudar bas, rid till Centralfarmen och be ordföranden att ordna lastfordon åt oss till vinterfodret. När vinterstormen sätter i kan vi bli sittande länge. Har du förstått?

Jag nickade.

– Och var inte blyg, ordföranden kommer inte att äta upp dig. Bra jobbat, pojkar! Håll tyglarna!

Jag kom snabbt i sadeln. Snön knarrade under hovarna. Far ropade efter mig:

– Till Centralfarmen och snabbt tillbaka! Annars hamnar du mitt i snöstormen!

Ordföranden lovade att skicka en traktor följande dag, och jag vände tillbaka utan att dröja ett ögonblick. Stormen hade redan börjat blåsa upp när jag kom till Centralfarmen. Nu blev vinden starkare för varje minut, och det sjöng klagande om ledningsstolparna längs vägen. Bygatan var tömd på folk, alla hade dragit sig inomhus. Till och med hundarna, som brukade driva omkring på vägarna i stora flockar, hade gömt sig.

När jag kom hem rasade stormen för fullt. Det var omöjligt att avgöra var vinden kom ifrån. Snön var vass som sand och piskade ursinnigt i ansiktet.

Mor sprang oroligt omkring i jurtan.

– Åh, lille vän, är du äntligen tillbaka? utropade hon glädjestrålande. Jag var så rädd att du skulle råka vilse. Hon tog snabbt av mig mina kläder. – Oj, dina händer är som istappar!

– Appa, var är far?

– Allihop har gett sig ut efter fåren. De säger att medan ni höll på i skogen gick tjugo av djuren bort sig.

– Är Saltanat med dem?

– Ja. Tastan sa åt henne. Jag försökte avråda, men hon lyssnade inte. Hon gick till fots.

– Är det länge sen?

– Det var fortfarande ljust. De borde vara tillbaka redan ...

Jag begrep att Saltanat blivit sårad på Tastan och att hon därför hade gett sig ut i ovädret ensam. Hon skulle inte komma tillbaka förrän hon hittat fåren. Jag blev orolig. Hur skulle hon klara sig i den här stormen? Och till fots. Till häst är det en annan sak, hästarna hittar alltid hem ...

– Appa, ge mig en kopp varm buljong. Jag behöver tina upp lite. Jag ger mig ut.

– Vad ska du ute och göra? svarade mor oroligt. Titta vilket oväder! Och hon har nog redan träffat på någon av dem.

– Men om hon inte har det? Hur vågade de skicka ut henne i stormen..?

Mor måste ha insett att jag inte skulle ge efter. Utan ett ord lyfte hon av locket från den svarta kitteln som bubblade på spisen och hällde upp en full skål med fet, het buljong. I nästa sekund, tydligen rädd att jag skulle ha för bråttom iväg, fiskade hon upp ett stort stycke kokt kött med en hålslev och började hastigt skära det i bitar. Det ångade om köttet. Jag kände plötsligt hur fruktansvärt hungrig jag var. Hastigt slukade jag fem–sex stora köttstycken och sköljde ned dem med buljong. Värmen spred sig i kroppen och jag började bli sömnig. För att inte ge efter för tröttheten tvingade jag mig att räcka henne skålen och gick så ut i snöyran. Vinden slet tag i dörren som jag hade knuffat upp och smällde den med kraft mot väggen. Snön vräkte ner i ursinniga sjok. Natten var på väg att ta över. Jag vet inte om det finns någonting svårare i världen än att leta efter en människa mitt ute på den för ögat ogenomträngliga stäppen, någon som har gett sig iväg i okänd riktning, och dessutom mitt under en snöstorm. Jag sadlade fuxen och satte kurs mot betesmarken.

Hur kunde jag vara säker på att jag skulle hitta Saltanat? Vem kunde i min situation vara säker på någonting? Bara tanken att jag måste leta, leta till varje pris, drev mig framåt. Stormen verkade först nu ha lagt märke till mig, och den bestämde sig för att ha lite roligt. Den slungade hela nävar av snöflingor i mitt ansikte och ryckte och slet i pälsmössan. I sitt raseri verkade den vilja slå omkull både fuxen och mig. En stark, bitande vind anföll tjutande ömsom framifrån, ömsom i nacken. Fuxen, som redan var trött efter att fått jobba hela dagen, rörde sig framåt långsamt, snubblade. Dessutom var han hungrig, ingen hade haft tid att fodra honom. Allt oftare hördes hans trötta och klagande "fyrrr".

Kanske berodde det på att jag hade vandrat så ofta på stäppen, men mina ögon hade haft tid att vänja sig vid mörkret och blåstens lustiga dans. Emellanåt kunde jag skönja några buskar framför mig, några ensamma tovor av kuraj.

Då och då stannade jag hästen och lyssnade ut mot stäppen och försökte uppfånga några andra ljud än stormens tjut. Men allt var förgäves. Far och Tastan, tänkte jag, de är män och har hästar. Men Saltanat? Hon är ensam, och går till fots. Jag blev alldeles kall av rädsla och märkte inte själv hur jag piskade på fuxen. Jag såg för mig bilder, den ena hemskare än den andra. Det tycktes mig som om Saltanat låg medvetslös någonstans i närheten. I nästa sekund var hon ensam och försvarslös mitt i en flock vargar. Jag drog åt mig tyglarna och vrålade rakt ut: "Sal-ta-na-at!" Den hårda stormen plockade upp namnet och spred det med yrsnön. Inget ljud, inga skrik. Sal-ta-nat!! Och återigen var det bara stormen som svarade.

Hur länge jag red vidare i snöstormen visste jag inte, kanske en timme, kanske tre. Jag hade för länge sedan helt tappat orienteringen, och jag visste inte längre var jag befann mig. Fuxen var också trött. Allt oftare stannade han och ruskade tungt av sig snön.

Någonting svart dök plötsligt upp framför oss. Jag höll in tygeln och kisade. Antingen en höstack eller en kamel ... Det var något som tycktes sväva från sida till sida. Jag höll andan och lyssnade. Inget ljud. Jag satte klackarna i sidorna på hästen och vi fortsatte framåt ... Mazar – den gamla gravsättningen. Två människor ligger begravda här, en far och hans son, som en gång råkade mista livet ute på stäppen. Graven ligger bara tre eller fyra kilometer från vårt ställe. Ett stycke längre bort ligger den stora begravningsplatsen. Koskudykbrunnen ligger nästan intill.

Många gånger hade jag hört talas om att den här platsen ofta blev en tillflykt för folk som gått vilse på stäppen stormiga nätter som denna. Kanske Saltanat fanns här också? Eller hade hon redan återvänt hem?

Det är svårt att säga om det var just då, eller när jag manade på min häst för att undersöka gravarna, som jag tyckte mig höra ett svagt ljud i stormen. Jag ansträngde mig för att lyssna. Nu hörde jag det igen. Vad kunde det vara? Var det en människa, ett får eller ett barns gråt? Eller kanske en vargs tjut? Det kom svagt, svagt, det gick nätt och jämnt att uppfatta. Jag förstod bara att det kom från Mazar. Jag ryste. Blotta tanken på graven som viskade fyllde mig med skräck. Hästen under mig verkade också spänd och klippte med öronen. Det ökade bara min rädsla. Trots allt styrde jag hästen mot Mazar, i varje sekund beredd att vända tillbaka.

Det var nedmörkt. Med ett tag om tyglarna hoppade jag ned från hästen och gick in i graven. Min fot stötte emot någonting på tröskeln och jag flög huvudstupa in i mörkret. Min hand kände någonting mjukt. Detta något rörde sig plötsligt och började resa på sig. Det svartnade för ögonen och jag slutade andas. Armar och ben vägrade att lyda. Jag skakade så att jag nätt och jämnt kom på fötter. Hästen utanför frustade till och ryckte ett par gånger i tygeln. Vilken tur att jag hade tänkt på att knyta fast tygeln om handen! Ett välbekant ljud hördes plötsligt strax bredvid mig. Fåren..! Hjärtat bultade i bröstet.

– Tshaw-tshaw! skrek jag för full hals.

All min rädsla var som bortblåst. Jag behövde bara ropa mitt "tshaw!" så hördes fåren svara från alla håll. De frusna djuren kände närvaron av en människa. Åh, de stackarna! De var skräckslagna och blev nu lättade och glada, precis som människor. Alla stämde in när de hörde min röst. Jag tände en tändsticka. Djurens kalla ögon glänste som glas i mörkret. Och i ett hörn av graven, nära ingången, kunde jag se en mänsklig gestalt ligga utsträckt. Mitt hjärta sjönk igen. Stickan slocknade. Jag drog snabbt eld på nästa. Den flammade upp och släcktes direkt. En tredje – och i ljuset från den fladdrande lågan syntes en människa klädd i fårskinnspäls.

– Saltanat! Saltanat! skrek jag och sprang fram till henne.

Hon rörde sig inte och visade inga tecken på liv. Jag ruskade henne och ropade hennes namn om och om igen: Saltanat! Saltanat! Till slut kom det något som lät som ett stönande ur hennes bröst. En varm våg av glädje sköljde över mig: jag hade redan börjat misströsta om att hon över huvud taget skulle vakna. Mitt hjärta bultade av anspänningen. Jag mumlade: du lever, du lever …

Jag hade aldrig kunnat föreställa mig att jag på denna begravningsplats skulle hitta både Saltanat och fåren. Jag drog av henne den tunga pälsen och gnuggade hennes domnade händer och fötter. Saltanat reagerade inte på mina frågor och hennes kropp lydde henne nästan inte. Jag fick kämpa för att få henne upp på hästen. Så satte jag mig upp själv och manade på den. Då och då stannade jag hästen och vek upp pälskragen och tryckte kinden mot hennes läppar. När jag kunde känna hennes svaga andedräkt manade jag på hästen och red vidare.

Det var total uppståndelse hemma. Far hade just kommit tillbaka och fått veta att Saltanat ännu inte kommit hem. Han hade redan börjat göra sig i ordning för att ge sig ut på nytt. Och när jag vacklade in genom dörren med min *zheneshe* i mina armar kom båda två rusande mot mig. Mor skrek som om hon sett ett spöke, och det ryckte i min fars ansikte. Jag lade ned Saltanat på golvet invid spisen, och mor föll ihop över henne och skrek. Far stod tyst med hängande huvud, alldeles blek.

– Hon lever! ropade jag till dem.

Fars ansikte lyste upp. Under en sekund gick en våg av glädje genom honom, så blev han åter sig själv igen. Med sin vanliga befallande ton röt han åt sin hustru:

– Upp med dig! Är hon inte död redan, så kommer du att ha ihjäl henne. Och sluta yla!

Men min mor verkade inte kunna hejda sina tårar, men nu grät hon av glädje. Och far hade gjort stort intryck på mig. En lång tid efteråt mindes jag hur hans ansikte ljusnade för ett kort ögonblick, och glädjen som tändes i hans ögon. Så han kunde trots allt vara som en människa. Jag förstod bara inte varför han höll tillbaka detta hos sig själv …

En och en halv timme senare kom Tastan tillbaka. Hans kinder var blåsvarta av kölden. Han ryckte till när han hörde att Saltanat hade burits in halvdöd strax innan han kom. Men om det nu berodde på att han skämdes inför oss eller att han redan blivit van att behandla sin hustru på detta sätt, närmade han sig henne inte och frågade inte ens var jag hade hittat henne. Med de buskiga ögonbrynen sammandragna satte han sig på en mjölsäck vid järnkaminen och satt länge i total tystnad. Vem kunde veta vilka tankar som for genom hans huvud? Kände han sig möjligen ångerfull för sin lilla hustrus skull just nu, eller förbannade han kanske sig själv för den senaste tidens vredesutbrott och för att han hade satt ett märke efter piskan i hennes ansikte. Eller kunde han för första gången inse att hans hustru hade ett modigt och osjälviskt hjärta. Kunde det vara så att han, som inte var van att säga vänliga ord, och som ansåg ett sådant beteende vara omanligt, till sist kände ånger just nu? Allt kunde vara möjligt. I vilket fall som helst ville jag att det skulle vara så. Men Tastan närmade sig henne aldrig, sade aldrig ett ord. När jag såg på denna stenfigur tänkte jag bittert: Träbock! En stor träbock! Allt han tänker på är sin stolthet! Men hur kunde du bli något annat, när du är uppfostrad från barndomen av din far och hans gamla vänner till att bli en likadan känslolös stenstod! Han vaknade till liv och tittade upp först när far ropade till honom:

– Hör du! Klä av dig och gå och lägg dig!

Tastan ryckte till. Käppen föll till golvet med en torr duns. Tastan tog hastigt upp den, och utan att se åt något håll började han dra av sig sina ytterkläder.

… Saltanat låg till sängs i flera dagar. Hon åt dåligt, bara lite varm buljong och först efter envis övertalning av mor. Men vi var inte längre oroliga för henne, vi var säkra på att hon förr eller senare skulle komma på fötter igen. Dagen efter händelsen log Saltanat för första gången. Med svag röst berättade hon för mig och

mor hur hon hade kommit fram till en gravkulle och fått syn på en
håla (att det var Mazar fick Saltanat veta först när jag hade berättat
det för henne) och hur hon hade drivit in fåren där och bestämt
sig för att vänta ut stormen. Vi var oroliga för att Saltanat fortsatte
att hosta. Mor försökte med alla möjliga huskurer, hon tände har-
melblad och fördrev sjukdomen, höll en vit höna över henne, gav
henne malört och hästister att dricka. Men alltsammans var totalt
bortkastat. Far och mor förklarade till slut att det inte var frosten
som hade trängt in i henne, utan gravkylan. Och de skickade mig
att hämta Mullan. Men jag tog inte med mig Mullan, utan doktor
Saparbai i stället. Den gamle doktorn talade om att Saltanat hade
fått akut lunginflammation.

– Men kroppen är ung – det är inte så farligt, hon kommer att
bli bra igen, sade han.

Han stannade hos oss i två dagar. Och han lovade att titta in
igen snart.

En månad senare slutade Saltanat hosta. Och två veckor sena-
re hade hon återhämtat sig helt och gick, som tidigare, helt upp i
hushållssysslorna. Snön hade smält bort under hennes sjukdom.
Det låg vår i luften. Söderns vår finns där alltid, under snön. En
dag kommer en varm vind att blåsa från Karatau, som vi kallar Al-
tyn Kurek – gyllene spade, och nästa dag börjar bullrande smält-
vatten att löpa längs marken. Så skedde också den här gången. Det
började regna på natten, och på morgonen låg en fuktig dimma
över jorden. Svartjorden ångade. Synen av den öppna jorden ger
glädje. Den vida stäppen verkar vila ut efter en svår förkylning.
Dimman kommer att upplösas, solen kommer att lysa, vårvinden
kommer att blåsa över bergen och stäppen, över kullarna och låg-
landet – och vårens andetag kan tydligt höras.

* * *

Omärkligt närmade sig nu också den jäktiga lamningsperioden.
En tid då det brukar sägas att man inte ens hinner sätta tubetei-
kan på skallen. Dag som natt viker inte herdarna från sina tackor.

Ibland kan de knappt lyfta fötterna på väg hem från arbetet.

När jag steg över tröskeln var det första jag gjorde att leta efter Saltanat och se in i hennes ansikte. Jag ville se det gamla buset, det gamla leendet på hennes läppar. Jag tänkte alltid på henne, även på jobbet, och bad att Saltanat skulle vara glad igen. Men hon var som förbytt, det fanns inget kvar längre av Saltanat, som brukade smitta alla med sin glädje och sitt skratt.

En dag kom jag hem särskilt trött. Saltanat var ensam. "Är du hungrig?" frågade hon när hon fick se mig. "Självklart!" Hon gav mig en kopp nykokt råmjölk, satte sig mittemot mig och såg länge på mig medan jag åt girigt.

– Är du arg på mig, Kairken? frågade hon oväntat.

– Varför tror du det? frågade jag förvånat. Jag har aldrig någonsin känt mig sårad av dig. Och det finns en sak som gör mig ont, tillade jag, och som jag inte förstår: Varför är du så ledsen, Saltanat?

– Jag vet inte ens själv, suckade hon. På något sätt har allting blivit ointressant … Jag vill vara glad, jag vill skratta – men jag kan inte … Men det kommer att gå över. Du ska få se! Allt kommer att bli som vanligt, eller hur, Kairken?

Jag nickade. Jag kunde se att hon inte hade återhämtat sig helt från sin sjukdom. Jag ville inte göra henne orolig, så utan att själv veta varför ställde jag en fråga som jag hade gått och burit på länge.

– Saltanat?

– Ja?

– Säg som det är. .. Du … älskar inte Tastan?

Hon suckade djupt och såg upp på mig med sina stora ögon:

– Åh, Kairken! Det kan du ju se själv?

Hon var tyst ett ögonblick.

– Jag har otur i kärlek. Före bröllopet såg jag Tastan totalt tre gånger. Första gången kom han gående emot mig med sina vänner. Andra gången lämnade han en get vid vår port efter getritten, och tredje gången kom han för att fria. Han gjorde intryck av att vara en riktig man – trygg, modig, bestämd. Men jag trodde att

53

han också kunde vara kärleksfull … Så var det, Kairken … Men tro inte något ont, jag drömmer inte om någon annan lycka. Jag är van vid tanken att lyckan skapar man med sina egna händer. Men jag kan inte göra det ensam – han måste hjälpa mig. Kommer du ihåg vad jag sa till dig i Kyzylzhar: en dag kommer Tastan att säga till mig: Ta en häst när du vill, Saltanat! Jag ser fram emot den dagen. Kanske blir vårt liv lyckligt då.

Jag lyssnade till hennes ord, och återigen tänkte jag med förundran och ömhet på hur mycket mod och styrka det fanns i den här lilla kvinnan. Det kändes för mig som att hon, mer än någon annan, var värd den största kärleken. Det sorgliga var att Tastan tydligen inte kunde förstå detta.

Den dagen kände jag mig för första gången missnöjd med mig själv. Vad visste jag om Saltanat? Hade jag någonsin tänkt på hennes tidigare liv? Jo, jag hade hört att hon hade en mamma och en lillasyster, att hon växte upp utan sin far och att hon inte hade fått tid att avsluta sin skolgång innan hon steg över tröskeln till vårt hus. Men är det tillräckligt för att känna en person?

Vi hade från början hört att hennes far var död. Men just den här kvällen berättade hon för mig att det inte var sant, att han levde. Hennes mamma hade inte avslöjat det för någon, eftersom hon skämdes. Och varför ska man sprida skvaller i onödan?

Ett och ett halvt år efter att fadern hade övergivit familjen flyttade de till vår del av landet. Saltanat var ungefär sex år gammal. Det var ett främmande land, en främmande miljö. Det var inte lätt för en ensam kvinna som arbetade från morgon till kväll. Den lilla Saltanat fick ta hand om sin syster. Hon fick vara kokfru åt hela familjen, sjuksköterska när hennes syster var sjuk och trösterska åt sin mamma när hon hade bekymmer.

Steg för steg började livet förändras till det bättre. Det är bara i början som svårigheterna kan verka oöverstigliga, efter hand vänjer man sig och allting löper lättare. Människan behöver så lite för att känna glädje och lycka. Och allting hade nog varit lyckligt och väl om inte mamman blivit sjuk en dag. Visserligen hade hon varit sjuk tidigare, och tillfrisknat, men den här gången blev hon säng-

54

liggande. Saltanat tvingades ta hand om sin familj ensam.
Saltanats enda dröm hade varit att få gå ut skolan och fortsätta studera. Men det var en dröm som nu aldrig skulle bli uppfylld. Nu blev det så att dessa drömmar lämnades i arv till hennes syster.
– Du ska läsa och studera, åtminstone du, sade Saltanat till sin syster. Bli läkare eller ingenjör. Så blir också jag lycklig ...
När Saltanat flyttade in i vårt hus tog vi samtidigt på oss ansvaret för hennes familj. Saltanat var lycklig över detta.
Då och då, när Saltanats mamma och syster kom för att besöka oss, kunde jag höra samma ord om och om igen: Läs och studera, åtminstone du ... Och i Saltanats blick anade jag en dold smärta och ömhet när hon såg på sin minsta, som hon ofta kallade henne.
Jag satt tyst och lyssnade till Saltanats enkla bekännelse, och det skar i hjärtat med en smärta som kändes som min egen ...

* * *

Lamningsperioden var nästan överstånden och vi började göra oss beredda att flytta tillbaka till Arshabay, vårt sommarläger. Saltanat gladde sig som ett barn. Jag hade just låst in fåren i ladan när hon kom springande sprang fram till mig med ett glädjetjut:
– Kairken, åh Kairken! Har du hört att vi ska flytta till Arshabay? ropade hon och kastade sig om min hals.
Mitt hjärta slog en volt i bröstet av glädje när jag hörde hennes glada skratt och kände hennes arm om min hals, hennes heta andetag som brände min hud en kort sekund, hennes ögon som strålade av liv – alla bekymmer var glömda och borta. Hur skulle jag kunna låta bli att dela hennes glädje?
Så inledde vi då återflytten till Arshabay. Far och mor startade före gryningen med en last av hushållsredskap för att få tid att sätta upp jurtorna till vår ankomst. Saltanat satt på en kamel, jag red på min häst och Tastan ledde fuxen i tygeln och gick till fots. Inte ens den natten då fåren gick vilse i snöstormen red han själv ut med fuxen, och han tillät inte Saltanat att ta den. Jag förstod inte hans rörande omsorg om hästen och hans känslokyla gent-

emot sin hustru och sig själv. På det hela taget verkade Saltanats lidande inte ha påverkat honom på minsta sätt. Under hela den tid som hon varit sängliggande hade han inte brytt sig om att gå till henne en enda gång, inte ens för att fråga hur hon mådde. Jag fick intrycket att han inte ens hade en aning om hur hon led. Så snart hon kommit ur sängen började den vanliga visan: Gå och möt fåren! Gå ut och se varför hunden skäller! Värm vatten till fuxen! Och när han var på väg ut någonstans delade han likgiltigt ut nya order, nästan som ett straff: Hördu, fläta ihop ett par tyglar åt mig! Eller – bind upp tofsarna på fuxen! Eller – medan jag är borta kan du laga några pelmener åt mig! När vi blivit ensamma sade Saltanat med ett bittert leende: Han tror säkert att jag leker med dockor dagarna i ända.

Nu hade Tastan, med hästen i tygeln, hunnit i fatt några efterslintrande får och utstötte ett kort "rr-rajt!" Hela tiden skrek han åt Saltanat att driva på djuren bättre. Till mig sade han inte ett ord. På sista tiden hade han slutat lägga märke till mig över huvud taget.

Vid middagstid var vi framme vid Arshabay. När Karatumsyk och brunnen nere i sänkan blev synliga framför oss, klappade Saltanat händerna av glädje.

– Tastan, se så blått det är, vår Arshabay! ropade hon. Det sitter en pump i brunnen, som Kairken och jag satte dit, och där är Karatumsyk – alltsammans precis som förut! Allt!

– Vad trodde du? Att det skulle bli jordbävning?

Han smällde med sin ridpiska på stövelskaftet.

– Sätt fart på fåren och prata inte så mycket!

– Du förstår ingenting! suckade Saltanat.

Tastan skrattade föraktfullt. Uppenbarligen ville han visa att han redan var van vid sin hustrus egenheter, om det över huvud taget var värt att fästa sig vid dem!

Saltanat ropade till honom igen:

– Tastan, auu, Tastan!

– Vad är det nu?

– Sjung! snälla!

Tastan var nära att tappa hakan av förvåning.

– Vadå? Vad menar du? frågade han. Han verkade inte tro sina öron.

– Sjung någonting! säger jag. Det är väl inget konstigt ...

Tastan blev rasande:

– Åh ... hon är galen..! Hon pladdrar på som alltid, man begriper inte ett ord!

Jag skrattade i mjugg. Hon älskade att retas med Tastan på det här viset. Han vänjer sig, brukade hon säga till mig efteråt. Och jag ville tro att det skulle bli som hon sade.

Vi lämnade fåren vid foten av Karatumsyk och fortsatte hem till de gamla. Jurtorna var redan resta, och gräset runt omkring var så högt och tjockt att man fick lust att kasta sig raklång i det. Och Saltanat kunde inte stå emot frestelsen, och med ett skratt kastade hon sig i gräset och försvann i grönskan. Jag blev också uppspelt och tänkte att jag skulle skrämmas en smula:

– Orm! skrek jag

Med ett skri: "Mamma!" kastade hon sig om halsen på far, som råkade passera förbi. Hon blev blossande röd och ryckte till. Först efter ett ögonblick, märkbart skamfull, gjorde hon sig fri från honom och ursäktade sig:

– Far, det var Kairken som skrämde mig!

– Är du alldeles galen? röt han åt mig. Så såg han på Saltanat och sade vänligt: Var inte rädd, var inte rädd, lilla vän. Den där vettvillingen ska jag allt ...

Tänka sig: till och med min barske far kunde visa tillgivenhet för vår Saltanat. Till och med han! Nu var det svårt att tro att han var den som hela tiden höll på och tjatade: Man måste vara sträng mot kvinnorna – det duger inte att skämma bort dem! Jag blev varm inom mig.

Våren fullständigt exploderade inför våra ögon. Det var som om jag aldrig hade sett en lika blå himmel och en sådan strålande sol. Vi hade redan bott vid Arshabay i en vecka när Aydars bilklubb äntligen kom på besök. Han hade inte visat sig på hela vintern, och vi blev glada och trodde att han hade en ny film med sig.

– Har du med dig Alpamys? frågade Tastan.

– Vadå för Alpamys? Det finns ingen sån film än.

– Träskallar! muttrade Tastan. De vet inte vad de ska satsa på. Allt möjligt skräp prackar de på folk, men Alpamys kan de förstås inte plocka fram!

Den här diskussionen upprepas varje gång Aydar kommer och hälsar på. Tastan vet ingen större hjälte än Alpamys. För honom existerar inga andra dikter eller hjältesagor, förutom eposet Alpamys. Han vill inte veta av några andra böcker. Alpamys är för honom allt! Dessutom är han inte född var som helst, utan kommer just härifrån, från Karatau. Och han är av vårt släkte, en konyrat.

– En av våra förfäder! säger Tastan med stolthet.

Hemma har vi två eller tre böcker som handlar om Alpamys. Om Tastan plötsligt vill ha något att läsa, plockar han fram Alpamys. Han läser den ena boken, så tar han fram den andra. Vid det här laget borde han kunna dem utantill, men varje gång är det som om han läste dem för första gången, han ruskar förundrat på huvudet, nickar instämmande. Hans dröm är att se Alpamys i en egen film. Han har aldrig träffat en enda person i filmbranschen, men han talar ständigt illa om dem bakom deras rygg: Slappsvansar! Kan inte filma Alpamys. Jag vet att alla hans idéer är hämtade från far och hans gamla vänner. Men Tastan verkar övertygad om att han har upptäckt Alpamys helt på egen hand.

Den här gången hade Aydar kommit i ett helt annat ärende. Han hade med sig en kallelse till mig från mönstringskontoret.

– Jag har bråttom, sade han. Skriv på med en gång. Jag måste hinna ut till andra fårfarmare också.

Han måste ha haft väldigt bråttom, för jag hann knappt skriva mitt namn förrän han var ute i bilen och försvann i ett dammoln. Mor kom ut ur jurtan.

– Det var värst vad han hade brått? Var är filmen?

– Mor, han hade ingen film, det var en inkallelseorder till mig. I övermorgon måste jag iväg.

– En inkallelseorder? Vad är det för strunt?

– Militärtjänsten.

– Så så, håll nu snattran! Du pratar strunt!

Det var svårt att övertyga mor om att jag faktiskt var tvungen att göra min militärtjänst. För henne var jag fortfarande ett barn. Hon brast i gråt. Far var den ende som kunde få tyst på henne.

– Nu räcker det! sade han. Tror du att din pojk är den ende som ska ut och exercera? Alla pojkar ska ut, och alla kommer tillbaka. Det är hans plikt! Han är ingen småpojke längre. Och det är lika bra att han blev inkallad nu. Så han får träffa andra människor, visa vad han duger till, får smaka både bittert och salt, då kanske han lär sig ett och annat. Här hemma blir han bara en mammas gosse!

Saltanat blev smärtsamt oroad av denna nyhet.

– Är det sant? frågade hon oroligt och ville inte riktigt tro det.

– Ja, det är sant.

– Jag kommer att känna mig ensam när du är borta!

Hon snyftade.

– O, nej. Saltanat! Du blir ju kvar hos din familj. Mor är ju här. Och far … Och Tastan …

– Det är förstås sant … Hon tänkte efter en stund.

– Du hann inte gifta dig ens, sade hon slutligen. Jag har redan förälskat mig i din kommande fru, tror du mig inte? Jag skulle ha behandlat henne som min egen syster och tröstat henne. Ibland ser jag henne så tydligt framför mig att jag vill hoppa upp, springa fram till henne, omfamna henne, kyssa henne. Om hon var här skulle jag ta hand om henne mer än mig själv. Tillsammans skulle vi sjunga under fullmånen. Vi skulle ha längtat efter dig, väntat på dig. Åh, om det bara var så..! Hon var tyst igen.

– Ibland tror jag att jag aldrig kommer att dö. Och andra gånger tänker jag att jag kommer att dö mycket snart …

– Vad är det du säger, Saltanat? Dö? Du och jag kommer att leva länge, länge än. Om tre år kommer jag tillbaka och till dess kommer Tastan att vara en helt annan människa.

Två dagar senare kom jag ridande på fars häst fram till Kalashstationen. Jag lämnade hästen hos en god vän och satte mig på tåget och var snart framme vid militärkommissariatet. Här fanns många grabbar i min ålder som hade blivit inkallade precis som jag, och nästan alla hade släktingar – fäder, mödrar, bröder och systrar – som svärmade omkring dem. Jag kände mig lite orolig eftersom jag inte hade någon med mig. Tänk om de kör iväg med dig nu på direkten? Jag hade inte ens någon att säga adjö till.

Läkarundersökningen var ganska snabbt avklarad. Och sedan stod alla värnpliktiga på gården och pratade högljutt med varandra. Somliga gissade att vi skulle transporteras iväg nästa dag och att tåget redan stod och väntade; andra trodde tvärtom att vi skulle rycka in om en månad, nu kontrollerades endast listorna. Äntligen dök en major upp på gården och meddelade att allihop kunde resa hem igen. Vi skulle bli kallade om en månad och sedan skickas till våra regementen.

Detta gladde mig. Det skulle kanske vara dags för Saltanat att föda medan jag var hemma. Det skulle passa så bra! Jag ville gärna se den förstfödde Tastan.

Jag kom hem vid femtiden. När jag väl hade passerat Karatumsyk kunde jag se far och mor som stod som förstenade på tröskeln. De tittade ängsligt bortåt vägen. Mor kände genast igen mig och sprang in i huset för att glädja Saltanat. Så kom hon tillbaka och rusade emot mig med en hand om sin zjaulyk, den vita huvudduken som fladdrade i vinden. Ungefär som man brukar hälsa en frontsoldat välkommen hem. Och strax efter kom naturligtvis Saltanat.

På två–tre dagar hade jag naturligtvis börjat längta hem, efter mor, efter Saltanat, efter allting som jag var van vid att se omkring mig. Och hjärtat svämmade över av glädje. Jag manade på min häst. När jag var jämsides med mor hoppade jag ur sadeln och föll nästan i hennes armar.

– Jaså, du bestämde dig för att inte åka med? Blir du hemma nu? frågade hon.

– En hel månad! svarade jag.

– Det är bra, Det är bra, fölet mitt! Jag har inte sovit en enda natt, jag var rädd att de skulle köra iväg dig långt bort. Strunt samma, en månad är mycket nog, du är i alla fall hemma ...

Saltanat kom också fram. Hon hade tårar i ögonen, men var för blyg för att omfamna mig inför mina föräldrar, och viskade bara "Välkommen hem..!" Så tillade hon med ett leende:

– Tänk, en hel månad, och mor och jag slipper vara oroliga.

Saltanat tog sin häst i tygeln och alla tre fortsatte vi mot huset, där far tyst stod och väntade. Han tryckte min hand, något som han aldrig gjort förut, och sade:

– Du var inte borta länge. Har du hittat på någonting? Han sneglade misstänksamt på mig ur ögonvrån.

– Nejdå, allting är som det ska. De sa att vi skulle bli hämtade om en månad.

– Jaså ... Jaha. Ställ tillbaka hästen i stallet då.

Min oväntade återkomst hade fått Saltanat på gott humör igen. Hon hade satt på sig den tunna blå sidenklänningen som jag tyckte så mycket om, och färgen hade återvänt till kinderna. Även mor sken upp när hon såg på Saltanat, och dolde inte sin glädje.

Saltanat kallade på mig från sin otau, de ungas avdelning av jurtan.

– Kairken, kom hit! Skynda dig!

Jag såg på mor. Hon log och nickade. Hon verkade veta varför Saltanat kallat på mig.

Så snart jag kom över tröskeln skrek Saltanat:

– Blunda. Och kika inte!

Jag höll för ögonen med händerna.

Närmare, närmare. Försiktigt, det står ett handfat framför dina fötter ... Närmare, närmare. Sväng åt vänster. Stanna där. Nu får du titta!

Jag tog bort händerna från ansiktet och fick se en vacker *borik*, en rund mössa med pälsbräm och ugglefjädrar på ovansidan. Boriken var dekorerad med purpurröd sammet med påsydda silvermynt. Jag hade tidigare lagt märke till hur Saltanat sysslade med en bit rött tyg med broderade mönster. Jag såg hur hon skar av silvermynt från sin väst och från sänggardinen. Jag beundrade hennes skickliga arbete – det var en underbart vacker borik. Hon skänkte den till mig som en överraskning. Men varför? Jag förstod det inte.

– Tycker du om den? frågade Saltanat med en finurlig blick. – Detta är allt jag hann med att göra medan du var borta.

– Den är fantastiskt vacker! sade jag, och märkte hur mycket Saltanat hade längtat efter att höra just de orden. – Men vem ska ha den på sig?

– Ja vem, tror du? Vem ska ha den på sig? Du får gissa!

– Du själv, naturligtvis. Du borde verkligen bära en borik.

– Det var fel. Vet du vem som ska ha den? Din blivande hustru. Jag har gjort den åt henne.

– Min hustru?

– Ja.

– Jag vet inte när jag kommer att gifta mig. Och om hon kommer att bära en sådan borik.

– Varför skulle hon inte det? Och i annat fall kan ni hänga den på väggen. Det blir ett minne av mig till er båda. Och din mor tyckte om den.

– Så du har visat den för mor?

– Varför inte? Och för din far också. Han tog den och såg på den från alla håll, och sa: Den är vacker... Må alla dina drömmar bli uppfyllda. Just så sa han..! Och han klappade mig på ryggen och kallade mig en liten duva. Och så säger du att hon inte kommer att bära den. Jag blir riktigt ledsen.

Saltanat plutade sårat med läpparna. Det klädde henne underbart. Utan att jag själv märkte det svarade jag: Jo då, jo då. Du har förstås rätt, hon kommer säkert att bära den …

Saltanat sprang ut ur rummet och fram till mor, som gjorde i ordning middagen. Jag kunde se genom det öppna sängförhänget hur Saltanat omfamnade henne, och hur mor strök Saltanat över håret, och så pratade de båda livligt med varandra om ett eller annat, knappt synliga i röken från härden. Och Saltanat gjorde minst av allt intryck av att vara en äldre släkting, utan mera en tonåring, som inte hade förmåga att behärska sin glädje.

Efter en stund gick jag till fåren igen. Tastan gapade av förvåning när han fick syn på mig.

– Jaså, skulle du inte resa? Han lät glad. – Så bra då. Har du lite ashima med dig?

– Jadå.

– Ge hit. Min hals är helt torr.

Tastan satt på marken med benen under sig. Han grep skålen med hirsdricka med sina kraftfulla, håriga händer och började ivrigt dricka. Den tunna skålen mellan hans händer såg ut att kunna krossas som ett ägg när som helst. Han drack den i botten och lät höra en befriande suck.

– Vilken hetta! Ashiman var kall som is! Så törstig jag var!

Jag kom plötsligt att tänka på att om inte jag hade varit där just då så skulle han ha gått omkring med läppar som var spruckna av törst ända tills kvällen kom. Tänk om jag hade rest? Och det fanns ingen som kunde ersätta mig. Jag tyckte plötsligt synd om Tastan. När allt kom omkring så var han i alla fall min bror, min egen bror. Och jag tänkte inte byta ut honom mot någon annan. Han må vara som han är … vresig och okänslig som en vedklabb. Men även om de skulle byta ut honom mot en hundraprocentig djigit i alla avseenden, skulle jag i alla fall hålla fast vid honom … Han var ju en gång i tiden helt annorlunda. Jag minns det så väl. Och han hängde sin far i hasorna, och sprang ofta till mor och hade många vänner. Men sedan hände något med honom. Jag kommer ihåg att en massa olika typer började hälsa på hos oss och snacket gick om hur en riktig karl skulle vara … Våra förfäder var annorlunda … Kvinnan är enbart en börda … Och ju mer de höll på märkte jag att Tastan förändrades framför ögonen på mig …

– Tur att jag inte blev inkallad, eller hur? sade jag.

– Helt klart …

– Men om en månad måste jag ge mig iväg. Även om jag inte vill lämna dig.

– Vad menar du? Man är tvungen, det är ens plikt.

– Du skulle behöva en ersättare. Och far börjar bli mycket gammal. Det är tur att vi har Saltanat. Inte sant?

– Hm… Vad menar du med det? frågade han.

– Det är bra att vi har Saltanat …

– Glöm det..!

Och inte ett ord mera. Men jag var åtminstone glad att han inte ifrågasatte min åsikt. Detta var vårt andra samtal om Saltanat efter Burgendisaj.

Jag skickade iväg Tastan hem och började själv sakta driva fåren till fårhuset. När jag kom till sommarlägret hade solen gått ned och en kylig bris drog in från stäppen. Över Karatumsyk tittade månen fram.

Familjen väntade på mig. Mor hade lagat kött, piroger låg och svalnade på bänken, fåren travade på och jag följde efter tätt bakom dem. Redan på avstånd från jurtan såg jag Tastan med en dombra i händerna. Jag blev förvånad. Han hade aldrig, framför allt inte när mor satt med, suttit med Saltanat vid sin sida. Och nu satt han inte bara där, han knäppte dessutom på en dombra.

– Hoj, Kairken, kom hit! ropade Tastan när han fick se mig. Djävulen har förlett den här galna kvinnan, hon envisas hela tiden, spela med mig, säger hon. Det är bäst att du tar över och lugnar henne, sade Tastan och räckte över instrumentet och började skära köttet.

Saltanat stod alldeles intill och skrattade så hon grät.

– Kairken, sade hon, vilken spelman du har i familjen! Det går inte att hitta en dombraspelare som han i hela Karatau! Hans fingrar är som gjorda för en dombra, se bara så smala och långa de är, som byggda för dombran. Och han spelar så både mor och jag föll i tårar.

Mor skrattade och även jag hade roligt åt de båda kvinnorna. Men Tastan blev plötsligt arg.

– Nu räcker det! Ni har haft roligt tillräckligt nu! skrek han. Jag sa ju att jag inte kan spela, men du skulle envisas! Se bara, hon skrattar och låtsas vara imponerad.

Men i alla fall var det ett första steg i rätt riktning för den styvnackade Tastan, den första segern för den ostyriga Saltanat över sin man. Jag fick lust att kyssa dem allihop, Saltanat, mor och far och Tastan.

Vi åt vår kvällsmat i månens sken. I fjärran syntes Karatumsyks mörka silhuett. Mellan huset och Karatumsyk betade fars mörkbruna häst och Tastans fux. De avtecknade sig som mörka skuggor mot den ännu ljusa himlen. Man kunde bara uppfatta ett svagt klirrande från de skodda hovarna.

Efter middagen satte vi igång att sjunga våra visor tillsammans. Tastan såg på oss och muttrade något för sig själv, tvättade sig och gick till sängs och somnade. Sådan var nu en gång hans vana – så snart huvudet rörde kudden började han snarka. Denna vana hade han med sig från barndomen. Och nu, innan han ens hade lagt sig ned, började han dra timmerstockar. Hur mycket man än försöker är det omöjligt att få liv i honom. Möjligen skulle det gå om man avfyrade en kanon vid hans öra. Mor gick också till sitt rum för att vila. Saltanat och jag blev ensamma. Detta var andra gången jag lyssnade till Saltanat. Själv har jag ingen sångröst. Jag stämde bara in då och då, men alla höga toner lät jag för det mesta vara. Vid sådana tillfällen brukade hon skaka förebrående på huvudet. Men det var ett större nöje för mig att lyssna än att sjunga själv. Jag beundrade hennes klara och milda röst. Hon stämde upp Gauchar tas. Hennes ögon skrattade, och ansiktet sken med ett säreget ljus. Jag såg på henne och insåg hur djupt tacksamma vi kunde vara mot henne för den glädje som hon hade skänkt oss alla sedan hon kom till vårt hem. Ja, var det inte så att hon med små medel hade förändrat vårt glädjelösa sätt att leva? Också min fars hjärta hade mjuknat, och hans ilskna skrik hördes allt mindre ofta. Saltanats skratt måste ha smält isen i hans hjärta. Det var hon som med sin förtrolighet och ömhet hade fått honom att se på sig själv, och på världen omkring sig, med andra ögon. Och i dag verkade det som om turen hade kommit till Tastan.

– Saltanat! ropade jag.

– Ja?

– Jag älskar dig så mycket. Av allt mitt hjärta, tro mig. Jag skulle vilja ge dig det dyrbaraste och mest fantastiska som finns i världen. Men jag har inget sånt, och jag tvivlar på att det finns någon sak på jorden som gör dig rättvisa. Så i stället ska jag ge dig en sång. En sång ger alltid glädje. Inte sant? Du kan väl Zheneshe?

– Jadå.
– Tycker du om den?
– Mycket.
– Jag har skrivit en egen text. Den gamla passar inte riktigt. Och jag har döpt om sången, inte Zheneshe, utan Min zheneshe. Läs först, så sjunger vi den tillsammans.
Jag räckte henne texten.

> De ändlösa stäppernas lekfulla barn,
> du lever i sången, min dyraste vän!
> Med ditt smittande skratt och ditt lättsamma sinne
> du lärde oss glädje, min dyraste vän!
>
> Med ditt smeksamma väsen har du förvandlat
> vårt liv, som var slitsamt och dystert, min vän,
> med ditt värmande solsken behandlat
> och bringat tröst till en utsvulten själ!
>
> Med en underbar sång, som var alla förärad,
> du kom till vårt hus, min dyraste vän,
> med den klaraste kärlek som hjärtat kan bära,
> gav oss livet tillbaka, min dyraste vän!

Saltanat läste igenom och rodnade förläget. Men jag såg glädjen i hennes ögon.
– Nu överdriver du allt … Inte är jag sån …
– O nej, jag överdriver inte alls! Inte ett enda ord är osant. Det är snarast alltför enkelt!
Saltanat var tyst. Rodnaden på kinderna blev plötsligt blek. Det var först efter mycket övertalning som hon gick med på att sjunga. Sången blev inte så tokig.
Plötsligt brast Saltanat i gråt.
– Saltanat, hur är det fatt?
– Det är ingenting, ingenting alls. Hon torkade tårarna.
– Du … du kommer att bli poet, Kairken, en stor poet. Det var

därför jag började gråta. Av glädje, naturligtvis. Jag ska inte göra så mera. Jag ska sjunga.

Hon sprang ut i det fria och strax därpå hörde jag hennes röst:

– Kairken, kom hit, och tag med dig dombran!

Jag kunde inte tro mina ögon när jag kom ut ur jurtan. Saltanat satt på en filt tillsammans med mor. Hade hon verkligen gått och väckt henne?

Jag satte mig ned hos dem.

– Spela, befallde Saltanat. – Spela. Och sen kan du sjunga med.

Så sjöng vi den nya sången återigen. Den vackra melodin flög ut över stäppen, över Arshabay och vyssade stockrosor och kurajgräs, malört och harmelbuskar, kullarna och dalarna. Alla fascinerades av ljudet av vår sång. Tystnaden hade lagt sig över stäppen. Månen hängde orörlig rakt över våra huvuden och tittade ned på oss. Även stjärnorna verkade ha upphört att blinka åt varandra. Mor lyssnade uppmärksamt. När vi hade slutat torkade hon ögonen med en flik av sin huvudduk. O Allah, tack! Ajnalajyn, mina barn! Hon kysste Saltanat på pannan.

Saltanat sjöng sedan en annan sång. Tastan, som låg och sov alldeles intill, vred sig oroligt i sängen och satte sig plötsligt upp. Han strök sitt rakade huvud med handen och skrattade.

– Se på henne! sade han. Den rösten skäms inte för sig! Var har du lärt dig det här?

– På stäppen, på den här stäppen! Saltanat brast i skratt och pekade långt bort, i riktning mot Karatumsyk.

– Du hittar på. Jag vandrar runt på stäppen dag efter dag, men jag sjunger inte.

– Det är för att du inte har lyssnat till vad vallmons huvuden viskar till varandra när de gungar i vinden. Och de sjunger. Och vilka underbara sånger!

Tastans huvud verkade befinna sig som i dimma av detta tal, och han ruskade till och med på sig. Så muttrade han:

– Det är alltid ett framsteg. Du frågar om en sak, och hon svarar på en annan.

Han somnade om. Tastan kan inte övervinna sin sömnighet

på något vis. Det kommer att finnas något bra och mänskligt i honom, och han kommer snarare att undertrycka det i sig själv.

... Dagen för min avresa närmade sig. Min mors ögon följde varje bil på vägen med bävan: Var den ute efter mig?

En av dessa dagar väcktes jag av mor tidigt på morgonen.

– Kairken, vakna, Kairken! Upp med dig!

Jag hoppade ur sängen.

– Vad har hänt?

Jag darrade på rösten.

Mors vita sjal hade glidit bak i nacken, och det grå håret var rufsigt. Hennes alltid lugna ansikte var spänt av oro och blicken irrade nervöst.

– Saltanat har plågor, sade hon. Sätt dig på hästen och rid efter doktorn. Skynda dig! Herre min skapare, måtte hon föda lycko-samt! Fort, mitt ljus..!

Hon skyndade tillbaka till sonhustruns rum. Saltanats jämmer kunde höras tydligt. Tastan var inte hemma. Han hade ridit till Karaspan för att ställa upp i *bajga*, den traditionella hästkapplöp-ningen. Han hade sparat sin fux länge och inte låtit den sträcka ut på stäppen, så han hade bestämt sig för att prova lyckan vid den kommande tävlingen.

Jag sadlade snabbt min fars häst och red så fort jag kunde till Centralfarmen.

Det ljusnade, men solen syntes ännu inte över horisonten. Den fridfulla stäppen njöt morgonens vila ovetande om Saltanats svåra plågor. Karatumsyk, som skymtade mörkt i fjärran, liknade en sagohjälte som vilade på marken efter en hård strid. Stäppen glitt-rade av dagg. Det var som om en givmild hand hade spridit pärlor över marken. Den isande motvinden pinade min kropp.

När jag kom fram till sjukhuset var jag genomfrusen. Alla sov fortfarande. Sjuksköterskan som var i tjänst hörde dörren öppnas och tittade ut från sitt arbetsrum.

– Vem söker du? frågade hon. Hennes ansikte var trött efter en natts vakande.

– Jag har ett brådskande ärende ...

– Sch, viskade hon och satte fingret mot läpparna. Du väcker alla. Kom med här.

Tyst på tå steg jag in på jourmottagningen. Innan jag ens hade kommit över tröskeln hade jag hastigt uppgivit mitt ärende.

– Men skynda er! Snälla ni! Sköterskan nickade mot sjuksalen, där flera kvinnor tydligen väntade på att förlösas.

– Jag kan inte lämna dem! sade hon. Men jag ska försöka hjälpa till. Har du kommit till häst?

– Ja.

– Då går vi. Hon förde mig ut på gården och stannade under några unga poppelträd och pekade mot andra sidan gatan.

– Ser du huset med det vita taket?

– Ja.

– Barnmorskan bor där, Zjamil. Hon ska avlösa mig om en timme. Hon får komma med dig, eller också får hon avlösa mig. Jag gör i ordning allt som behövs under tiden.

Utan ett ord red jag bort till huset med det vita taket …

En halvtimme senare var vi på väg i full fart mot Arshabaj med ambulans. Jag hade en sköterska bredvid mig. Chauffören kunde inte vägen, så jag blev tvungen att lämna min häst på sjukhusgården och följa med i bilen.

… Saltanats tillstånd hade förvärrats när vi kom fram. Mor hade förlorat fattningen och sprang förvirrad från jurta till jurta. Hennes ansikte lyste upp ett ögonblick när hon fick se oss. En gnista av hopp tändes i hennes ögon. Redan innan barnmorskan hade stigit ur bilen tog mor henne i armen och ledde henne till sjukrummet, där Saltanat nu låg och skrek högt.

Jag stannade kvar därute. Sängen ute på gården var fortfarande obäddad. Solen hade dock hunnit värma upp den. Jag satt ovanpå filten och lyssnade otåligt på vad som hände i jurtan. Så sent som i går hade Saltanat suttit här och fyllt luften med sitt klingande skratt, och som alltid smittades vi av hennes spontanitet och skrattade med henne. Och nu låg hon några steg därifrån och led svårt, hennes liv hängde på en skör tråd. Trots att jag var där kunde jag inte göra någonting för att hjälpa henne. Varje jämmerrop som nådde mig skar i hjärtat. Min maktlöshet kändes förkrossande. En timme senare hade Saltanat tystnat. Jag kunde bara uppfatta mors och barnmorskans skrämda röster. Jag kunde inte urskilja vad de pratade om, men inom mig anade jag det värsta. Mor kom ut ur jurtan med långsamma osäkra steg. Tårarna strömmade utför kinderna. Jag sprang fram till henne.

– De kallar på dig, min pojke, sade mor och torkade ögonen med sjalen. Gå in.

Jag sprang in i jurtan. Saltanat låg på bädden, vit som ett lakan. Hon hade en tunn filt över sig. När jag kom fram sträckte hon ut handen. Jag tog hennes mjuka fingrar och tryckte dem lätt. Hon viskade något med bleka läppar, men jag kunde inte uppfatta vad hon sade. Saltanat sträckte ut handen och pekade på de röda silkestofsarna som hängde över hennes huvud.

– Kan du ge dem till mig, bad hon, nästan ohörbart.

Jag tog av tofsarna och lade dem i hennes hand. Saltanat höll dem i handen och gav dem så tillbaka till mig.

– När Tastan … när han återvänder … ska du ge dem till honom … Säg … säg att han ska fästa dem … på fuxens huvud … Jag är så … så tacksam mot dig …

Saltanat tryckte min hand svagt och suckade. Hennes fingrar lossade sitt grepp och handen föll slappt ned på filten.

Jag föll på knä vid sängen och strök henne över håret. Kudden var genomvåt av svett. Saltanat sade ingenting mera, rörde sig inte. Läpparna var halvöppna, suckande drog hon efter andan.

* * *

En vecka efter begravningen skulle jag rycka in till militärtjänsten. En kvävande tystnad rådde i huset. Sorgen som drabbat oss berörde i synnerhet min mor. Det var som om hon åldrats tio år. När stunden för min avresa kom ropade hon med hög röst:

– Jag kommer att dö, jag kommer att dö, Jag får aldrig se dig mera …

Tastan var ute med fåren. Han var inte där och tog avsked.

Han tog emot budet om Saltanats död med tystnad. Han slöt sig inom sig. Tyst drog han ut på stäppen och lika tyst återvände han. Inte ens till far yttrade han ett enda ord. Silkestofsarna som Saltanat gett mig överlämnade jag till Tastan på begravningsdagen. Han lade dem i bröstfickan utan att säga ett ord. De tjocka ögonbrynen darrade över näsryggen och läpparna ryckte krampaktigt, det såg nästan ut som om han flinat snett och skuldmedvetet.

Mor följde mig en stycke på vägen. Hon kunde kanske ha gått ännu längre om inte far hade hejdat henne.

– Gå hem, sade han. Gör det inte svårt för pojken i onödan.

Jag red på fuxen och far satt på sin bruna häst. Vägen till stationen gick över Karatumsyk, och högst uppe på kullen låg Saltanats grav. För ett år sedan hade jag suttit på denna plats på en sten och lyssnat till Saltanat, som vandrade bland blommorna medan hon sjöng Gauchar tas. Vem kunde då ha trott att den svarta stenen på kullen skulle bli en gravsten? Och nu kom jag hit för att ta avsked av min *zheneshe*.

Redan på håll kunde jag urskilja någonting mörkt på toppen invid graven – kanske ett får eller en kungsörn.

– Far, vad är det där?

– Var?

– På graven.

Far höjde handen mot pannan och tittade noga.

– En kungsörn, förbaske mig. Gravskändare.

Vi sporrade våra hästar. Figuren reagerade över huvud taget inte, den satt orörlig. Vi kom snart helt nära. Nu insåg jag att det inte var någon fågel, utan en människa, och den människan var Tastan. Han hade lovat vänta på mig bortom Karatumsyk och följa mig ända till Arys.

Det är svårt att beskriva vad jag kände när jag såg vem det var. Och hans böjda gestalt, likt en åldrad man, och de stora händerna som låg kraftlösa över knäna och det nedsjunkna huvudet vittnade om en sådan obarmhärtig ångest och plåga att hjärtat ville brista.

Jag vet inte om jag skulle ha trott på det om någon hade förespått just detta som jag såg just nu. Knappast..! Först inför den döda hade Tastan öppnat sitt innersta ...

Nu hade även far känt igen Tastan. Jag såg ängsligt på honom – om han skulle ryta åt honom: "Ska du lipa som ett fruntimmer?" Men någonting oväntat inträffade.

– Det är ju Tastan! Den stackarn! Det är rent kusligt att se honom ...

Tastan märkte oss först när vi var alldeles intill honom. Han såg sig om som om han blivit ertappad med något skamligt, rusade upp och skyndade nedför kullen. Men far ropade honom tillbaka. Tastan stannade motvilligt och kom fram till oss.

– Reser du nu? frågade han försiktigt.

Antagligen hade han frågat mest för att säga någonting. Rösten var klanglös, entonig.

– Ja.

Han nickade. Vi stod tysta vid Saltanats grav. Far hade fallit på knä och läste några rader ur Koranen. Tastan och jag stod tysta. Stilla och plågsamma gick minuterna. Så reste sig far, suckade och såg på Tastan.

– Här ser du vad det innebär att inte sätta värde på den skatt du har i dina händer, sade han. Du har förlorat ditt guld.

Tastan stod tyst, så sade han med låg men fast röst:

– Det är ditt eget fel, far, du gjorde mig sån som jag är ... Du och dina vänner ...

Vem vet, hade han kanske burit dessa ord inom sig länge..?

En lång stund stirrade far på Tastan, käkmusklerna rörde sig under huden. Jag väntade nu på att han som vanligt skulle snäsa åt Tastan, men jag tog miste.

– Om allting i världen bestäms av fädernas vilja, kommer då inte livet på jorden att slockna? sade far helt tyst. Du är vår framtid. Och det är du själv som bestämmer hur du ska leva. Nej, förebrå mig inte..! Jag har inte stått i vägen för ditt liv ...

Tastan ville invända, men far hejdade honom:

– Låt oss inte oroa Saltanat. Låt henne vila åtminstone i sin grav ... Och du, min son, sade han och vände sig till mig, ha en bra resa. Må Gud låta oss återse varandra i hälsa och välbefinnande! Skriv så ofta du kan!

Och ett faderligt råd måste han fram med i sista ögonblicket:

– Fundera inte för mycket på hur det är därhemma, du blir bara gråtmild.

Han fattade mitt huvud och tryckte det mot sitt bröst, drog in lukten av mitt hår – varför vet jag inte – kysste mig på kinden och stötte mig ifrån sig. Jag lade märke till att två tårar hade fastnat i hans grå skägg. Jag såg nu särskilt tydligt hur gammal min far hade blivit under detta sista år. Skägget och tinningshåret var kritvitt och ögonen insjunkna. Kinderna var tecknade i grå veck. Jag tyckte outhärdligt synd om min far. Av någon anledning kändes det som att jag såg honom för sista gången. Jag ville också gråta, men hejdade mig: far stod inte ut med tårar.

Vi stod kvar ännu en stund och sade betydelselösa ord till varandra, så lämnade far tyglarna till Tastan, kysste mig igen och gav sig tyst iväg mot Arshabays dal. Långt därborta, vid floden, syntes två punkter. Den ena större, den andra mindre – våra jurtor.

Stäppen var glädjelös, eller den kanske bara gjorde det intrycket på mig – avskedet från hemmet var svårt.

Jag tog en sista titt på Saltanats grav och gnuggade mig i ansiktet. Farväl, min *zheneshe*! Farväl! Du fanns bara hos oss i ett år, men du lärde oss så mycket med ditt liv. Du gav oss ett föredöme – leva med ett leende … Jag ska försöka bära det med mig genom livet. Stäppen kommer inte längre att höra ditt lekfulla skratt. Din vackra röst kommer inte sväva under Arshabays himmel. Och ändå är du med oss, för du finns kvar inom oss.

Farväl, Saltanat..!

Jag såg mig om en sista gång. Solen bröt just igenom de höga molnen och spred sina strålar över den glittrande Arshabay.

– På återseende, Arshabay! Jag kommer tillbaka till dig igen och går vidare med allt som Saltanat lärde mig. Jag vill att människorna ska le, och jag lovar dig, min *zheneshe*, att kämpa för det.

1967

MUSSLAN

Så kom då de isande kalla decemberdagarna. Snö förekom nästan aldrig i de här trakterna, marken täcktes bara av rimfrost, men kölden bet likväl in i märgen. Samtidigt med kylan började Musslan plågas av sina krämpor, lederna värkte. Ibland stannade han i sängen nästan till mitt på dagen, då solen började värma, och först då steg han upp. Han var döpt till Tungysh, som på kazakiska betyder Den förstfödde. Men ingen kom längre ihåg det namnet. För folket i trakten var han Musslan, en stillsam och fredlig man, kanske lite bakom flötet. Det var i alla fall vad folk tänkte om honom. När detta namnet hade fastnat på honom, eller vem som hade hittat på det, visste ingen, och knappt Tungysh heller. I byn visste ingen varifrån han kom och vad han hade gjort tidigare, eller hur han hade hamnat hos dem, och när. Ingen hade förresten något intresse av att veta. Folket hade ständigt mött den gamle dödgrävaren som sommar som vinter gick omkring i sin slitna fotsida tjekmen av kamelull som satt på bara kroppen. Detta tycktes vara det enda plagg han behövde.

Ingen uppfattade honom som ömklig eller nödlidande, även om det kunde vara svårt att inte känna sympati för den stackars mannen i trasor som av ödet hade dömts till att gräva gravar dag och natt. Men alla ansåg att det var hans bestämmelse att tjäna sitt levebröd på detta sätt, eller som folket i trakten brukade säga på skämt: det står skrivet i hans panna.

Folk som enbart kände honom till utseendet tvivlade aldrig på att också denne man kunde ha sina glädjeämnen, sina sorger och drömmar. För dem var han bara Musslan. I deras föreställning var han inte den som bad till den allsmäktige om lycka, familj, en egen härd, han kunde inte ens bli sjuk, som vanliga människor. När man såg honom kunde det vara svårt att förstå om han över huvud taget hade en tanke på hur gammal han var. Det verkade som om han inte ens försökte räkna åren, och jag tvivlar på att han någon gång frågat sig själv om de varit goda eller dåliga. Det hade aldrig slagit honom att det kunde finnas ett syfte och en mening med människans tillvaro, att det fanns kärlek och fiendskap, sorg och glädje. Han hade aldrig längtat intensivt efter någonting så att det vållat honom smärta, och på samma sätt hade han heller aldrig ångrat någonting. Han steg upp på morgonen, tog sin spade, en hacka och ett spett och traskade tyst ut ur staden, bort till kyrkogården, och sedan grävde han gravar fram till skymningen. Han vande sig vid åsynen av döden och slutade tänka på den.

Varje dag grävde han tre–fyra hål, och klarade vanligen jobbet utan ansträngning fastän han inte verkade ha särskilt bråttom. När gravarna var färdiga lade han sig ner i dem i tur och ordning för att kontrollera resultatet. Om någon var för grund eller för trång fördjupade han eller breddade den. Härefter läste han en tyst bön för de avlidna, skakade och borstade noga sina kläder och återvände hem i skymningen.

Han kände nästan ingen i staden, och försökte inte lära känna någon: människorna brydde sig inte om honom, och människorna själva var likgiltiga för honom. Han frågade aldrig ens vem den döde var – om det var en enkel medborgare, eller möjligen en storman, eller om den avlidne var ung eller gammal. Troget utförde han vad den avlidnes släktingar önskade av honom – detta var allt han behövde bekymra sig om! Som ersättning tog han vad man gav honom och krävde aldrig någonting extra. Om det var lite blev han inte upprörd, blev det mycket var han inte snar att tacka.

… Kanske var det just i dag som han första gången i sitt liv började tänka på ålderdomen. Den sökte honom lik förbaskat! Han hade inga krafter längre. Eller var det frosten som hade frusit

75

marken så mycket under natten? Han försökte ännu en gång. Spaden gled bara undan utan att få fäste, skrapade av lite löst grus och klang som om han slagit i järn, och han ryste över hela kroppen. Jaså, det var på det viset! Han lutade sig mot spadskaftet med hela sin tyngd och tryckte hårt på fotstödet. Och just som spaden tycktes skära igenom kom smärtan – brännande och genomträngande som ett glödgat knivblad, rakt in i låret. Han flämtade till och tappade spaden, försökte klämma om benet som om han ville pressa ut smärtan. Han landade olyckligt på marken. Höften brann som eld och den gamla kroppen, som fångats av en isande kyla, längtade plötsligt efter en varm säng. Om han bara finge ligga och vila en stund. Inte en chans! Vem skulle komma och gräva i hans ställe? Och trött tänkte han att om benet bara ville lugna sig så skulle han på något sätt kunna gräva två gravar, och den tredje ... Nej, den tredje skulle bli övermäktig ...

Tungysh märkte inte själv hur länge han hade suttit där och gnuggat det onda stället tills benet äntligen tycktes lugna sig. Till sist tänkte han att det var dags att komma på benen. Solen stod redan högt på himlen, och de vissna fläckarna av gult gräs glittrade med droppar av smält frost. Han satte ned foten i marken flera gånger, som för att pröva om det höll att stå på, och smärtan verkade inte komma tillbaka. Så reste han sig upp, men vågade ändå inte lita på foten, försiktigt började han bearbeta jordlagret.

Efterhand lugnade han sig. Det var bara det översta som var fruset, tröstade han sig. Det finns inget att oroa sig för. Han skulle visserligen gräva tre gravar, det var sant ... Kroppen arbetade sig varm och Tungysh hade till sist glömt smärtan.

Snart var det övre frusna jordlagret bortskottat och spadtagen kändes lättare. Han hade i alla fall haft tur, riktig tur, det var inte tu tal om det! Hade han grävt här i går skulle marken ha varit hårdfrusen djupt ned, men inte i dag ... Marken var skiftande på olika ställen. Bara ett par tre steg från gårdagens gravar var det tre gånger lättare att gräva. Tydligen hade den avlidne haft ett mjukt sinnelag – och det var därför jorden var mjukare här. Så gick Musslans tankar.

När gravens djup nådde manshöjd började Musslan arbeta sig igenom sidorummet och kontrollera *kyblan*, riktningen mot Mekka måste bli den rätta. Att förbereda själva bädden är det svåraste. Han måste ligga på sidan och gräva – det fanns inget annat sätt. Men detta var han van vid...!

En timme senare var sidstödet nästan klart. Tyst tog han sig ut för att vila och torka svetten ur ansiktet. Så böjde han sig fram och kikade in i mörkret. Hans tränade öga sade honom att bottnen måste fördjupas ännu ett stycke. Han suckade: det var bara att krypa ner och fortsätta – det gick trögt för honom i dag.

I samma ögonblick hördes ljudet av hovtramp uppifrån. Vem kunde det vara? Ljudet stoppade rakt ovanför hans huvud. Tungysh rätade på ryggen och tittade upp ur graven.

Rakt framför honom satt en äldre man på hästryggen, han hade en slokande mustasch med grå stänk.

– Må frid vila över denna grav, sade han högtidligt.

– Må dina ord besannas, svarade Tungysh.

Och av gammal vana tystnade han. De insjunkna ögonen mönstrade främlingen nyfiket, även om han kunde gissa dennes ärende.

– Min yngste bror dog denna morgon i gryningen, sade ryttaren efter en kort paus.

Tungysh böjde deltagande på huvudet.

– Jag har en grav redo ... Om det skulle passa ...

Ryttaren syntes tveka ett ögonblick, som om han inte uppfattat vad Tungysh sagt. Så vaknade han till liv igen, en tanke tändes i hans ögon och han flyttade sig en aning i sadeln.

– Det är för låglänt här, sade han, som om han ville urskulda sig av någon okänd anledning. Vattnet kommer att bli stående. Går det inte att gräva den någon annanstans?

– Varför begabba den högstes jord?

Tungysh blev stött.

– Må Allah förlåta den döde. Min önskan är densamma ... Gräv mig en ny grav, min gode man, på kullen därborta.

Med ridpiskans bronsskodda handtag pekade han mot en kulle ett stycke längre bort.

– Det verkar vara torrare där!

Ständigt samma sak! tänkte Tungysh, mera med uppgivenhet än irritation. Marken ska de välja, och platsen ska de välja. Varför måste de förtörna Skaparen? Kulle eller låglänt, vad gör det för skillnad? Allt ligger under den allsmäktiges öga. Och det skulle inte bli blött här heller, han skulle lägga en ränna så vattnet rann undan. Och gravbädden kunde han bygga så att inget vatten skulle komma åt den.

– Om jag fodrar med fyra skikt tegel så kommer det inte att läcka in en droppe.

– Det är inte tid att disputera när dödens vinge har drabbat oss, gamle man. Nej, sade ryttaren sorgset, jag ska inte stå i skuld. Jag ger dig ett får för ditt arbete. Det är mitt bud.

Och även om girigheten aldrig sökte Tungysh tänkte han: ett får för en grav – det är sällan man möter så generösa kunder. Han skulle behöva ett får. Han hade länge velat skänka ett offer till sin faders och moders andar, men det hade inte lyckats honom – han hade ingenting att offra. Och nu hade lyckan kommit självmant i hans händer.

– Då får det bli så, sade han. När jag är färdig med detta tar jag mig an ditt uppdrag.

– Må Allah välsigna dig, min gode man! svarade mannen och manade på sin häst.

Tungysh såg efter honom en stund och fortsatte att fördjupa den halvfärdiga bädden. Snart blir det dags att ställa min egen viloplats i ordning, tänkte han av någon anledning. Och om det nu berodde på att själva tanken var så överväldigande vemodig i all sin enkelhet, eller om det berodde på fukten och kylan där i gropen, men i samma ögonblick slog en suck ur gravens kyla emot den gamle mannen och hans hjärta sjönk, knöt sig samman i ett ögonblick av skräck. Såja, såja, försökte han muntra upp sig själv, vad är det med dig? Det är kallt här nere, du är inte uppe i solen, och det är bara dumheter alltsammans! Allting ska nog ordna sig.

Med hjälp av en kortskaftad hacka luckrade han upp jorden och skyfflade sedan bort den, och kom återigen att tänka på sitt samtal nyss med mannen på hästen. Han hade sagt att vattnet skulle läcka in. Vilket vatten? Marken här var alldeles torr, som damm, ingen jord! Äntligen klättrade han upp ur graven och satte sig ned på en liten hög av mjuk gul sandjord som han nyss hade hämtat upp ur djupet, och han kisade länge mot solen.

Det hade blivit varmare. Det låg pölar där isen nyss hade glittrat i solskenet. Tungysh såg sig omkring. Inte en själ, alldeles tomt, bara gravar, gravar. Somliga sträckte sig med kupoler mot solen, andra var försedda med platta tak, en del var uppkastade gravkullar och vissa av dem var inte mer än små grushögar. På vissa ställen var gravarna nedsjunkna, och enstaka gravar hade helt fallit samman. Ingen visste vem dessa gravar en gång tillhört. Några hade kanske rests åt heliga män? Vem vet?.. Allt förgår, även minnet suddas ut. Och allt som återstår är tystnad, tomhet, förfall …

Den värmande solen och allehanda enkla tankar som kom och gick fick Tungysh att alldeles glömma sina smärtor. De återkom när han hade tagit sig bort till kullen och nästan hade grävt ut graven till midjehöjd, graven som den okände hade beställt av honom. Smärtan återvände helt plötsligt. Inte bara i höften – hjärtat kramades samman i dödlig kramp. Den gamle gav till ett stön och hade så när stupat rakt ned i gropen.

Vad ska jag straffas för just i dag? tänkte han desperat. Återigen satt han länge på gravens kant och försökte att kämpa emot smärtan och tröttheten, återigen tänkte han bittert på ålderdomen, och sjukdomarna. Han ville krypa ned under en varm filt. Med ens slog det honom att om han blev sittande på det här viset länge, så skulle han snart inte kunna resa sig upp över huvud taget. Först då, men med svårighet, steg han upp och rätade på sig. Benet tycktes ha lugnat sig, och som han var van tog han stöd mot skovelskaftet och hoppade ned i graven.

Tungysh hann nätt och jämnt känna fast mark under fötterna när smärtan återvände och genomborrade honom som en glödhet blixt och bländade hans hjärna.

Medvetandet återvände inte omedelbart. Smärtan i höften verkade ha gömt sig och gav sig bara tillkänna som en molande värk,

79

När han förlorade medvetandet måste han ha slagit pannan mot spaden och den vassa kanten hade skurit upp ett djupt sår. Det var blod överallt. Det hade blött ordentligt på marken och började nu torka ut.

Tungysh kände i pannan, suckade krampaktigt – en oresonlig känsla av förargelse vällde upp inom honom och fick det att stockas i halsen. Han tog stöd mot väggarna i gropen och kom upp på benen, och tog ett grepp i kanterna av gropen, och rädd att skjuta ifrån med fötterna lyfte han sig upp med blotta armstyrkan. Det är slut med mig, tänkte han. Detta är slutet. Och nu visste han bestämt att det inte handlade om några tre gravar, inte ens två stycken skulle han kunna klara i dag. Varför skulle jag hoppa? tänkte han och förbannade sin egen dumhet. Hade jag inte hoppat skulle ingenting ha hänt. I sitt omtöcknade och smärtsamma tillstånd fick han samma frestande bild på näthinnan – en varm och inbjudande säng – men han drev ursinnigt de förföriska tankarna ifrån sig och beordrade nästan sig själv: Håll ut! Vänta! Två gravar åtminstone, men färdiga. Ynka två! Klarar du verkligen inte detta innan solen går ned? Men han insåg att han inte kunde kämpa mot sig själv, och han sträckte ut sig på marken och makade sitt onda ben tillrätta i den klena vintersolen.

Det värmde åtminstone lite. Kroppen sög i sig denna lilla värme med vällust. Tungysh märkte inte själv att han somnade, när han vaknade var det redan middagstid. Han hackade tänder i kölden.

Solen hade uppenbarligen för länge sedan försvunnit, tunga smutsiga moln drog över himlen och en isande vind blåste från väst. Sidan som han låg på hade domnat i kylan, och han tyckte sig inte få luft. Är detta slutet för mig? tänkte han igen. Och någonstans från djupet av hans medvetande kom ett undergivet: Vad kan du göra åt den saken? Kanske var det hans fantasi, eller kanske var det hans leder som knakade och gnisslade när han med stegvisa rörelser lyfte sin kropp från marken. Han tittade ned i graven, där hans verktyg hade blivit liggande på botten, men han plockade inte upp dem – krafterna räckte inte. Han svepte sin tjekmen tätare om sig och knallade tyst hemåt till sitt eländiga kyffe i andra änden av staden.

I normala fall tog han sig hem på ett ögonblick, eller som kazakerna brukade säga – fortare än mjölken kokar upp. Men den här dagen tog det en och en halv timme: han måste vila alltför ofta på vägen. Och om det nu var av ren jäkelskap, eller att vinden hade orsakade det, så hade kudden som täckte fönsteröppningen ramlat ned och det var svinkallt i rummet. Han pluggade igen hålet och det blev mörkt som i graven. Han borde göra upp eld. Men då måste han hämta glöd hos grannarna. Blotta tanken gjorde honom så svag i knävecken att han stönade. Han famlade runt i mörkret och hittade filtarna på träbritsen, vek ihop dem ovanpå varandra och lade sig i sängen med ett tjockt sadeltäcke över sig. Om han bara hade haft lite het aska, tänkte han. Den förbannade smärtan skulle gått över om jag bara haft aska att lägga på det onda.

Han brukade vanligen hälla askan i ett stycke tyg och lägga på det smärtande stället. Hans far hade brukat göra just så. Och det hjälpte. På morgonen var han alltid frisk, som om sjukdomen bara hade varit inbillning dagen innan. Men i dag visste Musslan inte så säkert, men han kände det så, som om ingenting skulle hjälpa honom mera, krafterna lämnade hans kropp och livet lämnade honom med dem.

Efter ett tag kände han sig faktiskt varmare. Människan är konstigt funtad – strax var hoppet tillbaka: det var kanske ingenting ändå, han kanske skulle få leva lite längre. Får han bara svettas ut ordentligt, så blir han säkert bra till i morgon. Bästa medicinen är en varm säng och lugn nattsömn. Det brukade hans far säga. Ja, han måste få sova djupt – det är räddningen.

Men hur han än försökte kunde han inte somna. Genom bruset och värken i huvudet kom fragment av minnen tillbaka, tankar på den ofärdiga graven, och plötsligt började han plågas av febersyner: en öppen härd mitt i rummet och på härden en brinnande saxaulbuske från saltöknen som sände vågor av hetta. Därnäst en kopp fet buljong som ångade och skickade ut en härlig doft av kött. Dunkla skuggor kom och gick, bilder av hans far och mor, och han led med dem: fattiga, fattiga, eländiga varelser ...

Han hade drömt om dem föregående dag. Deras andar väntar sig offer, förstod han. Han måste köpa ett får, beställa en bön för dem. Och återigen kom han ihåg att han inte kunnat avsluta den andra graven, som skulle betalas med ett får. Han kände sig bitter. En varm droppe rullade från hans tinning och in i hans öra. Han ville torka bort den, men var rädd att rörelsen skulle lätta på täcket och släppa in kylan. Nej, det är bäst att inte gråta, tänkte han. Vi ska inte gråta, varken för de levande eller de döda. Det kommer att göra deras själar skada... Han var som ett barn som aldrig haft en barndom. Hans far Komsha kunde inte med bästa vilja i världen kallas en lycklig man. Han ägde inget hantverk som kunde försörja honom, och inga beskyddare. Hans far arbetade åt andra och fick inte mer än smulor med sig hem. Pengarna till sitt giftermål lyckades han tjäna ihop först vid fyrtio års ålder, och till och med då fick han nöja sig med vad han kunde få – en föräldralös, som kunde giftas bort för ingenting.

Två år därefter föddes deras första barn. Ingen hade något intresse av en fattiglapp som Komsha – han hade inte ens någonting att undfägna en gäst med, och därför fanns det ingen förutom två gamla och lika fattiga kvinnor som hjälpte kvinnan i hennes födsloarbete eller besökte henne. Komsha var dessa dagar långt borta. Han var sällan hemma över huvud taget: utan annat levebröd gick han runt till de rika byarna och grävde brunnar, ibland mycket djupa brunnar – fyrtio och ibland femtio famnar djupa. Det var detta han levde på.

En vecka gick och mamman hade redan börjat vänja sig vid den nye mannen i huset, när Komsha äntligen dök upp i sin hemby. Han återvände efter midnatt. Han steg över tröskeln till huset och uppfattade omedelbart en ny, obekant lukt. Under några sekunder, innan han ännu kunde lita på sin föraning, sniffade han i luften, drog in lukten i näsborrarna, så drog ett leende över läpparna och han kände plötsligt hur benen bara ville vika sig och han kände en tyngd i armarna och kunde varken gå eller röra sig.

Och fastän han gick tyst hörde hans hustru honom till och med i sömnen och steg hastigt upp, rörde om kolen på härden och ett rött eldsken lyste upp den torftiga bostaden. Hon såg på sin man, glad och försiktig samtidigt, som om hon var rädd att han inte skulle vara nöjd med det ena eller andra, slog så ned ögonen och sade med förebråelser i rösten:

– Var har du hållit hus så länge? Jag trodde aldrig att du skulle komma.

Äntligen återvann han fattningsförmågan.

– Jag blev tvungen att gräva för djupt. Och han nickade mot hörnet där vaggan stod, svalde klumpen i halsen och frågade: Vad har du kallat barnet?

– Jag har väntat på dig ...

Han nickade, men såg inte längre på henne – på tå, som om han var rädd att väcka barnet med en hastig rörelse, gick han fram till vaggan, vek undan filten och böjde sig över det fridfullt snusande barnet, andades in lukten en lång stund med välbehag.

Elden i härden började falna och ljuset i rummet dämpades. Komsha gick fram till sin hustru och lade mjukt armen om hennes axlar, och utan att släppa henne ifrån sig böjde han sig ned och tog upp eldgaffeln och rörde om i glöden. Det blev ljusare i rummet igen.

– Han är vår förstfödde, så vi ska kalla honom Tungysh.

– Som du vill ...

– Och dopfest måste vi ha. Har du bjudit grannarna än?

– Jag väntade tills du skulle komma. Du vet att det är tomt i huset. Om du har ett lamm med dig, så går det bra. Annars har vi inget att bjuda på.

– I morgon bjuder vi in dem. Hela förtjänsten ska gå till vår Tungysh!

... Från och med nu hade Komsha alltså ansvaret inte för två, utan för tre liv. Och kampen för dessa liv hade blivit tyngre. Han slog hö åt folk, grävde brunnar, vallade boskap, och när nöden blev som störst tvekade han inte att tvinna kastsnaror – en syssla som kazakerna ansåg ovärdig en man – och inte minst samla kamelspillning till bränsle. Han ställde aldrig frågan vem som bar skulden till detta liv. Hans tankar var enkla. Om du inte har mat till din hustru, kommer hon att förstå – det finns ingen – men hur förklarar du detta för ditt barn? Han gråter, kräver mjölk och Komsha är en usling om han inte skaffar honom mjölken, om han inte kan stilla barnets tårar.

På detta sätt upptogs Komshas tid av bekymmer för det dagliga brödet. I tio år hade de levt samman. Ytterligare två gånger hade hans hustru gått havande, men det syntes som om Allah inte ville sända dem fler barn. Ett barn levde bara tre månader, och det följande var dött vid födseln.

För kazaken finns inget värre öde än en fåtalig familj. Inte minst skulle grannarna titta snett på Komsha och tänka att han måste ha förtörnat Allah, när nu den högste hade berövat honom hans avkomma.

Människors onda tungor är en större börda än det tyngsta arbete. Komsha fördystrades och åldrades påtagligt, och sorgen böjde också hans hustru. En enda glädje hade de gemensamt – sonen Tungysh. Ja, och den sanna ödmjukhet som anstår en rättrogen muslim. Allt som ödet anbefaller oss ska vi bära utan klagan, sade de till varandra.

– Ingen kan undfly sitt öde. Vi ska be Allah om ett långt liv för vår Tungysh, och därmed finna tröst ...

Men som ordspråket säger kan olyckans snara kan inte evigt läggas runt samma hals. Tydligen såg Allah deras ödmjukhet, hörde deras böner och vände inte sitt ljusa ansikte från dem, Komshas hustru födde till sist ännu en son.

– Glädjens fågel har gästat ditt tak, sade grannarna.

Lyckan, liksom olyckan, kommer inte ensam. Komsha mötte en dag mulla Batigol.

– Är det inte dags för din förstfödde att lära sig något? frågade han.

– Hur ska jag kunna betala för hans undervisning? suckade Komsha.

– Allmosornas guld rostar inte. Jag tror inte att du kommer att glömma min godhet!..

O, denne helige man! Mullans vänliga ord fick Komsha att leva upp. Ja, han skulle nu arbeta för tre. Och oavsett om den ärevördige mullan inte krävde betalning för sonens skolgång, skulle han inte stå i skuld. Må himlen slå honom med vanära om Tungysh kommer till mullan tomhänt den första skoldagen! Om Komsha så skulle sälja allt han ägde och hade, skulle han lämna en ko i mullans stall. Det återstod ännu tre månader tills undervisningen skulle börja. Om du gräver två brunnar under den här tiden, blir det två får. Och om han lägger till en kalv och ytterligare tre får, som Komsha redan hade, skulle han då inte kunna byta till sig en ko för allt detta?

Den som söker, han finner! Och Komsha var oförtröttlig i sin jakt på arbete. Några dagar efter samtalet med mullan kom nyheten att en brunn hade störtat samman i Tleuberdy-bajs by och nu behövdes en hantverkare som kunde gräva en ny.

Det kunde tyckas vara en smal sak att slå ett hål i marken, även om det är fyrtio famnar djupt! För den som är van att hantera spett och hacka är det en struntsak. Men att behärska konsten att förstärka väggarna och törse dem med en så tät inklädning att inte ens ett sandkorn tränger igenom, det var inte alla förunnat. Det var därför som Komsha sågs som en stor mästare och var berömd i hela distriktet.

Nästan hela byn hade samlats för att möta honom. Till och med självte Tleuberdy-baj lämnade sin jurta när han hörde att Komsha hade kommit. Det var tydligt att behovet av brunnen var stort.

De behövde inte förhandla länge om priset. Uppgiften var inte enkel, och arbetet måste göras snabbt. Man kom överens om att Komsha skulle få två får för sitt arbete. Han jublade inom sig: han hade redan sin dröm inom synhåll. Det skulle bli en ko åt mullan, det fanns inget tvivel! Redan en timme senare hade han hittat en flink medhjälpare bland byborna och satt igång med arbetet och arbetade från soluppgång till solnedgång.

Men oj, så långt från markytan han måste gräva på denna plats för att hitta vatten! Det gick dag efter dag, och Komsha grävde sig djupare och djupare ned i jorden, men leran var fortfarande torr. En måne hade hunnit blekna, och ännu en, och en tredje, när mästaren äntligen märkte att jorden började fastna på spaden. Och snart började det bli lerigt på botten av schaktet och det klafsade under fotsulorna. Det klara vattnet visade sig dock inte förrän på den tjugoåttonde dagen. Det började först samla sig långsamt i hålet, men snart sken det som kvicksilver.

Vatten, välsignat vatten! Han såg hur jorden lämnade ifrån sig sina livgivande safter och log. Så ryckte han i repet, och när medhjälparens huvud synes högt däruppe ropade han högt:

–Vatten! Vatten! Jag har nått ner till vattnet!..

Medhjälparen försvann som bortblåst av vinden, självklart sprang han till byn med den goda nyheten.

Snart hade alla byborna samlats runt brunnen. Jublet över vattenhålet var obeskrivligt. En saxaulbuske som hade hämtats från stranden av Syr-Darja sänktes ned i hålet till Komsha. Han gjorde den sista inklädningen och förstärkte väggarna. Stående i vatten upp till knäna fördjupade han brunnen ytterligare med en halv famns djup. Och när han äntligen kom upp höll solen på att gå ned.

Alla omringade honom och klappade honom på axeln och berömde honom och sade att han hade utfört sitt arbete så snabbt och bra, att om skaparen vill behövde han inte bekymra sig för att ha arbete de närmaste två eller tre åren – en så berömd arbetskarl borde man anlita för att gräva ännu en brunn, för det kan aldrig vara en synd att tänka på framtiden. Komsha blev erbjuden att stanna i byn ännu några dagar för att vila, men han hade bråttom hem – även om han hade varit hemifrån flitigt, men det kändes trots det ovant, och dessutom var han orolig för hur familjen hade det hemma. Och han ville dela sin glädje med dem – förtjänsterna hade varit goda. Han tog sina får som hade utlovats, och några dagar senare, mitt i natten, hälsad av hundarna som skällde ursinnigt, kom han hem till sin egen by.

Han stannade hemma i ungefär en vecka, och inte ens då brydde han sig så mycket om att vila som att försöka ta reda på var de sökte brunnsgrävare i närheten. Till sist fick han besked och gav sig omedelbart iväg, hela tiden orolig att någon annan skulle hinna före.

Byn var, liksom den tidigare, stor och rik. Komsha lovades på samma sätt en god ersättning, och satte med stor energi igång med arbetet. Äntligen har du fått tur, sade han tyst för sig själv, och kämpade ursinnigt med hackan och spettet. Marken var som sten, men han tycktes inte märka det: under dagen och de korta vilotimmarna på natten var alla hans tankar upptagna av Tungysh. Han drömde om den tiden då hans son skulle växa upp, studera och bli en respekterad person. Och att det skulle bli just som han hade tänkt, därpå tvivlade han inte för ett ögonblick. Han såg för sin inre blick hur han och Tungysh skulle promenera lugnt och värdigt genom byn och samtala om ett eller annat betydelsefullt och lärt, och gamlingarna skulle titta på dem och imponerade ruska på sina huvuden och säga till varandra:

– Har du hört? Komshas son är en lärd mulla. Han behärskar alla vetenskaper. Vem skulle ha trott det!..

Ja, munnarna kommer att gå hos både gamla och unga!

Och därefter kommer Komsha att se ut en fästmö åt honom från en god familj och bygga ett *otau*, ett bröllopshus vitt som snö. Och den vackra svärdottern kommer att stiga upp tidigt på morgonen och möta honom redan vaken vid jurtan, böja sitt huvud och säga:

– Vill svärfar be en *salah*? Jag har gjort i ordning en skål med varmt vatten för tvagningen …

Och han kommer att välsigna henne:

– Må du leva länge, min duva. Må alla dina önskningar bli uppfyllda.

– E-e, det här är livet! tänkte Komsha. Måtte jag leva länge nog att få uppleva detta!

… Den här dagen hade han redan kommit till tjugo famnars djup. Jorden var fortfarande kompakt och hård som sten, och han kunde ännu inte upptäcka minsta spår av vatten. Det var nära middagstiden. Dricksvattnet hade tagit slut, och hantlangaren hade sprungit till byn för att fylla på lädersäcken. Komsha fortsatte att gräva, genomsvettig av värmen och tröttheten.

Någon ryckte i repet uppifrån. Vad var detta? Var hantlangaren redan tillbaka? Hade han fått vingar? Komsha tittade uppåt och kunde urskilja tre obekanta ansikten. De lutade sig över brunnen och skrattade högt. Det fanns en utmanande, elak ton i detta skratt. Det gick en kall kåre längs Komshas rygg.

– Vad vill ni? ville han säga med myndig stämma, men rösten skar sig förargligt och liknade mest ett hest pip.

– En gravråtta! En bladlus. Som kan prata! Vad väser du om, din dyngbagge?

– Ah-ha-ha-ha!

– Heh-heh-heh!

– Kom upp. Ge oss att dricka och var lite trevlig! Hördu, ta hit en skopa från din brunn!

– Oh-ho-ho!

– Varför kommer ni och stör mig? Ge er iväg!

– Kom upp! Kom upp med dig! Vad han pratar! Håll i repet.

Men Komsha tog inte repet. Om någon hade frågat honom vad han var rädd för, skulle han själv inte ha kunnat svara. Det var något misstänkt med främlingarnas uppträdande. Han kunde givetvis låta bli att ta sig upp ur brunnen, men vem kunde veta vad de hade i sinnet? De kunde kasta en sten i huvudet på honom där uppifrån, och det skulle inte finnas någon att lägga skulden på.

Han klättrade uppåt på de uthuggna stegen, samtidigt som han tog spjärn mot den motsatta väggen med sin hacka. Hela tiden hoppades han att någon av hans vänner fortfarande fanns kvar däruppe. De hade kanske bestämt sig för att skämta med honom. Han kunde inte känna igen ansiktena där nedifrån, men när han kom upp såg han en samling okända djigiter. Han kunde lätt se på männens kläder och seldonen på hästarna som stod bundna en bit bort, att detta var rikemanssöner. Han kände en skarp lukt av boza, och han gissade att de hade hällt i sig grundligt.

– När blir brunnen klar? Eller ska du hålla på här och gräva i hundra år?

De var hotfulla och helt uppenbart inställda på slagsmål. Och även om Komsha såg att de i jämförelse med honom själv såg klena ut, bestämde han sig för att slingra sig ur situationen på fredlig väg: den som bråkar med berusade storpampar har inget vett i skallen.

– Med den högstes välsignelse är jag klar om tio dagar.

– Vill du att vi ska törsta ihjäl till dess?

– Allah förbjude, det finns ju en gammal brunn.

– Prata inte strunt. Ta fram lite boza, vi vill ha en styrketår.

– Bäste herrn, var skulle jag få boza ifrån? Min assistent kommer strax, han har kanske med sig ayran ...

– Ayran? Ha, ha, ha! Han har blivit helt galen!

Han storknade av skratt.

– Det är ett bra jobb, sade en ståtlig djigit med prydlig tunn mustasch.

Hittills hade han inte sagt ett ord. Nu hade han tydligen bestämt sig för att också ha lite roligt. Med en blinkning åt sina vänner frågade han överlägset:

– Är det sant att du har en ung hustru?

– Vad pratar ni om, herrn?

– Jag frågar om det är sant att du har en ung hustru?

Koshma svarade inte, men tänkte inom sig: O Allah, vad är den här typen ute efter?

– Varför frågar ni det?

De unga männen brast i skratt på nytt.

– Ha, ha, ha! Han vet inte varför vi frågar om hans brallis! Du vet kanske inte själv?

– Hi hi hi!

Hur mycket Komsha än behärskade sig träffade den mustaschpryddes ord hans ömmaste punkt med sådan kraft att han var nära att tappa besinningen och drämma till honom mitt emellan ögonen, men förnuftets röst hejdade honom igen: de väntar bara på detta.

– Mina herrar, jag är inte en lika bekymmersfri person som ni. Ni har kunnat äta er mätta, ni är välklädda och har fina skor på fötterna – och nu vill ni ha roligt. Jag har inte råd med någonting av detta – jag måste arbeta hårt. Jag har inte gjort mig förtjänt av era hånfulla ord ...

– Hör på den! En väluppfostrad gosse, tror jag bestämt! Tål inga hårda ord! Men vem, vem skulle göra det? Jag kanske? vrålade han plötsligt. Du din grävling ... Tar sig ton gör han också!

Den mustaschprydde kisade mot Komsha en lång stund med svarta rakbladstunna glittrande onda ögon:

– Nu räcker det, gräv ditt hål. Ner med dig, ner! Hör du vad jag säger?

Komsha kände med varje fiber i sin kropp att det nu var farligt att gå ned. Han tvekade.

– Han är visst rädd? ... He-he-he! Jo, det är han ..., sade en av de övriga och pekade på honom med fingret. Ge dig iväg bara, vi kommer inte att göra dig något.

Att tro på en berusad slyngel är som att smeka en huggorm. Men det var alltför förödmjukande att visa sig feg framför ögonen på dem.

När Komsha kommit ned på botten av brunnsschaktet tog han upp sin hacka och lovade sig själv att inte svara dem igen. Men oroliga tankar borrade fortfarande i hans skalle: Varför gav de sig inte iväg? Vad hade de nu i kikaren? Och naturligtvis skulle hans hantlangare vara borta just nu!

En minut hade gått, kanske lite mer, när den mustaschpryddes röst hördes uppifrån med undertryckt skratt:

– Hördu därnere, titta upp ett ögonblick!

Komsha vände automatiskt upp huvudet. I samma sekund fick han en varm, stinkande stråle i ansiktet.

– Åh, din saa...

Han fick tag i spettet och som en blixt var han uppe igen.

Alla skrattade så de vek sig dubbla och pekade på honom. Komsha tog den mustaschprydde i kragen, medan han fortfarande fumlade med snörningen på sin gylf, och drog honom till sig.

– Om du så vore son till khanen själv, ska jag tvinga dig att smaka jorden!

Färgen försvann från den mustaschpryddes ansikte, men han flinade fortfarande.

– Har ni sett på gravmusen! Nu börjar han hota också ...

Och i samma ögonblick som han var på väg att lägga upp ett gapskratt, slungade Komsha honom till marken med ett hastigt ryck och i nästa sekund satt han på den andres bröst, likt en kungsörn över sitt byte, och piskade honom med korta, tunga slag av knytnävarna. Den ståtlige djigitens huvud kastades från sida till sida.

De båda andra, som uppenbarligen inte hade förväntat sig denna utveckling, stod vid sidan och såg på, skrattet hade tystnat. De vaknade till liv först när den halvkvävde mustaschprydde skrek åt dem:

– Men hjälp mig, hjälp mig då! Varför står ni bara där, era schakaler!

Först nu kom de rusande mot Komsha.

Inte ens när alla tre gick till anfall tillsammans var det någon enkel sak att hantera den senige och starke brunnsgrävaren. En härva av kroppar rullade runt i gräset under rop och förbannelser – och den uppskottade jorden från brunnsschaktet föll tillbaka i gropen.

Efter bara några minuter var de unga snobbarnas eleganta sammetskappor vanställda av damm och smuts, tyget hade spruckit och sömmarna rämnat. Men alla fyra var upptända av raseri, och ingen brydde sig längre om hål, smuts eller blåmärken. Ur uppspärrade gap strömmade hesa förbannelser och slagen föll med ett smackande ljud när en knuten näve landade på blottad hud.

– Spettet! Ta hit spettet! ropade en av nykomlingarna, som låg med Komsha över sig.

Brunnsgrävarens hjärta stannade i bröstet. Händerna släppte omedvetet sitt offer. De är galna! De är fullständigt galna! Och en orolig tanke slog honom: de tänkte döda honom. De drar sig inte för någonting, de kommer att slå ihjäl honom! Herre Gud!

Han kom snabbt på fötter. Den mustaschprydde stod böjd över brunnens kant och plockade upp spettet. Ansiktet ryckte och förvreds i kramper av raseri. Under ett kort ögonblick som tycktes långt som en evighet såg de in i varandras ögon. Brutaliteten och skräcken kolliderade i deras blickar som tvillingar. I nästa ögonblick måttade den mustaschprydde med spettet och Komsha gjorde en rörelse, som om han ville dyka undan slaget, och kastade sig mot sin fiende.

Ingen kan nu förklara vad som skedde i detta ödesdigra ögonblick. Antingen var det så att den mustaschprydde snubblade, eller också ryckte han kanske för hårt i spettet – han förlorade fotfästet och i ett vansinnesryck vacklade han bakåt, slog ut med armarna och med ett skrik föll han baklänges ner i den tjugo famnar djupa brunnen.

Striden avstannade omedelbart. Helt lamslagna lutade sig de tre männen över brunnen. Det kom ett svagt stönande från djupet.

Ingen av dem kunde efteråt erinra sig hur länge deras tillstånd av förlamning varade. Strax därpå vek sig benen på en av djigiterna och han föll på knä vid brunnens kant och med ett rop som fick blodet att isa sig: Min bro-der! täckte han sitt ansikte med skakande händer.

… Den mustaschprydde hade brutit halskotan. Han dog på kvällen. Samma dag fick Komsha veta han var son till Doskey, en av de rikaste stormännen i området. Tre dagar senare skulle den mustaschpryddes bröllop ha ägt rum, och de sista dagarna hade han festat och levt rövare och sagt farväl till sitt ungkarlsliv …

Ännu helt nyligen hade Komsha, inspirerad av de senaste framgångarna, vandrat lätt och säkert på jorden. Ljusa förhoppningar hade uppfyllt hans hjärta, men nu bleknade de, som när en lykta släcks av ett vinddrag. Framtiden förmörkades av en sorgesam skymning. I en hel vecka förberedde Komsha sin bön, han bad till Gud om nåd. Om samma rättvisa bad han de vitskäggiga äldste och de svartskäggigas råd och försökte befria sig från den fruktansvärda anklagelsen för mord på stormannens son.

Men allt var förgäves. Han dömdes skyldig. Och vittnena – de båda kvarvarande djigiterna – bekräftade domen: Ja, det var han som hade dräpt sonen. Kamsha var utom sig av bedrövelse när

Brännande sol, isande vind, levande stäpp

han hörde domen, och med en suck ropade han till himlen:

– O Allah, orättfärdig är du, du måste ha tänkt att brunnsgrävarens yrke öde var för gott för mig. Du måste ha föreställt dig att jag njöt av detta liv. Varför straffar du mig?..

– Olycksfödd är du, sade den gamle mannen som satt på hedersplatsen, visste du inte vilken olycka du drog över dig själv?.. Jag har levt länge i världen, men aldrig har jag sett och aldrig heller hört att en muslim dödat en annan muslim för ingenting. Hur bestämde du dig för detta?

– Aksakal, tro mig, tro mig, jag ber. Jag har inte dödat. Jag är oskyldig. Och ha åtminstone medlidande med min hustru och mina barn. De lever bara på det jag tjänar med egna händer. Ha barmhärtighet, ni rättroende!

Men domarna var obevekliga. Domen löd: För myrzans död måste den skyldige eller invånarna i hans by föra trettio kameler, trettio hästar och trettio kor till Doskey. I det fall att lösensumman inte betalas omedelbart, är mördaren skyldig att överlämna sin äldste son till Doskey som pantfånge. Sonen återlämnas till fadern vid betalning av skulden.

Samma dag sändes budbärare från Doskey till bajen Sheralis by, där Komsha bodde. I tre dagar och tre nätter väntade Komsha på deras återkomst utan att få en blund i ögonen, men han hade föga hopp om att Sherali skulle gå med på att köpa honom fri. En enda tanke plågade honom: Hur skulle hans hustru överleva denna förfärande nyhet?

Så återvände sändebuden. Sheralis svar, som de medfört, lämnade inget hopp:

– Jag är inte tillräckligt rik att köpa några landstrykare. Jag har inga kor eller kameler att lämna. Gör vad ni vill med mördaren, ni må gärna koka honom och äta upp honom. Mig är detta likgiltigt ...

När ytterligare några dagar hade gått kom Komsha till Doskeys by med sin Tungysh. Brunnsgrävarens rygg tycktes böjd för evigt, den livliga glansen i hans ögon hade bleknat, och hans kraftlösa händer hängde som piskor vid den seniga kroppen. I stället för att skicka sin son att undervisas av mullan, lämnade han bort ho-

93

nom som pant för sin skuld. Med sina egna händer gav han bort honom! Ingen enda människa på jorden ville berätta eller veta sanningen, den sanning som skulle ha återinsatt Komsha i hans tidigare värdighet på ett ögonblick och gett hans son friheten.

Pojken kände tydligt att någonting var fel, han såg vilt på främlingarna och klamrade sig fast vid sin far, höll sig förtvivlat fast vid skörten på hans rock. Och när Komsha, efter att ha omfamnat sin son för sista gången, vände sig bort och skyndade sig att stiga till häst, började pojken gråta högt:

– Far! Jag vill inte vara här. Jag vill inte, Far!

Koshma såg ned i marken och kunde bara säga:

– Håll dig vid liv, min son. Jag kommer och hämtar dig till sommaren.

Och inte längre i stånd att behärska sin sorg, piskade han på den oskyldiga hästen.

Sommaren gick och hösten kom. Men fadern dök inte upp i byn. Varje dag gick den lille gisslan ut på vägen som började strax utanför byn och såg länge och sorgset, som en vuxen man, ut mot på stäppen i hopp om att se en ryttare. Ibland kunde en plötslig vindstöt riva upp en dammoln i fjärran, och då kunde Tungysh få för sig att han mitt i dammet såg en ryttare och den där ryttaren liknade hans far. Och ibland såg han en häst, och varje gång som pojkens hjärta ville hoppa ur bröstet på honom av glädje visade det sig att det inte var hans far. Och även om byns gisslan hittills inte hade behandlats illa, kände hans föräldralösa själ redan både längtan och ensamhet bland dessa främmande människor. Fångenskap är alltid fångenskap, och ingenting kan förgylla den.

Det fanns också en annan man i byn som såg fram emot Komshas återkomst – Doskey. Även han brukade från tid till annan ställa sig och plåga sina gamla ögon för att försöka urskilja de mörka rörliga fläckarna borta på vägen. Dunkla tankar kom och gick i den gamle bajens huvud. Vad hade han för nytta av att ha pojken boende i sin by? Skulle han uppfostra honom till arvtagare? Doskey var inte barnlös, tack och lov! Uppfostra en förslagen boskapstjuv? Ne-ej, vad ska det tjäna till? Ett främmande blod. Just nu kanske pojken inte begriper någonting, även om han ibland kan se på honom med vargblick, men när han växer upp kommer han att ruva på hämnd, liksom en kniv som han gömmer vid bröstet. Om du lär upp honom efter ditt huvud kommer du själv att bli rånad. Förr eller senare kommer han säkert att hitta sitt eget folk och följa med dem. Vad händer då? Och även om han inte skulle hämnas, skulle det göra någon skillnad? Vad kunde han ha för glädje av att fostra en rövare i sitt hus?

Bajen hoppades att Komsha, även om nu inte betalade allt, åtminstone skulle överlämna lite boskap till Doskey: Hade han inte själv kanske fått punga ut med hemgift för sin döde sons brud? Den person som bar ansvaret för hans död borde åtminstone ersätta en del av det som förlorats. Men varken Komsha själv eller hans släktingar hade hittills visat sig i byn, och hos Doskey växte irritationen. Det var som om släkten var utdöd, tänkte han ilsket.

Men om vi ska göra Doskey rättvisa, så var han ingen ond man. Som han själv var far till flera barn, förstod han en faders känslor. När han då och då uppfångade sin lille fånges längtansfulla blick, kunde han tänka för sig själv: Borde jag inte ta med mig pojken hem till hans far? Och säga till denne: Det som har skett har skett, och vi kan inte återkalla de döda till livet, och att skinna dig levande och plundra den allra fattigaste – är det värdigt en människa? Ta emot pojken och minns min goda gärning.

Men dessa tankar var svävande, kortlivade. Traditionernas ok vilade tungt på Doskeys axlar. Vad skulle hans släktingar säga, vad skulle hans folk tro, om han bröt mot hämndens lag och inte tog emot gottgörelsen? Och den döde sonens ande? Skulle han förlåta sin far? Skulle han inte uppfatta det som att Doskey inför en fiende vanärade sin egen släkt?

Och åter hårdnade hans hjärta. Du behöver din son, och jag behöver boskapen, tänkte han kallt. Eller har du inte förbarmande med din son? Har du kanske bestämt dig för att offra honom? Knappast! Och hör på mig, Komsha, hur kan du ligga i jurtans värme medan pojken får växa som en ensam tistel i öknen?

Kanske skulle tiden ha stillat Doskeys vrede och hans förbittring ha gett vika för det enkla mänskliga medlidande som alltid levt inom honom, om det inte varit för den gamla fiendskapen med Sherali, som kom från samma by som Komsha härstammade från. Den hade brutit ut för länge sedan. Redan som unga män kunde Doskey och Sherali inte dela samma betesmarker. Och i fortsättningen kom det till ideliga sammanstötningar. Och för tre år sedan hade Sherali med hjälp av ett antal hästtjuvar nästan mitt på ljusa dagen stulit en hjord hästar som tillhörde Doskey. Det var därför, nu när Doskey i sina tankar var redo att visa medlidande med sin lille gisslan, som bilden av den falske Sherali steg fram för honom om och om igen, och allting tycktes vändas till sin motsats i den gamle bajens hjärta. Honom, Doskey, kunde man förolämpa utan vidare, och hans öde var att visa sig förlåtande? Nej! Det må så vara att pojken är en tiggares son. Men han kommer från samma by som den förbannade Sherali. Om han hade försökt återföra pojken till hans far skulle Sherali ha kallat honom en ynkrygg och skämt ut honom inför hela stäppen. Svin bär svinaktiga tankar inom sig. Skulle Sherali ha uppskattat Doskeys barmhärtighet? Nej, han skulle bara skrattat åt den, ingenting annat.

… Den förfärliga nyheten från Sheralis by kom samtidigt med den första snön. Den olycklige Komsha hade sannolikt haft för bråttom att hjälpa sin son, och han unnade sig varken sömn eller vila under sitt arbete. Och i denna brådska hade han inte förstärkt väggarna i en brunn ordentligt, eller bara gjort en alltför slarvig tätning – väggarna kollapsade och begravde brunnsgrävaren.

Nyheten förmedlades till gamle Doskeys jurta av en av herdarna. På eftermiddagen hade han träffat på en bekant från Sheralis by någonstans i betesmarkerna och fått veta vad som hade hänt.

Doskey röjde inte sina känslor, trots att han inom sig kände djup smärta. En lång stund satt han och såg rakt framför sig med lugna ögon och gav inte ett ljud ifrån sig inför herdens ord. De övriga som var församlade kan ha trott att han inte bekymrade sig särskilt, det var bara han själv som visste vilken sorg som mognade inom honom, och han tvingade sig själv att stå emot av alla krafter för att hålla den kvar inom sig och inte låta den spilla ut.

Nej, det var inte längre den förlorade besättningen som oroade honom, Komsha skulle aldrig driva hem den till byn åt honom. Fan ta dem, de där hästarna! Vilka bortförklaringar Doskey än letade efter fortsatte samvetets röst att viska till honom: Du ..., just du har del i skulden till denna död, gamle man, och du kan aldrig komma undan ditt ansvar!

– Inte ett ord till pojken! sade han med bestämd röst.

Och detta var allt han trodde sig kunna göra just nu för sin lille gisslan.

Några dagar förflöt och den fruktansvärda hemligheten nådde till sist Tungyshs öron. Den som avslöjade sanningen för pojken var ingen annan än Doskeys äldste son Ukitaj.

Varken då eller senare frågade Doskey hur detta gick till. Han fick bara höra slutet av den hemska förklaringen. Tungysh låg på marken, och hans son, Doskeys egen son, stod över honom och lekte med sin ridpiska och talade inte, utan spottade ut oförskämda, avskyvärda ord:

– Din far är död, död! Och du kommer också att dö, horunge!

Någonting brast inom Doskey, och för ett ögonblick tycktes det honom som om han var bunden till händer och fötter med en grov kastlina, och att hans mun var försedd med munkavle och att han inte kunde röra sig, inte andas. En dödlig kramp pressade samman hans hjärta. Herregud, varför? – det var allt han kunde tänka. Sonen, hans egen son, dödar sin far. För vad? Tårarna kvävde den gamle mannen, och för att dölja dem för de omkringstående vände han på tvärt på klacken, och med snabba men osäkra steg gick han ut på stäppen, bort från byn, där en liten gisslans gråt ekade bland jurtorna, som skriet från ett sårat djur. Och återigen, precis som den första dagen, grep medvetandet om den egna skulden Doskey om halsen, och återigen kramade han sin ridpiska hårt i handen som om han ville hota, driva bort skulden från sig själv: Hur skulle jag kunna veta? Hur? Jag trodde att Komsha var karl nog att skaffa den boskapen och betala sin skuld, och att hans släktingar skulle hjälpa honom! Hur kunde man föreställa sig att detta skulle hända? Jag borde ha skickat Komsha i fängelse, denna olyckliga, eländiga varelse!

Bakom sig hörde han snabba steg närma sig, det var Ukitaj. Han gick länge tyst vid faderns sida, så frågade han:

– Hur är det med dig, far?

– Vet du inte? Vet du inte hur det är med mig?

Under en kort stund försökte Ukitaj hålla tillbaka de sårande ord som han hade på tungan, men käkmusklerna rörde sig och färgen kom och gick på hans gulaktiga kinder.

– Visa inte din maktlöshet, far, sade han slutligen.

– Maktlöshet? Inför vem då – maktlöshet? För den där pojkvaskern?

– Inför Sherali! Han stal vår boskap i går, och vi kunde inte hindra honom. Han dödade din son och slank ur våra händer igen: och vi har inte ens fått en lösensumma! I morgon kommer de att kasta sig över oss, ödelägga våra hem, och en gång för alla förinta oss ...

– Vad har pojken med det att göra?

– Pojken är en släkting till Sherali och måste ta ansvar såväl som de andra!

Ukitaj hade uppenbarligen inget förbarmande längre varken med sina fiender eller sin egen far. Raseriet hade bränt bort alla känslor hos honom. Han talade hårt, uppretat:

– Du har blivit gammal, far. Tänk på vem det är som du tycker synd om! Folk skrattar åt dig ... Ja, ja – de skrattar! Och jag talar inte om våra fiender, utan våra egna släktingar. Och snart kommer de inte bara att skratta ... Dina egna herdar i byn slutar att respektera dig och lyda dig!.. Men jag tillåter inte att någon skrattar åt mig. I min yngre brors namn ska jag bränna ett märke i ormynglets öra i morgon och skicka honom att valla boskapen! Så får det bli!

Doskey tittade in i sonens ögons eldiga vrede och viftade plötsligt med handen:

– Gör som ni vill. Precis som ni vill, upprepade han. Slå ihjäl varandra allihop ... Men pojken ... rör inte pojken. Våga inte! Han är utan skuld och jag tillåter inte att han blir trakasserad.

Innan du sätter ditt märke på honom måste du slå ihjäl mig först.
... Så får det bli!

* * *

Han vaknade badande i svett. Benet verkade ha lugnat sig, åtminstone kände han ingen smärta när han vände sig på sidan. Tack gode Gud! Han skulle kanske klara av jobbet i morgon bitti.

Det var kvavt under täcket. Musslan öppnade en glipa för att få lite frisk luft, men drog hastigt igen den: kroppen träffades bokstavligen av en brännande skarp kyla, som om någon hade stuckit in ett stycke kallt stål. Den förbaskade kudden måste ha fallit ur fönsteröppningen igen, tänkte han. Annars skulle det inte dra så kallt. Men han ville inte stiga upp och plugga igen hålet. Det är ändå snart morgon, tröstade han sig själv med. Bättre att somna om en stund och sedan stiga upp ... Fast nu var han klarvaken ...

Han kastade sig från sida till sida, försökte att inte tänka på någonting, att slumra in, men typiskt nog dök än den ena, än den andra tanken hela tiden upp i hans hjärna, det var något som oroade och inte gav honom vila. Av någon anledning mindes han sin mor och far. Och tyst antog han att det var deras andar som krävde det offer han länge hade lovat dem.

Offer! suckade han. Hade han bara hunnit bli färdig med graven som främlingen hade beställt av honom, skulle han ha fått ett lamm. Men vad ska man göra om man råkar bli sjuk? Var det hans fel? Du kanske ville bli sjuk?

Sedan vandrade tankarna vidare till någonting annat. Det irriterade honom att många som nyligen kommit med mössan i hand och bett honom gräva en grav, sedan inte hade betalat. Folk uppförde sig hur som helst nuförtiden. De lovar runt och håller strunt, låtsas att de glömt, eller skjuter på betalningen: i morgon, alltid i morgon. Han kunde ju inte stå på tröskeln varje dag med handen utsträckt. Men han måste ge sig iväg i morgon. I morgon skulle han knacka på i två eller tre hus och kanske få skulderna betalda. Det skulle vara trevligt! Då skulle han absolut beställa en bön för sina föräldrar och lämna ett offer till deras andar ...

Han kom inte ihåg sin mors ansikte. Hur han än försökte återkalla hennes bild i minnet, kom ingenting ut av det. Han kom ihåg att hans mamma var liten och klen. Med åren förstod han att hon var en person som saknade egna anspråk på livet, som helt och hållet fogade sig i ödets växlingar, tyst uthärdade alla svårigheter och olyckor och bad brinnande böner till skaparen om ett långt och lyckligt liv för sin man och sina barn. Tungysh kunde berätta hurdana ögon, näsa och läppar hon hade, men av någon anledning lyckades han inte foga samman det hela till ett helt ansikte.

Fadern hade gjort sitt yttersta för att hans hustru och barn inte skulle lida nöd. I veckor och månader lämnade han byn på jakt efter arbete. En bild av denna händelse hade stannat för evigt i Musslans minne. Den dagen hade de tillsammans med sin mamma otåligt sett fram emot faderns återkomst. Så mycket ömhet det lyste i henne den dagen! Hon tog upp Tungysh i famnen och ruskade honom, strök honom över håret och kysste honom. Hela tiden upprepade hon dessa ord: Snart kommer far! Vår far!

Och när äntligen ljudet av hästhovar hördes från gatan sprang hon till dörren som hon var, barhuvad och barfota, och ropade:

– Här är han! Nu är han här!

Nu hade ett helt liv passerat, men Tungysh kom fortfarande ihåg hur rörande hennes ansikte lyste, hur den vita raden av tänder öppnades i ett leende, inramat av fuktiga ljusa läppar, hur hennes ögon glittrade. Behövdes det någon förklaring för att förstå att hon var lycklig? Ja, de var lyckliga. Vi är glada att vi är friska, att vi är tillsammans, att det är lugn och ro i huset.

En storman är glad och stolt över sin rikedom, khanen över sin makt, en rövare över sitt byte, men även den allra fattigaste och eländigaste bär alltid någonting i sitt minne som värmer själen. Och även om Musslans liv hade förflutit som en kort januaridag, visste han att också minnet av hans mors glada ansikte var värt att leva för.

I Musslans långa resa fanns det flest av dystra, glädjelösa dagar. Ibland skymdes ljuset av mörka moln. Men även då värmdes han av moderns minne, som likt en svag, men fortfarande ljus stråle lyste upp hans dunkla existens. Så lyser på natten en ensam stjärna, och detta enda ljus i det nattsvarta mörkret – är åtminstone en stråle av hopp!

De ilskna februaristormarna förde så mycket snö med sig att det inte var att tänka på att driva fåren på bete. Alla kreaturen, utom hästarna, utfodrades med fjolårshö. Hästarna hade det extra besvärligt. De var tvungna att bryta igenom en isskorpa för att komma åt fjolårets redan ruttna gräs, och blev kraftlösa av det dåliga fodret. När de arbetat sig svettiga föll de snabbt offer för kölden och blev sjuka.

Ukitaj svor och förbannade sina hästskötare, som om de bar skulden till ovädret som drabbat landet. Dagen före hade elva hästar dött av kylan, och ytterligare tjugofem hade gått förlorade, ingen visste när eller hur.

Efteråt kunde ingen erinra sig vem som först kom med misstanken att hästarna hade stulits av Sheralis hästtjuvar. Men det väsentliga var inte att ryktet uppstod, utan att alla omedelbart trodde på det.

Blodet vek från Ukitajs vanligen rödsprängda, frostbitna ansikte. Och i det vitbleka ansiktet urskilde man särskilt de svarta läpparna, som var förvridna av ursinne.

– Era jävlar! Vaktar ni månen i stället för hästarna? vrålade Ukitaj medan han for runt från herde till herde. I morgon dag ska hjorden vara här! Hör ni det, här! Om ni inte hittar den kommer jag att begrava er levande!

Omekej, Ukitajs närmaste vän och en av de djigiter som hade varit på plats den ödesdigra dagen vid brunnen tillsammans med Doskeys döde son, försökte resonera med den unge bajen och övertyga honom om att ingenting ännu var bevisat, att de var tvungna att vänta och inte komma med grundlösa hotelser, men Ukitaj vägrade lyssna.

– O Allah, hur länge ska vi finna oss i att Sherali plundrar oss? Har vi över huvud taget den minsta ära i behåll, eller har vi glömt vad det är, det är kanske dags för oss att klä oss i kjolar? Nå? Varför säger ni ingenting?.. Det är alltid samma sak: boskapstjuvarna stjäl våra djur – men vi säger ingenting, de dödar våra bröder – vi säger ingenting, i morgon kommer de att göra oss hemlösa – och vi kommer fortfarande att inte säga ett knyst!

Omekej försökte hålla tillbaka sin vän, drog honom i ärmen och viskade:

– Det är en farlig sak du ger dig in på, Ukitaj. Vi borde nog rådgöra med Doskey.

Men Ukitaj var omöjlig att hejda.

– Medan vi rådgör kommer de att skinna oss in på bara kroppen och ge oss en smäll på käften dessutom, skrek han. Är det detta du väntar på? Det här?.. Äran kräver hämnd. Mitt hjärta brinner, det vill ge igen. Och jag är inte som du, Jag kommer inte att vara tyst längre. Jag ska binda vår gisslan vid svansen på ett sto och rida till Sheralis dörr och kasta honom för hans fötter. Låt detta bli början på min hämnd … Vem är med mig? Ynkryggar! Sätt kärringhucklen på er … Jag klarar mig utan er!..

– Varför tortera ett oskyldigt barn?

Men vredens röst saknar förstånd.

– Min vredes skum ska flyga – detta ska återupprätta vår skändade heder … Var är den där hundens son?.. Gisslan! GISS-LAN! Fan ta dig!

En liten herdepojke klädd i en kort, styv fårskinnsrock kom springande från stallet.

– Ni kallade på mig?

– Kom hit, snorvalp! Rör på benen! Fort, säger jag!

Som bedövad gick den lille pojken fram mot Ukitaj som om han dragits i ett rep, han krympte inför allas ögon. Om det fanns något levande i hans ansikte var det ögonen, som var fyllda av rädsla. På mindre än ett år hade Tungysh förvandlats från en glad, tillitsfull pojke till en nedtryckt, livrädd varelse. Ukitaj gjorde sitt bästa: det gick aldrig en dag utan att hans gisslan fick en örfil eller en spark, och nu var Ukitajs skrik tillräckligt för att Tungysh skulle gripas av panik.

Ett otäckt leende krökte den unge bajens läppar när han såg

den lille Tungysh närma sig honom. De omkringstående insåg att han faktiskt tänkte genomföra sin plan, men vem hade modet att sätta sig upp mot Doskeys son? Människornas hjärtan var kalla. De såg på när den lille pojken långsamt kom fram till dem och stannade ett par steg från Ukitaj, drog i fållen på sin päls, plockade bort stycken av intorkad hästgödsel och rester av halm.

Som om Ukitaj inte vrålat av vrede alldeles nyss.

– Vill du åka hem till din by? frågade denne mjukt, nästan kärleksfullt.

Och pojken gick i fällan: hans ansikte lyste upp med omedelbar glädje, han brast ut i ett glädjetjut:

– Ja, det vill jag. Jag vill hem!

– Så det vill du? sade Ukitaj, fortfarande kärleksfullt, och ropade på en av stalldrängarna som gjorde rent i ladan: Hallå, tandlösing! Ta hit din snara …

– Du gör inte detta, sade Omekej, och tog ett steg fram mot bajens son.

– Jag har inte tid med skämt …

– Du ska inte ta en sådan synd på din själ.

– Om den som skulle ta hand om valpen inte tänkte på synd, varför skulle jag göra det?

Den tandlöse kom fram med snaran i händerna och stannade likgiltig bredvid Tungysh.

– Bind valpen, befallde Ukitaj. Hör du inte vad jag säger? Eller ska jag lära dig att lyssna?.. Bind gisslan, din lortiga fähund!

Pojken backade långsamt bakåt. Skräcken lyste ur hans ögon och de blå läpparna darrade.

– Snälla, snälla husbonn, vad vill du göra med mig? Bind mig inte … jag … jag gör allt vad du vill … Snälla!..

Den tandlöse vid hans sida tycktes först nu inse vad som krävdes av honom och stod kvar och såg misstroget på sin husbonde.

– Du är inte lite fräck, din lymmel? skrek Ukitaj. Du har fyllt din mage hos oss, men du vägrar att lyfta ett finger!

Om detta blivit sagt vid något annat tillfälle hade folk bara skrattat: den tandlöse var gammal och tunn som en kvist. Men nu var det allvar. Ukitaj tog ett steg mot stallkarlen och slog honom i ansiktet med sin korta vinande ridpiska. Den tandlöse tog sig om huvudet med händerna, blodet sprang ångande i kylan fram mellan hans fingrar och han föll ihop i snön.

Ett skrik brast ut från barnet som hade sett allt detta, och han sprang sin väg i skräck. Ukitaj plockade upp fångstlinan som låg på marken och i två språng hade han hunnit i fatt pojken. Hans stora starka hand slog omkull Tungysh i snön, och i nästa ögonblick hade han sina små svaga händer bakom ryggen och det hårda repet brände om handlederna.

– Låt barnet gå.

Omekej lyfte Ukitaj från marken och stötte honom med kraft ifrån sig och ställde sig mellan honom och pojken.

– Låt barnet gå! upprepade Omekej bestämt. Barnet har ingen del i detta!

Ukitajs näsborrar darrade som på ett vilt djur och för en sekund verkade det som om han tänkte kasta sig över Omekej. Men han hejdade sig. Men han kunde inte undertrycka sitt skummande raseri.

– Har man sett, en skyddsängel! Hur kan det komma sig? Och högt, så att alla skulle höra, tillade han:

– Det kanske inte var hans far, utan du, som knuffade ner din bror i brunnen?.. Får vi höra nu? Varför skulle det inte vara hans fel? Hans far vill inte betala, så då får sonen göra det!

– Du rör inte barnet! avbröt Omekej. Detta är inte rätt sätt att hämnas en skymfad heder!

Pojken, som kände Omekejs skydd, hade tagit ett fast grepp i hans kappfåll och gömde sig bakom hans rygg. Men även utan att se honom kunde Omekej känna hur den lilles kropp skakade av skräck.

Denne föräldralöse stackare! Hade Omekej bara anat hur bedrövad han en gång skulle bli över den lille herdepojkens öde, skulle mycket ont ha förblivit ogjort den gången. Herre Gud! Vilka synder är denne lille pojkvasker dömd att sona, vad har han gjort, hur har han förargat dig? Och du, din olycksfågel, misstänker inte ens att jag också bär ansvaret för dina bekymmer, sade Omekej till pojken i sina tankar. Om jag den gången hade sagt sanningen och inför de äldstes råd förklarat att Komsha inte hade knuffat Doskeys son i brunnen, skulle du då ha behövt lida i denna eländiga tillvaro? Men hur kunde jag veta vad en lögn kunde leda till?

Det enda vi tänkte på den gången var att det handlade om en släkting till Sherali. Vi var upprymda, som om vi haft en varg i vårt våld, som vi kunde döda och dra skinnet av, för en gångs skull hämnas på en hatad fiende. Aldrig kunde jag väl ha trott att jag skulle göra upp räkningen med dig, lille man?

Det kanske inte var för sent. Kanske är det dags att berätta allt som det var? Om jag bara … Fast vem skulle tro mig nu? Vem? Skulle inte dessa blodtörstiga, våldsamma människor vända sig mot mig och anklaga mig för att ljuga? De sliter mig i stycken om jag öppnar munnen … Men dig ska ingen röra, det lovar jag dig, lille man!

Omekej fylldes av en ström av ljus och satte sig bredvid pojken, omfamnade honom, tryckte honom till sig, och till och med genom kläderna kunde han känna deras lille gisslans hjärta slå, det pickade i bröstet som hos en fången fågel.

– Var inte orolig, ingen kommer att göra dig något ont, sade Omekej. Och ingen ska binda dig. Var inte rädd, Tungysh … Din mamma kommer och hämtar dig till våren … Såja! Torka tårarna. Hör du?

Pojken försökte tappert hålla tillbaka tårarna och kämpade emot med det sista av sina krafter, men det fick snyftningarna att bli ännu mer krampaktiga.

– Seså, ge dig iväg nu och ta hand om det du ska … Allt kommer att bli bra.

Tungysh knatade iväg mot stallet. Flera gånger såg han sig oroligt om, som om han fortfarande inte litade på sin befrielse, och han sökte Omekej med blicken, försökte tacka sin räddare med ett leende – men leendet var smärtsamt och uppgivet. Nej, det var ingen liten grabb som vandrade bort – det var redan en gamling som lärt sig att tåla världens orättvisor. Omekej ville skrika av smärta.

Ukitajs tillfälliga förvirring var borta och han återfann rösten på nytt. Raseriet forsade ur honom som blodet ur en uppsprättad ven.

– Ni är fiender, allihop! Jag litade på dig, dig och ingen annan, men också du tar Sheralis missfoster till ditt bröst. Vad är det som händer i världen? Gud, förklara för mig ... Jag förbannar er alla! Jag vill inte se er för mina ögon!.. Men jag kommer inte att svika min uppgift – ni hoppas förgäves. Jag rider till Sheralis by, och där ska jag skipa ordning så att man ska minnas mig länge. Jag är inte mig själv om jag inte skövlar hans hus och dräper honom. Och må de döda mig där, men alla kommer att veta att än är inte alla stridsmän döda i Doskeys by!.. Ynkryggar! Se på er själva, ni är redo att slicka händerna på den som plundrar er, trampar ner er och våldtar er. Så sitt ni kvar i stugvärmen och vänta på den totala vanäran.

Ukitaj satte foten i stigbygeln och kastade sig upp i sadeln.

– Jag önskar dig en angenäm resa, sade en låg men tydlig röst. Det var Doskey själv.

Ingen hade lagt märke till honom. Tydligen hade han just återvänt från stäppen, där de sökt efter hästarna. Skägget och mustascherna var täckta av rimfrost, och själv var han överhöljd av snö.

Sonen vände sig häftigt i sadeln, hästen kastades åt sidan och dansade runt för att återvinna balansen.

– Ropa samman mina djigiter genast. Annars rider jag ensam.

Men Doskey frågade med samma låga röst:

– Vart är du på väg?

– Till Sheralis by, dit tjugofem av dina bästa hästar blev bortförda i går.

Den gamle log bittert:

– Det var inte Sherali som förde bort hästarna, det var snöstormen. Vi har redan hittat hästarna döda ...

Under några ögonblick satt Doskey tyst. Huvudet var resignerat nedsänkt och armarna hängde orörliga vid sidan – vinden ritade mönster i snön med snärten på hans piska.

– Ack, min son, suckade han och lyfte blicken. I dessa ögon fanns sorgen och visdomen hos en man som levt länge och sett mycket. – Du tror att ingen mer än du har en ära att försvara, att ingen mer än du har rätt att känna sig förnedrad ... Nåväl, om du verkligen har sådana tankar, så ge dig iväg, rid till Sherali. Skynda dig! Iväg, iväg! Tänk bara vad du kommer att uppnå! Ja, om du så samlar hela vår by kommer den inte ens att räkna hälften av alla män i Sheralis by ... Nej, min son, bara styrka kan bryta styrka, och tomma skrik har sen gammalt fått heta skrävel ...

Doskey gick långsamt förbi utan att ens se åt Ukitaj, och medan han sopade bort snön med sin handske satte han sig på gamla människors vis långsamt på huggkubben där de brukade hugga sin ved. Hans ansikte var fortfarande trött, men nu låg det en outtalad längtan över det. En bitter tanke hade skurit ett hårt veck mellan ögonbrynen. Ukitaj kände uppenbarligen att något var på tok, han steg ur sadeln och närmade sig fadern:

– Är det något annat som har hänt, far?

Den gamle svarade inte.

– Omekej, kallade han. Är din far i byn?

– Ja, han är här, hur så?

I flera långa och påfrestande minuter satt den gamle mannen tyst, som om han hade glömt djigiten som stod framför honom, han lekte lojt med sin piska. Till sist snärtade han till i luften med den, som om han skar av någonting för alltid.

– Säg åt honom att samla sin boskap. När stormen har mojnat och skaren har lagt sig flyttar vi till Kabantau.

– Kabantau? Men där ...

– Ja, jag vet, det är dåligt land. Men Sherali behöver marken: byråden har avgjort saken – det blir vi som måste flytta ...

För ett ögonblick såg det ut som om Ukitaj hade drabbats av slag: ansiktet blev mörkrött, nästan svart, och en nervös ryckning från ingenstans förvred hans kind och fick munnen att öppna sig i ett ondskefullt grin.

– Vilken förnedring.

Plötsligt steg hans röst till ett tårdränkt skri:

— Denna förödmjukelse! Ska vi uthärda också detta?

Färgen vek hastigt från hans ansikte och enbart läpparna förblev blåsvarta och darrande. Han flämtade efter luft.

— Vi uthärdar, sade Doskey lika tyst och stillsamt. — Vi ska uthärda allt ...

Men förintad av denna stilla röst vände sig Ukitaj plötsligt bort, begravde sitt ansikte i hästens man och brast i gråt utan att generas inför allt folket som omgav honom.

* * *

Tungysh skulle minnas denna dag för alltid. Han kunde fortfarande återskapa den i minnet i varje detalj. När hans mor fick veta att Doskey skulle flytta till en ny plats kom hon knatande till byn. Hon brydde sig inte om någonting: varken snön eller de extremt hårda frostperioderna som behöll sitt järngrepp över markerna – den stackarn ville bara se sin förstfödde.

Flytten kunde ha skjutits fram till våren, men Doskey drabbades av en desperation som han inte längre kunde kontrollera. Han beordrade sitt folk att ge sig iväg så snart stormen hade stillats under en tid. Doskey i spetsen för drygt hälften av byn gav sig av och drog mot Kabantau. De återstående skulle komma tillsammans med Ukitaj.

De sista dagarna hade Ukitaj gått omkring mörk i ansiktet, förkrossad av ilska och plåga. Med lyckligt hjärta lämnar du inte de platser där du först såg dagens ljus, där du tillbringade en sorglös barndom, där du tycktes för all framtid lära dig älska stäppgräsets bittra doft och smaken av vattnet i de glesa källvattenflödena. Det finns knappast en större sorg än när en människa drivs bort från sin hembygd, där hans farfars och farfarsfars eldar brunnit, där deras andar vandrar om natten och skyddar honom från alla slags olyckor.

En inneboende vånda tyngde hans breda axlar och drog en slöja av smärta över hans ögon. Den uppdämda vrede som nu var blandad i hans smärta exploderade i honom med dubbel kraft, och det var en olycka för alla som kom i hans väg i sådana ögonblick – Ukitajs arm var som gjuten i bly. Hela dagen for han runt med piskan i handen från den ene till den andre – eldade, jagade på, förbannade.

– Skynda på, skynda på! hördes överallt hans röst. Vi måste följa karavanen. Sätt fart! Och du din snorvalp, varför står du där som en stubbe? Driv på hingstarna! – Det senare gällde Tungysh.

Tungysh kom fortfarande ihåg hur utmattad han hade varit den dagen. De sista resterna av hans krafter hade övergivit honom, men han vågade inte ens nämna ordet trötthet, av rädsla att hamna i vägen för Ukitajs piska. Han mindes hur han med gråten i halsen stapplade iväg till stallet och öppnade de tunga dörrarna, och de instängda hästarna kände friheten och vällde ut som en lavaström och nästan slog omkull honom. Dånet av hästhovarna var öronbedövande. Men tvärs genom allt oväsen hörde han sin mammas välbekanta krampaktiga röst. Hon ropade hans namn. Liten och ynklig i sina eländiga kläder, med det oordnade håret som stack fram under hucklet, bugade hon och kröp för alla främmande personer, såg inställsamt in i främmande ansikten.

– Min bäste herre, säg … min Tungysh … Min Tungysh är här någonstans …

Aldrig någonsin, varken förr eller senare, hade väl Tungysh sprungit så fort – tröttheten var som bortblåst! Det var inte bara fötterna som bar honom. Han bars fram till sin mor av kraften i allt som han hade lidit och uthärdat under året som gått, och av en sorg, en längtan och ensamhet, som inte längre var barnets, utan som drevs likt piskan som ständigt höjdes över hans huvud.

– Mamma! Mammaaa!

Hon luktade av gamla brödkakor, surmjölk och hem – det var lukten av frihet.

– Pojken min! Min sol! Mitt liv! Lever du, mitt älskade barn?.. Äntligen får jag se dig!..

Hon grät högt, hakan darrade och tårarna rullade ned över näsan och föll i hans ansikte, varmt och stickande.

109

Han hade bråttom, orden stockade sig, det var så mycket han ville säga. Han gnuggade sitt ansikte mot hennes mjuka bröst, drog in hennes söta doft, och skrek, skrek, skrek:

– Mamma, Mamma ... Jag har längtat efter dig ... Jag vill inte vara här längre ... ta mig härifrån ... de slår mig ... Jag är rädd ... ta mig härifrån ... lämna mig inte här ... Mamma-a!..

Min lilla mamma, min vackra mamma, tänkte han många gånger efteråt. Om hon bara hade vetat att jag skulle ställa till det så för henne skulle hon nog inte ha vågat komma till Doskeys by. Hon hade inte kunnat ta honom med sig, och det visste hon. Hon kom bara för att träffa honom ett ögonblick och fråga vart byn skulle flyttas. Inte minsta lögn, inte ens en tröstande lögn, hade hon tänkt ut när hon gick iväg för att träffa honom.

Då visste han inte, och kunde inte heller veta, att hon hade gått runt till alla släktingar, och även om hon inte hittade några släktingar vädjade hon till avlägsna bekanta, bad dem hjälpa henne att befria sin son. Hon gömde sin stolthet och kastade sig för fötterna på fullkomliga främlingar, men tårar har föga värde för de mäktiga. Det var då det blev tydligt för henne hur svårt det är att vara fattig. Ingen gjorde minsta ansats att göra hennes liv enklare, ingen erbjöd henne en bit mat, ingen bjöd henne att värma sig vid elden. De mest förstående släckte åtminstone inte hoppet för henne, de lovade tänka på saken, rådgöra, och menade att det kanske skulle ordna sig framåt våren. När lamningsperioden började kanske det skulle bli möjligt att slå sig samman och gemensamt hjälpa henne med skulden. Andra svarade rent ut: De säger att Komsha vågade bära hand på bajens son, han borde ha tänkt sig för när han dödade honom. Hon försökte övertyga dem om att alltsammans var en lögn, att hennes man inte hade dödat någon, alla visste ju att Komsha varit en fredlig man.

– Äsch, sade de. Gräset rör sig inte om inte vinden blåser ...

Vad kunde hon nu säga till sin son, förutom något som hon själv inte längre trodde på: Jag ska komma till våren. Kanske hon skulle falla på knä framför Doskey och tigga och be, be honom visa barmhärtighet? Det var trots allt inte för ingenting som hon faktiskt tagit sig ända hit med en späd unge i sina armar. Hade hon verkligen kommit enbart för att säga adjö till sin son före nästa långa skilsmässa? Först nu insåg hon vilket hjärtlöst sår hon hade gett honom med egen hand. Allsmäktige Allah, skona henne och hennes förstfödde, utför ett mirakel, ge henne barnet åter! Annars kommer hon aldrig att få varken ro eller vila – under återstoden av sitt liv kommer hon att ha sin förstföddes gråt och böner ringande i öronen. O Allah, detta är en småsak för dig!

Hon hörde ljudet av hästar. Ukitajs upnretade röst skallade på långt håll:

– Hörni, era drönare, driv på era hästar! Var är satungen nånstans? Var är stallpojken? Har han gått under jorden kanske?

En rysning gick genom pojkens kropp och fortplantade sig till modern.

– Var är han?

Ukitaj var redan framme vid dem.

– Vad är det där för lortig kärring?

Även om han hade kallat henne någonting ännu värre, fastän hon inte kunde komma på något, skulle hon likafullt ha svalt sin stolthet.

– O myrza, jag är Tungyshs mor ...

Hästen trängde emot henne med det uppspärrade gapet grinande rakt över hennes huvud och hotade att trampa ner henne, men hon rörde sig inte ur fläcken, beredd att med sin kropp skydda pojken.

– Jaså, det alltså fler än jag som bryr sig om honom? flinade Ukitaj.

– Myrza, trots allt har också boskapen en herre. Varför ska inte en människa ha någon som vakar över henne?

– Så du behöver honom alltså? Har du med dig lösensumman?

– Myrza, tror du jag skulle missunna min pojke någonting som helst i världen? Jag skulle ge allt jag har om han slapp gråta mera. Men jag äger ingenting ...

– Inte det? Vad har vi då att prata om? Kom tillbaka när du har skaffat dig ... Och du snorunge, upp i sadeln med dig, Jag har hört nog av käringsnack!

– Var barmhärtig … Skona pojken och mig …

– Upp i sadeln, säger jag!

Ukitaj var fullständigt rasande. Hur kunde käringen tala om barmhärtighet?

– Allsmäktige skapare, varför dömer du oss att plågas? ropade kvinnan utom sig, hon låg nästan under hästens hovar.

– Klaga inte när karavanen ger sig iväg – det ger otur!

Ukitaj lutade sig ned ur sadeln och med sin starka hand lyfte han pojken från marken och kastade upp honom på den lediga hästen.

– Ta tyglarna, pojk. Iväg!

– Mamma -a-a-a…

– Min lilla sol!..

Pojken red bort efter hjordarna som tillhörde främmande, förskräckliga människor. På platsen där den övergivna byn legat syntes bara en mörk fläck i den vita snön – den övergivna modern som låg kvar med ansiktet mot marken, nästan berövad sina sinnen.

Doskeys by inrättade sig på sin nya plats. Människorna reste sina jurtor, gjorde upp eld för att värma sig – frosten var inte att leka med – och började ställa i ordning sina tillhörigheter, trösta gråtande barn, men i förvirringen som alltid följer med en flytt märkte ingen när Ukitaj försvann. Alla rusade upp för att leta efter honom, men allt de kunde se var att hästen var borta, och seltyget med den. Doskey red bort till hästdrivarna. Men det visade sig att ingen hade sett honom. Bara en tandlös gubbe kunde nätt och jämnt begripligt tala om att han träffat myrzan före middagen, att mirzan grät, men eftersom han var rädd för Ukitaj tordes han inte gå fram och fråga. Doskeys hjärta isades. Han gissade genast vart pojken hade tagit vägen, men med vanlig mänsklig svaghet hoppades han att det inte var så. Nu fanns det ingen tvekan längre: Ukitaj hade gett sig av till Sheralis by.

Snöstormen, som verkade ha gjort ett medvetet uppehåll under förflyttningen, började återfå sin styrka. Snödreven svepte som en rävsvans över stäppen. Vinden kom i häftiga stormbyar och bar natten på sina vingar. Doskey begrep att om stormen skulle bryta ut på allvar, som tidigare dagar, skulle Ukitaj aldrig ta sig fram till Sheralis by. Men här lurade en ny fara ... Doskey visste bättre än de flesta hur många döda kroppar som hittades av herdarna efter dessa snöstormar på stäppen.

Åtföljd av en grupp djigiter gick han fram till en av lägereldarna, plockade upp en fackla från marken och rörde om i elden – bålet flammade upp och gnistorna yrde i luften, vinden plockade upp dem och spred dem åt alla håll och släckte dem i farten. Vad skulle de göra, vad? var Doskeys smärtsamma tanke. Men det fanns ingen tid att tänka, och ingenting att vänta på, utom det allra enklaste: att organisera en jakt.

– Sadla hästarna, befallde han. Vi kan kanske hinna ikapp.

Och han såg sig inte ens om: han visste att hans djigiter redan hade gett sig iväg för att utföra hans befallning.

– Förbannade öde! mumlade Doskey och kände en växande bitterhet i halsen.

Han höll fram sina stora och en gång starka händer mot elden och märkte plötsligt att de darrade. Gud, jag har åldrats, sade han till sig själv. Du har blivit gammal och svagsint ... Det är just typiskt att sätta igång en sådan här sak: mitt i vintern, i storm och kyla rycka upp kvinnor och barn från deras boplatser ... Vem tvingade dig att sätta igång med detta innan våren kommit, vem? Din egen hejdlösa envishet! Men varför ska den gå ut över de människor du tvingade hit för att lida, eller kanske dö? Vem har du lyckats övertyga om någonting av detta, vem? Sherali?.. Sherali skrattar säkert gott åt din dumhet just nu. Du får vad du förtjänar, gamle tok! Du försökte övertala Ukitaj att vara försiktig, men själv ...

De säger att modern till barnet som är gisslan har varit här. I detta väder, med ett barn på armen ... Herregud, vad är det som händer i denna värld!.. Bara Ukitaj kommer tillbaka. Han måste komma tillbaka. Måste, måste, måste!..

Men vänta du, Sherali! Vi kommer att överleva, du ska aldrig se oss gå under. Doskeys stam är stark. Vi kommer att överleva och växa oss starka. Och då får du stå beredd! Ta dig i akt, gamle schakal. Du startade detta krig, och du kommer att drunkna i dess blod!.. Ukitaj hade rätt. Om jag hade sagt dig rakt ut: Vi ska stanna, och antingen dö eller segra! Och mitt folk – skulle de inte ha lyssnat? Tror du inte att de var beredda att resa sig till försvar för det land som bebotts av våra fäder och farfäder? Men vi flydde som skabbiga hundar för tigerns rytande. Och orsaken till allt är jag, jag! Jag bär ensam skulden! Du har vuxit ifrån ditt förstånd, gamle man, ditt huvud gör inte längre tjänst!

– Hur är det fatt, käre make? Varför kommer du inte in i jurtan?

Bajbishes röst avbröt hans tankar. Doskey kastade facklan, som han fortfarande höll i handen, på eldens glöd, och såg långsamt upp. Hustruns ansikte var sorgset och avlägset, just så som han hade varit van att se det efter sonens död. Han förstod att hon ännu inte visste någonting om Ukitaj. Detta var åtminstone något att vara tacksam för: det skulle inte bli några klagovisor!

– Ingenting särskilt, svarade Doskey. Jag ska bara lämna några order, sen kommer jag …

Bajbishe gick. Strax därpå kom några av hans djigiter galopperande, anförda av Omekej. Doskey räknade dem automatiskt. Tio man. Det var helt tillräckligt för att bilda en sökkedja efter en vilsekommen man, och fullkomligt otillräckligt om de skulle bli tvingade att slåss med Sherali.

– Omekej, började den gamle bajen med ett fast grepp om hästens tygel medan han försökte avläsa sinnesstämningen i ryttarens ansikte, du är förnuftigare än de övriga. Håll ditt folk tillbaka och bråka inte. Men först och främst, försök att hinna ikapp Ukitaj och stoppa honom. Om han inte lyssnar, bind honom!.. Lycka till på färden!

De otåligt trampande hästarna tog ett språng iväg, och på några ögonblick var de försvunna i snöyran. Doskey sänkte huvudet och gick till sitt tält.

Vägvisaren var samme tandlöse Salyk som Ukitaj hade gett order att binda Tungysh för en kort stund sedan. Märket efter den unge bajens piska syntes ljusrött i pannan, och svullnaden täckte vänstra ögat. Gammal, svag och darrhänt var Salyk knappast till nytta i strid, men det var svårt att hitta en bättre vägvisare. Med hjälp av sitt väderkorn, och tecken som endast han kände, ledde han mer än en gång karavaner i dåligt väder från ena änden av den stora stäppen till den andra. Omekej kände sig trygg: att råka vilse med Salyk var helt enkelt omöjligt.

Hästarna rörde sig snabbt: de hade fått vila länge i dag, medan alla var upptagna med att ställa i ordning sina tält. Men ryttarna var trötta och nedkylda och slumrade i sina sadlar, och Omekej tvingades hela tiden skaka liv i den ene efter den andre för att de inte skulle somna och trilla av hästen.

– Hallå, upp med huvudena! Titta framåt och åt sidorna. Ukitaj kan ha råkat vilse! ropade Omekej.

– Kita ha 'nte åk visse, sluddrade Salyk, varmed han ville säga att de borde skynda på och försöka fånga in Ukitaj innan han hunnit fram till Sherali.

Först på morgonen nästa dag hade ryttarna nått fram till den avkrok på jorden som för inte länge sedan hade kallats Doskeys by.

– Halt, rast vila, fodra hästarna, befallde Omekej.

Han såg att ryttarna bokstavligen ramlade ur sadlarna, och det var länge sedan någon av dem hade skakat kläderna fria från snö eller borstat rimfrosten ur mustascherna, ögonfransarna och de lurviga pälsmössorna. Ändå hade de inte bråtom att lyda hans kommando. Vilsna och nedstämda betraktade de sina övergivna hem och fähus. Snöstormen hade redan farit fram här – vägarna var helt igensopade, något som fick hela platsen att verka ännu mera ödslig. Saknaden ringde genomträngande inom dem, värkte djupt i deras hjärtan. Till och med hästarna frustade oroligt när de kände igen den välbekanta lukten från stallen.

De satt av under tystnad, som om de var rädda för att bryta stillheten som härskade omkring dem. Gamle Salyk steg in i Doskeys jurta, där de hade bestämt sig för att rasta, och snörvlade till av rörelse och började oja sig. Ingen förstod nästan någonting av hans sluddriga tal. Ja, ingen lyssnade – var och en av dem hade sin egen smärta att bära. Någon gick tyst för att hämta bränsle, en annan rakade lika tyst askan ur den kalla härden när Salyk, trevande längs väggarna som om han hade befunnit sig i en moské i Mekka, tog sig in i nästa rum. För ett ögonblick upphörde den gamle mannens mumlande och i nästa ögonblick gav han upp ett så fasansfullt skri att en av ryttarna tappade sin piska och någon skrek till helt reflexmässigt.

Omekej knuffade undan den gamle mannen och störtade in i rummet och stannade förstenad av skräck. Framför honom på det nakna svarta jordgolvet låg en död kvinna, endast iklädd ett linne. Den ene efter den andre trängde in i rummet och blev stående som förlamad vid åsynen av döden.

Omekej var den förste som kom till sans. Han gick fram till den döda kroppen och lutade sig över henne för att studera den döda kvinnans ansikte. Han kände igen henne omedelbart, och nu ville han bara kontrollera att han inte misstagit sig.

Ja, det var hon – gisslans mamma. Stackars hemlösa själ! tänkte Omekej. Hon hade insett att hon inte kunde ta sig hem genom snöstormen, så hon stannade här ... Men varför var hon nästan naken?

– Kan någon hämta en filt? Vi måste täcka över henne!

Och samtidigt sköt ett minne genom honom som en blixt: hon hade ju haft ett barn med sig!

– Hon hade ett barn, sade han högt.

Fram till detta ögonblick hade allas ögon varit riktade mot den döda kvinnan, och ingen hade därför lagt märke till ett bylte som låg i ett mörkt hörn. Salyk upptäckte det före de andra och gick fram och lyfte upp det lilla knytet från golvet. Han höll det upplyft i ena handen medan han lindade upp den ena trasan efter den andra. En ytterkaftan föll till golvet, så en klänning ...

– Det var dit hennes kläder gick! tänkte Omekej bittert. Hon ville rädda sitt barn.

Under tiden hade den gamle mannen vecklat upp en huvudduk och blöjor och lade sitt öra mot knytet.

– Det andas! ropade han. Det lever!

Han sträckte fram knytet till Omekej. Ja, barnet andades fortfarande, det genomskinliga ansiktet var täckt med skrynklig hud, blåfärgad av kylan. Omekej började åter linda in det, och i det ögonblicket darrade ögonlocken svagt, och barnets matta, sjuka ögon såg in i djigitens ansikte. De var trötta och likgiltiga, precis som hos en vuxen man. Pojken grät inte, gav inte ens ett ljud ifrån sig, hade förmodligen inga krafter kvar. Ett djupt medlidande fyllde honom, det var som om fiendens beniga hand tagit ett strupgrepp om hans hals. O Allah, förlåt mig syndare, men varför gör du detta mot dessa människor? Är det bara till priset av någons död som detta lilla kryps liv kan friköpas?.. O Gud!

Omekej hade länge levt under tyngden av sin skuld och ett ändlöst utarmande tvivel. Den dag då han inför de församlade äldstes ögon uttalade sin lögn och anklagade Komsha för mordet på Doskeys son hade han knappast en föreställning om att han inte bara skulle få lida, utan även en dag tvingas bära denna människas öde på sina axlar. Han hade en fiende framför sig, en dödsfiende, och en fiende förtjänar bara straff – inget mer. Vilken solidaritet kan det bli tal om gentemot dessa rötägg från Sheralis by, som bara tänker på hur de ska plåga och förödmjuka oss och helt enkelt förstöra våra liv! Och därför borde hjärtat inte hysa något förbarmande med dem. Hämnd, enbart hämnd kan stoppa deras smutsiga planer. Och denna hämnd är rättfärdig.

Hans tvivel grundlades när Sherali vägrade betala sin släktings skulder. Omekej avvisade dem, han spelade teater, låtsades att ingenting av detta angick honom. Men efter Komshas död återvände tvivlet. Bajen hade kunnat köpa tillbaka pojken, det var hans skyldighet ... Så hade de alltså hämnats på fel person? De hade dömt en oskyldig människa till lidande och död? Nu visste Omekej redan med säkerhet att skulden för gisslans sorgliga öde vilade på honom, och det var därför som han reagerat så våldsamt och tagit pojken i försvar mot Ukitaj.

Den nyköpta ångern plågade Omekej, hans samvete fick ingen ro och han plågade sig själv med tankar på hur han skulle sona sin skuld, hur han skulle få frid i sin själ. Men ödets gudinna hade,

117

som om han inte var tillräckligt plågad, nu fört honom till denna plats för att visa honom denna olyckliga kvinnas död. Ännu en synd blev lagd på hans samvete. När han tog det halvdöda barnet i sina armar insåg han med förfärande klarhet att den eländiga, plågsamma och fattiga framtiden för Tungysh och detta barn skulle fortsätta ända tills han gjorde något som skulle underlätta deras öde. Och han måste göra något – annars kommer han aldrig att kunna känna sig som en hederlig människa, en sådan som han brukat se sig själv som sedan barndomen.

Musslan skulle alltid minnas att de allra äldsta gravarna i Kabantau, dit han flyttade med Doskeys by, tillhörde hans mamma och lillebror. Men det gick lång tid innan han fick veta detta. Ingen berättade för honom vilka det var som bars ut ur byn av ryttarna, svepta i fårskinn, och han frågade inte. Det enda som förvånade honom var att ingen grät eller klagade över de döda, som han hade sett att byborna brukade göra. Enbart Omekej och ytterligare några av byborna var sorgsna och viskade till varandra och såg på honom oftare än de brukade, och med medlidande i blicken.

Den köldskadade Ukitaj fördes tillbaka i sällskap med dessa två döda. Nu visade sig myrzan knappt utanför jurtan – han återhämtade sig. Pojken var dock minst av allt oroad över honom: ju längre han slapp undan Ukitaj, desto mindre stryk skulle han få.

Kort sagt glömde Tungysh snart alla dessa händelser och kom inte att tänka på dem förrän en månad senare, då någon oavsiktligt försade sig och berättade vilka som hade blivit begravda av djigiterna när de kom tillbaka efter att ha hittat myrzan.

Han kom fortfarande ihåg hur han barfota och barhuvad sprungit iväg till gravarna, där hans mor och lillebror nu vilade, och bittert och förtvivlat gråtande kastade sig på marken och omfamnat de låga jordhögarna, och hur byborna kom springande och lyfte upp honom, och när han lugnat sig upptäckte han sina sönderrivna blodiga fingernaglar och försökte få bort den hatade kalla jorden, som för alltid gömde hans mor och lillebror från honom.

* * *

Många år förflöt, många sommarbeten hade växlat plats, många vinterläger hade rests och brutits. Sherali, som skröt med sin hälsa och trodde sig kunna leva i tusen år, dog knall och fall, och även Doskey slöt sina ögon för alltid och tog aldrig hämnd på sin fiende. Nu var de bortgångna bajernas söner fastlåsta i en evig strid, som om de ville kompensera för vad fäderna hade försummat, och de glömde totalt att ingen av dem skulle skonas av den obevekliga död som drabbar allt levande. Och enbart Tungysh verkade den helt ointresserad av.

Från att ha varit en liten ynklig pojke växte han upp till en lång, senig djigit, stark och uthållig. Men han var, som de sade i byn, lite vrickad, och ingen var förvånad över det – konstant misshandel och glåpord hade gjort sitt till.

– Fårskalle! skrek smågrabbarna när de såg honom komma.

– Hallå där, fårskalle, kom hit och hjälp till, ropade de vuxna.

Han blev inte förvånad över sitt öknamn och brydde sig inte om det. Samvetsgrant utförde han de arbeten som tilldelades honom: grävde brunnar, vallade djuren, klippte fåren, flätade tännsnaror, knådade kameldynga. Men ingen hade någonsin sett honom skratta, han skröt aldrig om sina bedrifter, klagade inte på livet och förbannade det inte heller, flickorna väckte ingen lust i honom att vänslas, retas med dem eller ens kyssas i hemlighet. Den enda glädje han tillät sig var att sova, och om han hade chansen och turen tyckte han om att äta sig proppmätt. Men även när det gällde detta var han anspråkslös: han fick ofta klara sig utan sömn och fick för det mesta gå hungrig. Det var vid sådana tillfällen som folket i byn började undra över att han i månader och år kunde vandra efter boskapen på den vida stäppen; helt ensam, utan människor, blev han själv en del av denna stäpp, lösgjorde sig från världsliga bekymmer och tankar. Det verkade inte som han bekymrades av tankar om hur länge han skulle leva på jorden, det var som med gräset. Det var svårt att veta om han tänkte på ett eget hem, egna barn, eller om han inte brydde sig om att vara som alla andra. Antagligen bekymrade inte detta hans sovande hjärna. Och folk i hans omgivning som såg honom tänkte nog att även om världen skulle vändas upp och ned så skulle han inte förändras. Det hände ibland att han bad sin myrza om lov att gå till Kabantau för att besöka sin mammas och lillebrors gravar. Mer var det inte …

Det året blev Tungysh trettio. Det var mitt i den oroliga förvårstiden. Gräsen sträckte sig mot solen, genomborrade marken med skarpa nålvassa rotskottspilar; vaktlar och rapphöns trånade i sina äktenskapsriter, byggde omsorgsfullt sina bon någonstans bland klipporna eller de glesa stäppbuskagen; lärkan sjöng sin rungande sång högt på himlen; långsamma sköldpaddor grävde ned sig i marken för att lägga ägg och ge liv åt sin nya avkomma. Och det var bara Tungysh som såg sig omkring med samma likgiltiga sömniga ögon, utan att märka någonting och uppenbarligen utan att heller drömma om någonting särskilt.

Den dagen vallade han en hjord hästar. Stoet rörde sig långsamt under honom, och han gungade i takt med hennes steg. Höga, glesa moln flöt över himlen och den varma vårsolen sände fler och fler strömmar av värme till jorden, och kanske var det därför kroppen överrumplades av en plötslig matthet. Flocken rörde sig långsamt, och det unga stoet följde den makligt. Det fanns ingen anledning till oro. Tungysh slumrade omärkligt till.

Han väcktes av ett avlägset rop. Rösten kom som med vinden.

– Tungy-ysh! Tungy-ysh!

Och med ens var dåsigheten som bortblåst. Han satt plötsligt rak i sadeln och såg sig omkring. Han såg ingen. Här fanns bara vinden som prasslade i fjolårsgräsets matta stjälkar, hästarna frustade.

Gud vet vad han skulle tro.

Han for lojt med blicken över flocken, satte sig bekvämt tillrätta i sadeln, ögonlocken kändes åter tunga och började falla ihop. Det gick en stund. Det tycktes som om han ännu inte hade hunnit slumra till när den avlägsna rösten klingade i öronen igen. Rösten kom till honom på avstånd som ett dämpat eko:

– Känner du inte igen mig, Tungysh?.. Inte igen?.. Inte igen?..
Det lät så välbekant att Tungysh flög upp i sadeln; det var hans
mors röst! Mamma, kallar du på mig?.. Hjärtat slog som en li-
ten men ljudande klocka, slog desperat, och Tungysh kunde höra
klangen. Hon kallar på mig! Hon kallar! Har det hänt något?..
Hänt … hänt … hänt … ekade det i hans hjärna. Jag har inte be-
sökt hennes grav på länge! Det är anden som kallar mig.

För ett ögonblick vände han sig oroligt i sadeln, såg sig osäkert
omkring och undrade tydligen vad han skulle göra – stoet dansade
runt i upphetsningen och sparkade upp damm med hovarna.

– Jag kommer, mamma, jag kommer! ropade han. Och med ett
slag av piskan fick han fart på stoet och sköt iväg i riktning mot
Kabantau.

Han dröjde vid gravarna ända tills solen börjat dala, pratade
med sin mamma och sin yngre bror och försäkrade dem att han
skulle komma oftare nu, bara de inte skulle vara arga på honom
… Men när han återvände till betesmarken hittade han inte hjor-
den där han lämnat den.

Ända tills det började skymma red Tungysh fram och tillbaka
över stäppen och letade efter sina försvunna hästar. En enda tan-
ke trummade i hans huvud och slog som en fågel som fångats i
en snara: Han slår ihjäl mig! Husbond kommer att slå ihjäl mig!

Redan uppgiven om sina möjligheter att återfinna hjorden låg
han länge på den kalla marken, sparkade och bultade på den med
knytnävarna, som om allting var dess fel. Skräcken vandrade runt
inom honom som en häst i ett vattenhjul, klämde och rådbrå-
kade hans inälvor, rev och slet i hans hjärta. Först i skymningen
kände sig Tungysh plötsligt lättad. Någonting klickade till i hans
huvud, stängdes ned, och han fick plötsligt den galna idén att ing-
enting särskilt hade hänt. Tänka sig, bara några hästar! Ukitaj har
ju mängder av dem! Tungysh fnissade försmädligt och ögonen
blinkade med en elak illvillig glöd, och ett flin frös fast på hans
breda läppar.

Han kom flygande in i byn och lät märren sträcka ut i full fart.
Löddret flög om henne i klumpar, och hon snörvlade och snubb-

lade av trötthet. Kvinnorna for vettskrämda åt alla håll, skrek högt och slet med sig barnen och gömde sig i sina jurtor. En ryslig uppenbarelse var nu byns hästskötare, som skrattade för full hals och piskade sin häst. Vansinnet lyste ur hans uppspärrade ögon, ett stelnat flin vanställde hans ansikte och förstärkte det rovdjursaktiga draget hos den grinande munnen.

Han drev fram stoet ända till Ukitajs jurta, hoppade ned på marken, och med svajande steg och fånigt blinkande och grimaserande närmade han sig myrzans tjänstefolk. Under högljudda skrik spreds kvinnorna åt alla håll helt skräckslagna av denna förfärande skepnad.

Galningen stannade vid tröskeln.

– Kalla hit husbonden, tjöt han. Ukitaj hörde den egendomliga uppståndelsen och ropen och kom hastigt utspringande.

– Var kommer du ifrån, din galning? Var är hästarna?

Tungysh blinkade finurligt åt honom med en listig glimt i ögat och pekade fnittrande på ett skjul i närheten.

– I stallet. Därborta i hörnet. Jag körde dem dit. Allihop. Varenda en.

– Är du galen? Hästarna måste gå på bete, varför är de i stallet?

Tungysh log plötsligt ett giftigt leende och blinkade finurligt. Äntligen begrep Ukitaj. I några sekunder stirrade han på galningen i skräck, så fick han fart och rusade till stallet och strax därpå löd hans kommandon:

– Bind honom! Bind den idioten!

Starka armar grep galningen och kastade honom till marken och ett starkt rep slogs runt benen, armarna och axlarna.

– Var är hästarna, din galning? En del av hjorden saknas … Var har du gjort av dem? Svara!

– Jag har ätit upp dem, skrockade galningen som rullade runt på marken.

Piskan flög visslande och klatschande över Tungysh, som försökte slita sönder repen med tänderna. Men det var inte rop av smärta som steg ur halsen, det var rasande vansinne. Han kämpade och spjärnade emot, försökte kasta av sig sina fjättrar och morrade som ett djur, dovt och hotfullt ...

Det blev snart känt att hjorden blivit stulen någonstans på stäppen av hästtjuvar från Sheralis by. De letade i tre dagar och hela tiden låg hästdrivaren bunden, kvarlämnad i en övergiven jurta.

Det hårda repet, som varit indränkt i vatten, hade sedan länge torkat och skar obarmhärtigt in i köttet. Tungyshs kropp var död: han kunde inte röra vare sig hand eller fot. Ingen hade tittat till honom på tre dagar – inte en droppe vatten hade kommit över hans läppar. Men trots detta lämnade galenskapen honom gradvis.

Han hade föga minne av vad han gjort eller sagt när han återvände till byn. Han visste bara att hästarna saknades. Och han visste också att någonting hemskt och oåterkalleligt väntade honom för detta. Osammanhängande, fragmentariska tankar kom och gick i hans sinne: Jag är bunden ... säkert kommer de att slå mig ... Åh, vad det värker i hela kroppen! Åh ... Låt dem slå dig, det är bra ... Jag är törstig ... Varför ger de mig inte att dricka? Vatten!.. Det tycktes honom som att han skrek, men i verkligheten kom blott en hes, knappt hörbar viskning och ett knappt märkbart stön som ett väsande ur hans uttorkade hals.

Först på kvällen den tredje dagen hörde Tungysh ett prasslande ljud nära jurtan. Medvetandet hade redan återvänt fullständigt och han förnam nu bara ett avlägset ringande i huvudet och kroppen var svag av hunger och törst, och han kunde fortfarande nätt och jämnt röra sig. Prasslet återkom och i nästa ögonblick veks en flik av tältduken åt sidan och ett svagt, svagt nattljus trängde in.

– Lever du? viskade en röst.

Genom att vrida sig som en mask och ta hjälp av fötterna, lyckades Tungysh krypa fram till hålet och urskilde den tandlöse Salyk. Den gamle mannen räckte honom en skål med vatten, och Tungysh doppade sitt ansikte i det och började svälja girigt.

– Jag har kött med mig, fortsatte den gamle mannen och sträckte fram två bitar kokt fårkött genom öppningen i jurtan.

123

I nästa ögonblick föll tältduken igen och Salyk försvann. Efter några plågsamma sekunder knarrade det i dörren och någon kom med hastiga steg in i jurtan.

– Tungysh! Hör du, Tungysh?... Var är du? frågade nykomlingen tyst.

– Här. Vem är du?

– Det är jag, Omekej.

– Är hästarna funna?

– Herregud! Strunta i dem. De kan dra åt helvete! Ukitaj tänker binda dig efter en häst i morgon.

– Binda…? Tänker han döda mig?..

Tungysh visste inte mycket här i världen. Men det här straffet kände han väl till. Han hade själv upplevt det förra vintern. Den gången hade fjorton hästar försvunnit från flocken. Senare fann man dem döda. Och den gången hade Ukitaj låtit binda honom vid svansen på en häst.

Tungysh överlevde enbart tack vare snön – det hade snöat ordentligt vid den tiden. Men han låg medvetslös i tre veckor. Och nu, vad kommer det att finnas kvar av honom nu när han ska släpas runt byn?

– Rädda mig, rädda mig, Omekej!

– Tyst! Rör dig inte.

Omekej drog fram en kniv och skar upp repet på flera ställen.

– Ge dig iväg.

– Vart?

– Dit näsan pekar, fårskalle.

– Och om de fångar mig? De kommer att slå ihjäl mig …

– Är du inte vaken än? Du kommer att bli fastbunden vid svansen på en häst i morgon!.. Förstår du? Det är en säker död!.. Ge dig iväg. Gå, säger jag. Och må Allah hjälpa dig på vägen. Försvinn!..

Omekej hjälpte honom ut ur tältet.

Tungysh var som i en dimma: huvudet snurrade, benen ville inte bära honom. Han stod vacklande och flämtade. Så tog han långsamt ett steg och tittade upp på Omekej.

– Han dödar dig, Omekej … Han tar reda på allt och dödar dig.

– Det är inte ditt bekymmer. Rädda dig och fly! säger jag. Om vi överlever kommer vi att mötas. Om inte, så kommer jag att tänka på dig långt bortifrån och önska dig lycka. Gå.

Vid de sista orden darrade Omekejs röst, och Tungysh fick för sig att han snyftade.

Långsamt, långsamt, med fötterna släpande efter sig och meningslöst utbredda armar, som om han sökte efter stöd, flydde Tungysh bort. Den svarta, stjärnlösa natten hade välvt sig över stäppen och mörkret hade snart uppslukat honom.

* * *

Bakom sig i den mörka jurtan, tillsammans med det svarta genomskurna repet, lämnade han tjugo år av slaveri. Men just nu tänkte Tungysh inte på friheten, gladde sig inte över att han äntligen kastat av sig det monstruösa oket som pantfånge. Han hade blivit van vid det för länge sedan, och nu var han rädd för vad som dolde sig bortom mörkret. Hur skulle det bli nästa morgon? Hur långt skulle hans försvagade ben orka bära honom? Och till vilken nytta?..

En dag, två, eller tre, eller kanske bara en enda natt? Han kom inte ihåg hur länge han hade vandrat planlöst över stäppen. Han kom inte ihåg när hans kropp till sist förlorade alla krafter och han föll raklång på den kalla främmande jorden och inte ens försökte ta sig upp igen.

Trots allt återvände medvetandet till honom. Så här skulle det tydligen pågå, ända tills hans sista timma slog. Han vaknade vid att en hes röst nynnade en lång, entonig och melankolisk melodi över hans huvud. Fortfarande oförmögen att skilja mellan glömska och verklighet låg han kvar en stund och försökte avgöra var han var och vad som var fel med honom. Men ingetdera lyckades honom. Han kände bara en kyla i varje cell i kroppen. Och rösten ovanför hans huvud, lika klagande och vemodig, hade nu blivit lite tydligare. Tungysh öppnade med svårighet sina oändligt tunga ögonlock och såg rakt upp i den djupa, klarblå himlen och solen, som frusit i zenit. En avlägsen tanke som kom från djupet av hans minne fyllde hjärnan med smärta: Hästarna, var är hästarna? Sedan var den borta.

– Hur kom du hit, din stackare? frågade rösten.

Tungysh vred på huvudet och genom diset som skymde hans blick urskilde han en gammal kvinna med en brokig påse kastad över axeln. Säkert i en hel evighet vandrade han över henne med likgiltiga ögon, tills han äntligen såg den torra, mörkbruna huden i det rynkiga ansiktet, de magra armarna som var täckta med utslag och trasorna som skylde den tunna kroppen. Och plötsligt darrade hans läppar, och han lutade sig mot kvinnan med hela sin svaga varelse.

– Mor, stönade han tyst och milt. Har du kommit till mig, mor?

Ett sorgset leende spred sig genom fårorna kring kvinnans ögon och lade sig som en svag skugga över de bleka läpparna.

– Jag är ingen mor åt dig, du olycklige. Jag är en duana, en tiggerska och Allahs tjänarinna. Jag har suttit här bredvid dig länge. Jag tänkte att du var en hemlös person som var på väg att dö, och jag bestämde mig för att läsa en avskedsbön. Fast det är för tidigt för dig att tänka på begravning. Ta här lite vatten, dina läppar är spruckna.

När hon låtit honom dricka sig otörstig, frågade hon:

– Vart är du på väg, min käre?

– Dit näsan pekar.

– Inte så lång väg då.

Den gamla kvinnan smålog igen.

– Några släktingar?

– Allah är en, och jag är en.

– Hur länge har du legat här?

Men utan att vänta på svar svarade hon själv:

– Ganska länge, tycks det. Du fryser så du skakar – du är genomfrusen. Tag av dina trasor och byt kläder.

Hon letade i sin väska och drog fram en uppsättning slitna,

men ännu dugliga manskläder och räckte till Tungysh.

– Lev länge, mor ...

– Varför ska jag leva länge? Säg hellre: må själen din vila.

– Må själen din vila.

Han drog sig undan till ett buskage och höll på länge med att byta kläder, och hela tiden satt den gamla kvinnan med ansiktet bortvänt och stödde sig på sin blankpolerade vita käpp.

– Hur gammal är du? frågade hon när Tungysh mödosamt kom gående tillbaka på sina svaga, värkande ben.

– Trettio.

– Tolv år yngre än jag, och vill tro sig vara son, kallar mig för mamma ...

– Det kan inte vara sant! Tungysh stirrade förvånad. Hur skulle han kunna tro att denna krökta, vissnade gamla kvinna bara var fyrtiotvå år gammal?

– Se på dig själv. Du liknar en gammal gubbe, enda skillnaden är att håret är svart. Det var inga sötebrödsdagar som förde dig hit. Vad glor du för – har jag inte rätt? Och vad finns det för något att gissa? Allting syns på långt håll. Berätta nu vad du flyr ifrån ...

Och för första gången i sitt liv, utan att dölja någonting och utan att blygas för tårarna som långsamt rann utför hans insjunkna kinder, berättade han om sina prövningar.

Han berättade om en förtrampad barndom, om misshandel och förödmjukelser, om ett liv i hunger, och först nu kom han ihåg, började förstå vilket hemskt liv som hade drabbat honom, och att han aldrig riktigt tänkt på varför det blev så här. Och först nu, när han berättade om allt detta för denna bittra tiggerska, blev han medveten om fasan i ett sådant liv, tomheten, och ryste ofrivilligt, som om det inte varit hans eget liv, utan något som drabbat en person som var honom kär och som han till varje pris måste ömma för.

– Mor, har du ett eget hem?

– Ja, sade duanan frånvarande, som om hon tänkte på något annat. Jag återvänder dit. Jag vandrar runt på dessa platser, och när vintern nalkas vänder jag hemåt ... Min man är förlamad.

127

Han var också tiggare, och vi brukade vandra tillsammans, men nu är det illa med benen – de vill inte röra sig. Han sitter hemma. Jag vet inte ens om han lever, för han har ingen annan än mig. Jag lämnade honom i grannarnas vård. Men om jag sätter mig ner vid hans sida så svälter vi … På den tiden när han kunde gå levde vi furstligt. Han brukade ibland stämma upp vid någons dörr så ljudligt, *ak du-a-a-ana-a-a*, så folk kom springande från fem eller sex hus på en gång, och naturligtvis lämnade de allmosor. Han hade tur. Allt som jag kan skrapa ihop är phuu! – hon blåste på sin tomma handflata – jämfört med hans dagsverken … Du darrar, din olycka. Svep om dig bättre.

Tiggerskan drog fram en gammal kaftan ur axelväskan och gav till Tungysh.

– Må själen din vila. Hade det inte varit för dig skulle jag inte ha vaknat, din röst bragte mig till mina sinnen …

– Det stämmer, Allah skickade mig hit.

– Vad ska du göra? frågade hon.

– Vem vet? suckade Tungysh.

– Ska du fortsätta slita åt folk igen?

– Jag är beredd på vad som helst.

– Låt det vara. Ur askan och in i elden. Vad är det som driver dig från en piska till en annan? Kom hellre med mig.

– Tigga?

– Vad är du rädd för? Om du vill veta – den vägen visade Skaparen själv för människan. Han välsignade det här hantverket … Jag ska lära dig allt, och om en månad kommer du att gå runt i byarna själv.

Tungysh satt tyst ett tag. Hans blick var fäst på en ung saxaulbuske. Den lätta stäppvinden böjde den och böjde den till marken och prövade med glädje sin styrka. Må det bli vad det blir, tänkte Tungysh. Kanske den här vägen kommer att ge honom en droppe glädje. Och han smålog åt sina egna tankar.

* * *

Så tog han alltså upp en syssla som han tidigare hade skämts att ens tänka på – och blev en duana. Samma dag som han träffade tiggerskan blev han sjuk, och hon förde honom till närmaste by. I två dagar låg Tungysh med hög feber hos en änka med många barn, där de hade fått stanna. På tredje dagen kände han sig bättre. Änkans barn var till en början skygga för tiggarna, men den gamla kvinnans ränsel, som var fylld av osyrade kakor, russin, nötter och annat gott, hade sin verkan snabbare än några ord: snart blev de så vana att de själva letade i ränseln utan att fråga – de hemska tiggarna blev på några dagar vanliga och till och med snälla människor.

På kvällen innan hon gav sig av, när den gamla kvinnan hade försäkrat sig om att sjukdomen hade släppt sitt grepp om Tungysh och han kunde resa sig från sitt läger, bytte hon till sig ett stycke brokigt alashatyg från kvinnan för två pund mjöl och ett halvt pund socker, och gjorde en axelväska åt sin följeslagare. I morgon skulle han slänga den över skuldran och bli en äkta vandrande tiggare.

Många år tidigare hade en tioårig pojke blivit spådd att studera för en mulla och få lära sig alla vetenskaper, och själv bli en lärd mulla. Trettio år gammal skulle han i stället hänga en tiggarränsel över axeln, ta en stav i handen och gå ut på vägarna för att tigga allmosor.

– En tiggares hjärta måste blöda om han går förbi ett endaste hus, lärde den gamla kvinnan honom.

Och Tungysh vandrade vägen fram, drev hundarna till ursinne i varenda by, stannade vid varje tröskel, sjöng sitt monotona *ak duana-a* och allt som bönderna stack åt honom lade han i sin påse. Pengar, bröd, surmjölk, kläder – allting hamnade i hans brokiga väska. Han åt en del av maten själv, fördelade resten till änkor och föräldralösa barn, sålde mer eller mindre dugliga kläder i basarerna och stoppade pengarna i en näsduk som luktade smuts och svett, som han knöt ihop till en knut och lade längst ned i sin axelväska.

129

På några få dagar hade han samlat ihop så mycket att det hade räckt till att föda en hel familj under hela den kalla vintern. Men Tungysh, åt vem och till vad samlade han och sparade sina allmosor? I skaparens namn och för sin egen ficka? Tänkte han över huvud taget på vad han skulle använda pengarna till? Kände han kanske i djupet av sin själ skam för sitt nya yrke, och helt enkelt intalade sig själv att han inte hade någon rätt att förfoga över pengarna? Mindes han kanske inte vad det hade kostat hans far att arbeta ihop till en bit bröd? Vilka valkar i nävarna, hur mycket svett och möda? Hur han fick frysa om vintern och brännas av sommarhettan enbart för att försörja hustru och barn! Och Tungysh själv? Kände han inte till priset på en bit bröd från sin barndom? Och även om brödet var bittert i munnen, måste det likväl förtjänas genom hårt arbete.

Och nu går han från aul till aul, och vid varje tröskel läser han besvärjelser, obegripliga för honom själv, ur tiggarnas sång, och den gamla tiggerskan vid hans sida rättar honom ständigt, hamrar in meningslösa ord i huvudet på honom. Den ena byn följs av nästa, den hårda vägen leder längre och längre, och det verkar som om det aldrig blir någon ände. Kan det vara så här hans hela liv kommer att förflyta, bland skällande hundar och glåpord från elaka småungar? Var det verkligen hans öde att stå med framsträckt hand vid varje hus, att knacka på alla dörrar tidigt på morgonen, och på kvällen tigga husägarna om skydd för natten, att förödmjuka sig själv inför första bästa mötande? Eller kommer han någon gång att hitta ett riktigt arbete som gör att hans liv till sist blir meningsfullt? Hur skulle han veta?

Tungysh tänkte inte på detta. Någonting hittills okänt hade tagit makten över hans liv. Han försökte förstå vad detta kunde vara och kände bara att något hade förändrats, något hade vaknat inom honom, något hade förskjutits från ett dödläge, som om han hade blivit återfödd. Och även om dessa känslor tycktes motsäga allt som han dittills bevittnat visste Tungysh redan säkert: ja, något håller på att förändras, någonting förändras, och det väldigt tvärt.

De första dagarna av hans nya liv var förbi. Han märkte inte själv hur han långsamt började vänja sig vid denna syssla, som all-deles nyligen hade förefallit så frånstötande. Han hade redan lärt sig att uttala orden tydligt, även om den gamla kvinnan fortfaran-de anmärkte på den unge djigiten vid varje steg och fortfarande var missbelåten med honom.

– Du måste lära dig, sade hon. Jag lämnar dig snart. Din röst låter som om den kom från underjorden. Slappna av, var inte blyg, prata lättare, friare. Folk känner att du är osäker, och då ger de mindre … Vi tar det en gång till!..

Och hon satte igång i en enda lång utandning:

– *Ak duu-se ak duana, e-alla*, inte ångra det goda, när du når målet för vägen, till huset, ramla inte när påsen är fylld – låt ing-en-ting ramla u-ut *e-alla*, gör rätt för dina ljusa förhoppninga-a-ar, du ska inte svika de ljusa för-hopp-ning-arna hos musel-mane-e-en…

Tungysh sjöng tillsammans med henne. Och hon lyssnade gil-lande:

– Det är bättre nu. Du ska bara gå högre upp, högre och – sorgligare. Spara inte rösten, tänj ut den …

– Spa-a-ra inte på nå-hå-hååden …

– Just så där. Om fjorton dagar är du en äkta duana. Som jag. Människorna bör respektera ett arbete som behagar skaparen. Vi går vidare …

Och så blev det … Efter knappt tio dagar hade Tungysh helt vuxit in i sin roll, han kände sig inte besvärad längre, rösten blev klarare och mera klangfull. Han blev själv förvånad över att han blev glad varje gång den gamla kvinnan gav honom beröm, för beröm hade han inte varit van vid. Och hur mycket han än för-sökte lägga band på sig, hur ofta han än sade till sig själv: Du är en tiggare, en tiggare, och det är en synd i din ålder, kände han för första gången att leendet och till och med skrattet blev en del av hans liv, och att åren av ofrihet bleknade bort i hans minne, sveptes in i ett dis, som om det inte längre varit en del av hans liv.

Efter halvannan månads gemensam vandring blev den gamla kvinnan till sist övertygad om att den unge duanan redan hade tillägnat sig alla konstgrepp i sin nya sysselsättning. Och så kom då dagen då hon berättade för Tungysh att det var dags för dem att skiljas åt.

Tungysh hade hela tiden varit medveten om att denna dag så småningom skulle komma, och ändå var hans hjärta tungt. Efter ändlösa år av andlig sömn hade han precis börjat förstå en smula av livet, det började uppenbara sig för honom i en mångfald av begrepp och ting i oändlig mångfald och slösande rikedom. För första gången sedan barndomen upplevde han mänsklig godhet, lärde sig vad det är att vara uppriktig och lyhörd. Det visade sig att fullständiga främlingar, och inte bara nära släktingar, som han tidigare trott, kan ha dessa egenskaper, och inte bara äga dem, utan också dela dem med hemlösa tiggare.

Den stackars gamla kvinnan, som han klamrade sig fast vid som en skrämd sparv som räddats ur hökens hemska klor, skänkte honom mera under några dagar än han kunnat drömma om under tjugo år i ofrihet. Han insåg att de inte för evigt kunde vandra mellan byarna tillsammans. Och ändå, när han tänkte på avskedet föreföll det honom som om han verkligen skulle bli föräldralös och förbli ensam under resten av sitt liv. Och just därför hade han bett till Allah att skjuta upp denna ödesmättade stund och väntade på den med skräck och tröstade sig med det klena hoppet att den aldrig skulle komma.

Den gamla kvinnans ord träffade hans hjärta som ett kallt, skarpt knivhugg. Benen vek sig och han föll först på knä, som om han tiggt henne att stanna, och låg sedan utsträckt på marken. Den värld som hade formats med sådan omsorg inom Tungysh av den gamla kvinnans händer bleknade nu och föll samman inför hans ögon. Han sade inte ett ord, visste att ord var maktlösa. Han bröt av en torr stjälk av malört och ristade förtvivlat i den torra jorden. Han kunde inte förklara varför han gjorde så, hans förtvivlan överväldigade honom, krävde en väg ut, och kanske var den avbrutna stjälken i hans hand just det obetydliga verktyg som hans enkla själ nu behövde för att befria sig från sin ångest.

Så går hon till sin by, som Tungysh aldrig sett. Hon går med samma långsamma steg som hon alltid gjort. Och han blir ensam kvar, ensam på denna ödsliga stäpp, bland främlingar som aldrig tar någon del i hans önskningar, hans tankar eller hans längtan. Förr eller senare, om kvällen eller morgonen, kommer hon trots allt att vara tillbaka vid sitt övergivna hem. Men han? Vart skulle han ta vägen, i vilken riktning skulle han fortsätta över de ändlösa vidderna? Vad skulle det bli av honom utan henne? Vilka behov skulle driva honom vidare, och varthän?

Efter att ha genomlevt hälften av sitt liv i slit och tårar, och upplevt intet utom ändlös nöd och sorg, och aldrig mognat till funderingar om livet, förstod Tungysh först nu att denna gamla kvinna, som varit tvingad till att tigga alltifrån sin barndom, var en lyckligare människa än han. Och denna upptäckt grep den stackars mannen djupt i själen. Hon hade någonstans att gå. Hon hade hem och skydd. Det kanske inte var ett palats, det kanske bara var ett skjul, men det var hennes hem, där någon väntade. Och om det så var vid världens ände skulle hon gå dit och känna lycka, eftersom hon skulle hem. Först nu förstod han att en man, vem han än var, behövde ett hemland, ett hem och sina nära. Enbart detta är hans stöd i livet, och utan detta stöd finns ingen lycka.

– Du min olycksfödde son, sade den gamla kvinnan stilla, som om hon känt hans tankar och led med honom. Hur länge kan jag stå så här? Säg då åtminstone farväl till mig och välsigna mig på vägen …

Tungysh höjde blicken och såg på tiggerskan med dröjande, vemodig blick.

– Må Allah belöna dig för allt gott du har gjort för mig. Må själen din vila, viskade han.

– Vi ska mötas igen, om Allah så vill, och om han inte vill, så ska vi känna igen varandra i en annan värld. Allah är en, och duan är en … Lägg dig inte att sova på stäppen – sov vid gravarna. Gravplatserna besöks av heliga andar. En ensam människa har bara en vän – Allah. Be till honom om evig vila.

– Jag … Jag vet inte hur …

– Kom ihåg:

Jag lägger mig till vila, store Allah,
Låt mig stiga upp som levande – inshallah!
Om det är min lott att inte stiga upp – inshallah!
La-i-la-ha-i-l-l-allah.

– Det är allt. Farväl!
– F... Farväl, mor!
Den gamla kvinnan gick ett stycke åt sidan och återvände plötsligt.
– Här har du ett par kebisi så att du inte blir våt om fötterna ... Jag köpte dem till min man ... Tänk inte på det. Om jag har tur köper jag ett par till. Och du ska inte bli förkyld: det är fortfarande väldigt kallt på marken ...
– Lev länge ...
– Hur var det jag lärde dig? avbröt den gamla kvinnan strängt.
– Må själen din vila.
Den gamla kvinnan var borta. Och Tungysh låg med huvudet lutat i handen och försökte hålla tillbaka den bittra klumpen som fastnat i halsen. I den torra jorden där han nyss hade påtat med en malörtsstjälk föll en het droppe. En, två, tre ... Den kunde rullas till en kula av jord ...
Han hade sedan länge slutat undra om det var öster eller väst, söder eller norr. Från början till slutet av den gränslösa stäppen, från aul till aul, på vintern och sommaren, i slask och köld, vandrade han som duana. Knappt hann han märka hur femton långa år förrunnit i ett enda ögonblick. De båda facken i hans korzhun fylldes tusen gånger och tömdes lika många gånger. Han var för trött för att räkna hur ofta hundar hade bitit honom, hur många gånger han plundrades av landsvägsrövare. Och hur många människor hade han sett under denna tid: unga och gamla, goda och onda, snåla och givmilda. Han hade upphört att förundras inför människans barmhärtighet och att sörja inför möten med det onda.
Om han tidigare skulle ha förfärats i drömmen om han såg sig själv som tiggare, var han numera så van vid detta att han inte ens föreställde sig att han skulle kunna göra någonting annat. Han

hade för länge sedan lärt sig att han, en tiggare, hade sina privilegier på samma sätt som en vandrande dervisch. Varken bajen eller fattiglappen, lyckliga makar eller änklingar – ingen har rätt att vägra ge allmosor: tiggaren ska inte få gå tomhänt. Är du fattigare än de fattiga men bor i ett eget hus, ge tiggaren ett stycke ren trasa, och han kommer att välsigna dig.

Men inte alla följer den oskrivna lagen. Inte blott en eller två gånger hade Tungysh fått detta svar:

– Förbannade vare era förfäder! Jag har själv nätt och jämnt så jag kan leva. Hur länge ska jag ge dig och din bror gåvor? När den ene gått, stiger nästa över tröskeln.

Särskilt förbittrade har folket varit på sista tiden. Det är förståeligt: tre hungerår i rad! Och är det i så fall tvunget att klaga över mindre lyhördhet och för många konkurrenter – likadana hungriga och nakna människor?

Och tiggare är för övrigt inte skapta på samma vis. De flesta är naturligtvis tysta och fogliga, men somliga är värre än schakaler. Förr, när folk var glada, blev många av duanerna kräsna: de krävde bara pengar eller saker som var nya. De vände sig bort från resten, gav en hastig välsignelse, och även då med mumlanden som om de inte kunde tugga orden. Nu är dock alla redo att smälta bort i strömmar av tacksägelser för en enda skål med korn.

*   *   *

… Han hittade inget ställe att sova den dagen. Överallt där han försökte blev han avvisad med samma ord: Gå din väg, din stackare, gå – vi har knappt rum åt oss själva. Eller: Nej, vi har redan två av dina kamrater som gäster. I skymningen, då han till sist förlorat hoppet om att hitta en sovplats någonstans, bestämde sig Tungysh för att tillbringa natten i en övergiven lada i utkanten av byn. Det var varmt och marken var torr; han hade tak över huvudet och skulle nog klara sig. En knippa hö och ränseln under huvudet, jackan över sig. Behövde han så mycket mera? Det var ju inte vinter.

I mörkret snubblade han över någonting och föll baklänges med ett stön. I samma ögonblick skrek någon till och rusade upp, och strax därpå kom en försiktig fråga:

– Vem där?

– Jag är tiggare. Jag letar bara efter en plats att sova.

– Sluta fråga! Ta honom! sade en annan röst, hes och guttural.

Tungyshs hjärta bultade: Vad menade de med det? Ta honom? Nu hade han bestämt hamnat i knipa! Innan han hann blinka hade de båda främlingarna kastat sig över honom, de slog honom i huvudet med något hårt och vred om hans armar.

– Du! En tiggare! Vi känner till såna tiggare. En spion, det är vad du är! Och nu ska du betala för det. Tekebai, ta köttet. Det kommer säkert andra och letar efter honom. Sätt fart, lasta allting på hästarna.

I nästa sekund var Tungysh bunden till händer och fötter och fastspänd över en häst, och en rasande galopp började. Tungyshs mage vändes ut och in och tarmarna rullade upp i halsen. I sin gamla naivitet letade han fortfarande efter en rimlig förklaring till allt som hade hänt: Vad kunde detta vara? Tiggerskan kunde åtminstone prata med mig. Kunde de inte ha sett på hans ränsel att han verkligen var tiggare? Och vilken ond ande förde mig till den här ladan? Det hade varit bättre att ligga och frysa på stäppen. Men vem kunde veta att det skulle finnas tjuvar här? O Allah!!

Inte förrän vid midnatt stoppade tjuvarna sina hästar. Helt utmattad hörde Tungysh en snabb viskning:

– Vi lämnar honom här. Det är tungt för hästen.

– Levande?

– Är det nödvändigt? Hur vet han vilka vi är? Och innan han hinner ta sig fram till bebodda platser kommer vi att vara bortom horisonten! Så det finns ingen mening med att lägga en extra synd till alla gamla …

Repen som band honom vid hästen lossnade. Men innan Tungysh hann få tillräckligt med luft i lungorna fick han ett tungt slag i bakhuvudet. Han föll till marken och förlorade medvetandet.

* * *

När den fete blir smal om magen, väntar den magre på yttersta dagen. Så lyder talesättet. Många feta hade magrat, och många magra vandrat vidare, men Tungysh fortsatte att traska genom livet som om han var outslitlig. Ödet hade uppenbarligen mera i beredskap för honom innan det satte punkt och slut, det beredde honom på flera prövningar, det var uppenbart att han ännu inte tömt sin bägare i botten. Som om någon med ett muntert grin sagt åt honom att döden är så lätt, så lätt – men livet är en plåga. Du har fortfarande överraskningar som väntar, håll ut!..

Dagen därpå mötte Tungysh en nogaj, en stäpptatar, gravgrävare från en stad i grannskapet. Det var han som visade honom rucklet där Tungysh fortfarande bodde.

Till en början slog det tiggaren med förfäran: utan fönster, med ett hål i väggen som var igensatt med en gammal kudde, väggarna i flagor och taket överväxt av täta spindelnät. Askan i den stora härden var så gammal att det genast var tydligt att den inte varit tänd på flera år. Skjulet var möblerat med en sliten hästfiltsmatta, en vävd alasjabonad och en kudde. På locket till en stor gjutjärnsgryta som murats in i själva härden stod en spräckt pial, som var lagad med äggvita, en gammal tekanna och en väl begagnad träslev. Lutad mot väggen stod en sprucken skål, även den av trä.

Men Tungysh var ändå själaglad för detta. Äntligen hade han haft riktig tur. Han hade inte bara räddats från döden, för första gången i sitt liv var han nu herre i sitt eget hus. Nogajen skulle flytta till en annan plats, där det påstods finnas gott om jobb, och om Tungysh ville så var skjulet hans.

Och nog ville han! Han skulle få ett eget hem, sitt eget hem. Om hans döda föräldrar hade fått se det här! Han måste se till att offra ett får till deras andar minst en gång om året, till den stora Eid al-adhafesten … Andarna skulle säkert bli belåtna …

Han lärde sig fort allt det han måste kunna som gravgrävare. Även denna syssla hade sina yrkeshemligheter. Nu blev han hjälpreda åt nogajen.

– Innan jag kom hit grävde jag åt ryssarna, berättade nogajen. Där var allting enkelt. Man gräver gropen till manshöjds djup – det är det hela. Och pengarna betalar de direkt, de skjuter aldrig upp betalningen till efteråt ... Om jag inte hade blivit osams med en galning som jag arbetade ihop med skulle jag väl varit kvar där än ... Äsch, det som är gjort, är gjort!..

– Hur länge har du grävt?

– I ungefär elva år ... nej, det är redan tolv ... Det stillsammaste arbete som finns, ska jag säga dig. Du har ingen som svär åt dig, ingen som stör dig. Gräv på och lev i fred. Du kommer aldrig att gå hungrig. I stället för att tigga och hänga vid människors dörrar som en vagel i ögat, är det bättre att gräva i jorden. Om du inte hade luffat skulle du ha skaffat familj och byggt dig ett hus. Och vad kunde de hoppas på när du gick omkring och tiggde? Ingenting. Men nu blir du din egen. Gravgrävare är ett yrke! Om våra kunder inte var så kräsna med att välja plats och ovilliga att betala i tid och hederligt, skulle det inte finnas något bättre ... Ja, jag flyttar till mitt gamla ställe. Det måste finnas mer folk där numera, och det betyder också fler döda!

Och nogajen blinkade så finurligt att Tungysh kände en rysning längs ryggraden.

Han skruvade på sig och suckade tungt.

* * *

E-e, Allah, hur många år har gått sedan dess? Hur mycket tid har runnit mellan våra fingrar!..

Efter en stund slumrade han till igen och väcktes av ljudet av hovar och det trötta frustandet från en häst på gården. Det är besök. Till mig! Då är det någon som har dött ...

Ryttaren var tydligen ensam. Och inte längre ung, Tungysh hörde hur han långsamt och pustande steg ur sadeln och med släpande gång kom fram till fönstret. Han frågade med den hesa röst som är vanlig hos människor som levt tillräckligt länge på jorden:

– Finns här någon levande själ?

Tungysh svarade inte. Herregud, folk låter inte en stackare ligga och dö i lugn och ro, eller göra sitt jobb och begrava andra! Han gitte inte stiga upp, nej inte ens kasta undan filten för att se efter vem det var.

– Hallå, svara, upprepade rösten.

Tungysh gläntade motvilligt på täcket och såg bort mot fönstret. Kudden hade faktiskt ramlat ned. Astapyr al-lah! Gud sig förbarme! Han hade trott att det fortfarande var natt, men det var redan morgon! Du börjar bli lat, gravgrävare. Är det inte en synd för en muslim att vakna så här sent?

I fönstret kunde han urskilja en gammal man med yvigt skägg och insjunkna ögon.

– Ett ögonblick, mumlade Tungysh vresigt. Kom in. Jag stiger upp!

Han suckade och knorrade över att behöva lämna värmen, men kom på fötter och började dra på sig kaftanen.

Gudskelov hade smärtan minskat, den kändes nästan inte alls … Men varför stod nykomlingen kvar därute, varför steg han inte in?

Tungysh hade hunnit dra på sig stövlarna och komma på fötter innan främlingen, som omsider hade hittat en plats att binda hästen, duckade för dörrposten och steg in i skjulet. Han var lång, axelbred och trots sin ålder välbyggd. Han stannade framför Tungysh och studerade hans ansikte länge. Tungysh kände sig rentav besvärad – vad stirrade han på, som om jag var skyldig honom pengar!

– Är du möjligen Tungysh, Komshas son? frågade mannen till sist.

– Vem är det som är död?

– Du känner inte igen mig, Tungysh? Känner du verkligen inte igen mig?

Tungysh ansträngde sina redan svullna ögon och kisade mot mannen framför sig. Han skakade på huvudet.

– Herregud, hur har livet farit fram med dig, Tungysh? sade

den gamle. Har då ingenting stannat i ditt minne? Jag är Omekej.

– Omekej?

– Naturligtvis, Omekej.

– Ohm...kej. Vänta, vänta. Jag tror att jag har hört det namnet någonstans.

Han rynkade sin panna och ansträngde sitt minne, men hittade ingenting. Han frågade igen:

– Vem är det som har dött?

– O Allah! utbrast den gamle i förtvivlan. Bajen är döende. Han har själv sänt mig till dig. Han sa att om jag inte har dig med mig ska jag inte komma tillbaka.

– Känner bajen mig?

– Han heter Ukitaj! U-ki-taj!

Om så blixten detta ögonblick slagit ned i Tungyshs huvud skulle han inte ha skakats så i grunden. Ljuset bröt till sist igenom hans fördunklade sinnen, allting uppenbarades på nytt, återväcktes, lystes upp som av ett återsken av blixten. Tungysh såg på gamlingen framför sig, och genom de rynkor som lagt sig över panna och kinder kunde han ta fram det unga, stolta ansiktet hos sin forne beskyddare. I minnet återkom det ögonblick i det förgångna då Tungysh sett denne man framför sig och mannen befallt honom: Rädda dig och fly! Hur hade han kunnat glömma detta? Tungysh kände ögonen fyllas av tårar, och kunde inte längre hålla sin rörelse tillbaka, och med barnets rop till sin beskyddande broder: Agataj! föll han i Omekejs armar.

– Kan du förlåta mig? Förlåt, upprepade han, som om han verkligen burit skuld emot den gamle mannen.

– Du är den som ska förlåta, kom det som ett eko från Omekej.

Så satt de i den kalla hyddan och samtalade om åren som förflutit. I själva verket var det Omekej som berättade och Tungysh som lyssnade. Allt som Tungysh upplevt, från den stund då han kastade av sig pantfångens bojor och vandrade ut på den mörka stäppen, sammanfattade Musslan i en enda mening: då hade han varit tiggare, och nu – gravgrävare. Men för Omekej behövdes inga förklaringar. En gravens kyla spreds inte bara från detta fall-

140

färdiga skjul, utan från mannen själv som satt framför honom. Tungysh med sina sjuka, febriga ögon tillhörde inte längre denna värld, de blickade ur mörkret ur insjunkna ögonhålor likt två falnande kol. Och när han såg in i dessa ögon kom Omekej med ens till insikt om i vilken avgrund av förtvivlan och elände han, utan att veta det själv, hade drivit en oskyldig person med ett enda överilat ord. Skrik, dunka huvudet i väggen, gråt heta tårar – och du kommer likväl att dö som en menedare. Ångest och fasa grep om Omekejs hjärta.

Han berättade hur Ukitaj genom list och smicker, våld och förräderi slutligen lyckats krossa Sheralis son och kuva honom. Han nådde berömmelse och makt, nådde höjder som Doskey aldrig drömt om. Men uppenbarligen väntade ett oblitt öde. På ett enda år tog kopporna alla bajens söner, torka och svält halverade byn och hästhjordarna, och sjukdom drabbade Ukitaj i hjärtat. Det var då han kom att tänka på Tungysh och mindes allt det onda som han i vildsint raseri släppt lös över brunnsgrävarens lilla familj, och han insåg nu att allt var himlens straff. Han befallde sina män att hitta Tungysh. Nu ville han berätta för sin gisslan att allt i världen var stoft och fåfänglighet, att den kamp han fört under hela sitt liv inte kunnat skänka varken lycka eller enkel tillfredsställelse. Och se, för vem och för vad hade han kämpat alla dessa år, om han nu berövats också sina söner som skulle efterträtt honom? Förlåtelse var nu allt Ukitaj törstade efter, vanlig mänsklig förlåtelse – annars var han rädd att sluta ögonen för alltid.

Omekej tystnade. Inte en muskel rörde sig i Tungyshs ansikte. Han röjde ingen glädje, ingen skadeglädje lyste i hans ögon när han hörde att hans plågoande var slagen till marken och beredd att be om nåd på sina bara knän. Av allt att döma hade denne forne gisslan aldrig tänkt på hämnd och mötte därför Omekejs ord med ointresse, som om alltsammans inte berörde honom alls.

Ja, han är ett helgon! tänkte Omekej förstummad.

Om du blott en enda gång har gjort intrång i någons oskuldsfulla liv, brutit någons vilja, ödelagt hans liv – om du så aldrig tänkt på det igen – så kommer inför döden en virvelvind att stiga upp i din själ. Inför Allahs tron kan du inte längre ljuga och låtsas att du aldrig hört viskningarna om fördömelse och inte misstänkt att du någonstans och någon gång har handlat orätt. Nej, samvetet kan inte stängas inne i en avlägsen vrå av minnet, och inte heller avfärdas eller drivas bort med piska. Det kommer till dig och tar sin boning i ditt hjärta och förbränner dina sista dagar.

Och tänk då på vad eller vem som helst, gör det som är gott och visa barmhärtighet – att lyfta stenen från din själ kan du icke! Och det är skada att människan inser detta alltför sent i livet.

– Kommer du med oss? frågade Omekej.

– Nej. Tungysh skakade på huvudet. – I dag måste jag avsluta graven jag påbörjat, och i morgon ska jag be mullan att be för mina föräldrar.

– Vi kommer hem och ordnar en stor minnesmåltid till dina föräldrars ära ...

Tungysh fann inget svar. Han satt länge i tystnad med huvudet sänkt. Varför ansträngde sig den här mannen så väldigt för hans skull? Var det inte tillräckligt att han en gång räddat honom till livet, varför har han nu rest långväga för att uppsöka honom, varför vill han kalla honom med sig? Kanske är denne Omekej lika god som den gamla tiggerskan?

Till sist höjde Tungysh blicken och såg uppmärksamt på Omekej. Vem vet vad han läste i den andres ögon, men han suckade bara och sade tyst med enbart läpparna:

– Jag följer med.

– Det är bra, svarade Omekej glatt. Må Allah uppfylla dina böner.

– Säg: Må själen din få vila...

Sedan de hade läst bönen för Tungyshs avlidna föräldrar i skjulet, skyndade Omekej till staden och köpte en häst åt Tungysh.

Tungysh blev svagare för varje timme. Och Omekej hade bråttom att föra honom därifrån, kanske skulle Tungysh bli frisk när han återsåg sina hemtrakter? Följande dag efter mörkrets inbrott gav de sig av. Tungysh, som inte hade fått en blund i ögonen på natten, var tyst och tankfull, kanske hade han fortfarande inte bestämt sig för om han skulle resa eller inte. Han hade lovat Omekej att bli frisk till nästa morgon, och på kvällen drack han en örtdekokt och svettades starkt på natten. Men det hjälpte inte stort. Omekej såg hur Tungysh gjorde en grimas när han satte sig i sadeln, smärtan i benet ville inte avta. Ändå klarade han sig genom den första dagen utan att klaga. Han yrade på natten. Och på morgonen fick han ett anfall av frossa. Omekej tvingade Tungysh att sätta på sig hans päls och fick med svårighet upp honom på hästryggen – av egen kraft orkade han inte.

På resans första dag, i utkanten av staden, passerade de begravningsplatsen på en kulle. Vanligtvis stannade Omekej upp intill gravarna och viskade en bön och tvagade ansiktet med sina händer. Så gjorde han också nu. Men Tungysh syntes oberörd av detta möte med gravplatsen. Både en och två gånger hade han kommit hit, arbetat här, och ibland även tillbringat natten, som den gamla tiggerskan en gång hade rått honom. När han grävde den första graven här hade hela hans varelse gripits av rädsla: i två månader vaknade han skräckslagen, badande i svett, och drömde om de döda. Sedan vande han sig, och konstigt nog väckte dessa gravar varma, goda minnen, kändes som en egen familj. Känslor som påminde om avskedssorg och medlidande fyllde honom.

Ack, hur välbekanta var inte dessa gravar för honom, och han hade grävt de flesta av dem själv. Han grävde dem med sina egna händer. De som ligger här känner honom självklart inte, men deras andar är förmodligen tacksamma mot Tungysh: han försökte göra den sista viloplatsen bekväm för alla.

– Vi rider vidare, vi är redan försenade, sade Omekej tyst.

– Varför ska jag släpa mina gamla ben så långt iväg?

– Tyst med dig, inte kan man säga så när man är på resa! Skynda på!

Omekejs häst hade redan hunnit ett gott stycke, när gravgrävaren knappt märkbart ryckte i tygeln. De lämnade staden bakom sig. Tungysh hade varken mött glädje eller sorg på denna plats, åren gick tomma och grå, som en flytande dimma. Och nu när han tog avsked av denna stad, troligen för alltid, vred han inte ens på huvudet för att kasta en sista blick. Ingen här visste var han kom ifrån, ingen skulle nog minnas honom när han försvann. Människorna skulle leva vidare med sina gamla bekymmer, stiga upp vid soluppgången och gå och lägga sig sent om kvällen, uträtta sina uppgifter om dagen, sträva efter det ena eller andra och lida av ett eller annat. De föddes utan honom, deras liv skulle förflyta utan honom, och de skulle också dö utan honom.

Tungysh hade inte räknat hur många dagar de varit på väg – han orkade helt enkelt inte: sjukdomen övermannade honom och hans krafter försvann. Men en dag vid middagstid syntes en by i låglandet. Det hade snöat föregående dag, och marken var insvept i ett fluffigt vitt täcke. Från varje hus steg röken i raka, höga pelare mot himlen och smälte i den genomskinliga klarblå himlen, precis som när en droppe mjölk faller i en kittel med klart källvatten.

Fädernetrakter!..

Här hade hans navelsträng blivit avskuren, Tungysh, här hade de klätt dig i din första vita skjorta och sedan gjort dig till slav, och du slet utan klagan i ditt slaveri.

Fädernetrakter!..

De stannade sina hästar vid själva nedstigningen i dalen och stod där länge och betraktade husens konturer, röken ovanför de platta taken, och andades in den klara, frostkalla luften – hemlandets luft.

– Ser du det ljusa berget långt därborta? Dä-är! Titta noga. Det är Kubantau. Du minns säkert hur vi flyttade hela byn dit?.. Din mor och din bror är begravda där. Vi ska ta oss dit och rasta där och sen gå till dem och läsa en bön för deras själars frid … Och vår by … känner du igen den?

Tungysh sade ingenting. Omekej såg varken sorg eller glädje hos gravgrävaren. Inte en suck, inte ett ord kom över hans läppar. Liknöjdheten som hade satt sitt avtryck i det kraftigt åldrade ansiktets fåror fanns fortfarande där.

– Känner du igen din by? Sheralis by! Det var han som flyttade hit till Kabantau. Visste du det?.. Nå, säg någonting! Sitt inte där och tig!..

Omekej såg sig om på gravgrävaren och märkte två små tårar som rullade från hans insjunkna ögon, tecknade en strimma i de fårade kinderna och smälte bort i hans ovårdade skägg.

– Ta dig samman, Tungysh! Vad ska detta betyda? Varken i sorg eller i glädje ska du gråta, det är inte passande för en man! Bär det med värdighet ... Detta är ditt hemland ... Snart ska vi hitta en hustru åt dig, och du ska ha ett eget hus, en egen familj ...

Och för att muntra upp Tungysh tog han honom om axlarna bakifrån och ruskade honom lätt. Efteråt kunde han inte dra sig till minnes i vilket moment gravgrävarens kropp plötsligt förlorade sin stadga och blev helt lealös och slapp i hans armar och Tungysh började falla framåt mot hästens nacke. Omekej ruskade honom igen, den här gången skrämd, och i det ögonblicket föll dödgrävarens huvud med en grotesk vridning ned på bröstet. Ännu en sekund satt Tungysh i sadeln, så orkade Omekej inte längre hålla emot tyngden. Gravgrävaren störtade till marken.

– Hur är det fatt med dig?

Utan att märka att han klagade hoppade Omekej ur sadeln och sprang fram till sin följeslagare. Han vände Tungysh på rygg, lyfte huvudet och skakade bort snön från hans ansikte, såg rakt in i detta ansikte, utan att ännu våga lita på sin omedelbara föraning, och plötsligt ryggade han tillbaka i förfäran – dödgrävarens livlösa ögon såg orörliga upp i den milt klarblå himlen.

Allting var förbi. Det var över så hårt och grymt. Omekej lät huvudet falla tillbaka i snön och reste sig på osäkra ben.

– O Allah, du blinde Allah, sade han, varför tog du inte honom till dig medan han var gisslan, varför skickade du inte honom att dö när han var en vandrande tiggare och hans kropp revs av hundarna, varför dödade du honom inte med rånarnas händer och lade honom i graven som han grävde? O Allah! Vi ville göra allt vi kunde för honom, och du berövade oss tillfället. Varför, varför är ödet så skoningslöst mot oss?..

Vid middagstid förde djigiterna Tungyshs kropp till byn och placerade den i ett tomt uthus. Ukitaj, som hade återhämtat sig tillräckligt för att kunna stiga ur sängen, gick med stöd av Omekej för att se den avlidne. Händerna och huvudet darrade av svaghet, och han gick med ostadiga steg.

– Det kan inte vara sant! Detta borde inte ha hänt! mumlade han med blodlösa gammelmansläppar.

Omekej öppnade dörren till uthuset och Ukitaj släppte taget om sin följeslagare och gick långsamt fram till kroppen. Han stod länge lutad över den, så böjde han sig mödosamt och vek undan kanten på filten och blottade den dödes ansikte. Döden hade slätat ut de tunga fårorna i Tungyshs ansikte, och skägget hindrade inte Ukitaj att med lätthet känna igen sin tidigare unge gisslan. Det låg ingenting av hämnd eller förbittring över hans ansikte, enbart stillhet och frid, och det var som om Tungysh bara hade somnat en kort stund – ögonlocken verkade skälva en aning, som om han strax skulle öppna ögonen.

– Må din själ få frid, stackars man, sade Ukitaj tyst och täckte den dödes ansikte. Säg till djigiterna att han ska begravas vid Kabantau bredvid sin mor och sin bror.

Rösten hade återvunnit sin myndighet när han lämnade sin order till Omekej.

Det fanns ingen att vänta på: den avlidne hade varken släktingar eller nära vänner. Tungysh begravdes nästa dag på morgonen. Ingen grät över honom. Han kom till världen hälsad av ingen mer än två gamla kvinnor, och lämnade den följd till glömskans viloläger av Omekej.

Länge stod Omekej vid den färska kullen av gulaktig torr jord. Djigiterna hade återvänt till byn, och Omekej hörde på avstånd deras glada röster. Ingen hindrade honom från att tänka. Och ingen fick någonsin veta vad gamle Omekej tänkte när han såg ned på graven, och varför han grät tysta, bittra tårar.

1972

146

MALÖRT

1.

Den eldsprutande solen bränner skoningslöst allting levande och allting som är dött på den ändlösa malörtsstäppen. De avlägsna kullarna med sina toviga nackar, som avgränsar stäppen från återstoden av världen, syns som avskurna av ett sabelhugg och upplösta i ett flimrande soldis. Alataus toppar och de krumma ryggarna på dess utlöpare, på avstånd vanligen vita, är nu försvunna för ögat, förbrända av den obarmhärtiga solen. Vart du än ser bryter det blå-blå havet framför dina ögon, dess vågor är långsamma, flytande och i oändlighet rullande. Det sammetsmjuka vägdammet bränner dina nakna fötter. Och vem skulle kunna tro att vintern var på väg till denna ångande heta stäpp? Solen hänger som limmad vid en punkt på himlen, orörlig, som om den var för bekväm för att fortsätta framåt och saknade kraft att vända tillbaka. Också stäpplärkorna, som vanligen fladdrar upp när de känner fotsteg nalkas, rör sig nu inte förrän du kommer alldeles nära – det är uppenbart att de inte har ork att lämna den frälsande skugga de funnit i de täta malörtssnåren. Byarna har sjunkit i marelden vid foten av de taggiga åsarna och endast några höga poppelträd verkar sväva ovan marken långt borta som utbrunna tändstickor. I en hydda utan fram- och bakvägg ligger två människor – de har flytt undan hettan. Den ene är en gammal man, den andre en pojke på tretton–fjorton. För tre eller fyra dagar sedan kom de hit för att samla maskfröplantor. Gamle Toksanbaj (som ligger i hyddan med sitt barnbarn bredvid sig) visste inte tidigare att man kunde tjäna pengar på detta slags malört. Och inte bara tjäna pengar,

147

man kunde göra sig en förmögenhet. Och han blev mycket förvånad när folk förklarade för honom att han, om han arbetade tillräckligt hårt, kunde bli rik som ett troll.

Men det fanns en tid då den gamle inte hade behov av några inkomster. Det var fullkomligt begripligt: sonen, hans egen son, var nämligen chef för det statliga mönsterjordbrukct. Toksanbaj hade fostrat honom och lärt upp honom, och nu var det dags för Toksanbaj att kasta av sig den tunga bördan av bekymmer: ligga för sig själv och ha det bra och slippa tänka på någonting. Men gamle Toksanbaj kände sig varken glad eller stolt. Han hade aldrig upplevt något överflöd, utan hade i hela sitt liv umgåtts med bekymmer och arbete, och han fortfarande kände han inget behov av att undvika några svårigheter: han hjälpte till på sovchosen när det behövdes, och hemma föll det sig naturligt, han skötte allting själv!

Många bekymmer hade han haft i sitt långa liv. Och man kunde tycka att det borde vara dags att ta en paus från allt sådant. Men nej, en fruktansvärd och oväntad händelse knackade på dörren till deras lyckliga hem. En höstdag gav sig sonen och hans vänner ut på jakt. Vännerna hade sina fruar med sig, och den unga hustrun följde också med. Den gamle kände inom sig att något var fel. Jägarna höll fortfarande på med förberedelserna och han gick från den ene till den andre – han ville inte lämna dem.

– Var försiktiga, mumlade han och såg på dem i tur och ordning, skjut inte varandra av misstag.

Men de bara skrattade – vad kan man begära av dem: ungdomar är ungdomar – de blinkade åt honom och skrattade glatt:

– Du verkar tro att vi är småbarn, farfar.

Men olyckan kom inte från det håll som den gamle hade väntat. Det var ingen förlupen kula eller illvillig avsikt som dödade hans son. När direktionens terrängbil med rikt jaktbyte och smått berusade passagerare jäktade hemåt, kom en traktor från andra hållet i en kurva med skymd sikt. Sonen och sonhustrun omkom omedelbart, tillsammans med alla vännerna.

… Gamle Toksanbaj gick inte ur sängen på nästan ett år. Folk

sade till varandra att den gamle aldrig skulle komma på benen
igen. Men de gissade fel – livet segrade i längden. Långt efter-
åt förklarade den gamle sin återhämtning med följande ord: Han
kunde inte lägga sig och dö, han hade helt enkelt inte rätt att göra
det – hans barnbarn, det enda barnbarnet, kunde inte lämnas vind
för våg. Vem skulle ta hand om honom? Vem skulle uppfostra
honom?

För andra gången i sitt liv tvangs Toksanbaj räta på sina ålder-
skrumma axlar: han hade fostrat sin son, och nu var skägget grått
och armarna hade förlorat sin styrka, och mot sin vilja tvangs han
nu visa sitt enda barnbarn vägen ut i livet. Men jag tror det är just
detta som är livet – att göra våra barn till vuxna. Vad finns det då
att klaga om?

Sonen hade helt gått upp i sitt arbete och inte brytt sig särskilt
om hemmet. Och han lämnade i stort sett ingenting efter sig. De
gamla sålde det som dög, arrangerade en minneshögtid, satte upp
ett minnesmärke av blå samarkandmarmor på graven och blev
kvar med tomma händer. En enda ko blev hela behållningen. Inte
mycket, för att vara ärlig. Och medan den gamle låg sjuk var det
denna som försåg dem med föda och dryck. Och när han äntligen
stod upp – med armar och ben i behåll blev det hans lott att dra
in pengar till huset för att fortsätta undervisa sitt barnbarn och för
den egna försörjningen dessutom.

... För några dagar sedan hade fem man långsamt dragit ut på
stäppen från byn, de såg ut en plats åt sig och satte igång med sitt
arbete. Men det var tydligt att de unga grabbarna inte var förtjusta
i den gamle och hans sonson. Vad felet var kunde dessa inte för-
stå. Strax efter middagstid, när alla samlats i hyddan för att vänta
ut värmen, bröt en av djigiterna äntligen tystnaden:

Hör här, farfar ... Vi har pratat om en sak ... Vi måste bestäm-
ma hur det ska bli med grabben ...

– Menar du Jergesh? frågade den gamle förvånat. Vad är det
som stör dig? Han arbetar väl som alla vi andra...

Toksanbaj gnuggade ömt sin näsa mot den svettiga pannan på
pojken som satt bredvid honom.

– Vad är det där för arbetare! svarade grabben och rynkade på näsan. Vill du jämföra honom med en vuxen?

– Herregud! Vad pratar du om? Det där är en riktig kämpe … Eller har någon av er sett honom maska?

– Äsch, svarade grabben som inlett samtalet och viftade irriterat med handen och spottade irriterat och vände sig till sina kamrater för att få stöd:

– Kan ni förklara … för åldringen?..

– Hör på, farfar, sade en storvuxen, bredaxlad karl som kunde ha slitit itu kedjor på ett nöjesfält, du vet att vi inte arbetar här för nöjes skull. Vi grillar oss i solen. Och enligt avtalet delar vi hela förtjänsten lika . Eller hur? Men ditt barnbarn … Hur ska vi räkna honom? Ska han också räkas som fullvuxen?

– Vad trodde du? Eller har du någonsin sett en levande person betraktas som en halv? Att inte tungan ramlar ut på dig, så du pratar! Vem av er plockar mer än han gör? Lika mycket som vi skördar gör han också.

– Nej, fortfarande nej, sade den förste djigiten och rynkade pannan. Ett barn är ett barn, och det är inte mer med det. Hur skulle det se ut? Om jag tjänar två tusen, så ska han ha lika mycket?

– Om han plockar lika mycket, än sen?

– Menar du allvar, farfar?

– Äh, självklart, på fullaste allvar! På vilket sätt är han sämre än du? Och inte nog med det, dag ut och dag in jobbar han här med oss, och dessutom skickar ni honom till affären att handla åt er på kvällarna. Och vem värmer spisen, och lagar teet? Våra grannar nere i dalen har en kock som är med de andra på samma villkor, men han rör inte gräset, eller hur? Varför skulle min sonson vara sämre? Är våran svett finare än hans, kanske? Sluta trakassera min sonson. Eller skämtar ni bara? Helt i onödan i så fall.

– Vi skämtar inte, farfar, sade den storvuxne långsamt.– Vi bestämde oss för att komma överens om allt i förväg. Varför ska vi då gräla? Vi ger ditt barnbarn en halv andel. Och det är din sak att hålla med eller inte. Du kan gå till en annan grupp, det finns också ensamma plockare, gå med dem, det är inte för sent. Ta med allt du har samlat in tills nu, vi håller ingen kvar.

... Tystnaden varade länge. I den plötsliga tystnaden kunde de tydligt höra gräshopparnas gnisslande och surret från närgångna flugor. Den gamle bröt eftertänksamt en malörtsstängel, reste sig till hälften och lät blicken vandra ut i det avlägsna soldiset och lät höra ett "ym-m". En av djigiterna ryckte till, blinkade menande åt de övriga – farfar går med på halv andel – han har inget annat val. Så vände han sig till den gamle:

– Ta det inte så hårt, farfar. Det är inte första året vi har skördat *dermene*. Vi har haft kvinnor bland oss, och gamla män som du, och barn som ditt ... Men barnen fick aldrig full andel. Så var aldrig fallet, och vi ska inte tvunget bryta mot en etablerad regel. Kanske är det sant, ditt barnbarn är inte sämre än vi på något vis, och han är en flink grabb – det är inte tu tal om det. Men ändå är ett barn fortfarande ett barn ...

– Nu får det räcka, bäste bror, jag är trött på ditt prat. Sluta skära emellan av vårat – vi skär utan din hjälp ... Vi går ... Kom nu, pojk, hämta dina saker. Så ska vi två arbeta tillsammans. Du får ändå inte det bröd du förtjänat av dessa arbetare, de kan gärna svälta ihjäl!..

– Du retar oss i onödan, farfar. Vi stjäl inte – vi gör vår förtjänst med hederligt arbete...

– Det är bra, min vän. Bara bra. Fortsätt med det ... Varför skulle jag reta er? Ni har inte gjort mig något ont!.. Jergesh, har du packat allt? – Ta inte något som tillhör någon annan. Får jag se? Den gamle öppnade påsen och rotade genom dess innehåll.

– Jag visste det! Vad är det här? Vems skål är detta? Lämna tillbaka den. Det finns inget värre än att stå i skuld! Är resten vårt?.. Då går vi. Ta din bädd. Han slängde den tunga väskan på ryggen. Adjö, mina vänner. Må ert arbete välsignas.

Den gamle satte kurs med snabba steg mot en hydda som syntes som en svart fläck vid horisonten, och de tre unga männen stod kvar tysta, som tre pelare i ett gammalt hus. Det är svårt att gissa vad de tänkte. Men den gamle visste med sig att dessa människor nu måste känna att de hade gjort honom och pojken en dödlig orätt. Och på vilken grund? Pengarna var inte uppdelade. Den gamle kunde känna deras ögon i ryggen och nacken. Men trots att han gärna ville var det ingen som ropade till dem, hejdade dem eller förde dem tillbaka. Egennyttans band är starka, de binder händer och fötter och snör läpparna samman som en snara.

Farfar och sonson hade redan gått ett bra stycke när en av djigiterna – som om de just vaknat till liv – snabbt lade handen vid munnen och ropade:

– Far-faa-r, kan jag hjälpa dig att välja ett ställe?

Den gamle vände sig om:

– Va?

– Ska vi leta rätt på en plats åt dig?

– Behövs inte. Må Allah tacka er!

När bäddarna var hoplagda och deras tillhörigheter packade och den gamle steg ut under markisen, kände han sig oändligt ensam och lät sig ryckas med av sina känslor. När han hade gått några steg satte han sig ned, som om han rättade till något i sin packning, och han ville gömma blicken för sitt barnbarn – sorgen kom åter över honom. Tankarna på den döde sonen kom tillbaka. Han tyckte att han tydligt hörde en röst: Far, har dessa människor förolämpat dig? Och den gamle tyckte till och med att det just bakom hyddan stod en bil, och att hans son hade kommit för att hämta dem. Toksanbaj såg sig ofrivilligt om.

Han mindes att han inte hade fäst någon vikt vid att sonen avancerat så hastigt i tjänsten.

– Vad gör det mig för nytta om du är direktör? hade den gamle sagt. Du är inte min chef! Och jag tänker inte dra nytta av din position ...

Men Toksanbaj misstog sig: sonen blev hans fasta stöd, hans höga berg. Antingen det nu föreföll honom så eller det verkligen förhöll sig på det viset, men alla hälsade respektfullt på den gamle, och när de mötte honom på gatan hälsade de med ett artigt Toka-Toka, men nu ... ta bara de där grässamlarna ...

Det kändes som om en eld blossat upp i gubbens bröst och

brände hans hjärta. Det kittlade i halsen och blev dimmigt framför ögonen. Vad är det med mig, gamle tok? Har jag börjat gå i barndom? Tårarna kommer så lätt numera!

Han övervann sin svaghet, steg till och med upp lite för hastigt, och för att hans barnbarn inte skulle lägga märke till hans tillfälliga svaghet tog han hastigt ett steg åt sidan. Men krafterna varade inte länge.

Det gick några minuter och han fortsatte med hastiga steg vidare, om än med viss möda, stövlarna fastnade då och då i de höga trassliga grässtjälkarna. Vart är jag på väg? tänkte han. Jag vet inte vad som väntar. Jag har bråttom, precis som om det var något jag höll på att gå miste om. Vad händer härnäst? Varför tänker jag inte på det?

– Ata, ska vi ge oss hem? frågade Jergesh.

– Låt oss vila en stund, sen bestämmer vi.

Den gamle lossade säcken från skuldrorna och satte sig med en suck ned i gräset. Solen stod alltjämt i zenit, det var långt till kvällen, och de behövde inte vara oroliga för att de inte skulle hinna fram till bebodda trakter och behöva tillbringa natten på den kala stäppen. Fast vem vill komma som främling till ett okänt hus? Ingen väntar gäster från landsvägen! Skulle de kanske dra sig hemåt, medan de ännu inte hunnit slå läger och kommit igång med arbetet? Men hemma satt hans gamla gumma, och när hon väl satte igång sina klagovisor så var det ingen ände. Och för det mesta hade hon dessutom rätt: om du inte tjänar extra pengar under sommaren så kommer tre personer att leva snålt på en enda pension. Och han måste till råga på allt ta sitt barnbarn till staden – det fanns ingen sjätteklass i byskolan. Även om han sålde den sista kon som var kvar i huset skulle det inte hjälpa mycket: som ordspråket säger – som att strö aska för vinden, det skulle möjligen räcka till te och socker. Han kom ihåg att hon nyligen hade varit sjuk. Gud förbjude att något allvarligt händer – då blir han ensam i världen med sitt barnbarn! Ingen skulle ta hand om huset eller ge honom te. Det var kusligt att ens tänka på. Och han själv hade, för att säga som sanningen var, börjat förlora krafterna. Om han nu, tack och lov, kunde hålla sig på benen, gällde det att sörja för sonsonens framtid innan det blev för sent. Om något skulle hända honom i morgon – att han inte kan ta sig ur sängen – vilka hjälpsamma händer har han då att hoppas på?

Dessa tankar lämnade inte Toksanbaj någon ro ens när de hade inrättat sig i den lilla hyddan, som hade övergivits av sina ursprungliga invånare och redan hade blivit något skranglig och tilltufsad av vind och regn. Under de två eller tre timmar som hade förflutit från det ögonblick då de lämnade grälet och djigiterna bakom sig hade den gamle i tankarna genomvandrat hela sitt liv, från den tidigaste barndomen och ända till i dag. Det låg mycket sorg, lidande och umbäranden bakom honom längs vägen. Men det förflutna, liksom en falnande gnista, bränner inte längre, minnena river sällan sår i själen, smärtan dröjer vid de senaste förlusterna, de senaste förnedringarna. Var det kanske ålderdomen? Och just därför som han blivit lättstött som ett barn? Eller kanske att han efter sonens död kände sig föräldralös och hjälplös, att han blivit inbillningssjuk och ängslig? Vem vet? Enbart minnet av de unga plockarna som så hjärtlöst kört iväg dem skar i hjärtat, gav en bitter eftersmak.

Starka, friska män som borde ägna sig åt att böja järnstänger med sina bara händer, men uppför sig som jag vet inte vad ... Och de säger vad? Min gamle käre Moldasan var beredd att lämna sin sista skjorta till en behövande, den sista brödbiten till en hungrande ... Har de verkligen inte den minsta gnista av den känslan? De växer upp i ett nafs och blir stora som kameler, men medkänsla har de nätt och jämnt så det räcker till att fukta läpparna.

Vad ska vi göra nu? Ska vi kanske bara strunta i alla andra och försöka själva? Allah är *en* och jag är också *en*! Men hur mycket kan du tjäna ihop, gamle man? Eller godta deras villkor och återvända? Du måste inte bara tänka på dig själv utan också på ditt barnbarn. Och Jergesh känner redan nu så starkt inom sig att han är ett föräldralöst barn, och längre fram, om du fortsätter tjata för honom att alla människor bara är ute efter att sätta sig på honom, då tar det fullständigt knäcken på pojken ...

Nej, hjärtat är inte som kallt te, när det kallnar kan man inte värma upp det igen. Även om de skulle vända tillbaka kommer det inte att sluta väl: ögonblicket kommer när bitterheten och vreden spills ut, och då följer nya gräl, nya bekymmer. Jag får försöka ensam. I stället för att sitta hemma och lyssna till min gamla kvinna och hennes hånfulla ord är det, som man brukar säga, bäst att pröva lyckan medan marknaden är igång. Kanske kommer skaparen inte att missunna oss en smula barmhärtighet?

Toksanbaj flög upp som om han riskerat att gå miste om alla jordiska fröjder om han dröjde en extra sekund. Van som han var vid den rymliga hyddan hemma hade han nu på ett par dagar nästan lagt den nya bostaden i spillror. Han körde huvudet i takliggaren så hela ramen lyftes från marken. Hyddan knakade och torvtätningen rasade på utsidan. Sonsonen, som sov bredvid honom, flög upp skräckslagen och stirrade storögt förvånad på sin farfar:

– Farfar!.. Vad är det, farfar?

– Astyparalla! Varför tänkte jag inte på det? Blev du rädd, mitt yrväder? Kom till farfar. Om jag trycker till i gommen så kommer rädslan att försvinna ...

Utan att fästa sig vid pojkens motstånd vred den gamle hans huvud mot sig, öppnade gapet och tryckte till med ett finger, hårt som en träsked, upp i gommen.

– Fy, så beskt!

– Det är saften från malörten. Det försvinner snart!

Därefter undersökte han kojan. Det visade sig vara en skröplig boning. Att den inte föll samman berodde enbart på att de övre ändarna var tätt sammanbundna. Den gamle smällde med tungan, skrattade i mjugg och plötsligt, som i ett anfall, lyfte han hyddan och slungade den åt sidan som en lätt stråhatt. Han rätade upp sig och borstade av sig.

– Nå, min fölunge, ska vi bo här du och jag?

– Det kan vi väl göra.

– Är du inte rädd?

– Du är ju här.

När han såg på sitt barnbarn insåg den gamle plötsligt vad Jergesh ville säga. Nej, det var inte mörker, som små barn brukar vara rädda för, och inte elaka människor som pojken fruktade, det var helt enkelt så att han inte alltid visste hur han bäst skulle bete sig, och här behövde han ha sin farfar bredvid sig.

– Då är vi överens, sade Toksanbaj och log åt sina tankar. Vi sätter upp vår hydda borta vid kullen i kväll, och börjar tidigt i morgon. Vi ska fylla alla förråd med malört!

Så kom det sig att en gammal man, som inte ens hade krafter nog för att lyfta en vetesäck, och en halvvuxen pojke stannade kvar ensamma på den öppna stäppen, eftersom båda kände att det skulle varit förödmjukade att återvända till samma lymlar som hade kört iväg dem.

Två dagar gick, men inte ett enda magert strå av malört gick att hitta på jordstycket som den gamle hade sett ut. Först satte de upp sin hydda i låglandet och tänkte att det skulle vara varmare där, men de fick en sådan rastlös natt att de var nära att ge sig hem till byn. Låglandet var fyllt av allehanda sorl och prassel. Tydligen återkastades ljuden från kullarna och samlades längst ned. Och den gamle, som fruktade att pojken kunde vara rädd för döden, tryckte honom så hårt intill sig och försäkrade honom så intensivt att det inte fanns några tjuvar, inga vargar, inga spöken eller andra onda andar, att han själv började lyssna skräckslaget efter vartenda löv som rörde sig och somnade först på morgonen när de första lärkorna började sjunga. Det första de gjorde på morgonen var att ta ned hyddan som de hade rest hela dagen innan, och ta fyra manshöga störar och några mindre pålar plus en bunt rep på ryggen och ge sig upp till toppen av kullen.

Solen steg upp tidigare här än den gjort nere på slätten. När de kommit upp till toppen var den redan synlig till hälften ovanför de avlägsna blå bergstopparna och liknade en trasig begravningskaka – den var fortfarande tyst och ofarlig. Himlen var klarblå, och lärkorna stod stilla och fladdrade i luften som nästan orörliga prickar i höjden och utnyttjade det korta ögonblicket av svalka. Den gamle tittade ned och såg tydligt en obekant by, som vid middagstid

156

skimrade vit i horisonten. De kunde till och med se en besättning kor utspridda över betesmarken. Och den gamles hjärta fylldes av en okänd glädje: för en ensam människa kunde också en obekant by bli en tröst, då den påminner om ett hem som finns någonstans långt borta.

– Nå vad tycker du, pojk, det verkar som ett bra ställe, eller hur? log den gamle. Om natten kan vi titta på ljusen i byn och tänka på farmor.

– Är det inte långt till vatten?

– Prat! Bara någon kilometer bort. Är du för bekväm för att bära vatten, va?

– Det är lättare att bära vatten än att hugga malört.

– Jaså, det tycker du!

Den gamle skrattade högt, så skägget pekade ut i luften.

– Du har knappt hunnit komma fram förrän du har räknat ut vad som är enklast och vad som är besvärligast! Vi måste allt slita du och jag, det är tvunget! Men sen samlar vi ihop allt det klippta och kör det till Arys och kommer hem med en hel hög med pengar. Vad säger du om det? Då ska vi klä upp oss och köpa en cykel till dig. Med motor. Och tänk vad farmor ska bli glad att se så mycket pengar, och då säger hon inte ett knyst!

– Och Guldstjärna säljer vi väl inte?

– Varför skulle vi göra det? Sälja våran ko, när vi har fått så mycket pengar? Å nej! Henne kommer vi att ha nytta av i hushållet, det tror jag det. Om Gud vill kommer vi att skaffa oss en gödkalv som vi kan lämna till slakteriet i höst, och kanske köpa ett dussin får till och med. Nja, kanske inte ett dussin, naturligtvis, men fem–sex, det är då säkert. Och av fåren får vi lamm, och vi kan unna oss lite lammkött ibland. Och en ko ger både mat och kläder, och till och med pengar till din skola. Har jag inte rätt?

Pojken log: allting ordnade sig så bra i farfars drömmar! Men han höll med – han nickade instämmande.

– Om jag har rätt så ge mig min hacka, så ska vi göra gropar för stöttorna. Jag reser hyddan, och du hämtar vatten, så kokar

vi en kopp te. I morgon går vi till byn och handlar mat. Och
sen ska vi leva livet.

De reste sin hydda när solen stod högt på himlen. Ganska
trötta åt de frukost med flatbröd och drack te, som pojken hade
kokat på en jerosjka – en ugn som var grävd i marken. Sedan
bredde de ut filtar i botten av hyddan – återigen blev de tvungna
att vänta ut värmen.

Hyddan var ändå inte helt färdig, det knakade i grenarna och
prasslade i det torra gräset, som om ödlor hade sprungit över
det. Och hela tiden verkade det som om någon fanns i närheten,
som om någon krupit fram intill hyddan och gömt sig bakom
väggen.

– Ata, är det någon som hostar?

– Vem skulle det vara här? Sov nu en stund. När svalkan
kommer i kväll börjar vi skörda.

– Nej, lyssna, det knakar i malörten. Det är någon som kom-
mer.

Precis då klirrade handtaget på hinken som de hade lämnat
intill elden. Skrämda kom båda två på fötter. De tittade ut och
stod som förstenade. En jättelik man, lika stor som en kamel,
stod vid spisen och hällde vattnet som var kvar i hinken över
huvudet.

Ingen reaktion kunde märkas hos främlingen när han varse-
blev husfolket som lutade sig ut ur hyddan, han tog helt enkelt
ingen notis om dem, som om detta att han brutit sig in i en
annan persons egendom var fullkomligt i sin ordning. Han var
bokstavligt talat spritt naken, med endast en blå trasa om höfter-
na som skylde det mest strategiska. När han hade tömt hinken
långsamt över sig ruskade han på huvudet med välbehag, klapp-
ade sitt brunbrända och stadiga bröst och gned sig om halsen.
Så slängde han hinken ifrån sig med en skräll, plockade upp en
stor halmhatt som låg vid elden och satte den på huvudet. Jät-
tens breda axlar kunde ha räckt till två personer. Och han var så
lång att om han skulle gått in i hyddan, även om han hade gått
dubbelvikt, så skulle han ha krossat den i stycken.

Den gamle återvann fattningen först när han med handen kände handtaget till hackan som låg i hörnet. Pojken kikade fram bakom sin farfars rygg.

– Hör du! Är du en mänsklig varelse … eller en ond ande?

– Assalamalikum! röt främlingen som en åskknall till hälsning.

– Herre min skapare! Vad säger han?

– Jag säger assalamalikum. Främlingen vände sig om och såg på dem:

– Har ni inte sett folk förut? Varför ser ni så yrvakna ut? Kom fram, så får vi hälsa på varandra.

Den gamle sträckte fram hackan i stället för handen. Jätten skrattade högt. Ur hans bröst skallade en åska som verkade komma från bergen långt borta.

– Jag … Jag … Med en hacka…? Ha ha ha … Jaså du tänkte säga både god dag och adjö med din hacka! Oj oj oj!.. Det lyckades inte för Katiusja, kanonen, men du … ha ha!

Han tog enkelt hackan ur den gamles hand, kastade upp den högt i luften och fångade den igen i handtaget. Så slutade han skratta och frågade:

– Jag är hungrig, kan du hitta något att äta?

– Jo, naturligtvis har vi det … givetvis finns det. Den gamle rotade länge nervöst i sin ryggsäck och tog upp den sista av brödkakorna som den gamla kvinnan hade bakat åt dem och lade den framför främlingen.

Jätten lade sig på filten, stödde sig på armbågen och bröt brödkakan i fyra delar, han rullade ihop ett stycke och stoppade i munnen.

– Vid profeten, tänkte den gamle med vidskeplig rädsla, detta var mig ett gap! Var kommer han ifrån? En vandrare från den ödsliga stäppen, vad kan han leta efter? Kommer han att färdas vidare eller, Gud förbjude, tänker han tillbringa natten hos oss? Det vore bäst om han drog vidare. Ett sånt tryne, det kan man drömma mardrömmar om. Käkarna är som på en häst, undrar just hur han använder dem!

– Finns det något te kvar? frågade främlingen.

– Visst finns det det, svarade den gamle ivrigt.

– Ta hit. Brödet var knallhårt, det river i halsen.

– Ge hit vattenkokaren, pojke, sa den gamle, till herrn här. Toksanbajs sista ord hördes knappt. Av någon anledning ville han skingra pojkens rädsla. Jergesh tog vattenkokaren och räckte den försiktigt till jätten.

– Vad heter du? frågade denne, men utan att vänta på svar kastade jätten huvudet tillbaka och satte munnen till pipen och började dricka i ljudliga klunkar.

– Jergesh.

Främlingen fortsatte att dricka, Han tycktes snegla på något konstigt vis på pojken och höll kvar blicken tills han hade tömt kannan. Till sist satte han tekannan åt sidan.

– Det smakade beskt! Vad var det, malört?

– Vadå malört? Vad pratar du om? Att vi är galna nog att lägga malört i teet? Det är äkta ceylonté.

När han hade undfägnat främlingen kände sig den gamle något djärvare.

– Har du något bröd, eller är det allt? frågade jätten och tog den sista biten i munnen.

– Det var allt.

– Det gör inget. När solen går upp går Jergesh och jag till affären. I byn nere i sluttningen. Vi skaffar lite mat.

Vilket öde, tänkte den gamle och rös. Den här plågoanden tänker visst inte ge sig av.

Jätten studerade ingående hyddan och blottade sina hästtänder. Så fnyste han:

– Vad stirrar du på, som om jag kom från en annan värld?

Han låg där med huvudet tillbakakastat, kliade sin breda mage som om han letade efter var flatbrödet hade tagit vägen, så satte han sig plötsligt upp och tillade:

– Jag heter Omash. Om Gud vill, blir jag er följeslagare.

Den gamle blev livrädd. Han kunde själv inte föreställa sig hur hans ögon spärrades upp. Han tittade från barnbarnet till jätten och orden fastnade i halsen. Där ligger han bara! tänkte Toksanbaj

160

irriterat. Han ber inte oss om lov. Som han har sagt, så blir det också, vare sig du håller med eller inte, det gör honom detsamma!.. Vi blir tvungna att göra som han säger … Sånt är ödet …

– Min vän, har du några andra kläder att ta på dig?

– Ja då. Omash drog ut resåren i sina kortbyxor och smällde den mot magen. – Jag har nyss tvättat allt och hängt det till tork vid brunnen.

Den gamle skakade på huvudet och sade överdrivet varnande:

– Tänk om någon knycker dem …

– De skulle bara försöka, då sliter jag ut tungan på dem.

Hans ord, eller snarare tonfallet, sände rysningar längs gubbens ryggrad. Han såg ut att kunna göra det, han lär inte tveka en sekund! tänkte Toksanbaj. Se bara som han vräker sig, som om han ägde hela stäppen!

Efter en stund öppnade Omash munnen igen.

– Jag vet vad som hände därborta. De där tre berättade för mig.

Han nickade i det väderstreck som den gamle och hans sonson hade kommit från.

– Men tro nu inte att jag är lika usel som de. För min del spelar det ingen roll om det är ett barn eller en åldring som plockar. Om vi jobbar lika, så ska vi dela lika.

Den gamle sade ingenting.

Men Omash var inte lika flink med kniven som med tungan. Å andra sidan gjorde den gamle stora ögon när han såg vad Omash kunde lägga in – kunde han bara få in det munnen, så hamnade det i magen. Och i arbetet kunde han kröka rygg i en timme eller två, men sedan satte han skäran i marken och ställde sig med händerna i sidorna och meddelade korthugget: Gamle man, nu ska jag bada! Eller: Gamle man, nu går jag och vilar. Vad kunde väl Toksanbaj göra annat än nicka: Varsågod, gå du!

Solen hade sjunkit under horisonten och skymningen bredde ut sig över stäppen. Hettan gav vika, och allt levande började återhämta sig. Det blev dags att sätta igång med arbetet. Och skördemännen utnyttjade i sanning dessa nådens stunder – de rätade inte på ryggarna förrän till kvällen. I den inträdande tystnaden kunde man höra de sjukas röster ljuda över stäppen. Och samtal var det enda som inte hördes – nu var inte tid att prata.

En tid framöver arbetade Omash ihärdigt bredvid den gamle. Då och då kastade denne ett öga på sin parkamrat och såg hur Omashs kraftiga skulderblad rörde sig under skjortan. Toksanbaj tänkte att han kanske gjort honom orätt när han betraktat honom som en latmask, när han fick upp farten kunde tre man inte hänga med! Men till ingen nytta lekte den gamle med dessa tankar. Mindre än en timme senare hade jätten satt skäran i marken av gammal vana och rätat på ryggen och sagt – lika välbekant:

– Gamle man, nu går jag.

– Bara gå du. Toksanbaj frågade inte ens vart han skulle.

Klockan hade dragit sig över midnatt. Omash hade ännu inte kommit tillbaka. Jergesh hade somnat mitt i en mening. Den gamle kunde inte sova. Oavsett hur mycket han blundade och sade till sig själv att han behövde sova, att det skulle bli en tung dag i morgon och han måste försöka sova, så kom inte sömnen till honom. Åh, denna senila sömnlöshet! Och så nu denne Omash mitt i alltihop. Och var höll han hus någonstans? Rädsla och misstrogenhet var allt han kände för denne man. Vart tar du vägen? Vad gör du ute mitt i natten? Men sedan kom tanken: Hade han drunknat i kanalen? Men så log han åt sin egen dumhet: den där mannen skulle varken eld eller vatten rå på! Mest troligt kommer han raglande stupfull och skrämmer slag på Jergesh ... Herregud, ingen frid, ingen ro! Och varför fick vi den där obehagliga typen på halsen? Han kan fara och flyga! Och jag som var så frestad att ta mig hit: hemma var det ett fasligt slit med att ge kon vatten tre gånger om dagen, och här måste vi hålla på nätterna igenom på den kala stäppen och hugga denna förbaskade malört, usch! Eh, Allah, om det bara tog slut någon gång!

Just då kunde de uppfatta ett prasslande i gräset. Toksanbaj ryckte till och satte sig upp och spejade ut ur hyddan. Hela öppningen var bokstavligen blockerad av Omashs väldiga kroppshydda. Så hördes hans mullrande röst:

– Är du vaken, gamle man?

— Är det du, min son?

— Ja, det är jag. Vem förutom djävulen kan hitta hit?

— Har du ätit?

— Nej.

— Inte än?.. Jag ska koka lite te.

— Det behövs inte. För de hungriga finns det inget sötare än bröd och vatten. Väck ditt barnbarn.

— V-vad säger du? Varför?

— Väck honom, säger jag.

— Omashtai ... Omashzjani ... Varför ska vi störa pojken?

— Jag har ett uppdrag åt honom.

— Mitt i natten?.. Du får vänta till i morgon.

— Det går inte. Väck honom.

Den gamle rös: Vad hade denne ogudaktige man nu hittat på för ytterligare jäkelskap? Toksanbaj kunde absolut inte tänka sig att väcka sitt barnbarn vid den här tiden på natten. Och varför måste han göra som den andre sade? Och ska han ut nu mitt i natten? Om månskenet är det minsta skymt så trampar man fel och ser varken sol eller måne i morgon!

Omash måste ha förstått att han hade skrämt slag på den gamle. Han sade med len röst:

— Han ska ta kärran som står i sänkan till byn, han är tillbaka på ett ögonblick.

— Mitt i natten? Herregud, och vad är det för kärra?

— Kom och ta en titt.

— Käre vän, det är en dag i morgon också ...

Den gamles ben var trötta efter alla mödor som hade fallit på hans lott den natten. Han kände det när han kämpade sig upp och ut ur hyddan. Han såg inte vagnen omedelbart, men den stod strax utanför.

— Var kom vagnen ifrån? började den gamle, men Omash hejdade honom.

När den gamle kom alldeles inpå det mörka åbäket stannade han och gapade av förvåning. Han stod som förstenad och kunde knappt andas.

– Har du sett, gamle man? En enda natt, och här ser du resultatet – en hel kärra full med malört som vi har höstat in. Du och grabben skulle aldrig, om ni så svärmade som myror, kunnat samla lika mycket ens på tre dagar. Vad sägs? Just det! Det är så en slipsten ska dras! Han log ett obehagligt leende och klappade den gamle på axeln:

– Håll med om det, gubbe lilla! skröt Omash. Du trodde säkert att jag var en snyltgäst, eller hur? Att jag var en sån som hänger utanför klubbhusen och barerna och raggar tjejer. I så fall har du fel, gamle man. Jag vet att sånt där inte duger. Men … Först av allt behövs ett kapital, en grundplåt! Det ska alltid klirra i fickorna. Pengar! Om huset inte är välförsett är livet ingenting värt. Stagnation! Det är inte för inte som smarta människor säger: om du har till en lunch, så spara till middag. Och det är vad vi ska göra. Vi kommer att tjäna så mycket pengar under sommaren så allt det övriga trillar in av sig självt. Jag ska driva fyrtio tjejer framför mig med ett spö! Han fnissade igen och höll handen för munnen, som om han var rädd att någon skulle höra.

– Min vän, vems är kärran?

– Bryr dig inte om det du. Det viktiga är att vi har malört, och vems den är spelar väl ingen roll … Jag vet inte själv. Vilka finns det gott om på stäppen? Människor. Och vad finns det mer gott om? Högar med saker. Så jag samlade ihop lite.

Omash bröt en lång stängel av lyckoblomster och satte mellan öronen på åsnan som var spänd för vagnen.

– Nu är det färdigpratat om detta. Du sprider ut malörten så att den inte märks, och grabben tar kärran fram till bron. Åsnan kan knalla sista biten själv. Och i annat fall kan den gärna för mig hoppa i kanalen …

– Jag väcker pojken själv, sade den gamle bestämt.

Omash vände sig plötsligt om och stirrade på honom.

– Är du rädd att han blir galen av skräck? Är jag en björn eller en människa? Och han behöver ingen barnvakt, se på honom, den långe räkeln. Det är lika bra att han vänjer sig.

Den gamle tystnade: återigen kom samma känsla av skräck

som stiger upp någonstans i magen och trycker mot hjärtat. Han tog högaffeln med darrande händer och utan ett ord körde han grepen i högen med malört. Oj Allah, mumlade han, medan han spred ut högen. Det fattades bara detta. Vilka synder straffar du mig för? Varför ska jag nu bli en tjuv? Ska nu också den fattiges förbannelse komma över vårt huvud, att jag i mitt anletes svett ska samla denna fördömda malört. Och var kom denne skurk ifrån?! Men vad kan jag säga till honom? Kommer denne djävul i människohamn att lyssna på mina ord, kan de någonsin beröra honom?

Bortifrån hyddan hördes ett knarrande ljud. Toksanbaj vred på huvudet och såg sitt barnbarn åka iväg på kärran. Hans hjärta värkte. Mitt lilla föl, må ingen olycka drabba dig! Du kan ramla ur vagnen om du somnar ...

En timme senare var all malört utspridd och Toksanbaj var på väg mot hyddan för att lägga sig bredvid den snarkande Omash, då pojken plötsligt kom tillbaka.

– Min lilla solstråle! Den gamle strök pojken så ömt över den ostyriga kalufsen och kysste honom på kinderna, som om han inte sett honom på en månad.

– Hur långt åkte du?

– Till utkanten av byn.

– Och du var inte rädd?

– Nej. Bara när jag skulle över bron.

– Kom nu, min gosse, så sover vi.

De lade sig på kanten av madrassen. Omash låg utsträckt över nästan hela sängen försjunken i drömmar, den ena fagrare än den andra. Hans kraftfulla snarkningar fyllde hyddan likt dånet av en traktor i vårplöjningen. I normala fall snarkar människor när de andas in, men den här skurken, evigt förbannad vare han, snarkade också när han andades ut. Här skulle ingen människa fått en blund i ögonen ens på kilometers avstånd från hyddan, långt mindre inuti. Toksanbaj lutade sig ut under filten och ryckte försynt i hans tröjärm:

– Omash, Omash, käre vän, vänd dig på sidan. Du snarkar så

165

det slår lock för öronen!

Omash röt en obscen svordom i sömnen, vände sig på sidan och fyllde på med en lång ramsa: Du son av en hynda etcetera, etcetera. Jag ska slita halsen av dig!..

Efter en stund blev det äntligen tyst. Och pojken, som makat sig närmare sin farfar, viskade:

– Farfar.

– Ja, min vän?

– Har han stulit all malört?

– Varför tror du det? Han klippte ner på ett ställe längre fram, och tog hem.

Så långt hade det alltså gått – han hade börjat ljuga! Den gamles hjärta var tungt. Inte bara det att han ofrivilligt medverkat till stöld, han hade dessutom lurat med sig sitt barnbarn. Vilka synder hade han begått för att få detta straff?.. Nej, något måste göras. Det kunde inte fortsätta så här. Vi måste få iväg Omash på något sätt, se till att han gick någon annanstans och bedrev sin mörka verksamhet. Och Toksanbaj – för en människa i hans ålder är detta inte passande.

Nu var tiden inne då malörtens frön fylls med saft och blir tyngre. Stammarna var inte längre mjuka och böjliga – det räckte att böja dem en aning så bröts de med ett sprött ljud, som tändstickor.

Solen hade sjunkit tillbaka i sitt rede. Det upprivna dammet från tusentals klövar, av hjordar som vandrat genom det täta nätet av stäppleder mot byarna, hängde kvar i den kvävande luften över den upphettade marken, som över en glödhet tandoorugn, och flöt långsamt ut över låglandet och landade på malörtens huvuden. Vid denna timma börjar fladdermössen fylla luften, skuggorna av popplar och stäppgräs försvinner, och skördefolket lämnar hyddorna där de gömt sig undan hettan och skyndar att fortsätta sitt arbete. Det var bara vid Toksanbajs tält som ingen gjorde sig någon brådska.

Vid jordugnen framför hyddan var alla tre sysselsatta med att förbereda middagen. De prövade alla upptänkliga knep med eldstaden som vägrade ta fyr, hur de än bar sig åt, de smälte fett i en bucklig aluminiumpanna, allting gick långsamt, som om de inte kommit för att arbeta utan för att ha en munter stund i naturens sköte.

Den gamle såg sig då och då omkring och suckade när han såg skördemännen klättra längs kullarna med näsorna nästan vid marken. Men han hade inte kraften att vägra lyda Omash, som sa: Vi äter middag tidigare och sover tills månen har gått ner.

Pojken släpade torkad spillning till ugnen, farfar rostade det uppskurna köttet i en kastrull och Omash satt med benen under sig lutad över stekpannan och knäckte lärkägg ett efter ett rakt ned i pannan. Hela dagen hade han varit på jakt efter bon, plundrat dem och rakat ned äggen i sin stora stråhatt och ersatt dem med småsten. Toksanbaj hade länge suttit med rynkad panna och följt hans aktivitet, och kunde till sist inte uthärda synen och beslöt sig för att varna honom. Du kan råka illa ut, sade han till Omash. Lärkorna är också Guds varelser. Deras tårar kommer att utgjutas över ditt huvud, och Allah ser allt. Han kommer att minnas denna synd. Men jätten skrattade bara:

– Vad pratar du om, gamle man! Allah, Allah! Jag har viktigare saker att tänka på, nämligen hur man tar sig fram i den här världen. I den nästkommande har du kanske annat att tänka på? Och du är Guds dom. Ja, om den över huvud taget existerar, denna domstol, kommer jag alltså att ställas inför den på grund av ett ynkans fjäderfä? Du skämtar, gamle man. Människor drar sig inte för grymmare synder än så, och du sitter där och räknar ägg.

Efter denna blasfemi hade den gamles hals torkat igen. En djävul är en djävul – man kan inte skrämma honom med Gud. De pratade inte mera om saken. Och nu hukade Omash över pannan med hatten fylld till brädden av små olikfärgade ägg och knäckte dem mot kanten och hällde innehållet i pannan.

– Du säger att vi inte får skada Guds varelser? filosoferade han. Och då undrar jag vad du själv mättar din mage med?.. Här på jorden är allting möjligt. Allt! Och om vi nu pratar om käket … För mig finns ingenting förbjudet alls – vi kan äta allt som inte

167

fastnar i halsen, utan att dö. Jag såg en gång en kille äta en orm. Och det gick i ett nafs.

– Herregud!.. Även om människor äter spindlar och mask, varför ska vi prata om sånt?

Omash hävde återigen upp ett muntert skratt:

– Varför inte? Ta en orm i stjärten och kasta den på glöden – oj, se hur den dansar! Det är en fest att titta på! Och sen lugnar den sig. Steker, steker, och – pang! där brister den ...

Den gamle spottade dystert, uppgivet och vände sig till sitt barnbarn:

– Mitt lilla föl, spring efter lite torkad malört, sade han och skickade iväg sitt barnbarn, trots att det fanns gott om bränsle alldeles i närheten.

– Oj, har du sett, det här har redan blivit en fågelunge, ropade Omash glatt och drog fram en liten rörlig boll ur ägget.

Den gamle tittade inte ens.

– Tänk bara, varför behöver den här saken ungar, va? Han kastade fågeln i elden. Det är dit du ska!

– Vad tar du dig till? Jag pratar inte om mig, Jag har sett mycket elände i mitt liv. Och folk som äter skalbaggar och grodor har jag också sett. Men låt pojken slippa, han är fortfarande ett barn ...

– Få slippa ...! Fick du själv slippa någon gång? Du säger att du har sett mycket. Låt honom växa upp och se allt. Pojkar ska växa upp till män. Män! Och de måste uppfostras i grymhet, i fasthet. Just så, gamle man!.. Har du något fett kvar?

– I koppen därborta.

Den gamle var i ett sådant tillstånd att det var nära till tårarna. Kunde man över huvud taget göra någonting för att övertyga denna Herodes? Alla sanningar som Toksanbaj hade vant sig vid under sitt långa och svåra liv vändes upp och ned i Omashs mun.

– Vi får i alla fall en härlig äggröra i dag. Hönsägg går inte att jämföra med fågelägg, de här är mycket mjällare.

Omash bröt av en torr kurajkvist och torkade av den med sin smutsiga labb. Den gamle fnissade: som om den kunnat bli renare av detta. Sedan rörde han om innehållet i pannan med kvisten, satte till salt, två matskedar smält smör, skakade pannan ett par gånger, och efter att ha rört om kolen i ugnen satte han försiktigt stekpannan på elden.

– Håll ett öga på den här nu, gamle man. Den får inte brännas vid. Ta av den från elden när toppen blir vit. Jag tar en simtur.

Hela dagen hade den gamle plågats av en tanke: Hur ska det bli i fortsättningen? Han var rädd för Omash: det var helt enkelt omöjligt att förutsäga vad denne dåre skulle hitta på; i vilket fall som helst kunde man inte förvänta sig någonting gott från honom. Men den gamle ville inte heller underkasta sig den onda viljan. Hela mitt liv har jag förtjänat mitt bröd genom ärligt arbete, men på min ålderdom blev jag en tjuv, och dessutom framför ögonen på mitt barnbarn … Åh, nej! Detta kunde han inte förmå sig till!

Toksanbaj skulle ha gjort detta klart för Omash från början, men först nu hade han samlat mod. När Omash var på väg bort från hyddan hejdade den gamle honom.

– Omash, Omash, min vän, vänta en minut, sade den gamle och märkte omedelbart att hans röst lät inställsam och skuldmedveten. Toksanbaj ryste, för han hade aldrig talat med människor på det viset.

Omash hade redan tagit några steg och hans hårda solbrända fotsulor trampade lätt över den torra grässtubben, men den gamles mjuka röst fick honom inte bara att stanna, utan också att bli en smula på sin vakt, som om någon försiktigt hade dragit åt ett par osynliga tyglar. Han vände ögonblicken hela sin väldiga kropp och morrade som om han förväntat sig en attack och stirrade frågande på Toksanbaj, som stirrade på sleven som han höll i sin hand. Till sist tittade den gamle upp och sade med samma låga röst:

– En människa blir kanske onödigt misstänksam på sin ålderdom, men jag blir skrämd av ditt beteende. Du får slå ihjäl mig, men tala om för mig vad du tänker göra?

Det var uppenbart att denna fråga kom oväntat för Omash och överraskade honom. Han stirrade på den gamle, ur stånd att

komma på vad han skulle svara. Det var inte själva frågan som var
oväntad, utan det envisa, sega motståndet mot hans planer som
han kunde förnimma i den gamle mannens reserverade, allvarliga
ton. Omashs ögon smalnade. Efter sin vana att ignorera allt och
alla ville han ignorera Toksanbajs fråga. Men när han såg på den
gamle och märkte den envisa glimten i ögonen, vågade han inte
be den gamle dra åt skogen eller hålla käft. Och Omash kände sig
plötsligt försagd inför denna envishet. Trots hans ålder fanns det
fortfarande glöd i den gamle. Se bara, han vågar ta striden! Men så
insåg han att dessa tankar inte kom av styrka, utan av en inre oro.
Därför försökte han svara honom så nonchalant som möjligt, och
lugna ned denne rasande farfar:

– Jag tänker inte göra något speciellt. Vad får dig att tro det?

Dessa ord, som kom ganska oväntat till och med för honom
själv, lät som en bekräftelse på den gamles rädsla och avslöjade
omedvetet hans hemliga plan, han kunde lika väl ha uttryckt sina
tankar i klartext. Den gamle tystnade omedelbart. Han sade inte
ett ord mera. Men det låg en häpnadsväckande envishet i hans
glittrande ögon och i hela hans klena gestalt, en så tydlig protest
att Omash inte vågade fortsätta samtalet som han hade påbörjat,
han lät det anstå till längre fram. Då skulle han ge dem betalt. Det
blir en läxa som du kommer att lägga på minnet, din gamle stofil!

Toksanbaj och Jergesh satt fortfarande envist tysta när Omash
i den sena skymningen kom tillbaka till eldplatsen. Utan att ta no-
tis om dem för ögonblicket slevade han i sig den kalla äggröran.
Jergesh, som antagligen hade fått ta del av den gamles farhågor,
rusade plötsligt upp och försvann in i tältet. Pojkens påfallande
trotsiga uppträdande ställde till uppror i Omashs redan dystra sin-
ne.

– Gamling, ropade han till Toksanbaj, som var sysselsatt med
ett eller annat alldeles intill.

Omashs röst lät befallande, ungefär som "inga krumbukter,
om jag får be!" Och Toksanbaj uppfattade genast hotet.

Han närmade sig försynt i sina lädersandaler, som hela tiden fastnade i gräset med tårna, och slog sig ned bredvid Omash på en mattstump.

Men Omash hade ingen brådska att förklara varför han hade kallat på den gamle. Han fortsatte att tugga och vred sitt kraftiga huvud och granskade den gamle på ett sätt som fick kalla kårar att krypa längs ryggraden. Därefter böjde sig Omash över stekpannan igen, och bara aluminiumskeden, som lyste vit i mörkret, syntes, när den inte försvann i munnen. Omash åt så girigt att den gamle tänkte för sig själv att även om skeden innehållit vagnssmörja eller till och med kamelskit skulle Omash ändå slukat den med god aptit.

– Du hade bestämt någonting på hjärtat, käre vän, började Toksanbaj.

Jätten blev stående ett ögonblick, tuggade långsamt och betraktade den gamle hårt och ingående.

– Varför rymde ungen?

Rösten var vresig och ilsken. Den gamles hjärta gjorde en volt i bröstet och han kände en klump av is i magen.

– Rymde, det kan jag väl aldrig tro, svarade den gamle falskt inställsamt. Vart skulle väl han kunna ta vägen? Han gick kanske och la sig.

– Sluta upp med dina krumbukter. Tror du att jag är en idiot?

– Men kära du ...

– Vi är inte kära, du och jag. Jag har vuxit ifrån sådant pjosk. Hos beskedliga lejon har mössen lekstuga. Och likadant är det med framfusigt folk – om man inte säger ifrån, så har man dem på halsen.

Omash verkade ha bestämt sig för att säga sitt hjärtas mening och täppa till munnen på den gamle en gång för alla.

– Man måste tydligen ryta till för att få ordning här. Släpper man efter, så gör alla som de vill. Och jag är trött på att dra lasset. Och jag är trött på ditt eviga gnäll. Nu går jag och hämtar vagnen, och när jag är tillbaka ska allt vara staplat. Har du förstått?

Den gamle ryckte till som om någon stuckit en syl i sidan på honom. Han ville säga något, men när han såg på Omash bet han sig i tungan.

171

– Du tror visst att jag bara jobbar åt mig själv? Tror du inte att jag skulle vilja ligga och tryna i en mjuk säng? Men den enda önskan som jag får uppfylld, det är att få ge mig ut mitt i natten med kärra och åsna, och lasta och köra malört? Jag jobbar för tre. Där fick jag! Om du ger dig in i den här branschen ska du inte leta efter en mjuk säng, du måste dra in pengar, och inte flaxa med öronen.

– Käre vän, människans arbete ...

– Människor hit och människor dit, vad har det med dig att göra? Du inbillar dig kanske att vi tre tjänar mycket pengar? I en annan värld möjligen. Jag säger er än en gång: Vi är här för att tjäna pengar. Gör som jag säger. Jag tänker inte säga detta två gånger. Om ni gör som jag säger kommer var och en av oss till hösten ha tjänat ihop ettusen femhundra rubel. Jag garanterar. Ni får spotta mig i ansiktet om jag ljuger. Jag har redan gett dig mitt ord på att jag inte kommer att skilja på gamla och unga. Jag står vid mitt ord ... Är det uppfattat? Nu hämtar jag kärran. Om vi klarar att göra två eller tre resor per natt så är det bra. Sätt fart, farsan!

Omash tömde en mugg kallt te och reste sig upp. Den gamle satt tyst vid elden med huvudet nedsjunket mot bröstet. Så satt han när Omash gav sig av, och satt fortfarande kvar när träkolen i ugnen helt hade förvandlats till aska. Mörkret omringade den gamle på alla sidor. Men mörkare än mörkret var tankarna på Omash och skräcken för den mannen.

I kazakiska byar har ingen någonsin stängt dörrar eller låst portar omkring sig. Ingen kunde trott att det fanns män som stal åsnor och vagnar om natten. Om du saknar din kärra, fråga din granne. Där finns den. Någon av dina närmaste hade behov av den. Och lämnade tillbaka den. Hur förvånade blev de inte när de en dag hittade en förspänd dragkärra utanför byn. Såna banditer! skulle ägaren ha sagt till sig själv. Just det. Var det för mycket begärt att de skulle ställa tillbaka den på sin plats?

Omash hade omgående räknat ut hur allting skulle gå till: på natten kunde han helt enkelt köra iväg med andras vagnar. Byinvånarna själva skulle ha kunnat släpas iväg i sina sängar utan att vakna! Den här gången tog han inte första bästa vagn som han

172

hittade, nej, han valde omsorgsfullt ut den bästa vagnen av alla
som stod färdiga med seltyg och skaklar bakom skjulen, slarvigt
kvarlämnade efter att ha lossats från ved eller hö under dagen, och
ofta hade det stackars dragdjuret inte ens fått återhämta sig. Och
en timme senare var Omash tillbaka med vagnen.

Han körde fram vagnen till hyddan, hoppade ur och kröp in.
Synen som mötte honom fick honom att stanna med gapande
mun: den gamle och hans sonson satt tysta i ljuset från fotogen-
lampan, deras tillhörigheter var packade i balar. Omash satte sig
mittemot dem och stirrade på dem som om han ville bränna ett
hål i var och en av dem med blicken. Tystnaden varade länge. Till
sist såg den gamle upp – hans läppar darrade. Han sade med stor
ansträngning:

– Vi ... gör nog bäst i att ge oss iväg. Vi behöver inte malört
eller några rikedomar. Vi stannade bara kvar för att varsko dig ...

Omashs förut mörka ansikte svartnade framför ögonen på
dem, blodsprängt i lampans svaga ljus. Han gav inga ljud ifrån
sig, men de hästlika läpparna rörde sig otäckt, och vilket ögon-
blick som helst skulle eder strömma ur hans mun. Den gamle
och hans barnbarn tycktes redan tillintetgjorda, kröp ihop inför
honom som kycklingar inför rovfågeln.

– Ni tänkte på himmelens straff och helvetets plågor? röt
Omash. Allt som jag har sagt er är som bortblåst? Ni gör er själ-
va till änglar, men mig har ni gjort till en djävul? Inte en chans!
Du, gamle man, har kanske glömt att du redan tagit emot stulen
malört, det är för sent att sätta på sig helgonglorian! Du är täckt
av synd, som av orenlighet. Du kan inte slippa undan så lätt,
gamle man.

– Dra inte skam över mitt gråa hår. Jag har inte gjort dig något
ont. Låt oss gå i frid. Ja, jag är en syndare. Men jag vill inte att
människors tårar ska falla på mitt barnbarns väg. All dermen som
är här kan du behålla. Vi tar ingenting, vi ber inte om vår andel.
Allah är nöjd, och vi är nöjda. Låt oss gå.

– Var det allt du ville säga?

– Ingenting annat.

Omash vände sig hastigt till pojken, ögonen glittrade med elak lyster.

– Men du? Varför stannar inte du? Tjänar extra pengar!

– Nej!

– Din horunge!

Omash gav pojken en örfil med sådan kraft att han for iväg bakom sin farfars rygg.

– Så du går nu?

– Farfaaar! Jergesh gömde sig gråtande hos sin farfar.

– Håll käften, ditt as!.. Du vill ha det fint och bra, springer uppe om nätterna, och se här vad ni har totat ihop! Jaså, om ni inte förstår vänliga ord så kan vi prata med andra ord. Upp med er! Nu!

– Besinna dig, tänk på vad du gör! Slå hellre mig, varför ska du plåga barnet?

– Upp med dig, sa jag! Jag ska binda dig och dränka dig. Dränka i kanalen!.. Avskum!

Den gamle reste sig tungt och höll sitt darrande barnbarn tätt intill sig. Han såg med fasa på den uppretade Omash: det var svårt att säga om den jättelike mannen bara ville skrämmas, eller om han verkligen ville sätta dessa grymma planer i verket med dem. De kunde vänta sig vad som helst.

Omash grep en ihoprullad sele som låg i hörnet av hyddan och började linda upp den.

– Jag ska lämna er båda turturduvor i vattnet över natten, så kommer ni nog på andra tankar till i morgon.

Denna oväntade förändring i Omashs planer lugnade med ens den gamle: han kanske inte vågar, han bara hotar! Men den här gången skämtade inte Omash längre. Han hade till sist rullat upp repet och ställde sig tätt inpå dem:

– Vänd dig om!

I det ögonblicket slet sig pojken ur den gamles armar och sprang.

– Jag är snart tillbaka, farfar, jag kallar på dig ...

Omash släppte repet och sprang efter. Den gamle följde efter han också: han insåg med en gång att om denne demon hann i fatt pojken, skulle det sluta illa.

– Jergashka, vänta! Lille vän, han kommer inte att röra dig. Han vill bara … Bara … Stanna, spring inte …

Men pojken sprang för sitt liv. Omash med sin stora kroppshydda klampade hotfullt på i hälarna. Den gamle flämtade och hjärtat verkade vara på väg att hoppa ur bröstet på honom. Och benen ville inte bära, han snubblade över buskarnas rötter och trasslade in sig i den höga malörten.

– Mitt lilla föl, stanna, stanna! Han kommer inte att röra dig, han vill bara skrämmas!..

Och sedan hände det som den gamle var som mest rädd för. Krafterna svek honom totalt. Hjärtat ville inte. Efter några vacklande steg på sina svaga ben stöp han med ansiktet mot marken, och nu verkade ingenting kunna få honom på fötter igen.

– Mitt lamm, mitt enda lamm, vad är du? Varför flyr du?.. O Herre, rädda och förbarma dig över oss! Han kramade marken och grät som ett barn.

Och plötsligt kom det för honom att galningen Omash höll på att dränka hans enda barnbarn. Gud hjälpe mig! Han samlade sina sista krafter, kampade sig upp på benen och skyndade vidare, vacklade, föll och tog sig upp igen.

Jergash och Omash verkade ha försvunnit i mörkret.

Strax därpå hördes ett dämpat skrik från kanalen. Hans barnbarn tiggde om hjälp. Den gamles bröst genomfors av en plötslig smärta. Hakan darrade, han grät tungt, kvävdes av tårarna, tappade andan och förlorade all styrka.

Toksanbaj hade inget minne av hur eller när han nådde fram till kanalen. Det enda han kunde komma ihåg var hur han med ett skrik hade stupat över en jättelik man som skakade en pojke som om han varit en trasmatta.

– Omash! Omash! Lämna pojken i fred! Ta mitt liv om du vill! Men låt pojken gå!

Jätten gjorde ett kast med axeln som om han jagade bort en envis fluga, och den gamle for åt sidan. Han kom på fötterna igen och kastade sig över Omash på nytt.

– Kära, snälla, förlåt honom, ha förbarmande med honom …
Han är ju ett barn. Jag ska lära honom en läxa, så att han inte
springer bort igen.

– Han tänkte slå larm, den snorungen, hetsa upp folket! Kanske anmäla för polisen? Jag ska visa dig vem som ska klaga, din skitunge. Du ska glömma både polisen och sol och måne!

Det var inte längre snyftningar utan bara ett gnyende som kom ur pojkens hals. Med sina sista krafter kröp han ihop till en boll och värjde sig med sina svaga armar mot Omashs slag.

– Svara mig, valp. Tänkte du springa till polisen? Du kanske springer dit igen.

– Omash, käre vän, polisen? Han vet inte var polisen är.

Den gamle klamrade sig fast om halsen på Omash och skyddade sitt barnbarn.

– Var inte arg på honom. Han sprang bara för att han var rädd, bara därför.

– Det är din smala lycka att jag inte kan höja min hand mot en äldre, enligt mina förfäders lag. Men det är bäst att du går innan jag bryter mot lagen.

– Slå mig, slå mig, men låt barnet gå. Det får bli som du vill. Allting, precis allt! Du tänker verkligen på vårt bästa. Jag har förstått det. Och jag ska förklara det för Jergesh. Släpp honom!

– Du pratar! Han har nog begripit, se själv!.. Och i morgon smiter han till byn och skvallrar för snuten?.. Men kom ihåg, din gamle idiot, om du klagar eller bara vill fly så ska jag hitta din snorunge och banka livet ur honom, om jag så måste gräva upp honom. Har du förstått? Och jag strör inga ord för vinden. Jag har mött människor förut som har velat lära mig leva. Och vet du var de finns nu? Och samma sak kommer att hända ditt barnbarn! Kom ihåg det, gamle man, kom ihåg.

Den natten körde de malört ända tills dagen grydde.

Toksanbaj, som aldrig hade tagit en sytråd från någon annan människa i hela sitt liv, ville inte tro den här gången att han stal. Och när han kastade en främlings malört på kärran med sin högaf-

fel, och när han ledde åsnan vid betslet, snubblande i mörkret, och
när han knuffade kärran uppför kullen och lämnade tömmarna till
sitt barnbarn, och när han sopade igen sina spår och försökte göra
en ordentlig omväg tillbaka, och när han spred ut gräset nära sin
hydda, hade han ingen aning om att detta skedde under en annans
tårar och förbannelser. Ja, vad skulle han göra – Guds straffdom,
hans ansvar för sina gärningar mot Allah, vågade han inte ens tän-
ka på i detta ögonblick. Vid ett annat tillfälle skulle den gamle ha
struntat i alltsammans och gått sin egen väg, och för alltid kapat
banden med Omash: Nej, käre bror, slå mig om du vill slå, döda
mig om du vill, men jag kommer inte att synda mot min själ!

Men nu, efter detta som hänt vid kanalen, var han böjlig som
en videkvist och försökte behaga den store mannen i allt, utan
att ens tänka på att säga honom emot. Omashs ord hade satt sig
fast i hans hjärta som en sticka i fingret: Kom ihåg, gamle man,
om jag märker att du planerar något med din bastard i framtiden,
kommer jag att hitta din pojke var han än finns och vrida nacken
av honom som en kyckling! Nu trodde inte Toksanbaj längre att
Omash bara ville skrämmas, eller att han kanske inte kunde förmå
sig till en sådan missgärning: Hur kan någon förutspå en galnings
illdåd? Det faktum att Omash helt enkelt var som en bindgalen
kamel som inte kunde tyglas av någonting över huvud taget – det
tvivlade han inte längre på.

Nej, när saken rörde barnbarnet kunde Toksanbaj inte tänka
med förnuft – han var beredd till allt. Och må det ske som ska ske,
så länge mitt enda barn inte måste lida. Så är alltså detta vad Her-
ren befallt mig – att lyda den skamlöse store mannen och stjäla.
Men för min lilla pojkes skull kan jag överleva också detta.

När de lastat den fjärde kärran steg morgonstjärnan upp i öster
och de flitigaste lärkorna började sjunga till varandra.

– Skynda på, kommenderade Omash. Det räcker nu. Skörde-
folket vaknar och kommer att slå oss fördärvade. Och han såg
strängt på den gamle:

– Tog du samma spår fram och tillbaka?

– Ja, käre vän.

177

– Kör i samma spår. Och spara inte åsnan.

Jergesh slet i betslet med all sin kraft men kunde inte flytta det utmattade djuret. Omash skrek: Stå och dö då, din satan! Och drämde till åsnan med högaffeln så att ryggen nästan nuddade marken, att ryggen inte knäcktes var ett under. Djuret vacklade – benen ville inte bära längre.

– Vi måste skjuta på, gamle man, kommenderade Omash.

Med stor ansträngning rörde sig kärran äntligen framåt. Omash repade av vagnssidorna med en högaffel. Lasten var hårt surrad – han var rädd att fångsten skulle skaka loss och lämna spår. Men alla visste att detta inte hjälpte stort: på en lång resa längs obanade stigar skulle repet slackas och lösa strån bli liggande på vägen.

– Se efter längs vägen ordentligt. Vi måste plocka upp allt som ramlat av under natten, varnade Omash.

– Inte bara på vägen, vägkanterna också!

– Just precis, gamle man. Du lär dig! Snart kan du detta.

Omash skrattade och visade sina hästtänder!

De sopade undan all sin stulna malört. Gryningen kom hastigt, men nu var det ingen brådska, förutom att de måste köra kärran till byn.

– Det var då väl att vi blev klara före soluppgången, sade Omash förnöjt och gömde selarna och högafflarna under höstackarna så att de inte skulle bli heta i solen.

– Jergesh, ta skrället till byn, annars får den för sig att börja beta och drar sig hitåt och dör.

Pojken sade ingenting. Utan ett ord klättrade han upp på kärran, klatschade med tömmarna, åsnan vägrade först, men så med ens, glad över den plötsligt lättare vagnen, travade den iväg.

Den natten hade den gamle en dröm. Sonen hade kommit hem. Tillsammans med sina vänner som var med honom den sista dagen i hans liv, steg han ur bilen alldeles utanför hyddan.

– Visa mig var du har dina störar, hälsade den gamle glatt.

– Störarna? I bilen. Jag har flera stycken, far.

Då kom en obehaglig känsla i gubbens hjärta.

– Vänta, men du kan inte vara här … Du körde ju ihjäl dig …

– Vad är det du säger? Det måste du ha drömt. Som du ser lever vi. Nu ska vi till byn, så att inte köttet blir dåligt. Far, säg mig en sak, den store mannen, förödmjukar han dig?

– O nej, kära du, nej, nej!..

– Om han skulle göra dig något ont, säg bara till, så vrider jag nacken av honom som en kyckling.

Han steg in i bilen och drog iväg ut på stäppen. Plötsligt från ingenstans kom Jergesh flygande.

– Koke, koke, ta mig med! skrek han. Fadern hörde inte sin son.

– Koke–e, ko–o–ke–e! – Sonen sprang efter bilen …

Toksanbaj vaknade kallsvettig. Sonsonen, som låg bredvid honom, grät i sömnen och ropade: Koke, koke …

– Mitt lilla föl, hur är det fatt? mumlade den gamle, nästan kvävd av tårarna.

Jergesh öppnade strax ögonen, de var fyllda av längtan – och för en kort stund kände han inte igen sin farfar. När han vaknat till, snyftade han:

– Farfar, Koke har varit här … men han åkte igen.

– Sov, käre vän, du har drömt. Lugna dig, min gosse, gråt inte …

Efter hand tystnade han igen, de stadiga andetagen återvände. Men den gamle kunde inte sova. O Allah, Allah, suckade han. Välsignad vare du, barmhärtige skapare som gjort fadern så kär för sin son! Mitt hjärta gladdes åt att pojken var så fäst vid sin far, och samtidigt växte i den gamles hjärta en bitterhet: Vi är som silke för vårt barnbarn, jag vet inte allt vi är beredda att göra för att han inte ska känna sig föräldralös. Men det var varken till mig eller sin farmor som han ropade på hjälp i drömmen. Det är uppenbart att hur vi än försöker kan vi aldrig ersätta en far och en mor …

Dessa tankar fick plötsligt den gamle att känna sig så ensam, överflödig och skröplig att han nästan brast i gråt. Alla ansträngningar och bekymmer var förgäves … Eller hade han, Toksanbaj, kanske gjort något fel och rubbat sonsonens förtroende?

Denna oväntade gissning fick det att isas i bröstet. Toksanbaj kände sig plötsligt själv som ett försvarslöst barn. Det är sant som man brukar säga, att människans tanke är en tjuv, som tar sig in i alla vrår och stinger värre än en orm.

Aldrig under de sjuttiotvå år som han levt på jorden hade den gamle kunnat förebrå sig någonting, eller snarare trodde han att det inte fanns någonting att beskylla honom för. Detta gav honom styrkan att leva. Och nu förstod han inte ens klart, men kände endast vagt inom sig att nej, han hade inte haft rätt i allt och inte alltid, det fanns något som han förbisett en gång i sina handlingar och nu måste betala för.

Den omständighet att barnbarnet vaknat och ropat "far!" i stället för "farfar!" sökte det gamla hjärtat. Lidandet och förnedringen som han fått utstå de senaste dagarna hade visserligen sårat honom djupt, men en dag skulle också det vara glömt, men det faktum att hans sonson i detta hemska ögonblick inte tänkte på sin farfar och mormor, som var beredda att förtäras av eld för hans skull, utan på sin far och mor, innebar ett sådant lidande som inte skulle utplånas förrän i döden. Tänk bara, det var trots allt Jergesh som han från födseln hade lärt det rätta svaret på frågan: Vems pojke är du? och lärt honom att svara: Farfars.

Detta har alltid varit gammal sed hos kazakerna: barnbarnen tillhör inte föräldrarna, utan den äldre föräldragenerationen. Och Toksanbaj försökte pränta in i pojken detta, att far och mor är bra i och för sig, men de viktigaste, dyraste för honom – det var farfar och farmor. Och sanningen att säga hade han uppnått mycket. Så snart han var hemifrån en enda dag skulle pojken nästa dag springa och klaga hos sin far och mor. Och den gamle och hans gamla kvinna hade bara väntat på detta och ansatte nu barnet med förebråelser. Och sonen fick i sin tur sina fiskar varma! Att han inte tänkte på sitt barn, och att han inte brydde sig om sina föräldrar – hans enda bekymmer var att gå runt och vara chef för sin sovchos! Vad är du för chef? Du kan inte ens uppfostra ditt enda barn, hur ska du då kunna lära ditt folk vett och förstånd? Om vi skulle dö, din mor och jag, kommer du säkert att sätta den stackars pojken på internatskola nästa dag!..

Och när han nu gick igenom allt detta i sitt minne undrade den

gamle om han alltid varit så rättrådig som han trodde. Han mindes
sin avlägsna ungdom, när hans far fortfarande levde. Han var den
som verkligen hedrade de gamla traditionerna – inget barn fick
lämnas med sina föräldrar. Han tog sina barnbarn till sig så snart
de blivit avvanda och lät inte ens föräldrarna röra dem. Vid den ti-
den var fadern till Jergesh ungefär två år gammal. Han hade precis
börjat gå. Han gick sent: hans morföräldrar släppte honom inte ur
sina händer. Toksanbaj hade två äldre barn, en son och en dotter.
Men de levde inte länge, båda rycktes bort i mässlingen. Om han
skulle vara ärlig hade Toksanbaj aldrig hyst några särskilda känslor
för sina barn: de fanns där bara, och det fick vara bra med det.
För övrigt fick den gamle och den gamla kvinnan aldrig tid för
tanken: Vi ska en gång dö, och din tid ska också komma! Det var
först sedan jag förlorat mina äldre barn som mitt hus med ens
blev tomt och kallt, som om rummen fått stå utkylda. Det var då
som Toksanbaj för första gången upplevde denna egendomliga,
okända känsla. Han började plötsligt sakna dessa barn, det fanns
en sorg gömd någonstans i djupet av hans hjärta, en längtan efter
något som var oåterkalleligt förlorat, men för inte så länge sedan
hade han nästan inte märkt sina pojkar, som ständigt fyllde huset
med skrik och skratt. Tidigare, när hans hustru, tydligen förbitt-
rad av hans liknöjdhet, plötsligt sade i vredesmod: Den lille har
fått sin arm ur led, men hans farfar hittade en kiropraktor, men
du bryr dig lika mycket som en stubbe! – ja, han hade viftat bort
det hela: Lämna mig ifred, jag är trött på dina klagomål, ingenting
kommer att hända med honom! Men så förlorade vi dem bägge,
och bara smärtan återstod av de förflugna orden. Tydligt hade
demonerna hört dem och bestämt sig för att lära mig en läxa …

Efter begravningen hade hustrun gråtit tyst och bittert. Han
ville trösta henne – men hur? Jag vankade runt, kände tårarna i
halsen och gick ut på gården.

På gården satt min far på en huggkubbe. Den gamle höjde
huvudet tungt och tittade på Toksanbaj en lång stund. Toksanbaj
skakade av någon okänd anledning och blev stående orörlig. Han
får vid Gud inte märka mina tårar! Min far tolererade inte svaghet,

inte ens vid tillfällen som detta. Men den gamle verkade inte ha lagt märke till något. Buttert sa han bara Vad gör du ute så här sent på natten? Gå och lägg dig!

Och Toksanbaj backade snabbt tillbaka in i huset.

Moldasan var ett efterlängtat barn – ja, hur tung hade inte förlusten av de båda äldsta barnen känts för Toksanbaj! Och det var kanske därför han inte kunde skiljas från honom en enda dag. Ibland ville han bara ta i det här lilla lätta paketet, bära runt på honom i huset, mumla meningslösa ord med näsan mot barnets panna. Men han var rädd för sin far, den gamle skulle bara sagt: Inget fjantande! Och det gick inte att resonera med honom. En dag passade han på att utnyttja föräldrarnas frånvaro och sprang omedelbart till sin hustru som matade pojken och frågade lite fånigt:

– Hur mycket väger han? Som en hink vatten?

Hans hustru skrattade:

– Vadå hink? Lite mer än en säck med stomjölk. Vill du hålla honom?

Hon såg på honom ömt, och det låg ömhet i hennes ord. Toksanbaj kände det och förstod att hon väldigt gärna ville att han skulle älska sin son, och att hans gamla inställning till barnen skulle försvinna för alltid.

Vid ett annat tillfälle, när de gamla var bortbjudna på bröllop och de tre var ensamma hemma, satte han igång med så ystra lekar med sin lille grabb att de glömde tid och rum och skrattade så de storknade. Tills helt nyligen hade Toksanbaj tyckt att det viktigaste var att komma ut ur huset fortast möjligt, att först då, utom dörrarna, tillsammans med vännerna, blev livet spännande och fritt och ingenting kunde jämföras med denna frihet, och att förlora den innebar att förlora allt. Och plötsligt – se här! Det var inte så. Han kände med ens att det var möjligt att vara oerhört lycklig tillsammans med sin familj, och denna lycka var ojämförligt mycket större än han hade trott.

De hade hunnit avsluta sin måltid när hans far och mor plötsligt kom hem. Den gamle var envis! Det visade sig att han hade

lämnat festen sårad över att han inte fick en bättre placering.
Toksanbaj låg utsträckt på sängen med sin son bredvid sig.

– Vad håller du på med! Tänkte du kanske amma honom?
Faderns röst blev befallande.

Toksanbaj flög upp ur sängen och mumlade någonting förvirrat och osammanhängande:

– Är ni redan tillbaka? Men festen ...?

– Du trodde kanske att vi skulle gå upp i rök? Valp!.. Har man
sett vilken kärleksfull far vi har hittat! Och vad ska du din stackare
med barn till, och vagga till på köpet? Försvinn med dig! Du kan
sova därute, under baldakinen! Du kan vara glad om du blir en
värdig far till ditt nästa barn.

Toksanbaj gick mot dörren, olycklig, tom inombords, som en
piskad hund. Hans far såg inte ens åt honom. Han verkade inte ta
honom för en man. En slashas som inte hade minsta anknytning
till barnet som låg i vaggan. Toksanbaj var då nära trettio, vuxen
nog att betraktas som familjens överhuvud!

Åren gick och historien upprepade sig. Moldasan växte upp,
bildade familj och Toksanbaj blev farfar. Många gånger efteråt
frågade sig den gamle: Ville han göra samma sak mot sin son
som hans egen far en gång hade gjort? Och han sade till sig själv
knappast! Men trots detta hade en obegriplig önskan att ta barnet ifrån hans far också vaknat i honom, den hade brutit igenom
stenen likt en spirande växt om våren och den gamle hade ingen
kontroll över denna nya känsla. Det visade sig att ett barnbarn
är kärare och rarare än en son. Och det fanns också en rädsla i
själen: Vad skulle hända om dessa klumpiga unga människor som
kallas föräldrar, och som alltid har bråttom iväg åt alla håll och
inte verkar särskilt intelligenta, inte kan uppfostra hans barnbarn
ordentligt! Ja, om det bara gällde uppfostran! Kommer de att kunna skydda sitt barn från alla faror? Nej, det är säkrast att ta saken
in egna händer. I slutändan kommer barnet likväl att återvända
till sina föräldrar, sade Toksanbaj lugnande till sitt samvete. – Inte
utan orsak brukade man säga i gamla dagar: barnet är listigare än
räven. Jag själv släppte inte Moldasan ett steg ifrån mig när mina

föräldrar var borta ...

Men nu var också Moldasan borta – livet blev fattigt. Och den gamle kunde inte ens föreställa sig vilket djupt sår det hade avsatt hos Jergesh. Pojken nämnde det aldrig, och om det inte hade varit för att han pratat i sömnen skulle den gamle aldrig ha känt till sonsonens hemliga sorg. Om jag kunnat skydda honom och freda honom från olyckan på samma sätt som min far, skulle han kanske inte gått med detta blödande sår, tänkte Toksanbaj. Men barn ska skyddas av de unga, inte av skröpliga gamla gubbar som han själv. Och återigen fanns tvivlet där: Du kanske ljuger för dig själv, gamle man, kanske du gjorde något fel, och därför började ditt barnbarn undvika dig? Du stöter bort honom med dina egna händer och söker sedan en ursäkt? Mitt fel i hans ögon är att jag inte kan ge denne vettvilling Omash en riktig sittopp?

Nu protesterade Toksanbaj inte ens mot Omash. Ja, vad hade han kunnat göra, när han själv var totalt förnedrad? Både händer och heder täckta av en smuts som inte kunde tvättas bort. Men allvarligare än denna tunga känsla av synd var likväl skräcken som tycktes leva i varje cell i Toksanbajs kropp. Nej, den gamle var inte rädd för egen del, han hade levt sitt liv, och redan nu var han redo för elden och helvetet självt. Men Jergesh! Och inför detta blev Toksanbajs händer kraftlösa, och strupen så förlamad av fasa att det tycktes att han inte kunde andas.

Omash strödde knappast ord för vinden. Man kunde förvänta sig vad som helst av denna galning. Om de skulle fly? Fast tänk om han hittade dem direkt? *Jag kommer att leta upp er, om jag så ska gräva upp er ur jorden, och vrida nacken av er som kycklingar!* Den gamle glömde aldrig de orden. Nej, nej, nej – han hade ingen rätt att riskera pojkens liv, för Jergesh var den enda på jorden som kunde föra släktet vidare. Därför upphörde den gamle att ens tänka på flykt, det var därför han under olika förevändningar aldrig släppte greppet om sitt barnbarn, av fruktan att han då av misstag skulle väcka Omashs vrede, ja och då ... Vad skulle hända då? Den gamle fruktade själva tanken.

Det visar sig att människan kan vänja sig vid allt. Också sådant som hon förut fruktat eller blott och bart föraktat.

Så den gamle gjorde sig till medbrottsling åt Omash, och förbannade honom inte längre eller ens sig själv, som han brukat de allra första dagarna. De hade stulit mer än en enda kärra på stäppen, och nästan varje natt återvände löddriga och trötta åsnor till byarna runt omkring. Kanske insåg deras ägare att någon förde bort dem under natten, men hur skulle man veta vem? Ingen kunde tro att det var skördefolk från stäppen. Men även om de kunnat peka ut en skyldig så låg det inte i kazakens lynne att ställa till panik för sådant strunt. Till sist kom allt tillbaka på sin plats.

Omash måste snart ha insett att den gamle skulle ta reson. Och det konstanta raseriet hade lagt sig, ja Omash verkade ha blivit snäll, åtminstone for han inte längre ut i hotelser, nej han tillät sig rentav att skämta med den gamle då och då. Ja, människan är svag – Toksanbaj förvånades över sig själv: han kunde tala vänligt till Omash och kom ibland på sig med att tänka att egentligen hade inget ont blod funnits dem emellan. Fast nej, hans rädsla hade inte minskat, Toksanbaj var fortfarande försiktig med Omash, men trots allt arbetade de båda dag och natt sida vid sida – och är det möjligt för en människa att utan ände bära vrede i sitt hjärta? Ibland, när de vände hemåt med sin stulna malört, kunde han berätta någon lustig historia för Omash och skratta så han grät. Men andra gånger kunde en förtvivlan plötsligt komma över honom och bryta meningen mitt av. Och då kunde ögonen bli hastigt dunkla, anletsdragen hårdna och en suck, ett dämpat stön, komma ur hans bröst: Herre, förlåt mig syndare. Oftast hände detta när han märkt att Jergesh tagit efter honom och Omash och tanklöst, nästan obekymrat tog saker som tillhörde någon annan, och inte tycktes tänka alls på om han kunde göra så, om det var gott eller ont.

Melonerna var mogna och Omash glömde alldeles att sova. Varken den gamle eller pojken fick någon ro. Han lämnade dem att vänta under bron och fortsatte själv längs kanalen, och en halvtimme senare började mogna askgula meloner visa sig på vattnet gungande i rad som en kull gäss. Jergesh fångade in dem, och den gamle staplade dem på stranden. Strax var Omash tillbaka, melonerna stoppades i en säck och bars hem till hyddan.

Varje gång den gamle kom att tänka på Omash skakade han bara på huvudet – han försmådde ingenting! Fanns det malört så plockade han malört, fanns det meloner så knyckte han meloner; fanns det bara någonstans att hämta, fågelbon eller brödsäd – allt skulle plundras, enbart för sitt eget bästa. För honom finns uppenbarligen inget begrepp som hette mitt – och ditt. O Allah, hur kan en människa leva som har glömt alla övriga människor! Och samtidigt ertappade han sig själv med att tänka: Jaså du, gamle man, du tänker mycket på andra? Så vem gav dig rätt att döma? Och återigen suckade han bittert: O Allah!

I tre månader levde de bland de gröna kullarna. För den gamle var detta en tid fylld av själslig kamp och tvivel.

Den gyllengula hösten hade flätat stänglarna hos malört och gulkayr med tunn, viktlös spindelväv. Skördemännen började också efter hand överge stäppen: hyddorna tömdes och många höstackar försvann. Stäppens gröna matta bleknade under solen och blev smutsgul, de höga popplarna i utkanten av byn som Omash ofta besökte brann som glada gyllene eldar i solnedgångens strålar.

De viktigaste bestyren var redan avklarade, nu återstod en mindre del – de skulle frakta iväg och leverera sin skörd av malört. Även de statliga skördearbetarna hade avslutat sitt arbete. Vägen till butiken i byn var livligt frekventerad. Och på kvällarna hördes sång och musik från arbetslägret på stäppen. Ja, och varför skulle man klaga, om några dagar skulle fickorna fyllas med det trevliga prasslet av pengar, och alla de som hade krökt rygg i hettan och svettats i tre månader kunde äntligen återvända till sina hem. Nu var allesamman sysselsatta med att räkna ut hur mycket de skulle få, och de mest otåliga hade till och med hunnit skriva hem och skryta om sina förtjänster. Men även om allesamman i andanom redan satt på sina resväskor hade de mycket arbete ogjort. Specialutrustade skördemaskiner med balpackare skulle samla upp den torkade malörten och packa den, så skulle balarna lastas på bilar och köra till mottagningsstationen i Arys. Och det var statens skördare. Och vad skulle de privata samlarna hitta på? Allting gjordes manuellt.

Men Omash fann på råd här också. Han försvann i två dagar och kom tillbaka med en skördetröska och två lastbilar, ungefär som ett par åsnor i grimman. På några timmar var all malört från deras stycke balad och packad på bilarna.

– Då så, min gubbe, sade Omash och grinade med sitt hästbett, så var det klart! Nöjda?

– Det tror jag det! Mycket nöjda!

Den gamle hade på sista tiden märkt att han hade lagt sig till med ett fjäskande tonfall när han pratade med Omash. Han var arg på sig själv, men kunde inte låta bli.

– Men hur lyckades du få hit dem?

– Det säger sig självt! gnäggade Omash. Så här, sa han och knäppte sig på halsen. Vem kan motstå den gamla klara? Jo, det förstås, jag gav dessutom maskinföraren och chaufförerna hundra dollar var. Jag hoppas att vi delar på kostnaderna?

– Ojbaj, så du pratar! Givetvis! Nu när allt är klart – och utgifterna delar vi på tre, det är inget att tala om! Må ditt liv bli långt och lyckligt, käre vän. Men vad ska vi göra nu?

– Bestäm själv. Vill du åka hem så varsågod, men annars kan du åka med till Arys. Vi väntar på pengarna där.

– Hur länge får vi vänta?

– Kanske tio dagar, en vecka om vi har tur. Det är bäst om vi gör så. Har du varit i stan förut?

– Ja, det har jag naturligtvis.

– I så fall hittar du till inlämningen vid stationen. Jag är där dag och natt. Kom tillbaka om en vecka, Jag tror jag har hunnit lämna in vår malört. Under tiden kan ni sitta hemma. Vad säger du om ett sånt erbjudande?

Den gamle blev förvirrad. Kunde han åka till staden med Omash i dessa trasor? Som en luffare? Dessutom är det bra om allting löser sig snabbt, men om de måste vänta en vecka eller två? De har ingenstans att bo, och för att säga som det är har de ingenting att leva på. Det här är inte en håla på stäppen, utan en stad som älskar pengar. Och det är dags att åka hem. Hans gumma måste vara bekymrad, och orolig för sitt barnbarn. Och hon har säkert hört att vi är färdiga med arbetet. Nu sitter hon förstås ute på gatan hela dagen och spejar så ögona blöder. Fast å andra sidan, hur kan vi lita på den här banditen? Han försvinner till staden, tar alla pengarna, och sedan ser vi inte röken av honom. Det är gjort i en handvändning.

– Hördu, gubbe lilla, sade Omash muntert. Du litar kanske inte på mig? När jag stal all malörten så kan jag försvinna med alla pengarna också, är det så?..

Toksanbaj ryste: Omash hade läst hans tankar, förbaskat också! Men han svarade som han var van, smickrande och inställsamt:

– O nej, nej, vad tror du? Skulle jag inte kunna lita på dig, käre vän? Jag tänker på min gamla gumma och undrar hur hon har det. Kan vi inte allihop samlas hos oss, hos farmor, smaka hennes goda mat, och sen kan du resa till stan, och vi kommer efter.

– Du är som ett barn, gamling. Vadå för mat? Och vem ska lämna malörten? Åk ni hem. Och vi hinner nog smaka på din gummas mat när vi har hämtat pengarna. Vi ställer till med en fest som du inte glömmer.

– Vi gör som du vill. Ha en lycklig resa, och må Allah välsigna dig. Vi kommer tillbaka om tre–fyra dagar.

Det hade hunnit bli över midnatt när de båda kom hem. Även om den gamla kvinnan hade väntat på dem kunde hon inte ha en aning om att de skulle komma vid den här tiden på dygnet. Hon vaknade sömndrucken och förvirrad. Först när hon hörde barnbarnets röst rusade hon upp ur sängen och flög emot Jergesh som en fågel, omfamnade honom och stack näsan i hans hår som doftade av sol och malört.

– Min älskling, farmors egen, min ende, min lilla sol, nebusjko – himmel …

Inga skatter fanns på denna jord som hon kunde jämföra med sitt barnbarn.

– Herre Gud, vår skapare, jag fick ändå återse dig levande och oskadd! fortsatte den gamla kvinnan medan hon torkade tårarna med klänningsfållen. – Min kära, mitt hjärteblod. Men vad skulle ni med denna malört, måtte den förtorka till sina rötter!.. Ingen människa svälter just nu ... Som jag har väntat och väntat på er – jag har inga tårar kvar. Jag har förbannat mig själv hundra gånger för att jag lät dig resa, mitt lilla hjärteblod, Gud vet vart. Du har blivit mager, min käre ...

Hon fortsatte en lång stund att oja sig för sitt barnbarn och sade någonting om pengarna de hade tjänat och må dessa pengar förgöras som hade fått dem att brännas i solen en hel sommar. Så släppte hon äntligen pojken, men tårarna fortsatte att flöda ur hennes gamla ögon, och det var som om det inte fanns någon ände på dem. Toksanbaj visste att dessa tårar befriade henne från den längtan som hade plågat henne under deras bortovaro. I denna stund mindes hon kanhända Moldasan och sörjde också honom; kanske gömde sig en annan tanke bakom hennes ord till barnbarnet: om din far fått leva skulle detta aldrig hänt. Den gamle kunde nästan säkert säga att det var så, men låtsades ingenting förstå. Han skrek åt henne:

– Nu får det vara nog! Varför dessa klagovisor mitt i natten? Ditt barnbarn fick lära sig en mans liv och förtjäna pengar till sitt hus. Nej, ingenting att glädjas åt – utan bara tårar! Tänd ljus åtminstone och ge oss lite te.

Det gamla huset, utkylt som en eldplats efter att nomader dragit vidare, fylldes med ljud och skratt till farfaderns och sonsonens hemkomst. Som om de djupblå fönstren inte vändes emot natt, utan mot ljusan dag. Strax satte tjänstefolket fram ett dukat bord. Den monotona sången från en gammal samovar med monogram i guldarbete hade en lugnande inverkan på sinnet och fyllde alla tre år med lugn och glädje, och tro på livets fortbestånd.

Den gamla kvinnan kunde inte ta ögonen från sitt barnbarn. Var det så länge sedan han var blott ett barn, och nu är han nästan vuxen, manlig. Hon ville sätta honom här bredvid sig av gammal vana, stryka honom över håret, men han kände sig med ens besvärad och flyttade sig bort med ett besvärat leende och började

189

liksom alltför hastigt dricka av sitt te.

Den gamla kvinnan blev försiktig. Länge, länge såg hon på sitt barnbarn, men oavsett hur mycket hon försökte såg hon inte längre i hans mogna ansikte den näpna barnslighet som hon älskade så mycket. Det tycktes henne som det var helt nyss som hennes egna barn var små, men innan hon ännu hunnit tänka efter hade också hennes sonson blivit vuxen och den söta doften av mjölk, som ständigt var en del utav hans kropp, kom snart att bytas mot en lukt av manlig svett och bitter malört. Så är tidens gång! Hon sträckte ofrivilligt ut handen mot Jergesh och strök hans styva svarta hår och berättade att han nu måste sova för sig själv. Före denna resan hade han alltid haft sin plats hos henne. Så all den kärlek hon sparat i sin ensamhet, alla ord hon hade förberett, skulle aldrig nå honom, de skulle stelna djupt därinne. Hon kände något bittert stiga upp inom sig. Men grämelsen var flyktig. Hennes gamla hjärta, som hade vants vid allt, kände snart att bakom pojkens allvarsamma ansikte gömde sig en mognad som spirade som gräset i april hos deras enda efterkommande, och att glädjen över detta var oändligt mycket större än den som hon som farmor hade upplevt då när barnbarnet fortfarande var litet – mycket större! Hon tackade tyst den allsmäktige för denna upptäckt med ett leende som bara hon själv förstod.

När de gamla hade lagt sitt barnbarn talades de länge vid.

Toksanbaj kunde inte motstå frestelsen och med ett förstulet leende berättade han att de inom fjorton dagar skulle ha minst tre tusen rubel i huset. Och den gamla kvinnan blev alldeles röd i ansiktet av glädje över nyheten.

– Om jag minns rätt hade du några besparingar efter ramadan, sade han efter en stund.

– Dem klarar jag mig inte utan!

Hon stirrade frågande på honom: Varför behövde han plötsligt de här pengarna?

– Du har väl inte rört dem?

– Jag har tagit lite till te och socker. Ja, och för ett tag sen, när jag hade fått din pension, kom flera barn hit och sjöng zjarapazan tillsammans med mulla Ospans pojke.

– Jaha.

– Jag gav dem sju rubel. Resten har jag inte rört. Jag vet inte säkert hur mycket …

Den gamla kvinnan öppnade locket till en gammal kista och letade och tog upp en vit påse.

– Här är de, räkna dem.

Toksanbaj räknade pengarna två gånger.

– Etthundrafemtioen rubel. Har du betalat tillbaka vad vi var skyldiga Aidarkul?

– För länge sen, strax efter att ni hade gett er iväg. Han kom farande alldeles vild: Ojbaj, min pojk har telegraferat från Leningrad, han ska ut och göra praktik och ber om pengar. Jag sa åt honom att din pension skulle komma om två dagar och att han fick vänta. Det kan jag inte, säger han. Så jag blev tvungen att låna av min bror och betalade tillbaka direkt, med ränta.

– Du gjorde alldeles rätt. Hör nu på vad jag tänker berätta för dig. Är det marknad i morgon?

– Jag tror det.

– Då åker vi dit i morgon, köper ett lamm och bjuder några gäster. För att fira första Jergesh och hans första förtjänade pengar.

– Det låter bra. Och så kan vi dessutom köpa honom en tumar-amulett av mullah Ospan att hänga vid huvudändan av sängen.

Känslan av att de snart skulle få mycket pengar fick de gamla att glömma allt. Ända till helt nyligen hade de sparat varenda kopek, men nu var de beredda att slänga hundratals rubel omkring sig. Under alla förhållanden bestämde de att alla pengarna som hade lagts undan och noga sparats nu skulle förbrukas.

Och varför skulle de ha pengar liggande i kistan när de skulle bli förmögna inom en nära framtid!

– Vad är det där för småslantar? sade Toksanbaj och petade sig av gammal vana i tänderna med en tändsticka. Han petade ständigt sina tänder på det viset, också när han inte hade något i munnen mer än vanligt vatten. – Om vi själva är krya och pojken är frisk, varför ska vi då snåla med de där pengarna? Låt oss ge honom en start i livet, ge honom en utbildning, låta honom stå på egna ben. Han är snart en fullvuxen man, och då behöver du och jag inte ängslas för honom.

– Och om vi sen kunde hitta en flicka åt honom och få honom gift medan vi ännu lever, sade den gamla kvinnan förhoppnings-fullt.

– Du pratar alltid så mycket. Jag kan redan se att han kommer att ta efter sin far. Och i så fall är det knappast troligt att han har behov av vår hjälp: han kommer att gifta sig med den som han själv vill ha.

Den gamle hade sagt detta med en viss stolthet och inte minst för att retas med sin hustru. Men hon kunde inte släppa sin tanke och suckade bekymrat:

– Då kan vi inte förvänta oss några barnbarnsbarn i första taget! Min egen far studerade tills han var trettio.

Toksanbaj hade på tungan att kasta ur sig en fråga om hon hade planer på att leva tills hon blev tusen år gammal. Får hon barnbarnsbarn så dröjer det inte innan hon börjar drömma om barnbarnsbarnbarn. Men han var på gott humör i dag, så han sade tröstande:

– Oroa dig inte för det, min vän, vi får vänta och se! Tiden kommer att flyga – du lär knappast märka det.

– Nåja, han får lära sig ett yrke, suckade den gamla kvinnan. Far min förlorade ingenting på det, han kunde inte slita sig från sina böcker, varken dag eller natt. Fast det skulle inte vara så illa om vårt barnbarnsbarn gav oss en present vid trettio. Fast med våra vanor måste vi vara beredda på allt: det kommer att bli stora utgifter, du vet själv … Det får inte komma över oss som en kall-dusch …

– Vi hinner lägga undan till dess, det gör vi. Och med tiden köper vi en extra ko, och fem–sex får … Vi ska unna oss att leva! När barnen kommer får vi ersättning för alla utlägg. Både kläder och mat och skrivhäften och böcker åt Jergesh …

Ljuva drömmar som förde både gamla och unga långt bort i det okända. Och vart tog åren vägen? Den sjuttiotvåårige mannen och den gamla kvinnan i nästan samma ålder hyste inget tvivel om att de skulle få se sina barnbarnsbarn och barnbarnsbarnbarn. Dessutom beräknade de på allvar hur mycket pengar de skulle komma att behöva för sina utgifter. Och tankarna på deras förestående död, som så ofta hade besökt dem nyligen, sköts på framtiden, och alla sjukdomar och krämpor var sopade under mattan ... Herregud, så lite människan behöver för att känna sig lycklig!

Inbjudan från Toksanbaj, som bestämt sig för att samla alla gamla människor i byn, kom som en överraskning för alla. Ryktet om att han hade tjänat flera tusen på malört gick från hus till hus. Kvinnorna grälade på sina män och pekade på Toksanbaj – du borde följa hans exempel! Medan du satt hemma och skvallrade hela dagarna med dina vänner, samlade han och hans sonson ihop en förmögenhet!

Hela byn betraktade Toksanbaj med respekt. Och han kunde märka det när han gick omkring i byn stolt som en tupp, nickade värdigt till folk han mötte, svarade på deras frågor med auktoritet och kunskap. Ändå malde en störande tanke ständigt i bakhuvudet och grumlade den gamle mannens sprudlande glädje. Rätt som det var kunde han erinra sig till vilket pris han hade förtjänat dessa pengar. I själva verket ställde han till med denna fest enbart för att befria sin själ från åtminstone en del av synden, och för att ge människorna en del av dessa orättfärdiga pengar. Men han var mest oroad för Jergesh. Pojken, som naturligtvis också hade blivit berömd, verkade inte komma ihåg nätterna de hade tillbringat på stäppen med sitt tjuveri. O Allah, Allah, suckade den gamle, hur hastigt stelnar hjärtat hos en människa som aldrig känner skuld. Toksanbaj tänkte ibland tillbaka på Omash med fruktan och en oro att hans egen sonson kanske skulle kunna bli som denne demon.

En vecka hade redan förflutit och han och Jergesh gjorde sig fina för att resa till staden.

Det fanns ingen ände på den gamla kvinnans glädje, hon verkade nästan som föryngrad.

– Snart ska vi fira högtid. Glöm inte att köpa med dig aprikoser och russin. Även om det finns på marknaden hos oss också. Om du tänker köpa kläder åt Jergesh, så glöm inte att prova ... Ja, och köp några bitar tyg, det kommer vi att behöva om han ska åka till stan och studera, vi får sy något åt honom ...

Det var ingen ände på den gamla kvinnans ärenden. Hon ropade efter honom ända tills de körde ut ur byn och kom upp på stora landsvägen.

De anlände till staden vid middagstiden. Hettan var outhärdlig, asfalten gungade mjukt under fötterna.

Det var inte svårt att hitta mottagningspunkten som Omash hade talat om. Den låg i en stor lagerbyggnad på östra sidan av järnvägsstationen. Här vimlade det av folk. Och att hitta Omash bland alla dem var inte lätt. Först nu kom den gamle på att han inte hade tänkt på att fråga jätten om hans efternamn. Han gick på måfå fram till flera personer:

– Har ni sett Omash?

Somliga sneglade på honom som om han varit efterbliven, andra viftade bort dem som om de varit ett par påträngande flugor. Toksanbaj blev alltmer förvånad över att det var så omöjligt att hitta en person med denna gigantiska kroppshydda och demoniska uppsyn. Omash kunde ju skrämma slag på vem som helst, så det var konstigt att ingen kunde komma ihåg honom. Var ska jag leta, var ska jag hitta honom? Varför i all världen hade de inte gjort upp om var de skulle träffas? Hade han smitit ifrån dem?

Trötta av allt letande och utan att veta vad de skulle göra härnäst, sjönk de ned i skuggan av den stora stadsporten. Och just i samma ögonblick dånade en kraftfull basröst vid den gamlas öra: Assalamalikum! Den gamle stack skräckslaget skägget i vädret, men i nästa sekund sken hans ansikte upp i ett leende.

– Oj ... Omash ... käre vän ... så du lever och mår bra?

Den uppgivne Toksanbajs hjärta hoppade nästan ur bröstet på honom av glädje och han föll rentav Omash om halsen.

– Åh, gubben har bestämt längtat efter mig, skrattade bjässen.

194

Han dunkade den gamle i ryggen och vände sig till Jergesh:

– Och du har visst tappat all din solbränna hos farmor, kan jag se, du är blek som en vålnad! Men snart kan du köpa dig en cykel. Och så länge du är med mig så kommer allting att ordna sig.

– Omash, på tal om det, hur ser det ut? Går allting som det ska?

– Allting funkar, gamle man! Gör fickorna redo, om tre dagar kommer de att frasa – och du själv kommer att slå kullerbyttor av glädje.

– En djigit förnekar sig inte!

Den gamles tunga började återigen att drypa av falskt smicker. Omash solade sig i berömmet, skrockade och strök sig belåtet över magen. Till och med här i staden visade han sig inte buskablyg. Han hade fortfarande samma vida stråhatt på huvudet och samma badbyxor på höfterna. Tröjan bar han nonchalant slängd över axeln. I handen höll han en bukig tvåliters vinflaska fylld med kvass. Han tog en klunk ur flaskan och frågade ivrigt:

– Har ni några bekanta i stan?

– Hur skulle vi ha det? Ingen annan än dig.

– Jag känner inte många här heller. Ta in på hotellet.

– Hotell? Är du tokig? Det är alldeles för dyrt, de kommer att ta alla våra pengar.

– Ta det piano. Sjuttio kopek om dagen per person. Jag bor där.

Men den gamle kunde inte tröstas.

– Hotell! klagade han. De låter en inte sova: Gör inte så, gå tyst ...

– Vad du gnäller, gubbe! Jag skulle ha beställt ett palats åt dig.

Minsta antydan till missnöje i Omashs röst fick den gamle att blekna.

– Då säger vi väl så, vi ska ha tålamod, sade han. Vi blir ju inte ruinerade på tre dagar. Grabben får säkert betala halva priset om du säger att han fortfarande går i skolan?

– Var någonstans har du sett halva hotellgäster?

Omash såg föraktfullt på den gamle. Och Toksanbaj kom

plötsligt ihåg att han hade använt exakt samma ord själv för inte länge sedan. Han skakade på huvudet som om han först nu slagits av sitt dåliga minne, och viftade avvärjande med handen:

– Ta mig dit du vill. Skynda dig, annars blir vi stekta i den här hettan.

2.

Omash ordnade ett litet billigt hotell åt dem i utkanten av staden och gav sig sedan direkt iväg till mottagningspunkten.

Den gamle gick runt i korridorerna och spejade i alla vrår och blev snart övertygad om att det inte fanns någon ordning alls, hotellgästerna gjorde precis som de ville. Och vad annat var att vänta om det till sextio rum inte fanns mer än en enda våningsuppassare, som samtidigt fungerade som städerska, en klen, astmatisk gammal kvinna. Toksanbaj insåg att om han hade velat kunde han ha parkerat en lastbil under fönstren och kört iväg med hela inredningen – ingen skulle märka någonting. Men konstigt nog gillade han oredan: han kände sig lugn. Han lyfte ut madrassen och sängkläderna ur sängen och lade ut dem på golvet – det kändes mera hemvant och därför bekvämare. Han klädde av sig och sträckte sig ut på sin hårda bädd och pekade upp i taket med sin gråstrimmiga skäggstump.

Eftersom de saknade bekanta i staden fick de tillbringa hela dagarna på hotellet. Den gamle låg mesta tiden på sin madrass, och Jergesh, som var pigg på att se sig omkring, vågade dock inte annat än att rätta sig efter sin farfar, som inte lät honom gå längre än ut på gården. Omash blev därför den enda kontakten de hade med yttervärlden i sin självvalda fångenskap. Toksanbaj tog emot honom med sådan glädje, som om den forna avgrundsanden stått honom närmare än hans eget kött och blod. När Omash dök upp i rummet glömde den gamle alla förolämpningar och förödmjukelser som han hade tvingats utstå ute på stäppen, likaså försvann tanken på synd, som hade varit hans konstanta följeslagare på sistone.

På kvällen den tredje dagen verkade Omash vara på gott humör.

– Är dina fickor beredda, gamle man? frågade han. I morgon eftermiddag blir pengarna klara!

– Hurra! ropade pojken och flög upp.

– O Allah, tack för all din barmhärtighet! fyllde hans farfar i.

– Hurra – det stämmer, sade Omash med en blick på Jergesh. Och din Allah – han vände sig till den gamle – är helt på sin plats. Var det inte Allahs förtjänst, och inte min, att vi möttes, inte sant?

Den gamle blev förvirrad.

– Säg inte så. Först Gud, och sen du. Den gamle tvekade … Hur mycket blir det, fick du reda på det?

– Givetvis fick jag det. Ettusen sexhundra vardera! Är du nöjd? Jag vill mena det! Detta är frukten av ditt arbete. Om du inte lyssnat på mig skulle du suttit här med fem eller sex hundra. Och de kan inte sträckas särskilt långt: täpper du igen här, så blir det hål där! Men Omash vet hur livet ska levas! Och du säger – Allah, gamle man. Hur mycket kunde du förväntat dig av din Gud om inte jag hade varit!..

Den gamles godmodiga ansikte bleknade plötsligt, och leendet försvann från hans läppar. Därborta på stäppen, medan de stal malörten, förbjöd han sig själv att se det som en synd, övertygade sig själv om att han var tvingad att göra detta: han kunde inte lämna ut sitt barnbarn åt Omashs nåd. Men nu svävade inte längre den tunga knytnäven över deras huvuden. Stunden hade kommit för honom att betrakta sin skuld med nykter blick. Och skulden hade tagit sin boning inom honom, den plågade honom in i hjärterötterna. Och oavsett hur Toksanbaj ansträngde sig för att glömma alltsammans, lugna sig själv och säga sig att det onda som gjordes redan var gjort och att det inte var nödvändigt att plåga sig själv i onödan, hemsöktes han ständigt av samma tanke. Den mognade inom honom som ett gökägg som lämnats i ett främmande rede, och gnagde nu på hans samvete som om det varit ett skal, och arbetade sig gradvis igenom detta skal som en fågelunge. Och när han återvänt hem försökte han för att behaga

197

sin gamla kvinna hela tiden driva denna tanke ifrån sig. Men den levde inom honom och blev starkare, och han visste det. Och för att säga sanningen hade han slaktat lammet och bjudit sina gäster för att i någon mån tvätta bort synden inför den allsmäktige.

Hans tanke gällde pojken, hans barnbarn, Jergesh.

I morgon skulle han få mycket pengar, pengar som likt mars-bäckarna var fulla av skräp, och mera ont än gott. Men pojken skulle antagligen inte döma honom för detta. Han gladde sig över att de skulle få dessa pengar – till och med jublade. Och tiden rinner undan, den kommer att förflyktigas! Han kommer att bli en djigit. Vad kommer han att minnas av sin barndom? Kommer han ihåg hur hans farfar fick honom att stjäla malört och leva av syndapengar? Vad kommer han att säga då? Säger han kanske att jag var en pojke, dum och naiv, och han, min farfar, hade ännu inte blivit helt senil. Hur hade han samvete att tvinga mig att stjäla? Så han köpte mig en amulett för att sona sina synder och lugnade sig? Då kommer du att få gnissla med dina benknotor i graven, gamle man!

Men tänk om han inte tänker så? Om den tanken inte rinner upp i hans skalle över huvud taget? Det kan ju hända att han kommer att apa efter Omash? Visst kan han! Hur kommer du då att känna dig, gamle man? Kommer du att gilla det, blir du glad över att ditt barnbarn inte har förkastat dig?

En bitter skugga föll över Toksanbajs ansikte. Men vad ska vi nu ta oss till? Vad är det för mening med att kasta dessa pengar i elden eller strö dem för vinden? Även om du delar ut dem bland fattiga människor är det inte troligt att glädjen kommer tillbaka till dem som blivit bestulna. Ska deras förbannelser tvinna sig sam-man till strypsnaror?..

– Vad är det nu med dig, gamle man? Varför grinar du illa i stället för att känna dig lycklig?

Toksanbaj ryste. Det låg något misstänksamt i Omashs röst. Jätten måste ha gissat hans tankar. Allah give att han inte tror att han gissar rätt! Vis av bitter erfarenhet försökte den gamle anlägga en min av nonchalans.

– Äsch, jag tänker bara på hur det kan gå här i livet! När man inte hade några pengar, då fanns allting i överflöd, men så snart jag känner prasslet av pengar mot mina fingertoppar vet jag inte vilka hål som ska fyllas igen först av alla. Det säger sig självt: ju rikare, desto girigare! Han skrattade ansträngt.

Omash försökte se ut som om han trodde på honom.

3.

Det började skymma och Omash, som de föregående dag hade gjort upp om att träffa vid kassan klockan två, hade ännu inte visat sig. Den gamle kände att det var något som inte stämde. Mottagningspunkten skulle snart stänga och antalet personer i kön hade tydligt minskat. Toksanbaj tittade på sitt barnbarn och han såg tårar i pojkens ögon.

– Ata, har han lurat oss?

– Det kan jag inte tro. Han kommer.

Han försökte låta övertygad, men det fanns ingen övertygelse i hans röst. Men för att lugna sitt barnbarn knuffade han sig fram till kassörens lucka.

– Käre vän, har ni gjort en utbetalning i dag till en djigit som heter Omash?

– Efternamn?

– Jag vet faktiskt inte ...

– Hur skulle vi då kunna veta? Hit kommer hundratals människor varje dag.

– Det är en stor karl, lång och bredaxlad.

– Allihop ser ut på det viset, farsan, har du glömt det?

– Nästa!

Den gamle lämnade kön. Pojken sprang förhoppningsfullt fram till honom, men anade genast att hans farfar inte hade fått reda på någonting. Han stannade halvvägs med sänkt huvud.

De traskade tillbaka till hotellet bedrövade, som om de just hade begravt en släkting. Allting störtade samman och krossades i bitar. Sonsonen kastade sig på sängen och grät bittert. Även Toksanbaj hade svårt att behålla fattningen.

Men varför, varför hade Omash hela tiden eggat upp deras förväntan? Nu sköljdes den bort som av en våg och de lämnades kvar ensamma på en ödslig strand. Hur mycket Toksanbaj än försökte kontrollera sig själv, hur han än intalade sig att alltsammans skulle ordna sig till det bästa, att alla problem som plågat honom skulle bli lösta, gjorde tanken på den gamla kvinnan som hoppfullt väntade på honom att det blev tungt att andas. Han kunde inte längre hålla tillbaka tårarna – Omashs bedrägeri var alltför oförskämt, och vreden kvävde honom. Heta droppar rullade nedför kinderna och försvann i skägget, han kunde känna den salta smaken av tårar på läpparna.

Det hade blivit nästan alldeles mörkt när dörren plötsligt slogs upp och Omash störtade in, blek som ett lik. Farfar och sonson flög upp och stod som förstenade. Toksanbaj ville säga något, men kunde inte: han hade aldrig mött en lika väldig man tidigare. Omash föll på knä. Hans röst, som nyss hade skallat vida omkring, var nu svag, förbittrad och darrande:

– Ojbaj, ata, Gud har straffat mig! Straffat, straffat!.. Pengarna ... Alla pengarna ... har de tagit, stulit!.. Allt, alltsammans tog de!.. Varför tog jag inte med mig er, jag blev plundrad, rånad?.. Fem djigiter ... Mitt på ljusa dagen!

Den gamle återvann fattningen först när hans barnbarn sprang fram till honom och skrek:

– Farfar, pengarna är borta, det finns inga pengar! De är stulna!

– Är det sant? frågade han Omash, som låg vid hans fötter.

– Det är sant, det är sant! Varför skulle jag luras om detta? Rånad. Bunden och rånad! Hela dagen har jag sprungit runt i stan, polisen söker efter dem. Ni kan ställa mig inför rätta, döda mig – vad du vill. Jag kommer att finna mig i allt, absolut allt ...

Omash omfamnade den gamles knän.

– Upp med dig!

Toksanbaj såg plötsligt ett ljus i mörkret. Han förstod alltsammans, men vad spelade allt detta för roll?

– Upp med dig! Det är inte passande att ha en så mäktig djigit liggande för mina fötter.

Omash ryggade tillbaka, långsamt och försiktigt kom han på fötter.

– Och du, Jergesh, sluta nu du också. Gråt inte. Jag grät inte ens när sjukdomen tog mina två äldsta barn ifrån mig, när jag satte den tredje till världen och miste också honom. Och här ... gråta över några usla slantar ...

– Ni tror mig inte! Följ med mig till polisen, ni kan fråga dem.

– Sluta! Du kan sköta polisen på egen hand! Vad jag tror eller inte tror är min ensak. Jag behöver inte ett kopek. Vi tjänade dessa pengar på ohederligt vis, och de försvann på samma sätt. Må alla olyckor försvinna samma väg!

Omashs ögon trängde ur sina hålor av förvåning: Var det verkligen så enkelt? Jaså? Kommer jag verkligen undan så lätt?

– Lyssna på mig, sade Toksanbaj. Jag tänker inte försöka reda ut hur pengarna försvann. Jag trodde dig aldrig från första början, och jag har inte ändrat min uppfattning ... När vi fraktade hit malörten gjorde du av med en massa pengar. Så en av de närmaste dagarna kommer vi att ta med oss en ko hit till marknaden och göra upp våra affärer. Och vi kommer inte att lura dig. Begriper du det? Om du inte tror mig så kan du följa med oss hem. Du stannar hos oss i två eller tre dagar, och sen reser vi tillbaka till stan tillsammans.

– Vågar jag det?

– Du vet bäst själv. Kom till basaren nästa söndag. Vi kommer att vara där ... Nu åker vi hem, Jergesh.

Han såg på Omash och smålog:

– Jag undrade om jag inte hade tagit en alltför för tung och smutsig last på min rygg. Gudskelov slipper jag släpa på den längre.

Pojken såg storögt på sin farfar. Det verkade som om han började förstå ett och annat. Han frågade bara:

– Farfar, vart ska vi ta vägen i natt?

– Vi sover över på busstationen. Vi tar första bussen i morgon och går resten av vägen.

De gjorde sig hastigt i ordning, klädde sig, snörde ihop sina vid det här laget tunna knyten och stoppade dem i en stor svart väska, köpte några gåvor och gav sig iväg.

– Farväl, min käre Omash, sade Toksanbaj, vi har varit färdkamrater en tid, och om vi skulle stå i skuld på något sätt så tänk inte illa om oss. Gud välsigne dig. Han sträckte fram sin hand mot Omash. Och nästan som i ett slags halvdvala höll den jättelike mannen fram sin stora labb.

Han stod kvar och kände att hans kindkotor var hårt sammanpressade, men han kunde inte göra någonting åt det, han rörde sig inte ens. Först nu insåg han att den gamle, som han kunnat vika ihop dubbel och stoppa i fickan, var tusen gånger starkare än han. Han insåg med förvåning och bävan hur den gamle enkelt och okomplicerat hade genomskådat honom och satt honom på plats. Och bara att komma på en sådan sak – bjuda hem honom! Omash kände att han blivit krossad, levande begravd, utraderad inte bara ur livet, utan också ur minnet. Han vägrade, ja, var inte van att finna sig i sådant. Men vad kunde han göra? Kasta sig över den gamle, bryta ryggen på honom, slita ut hans giftiga tunga?

Men han vågade inte ens röra sig ur fläcken.

Och pojken stannade i dörren, såg uppmärksamt på Omash, och gick så efter sin farfar och suckade.

4.

Följande söndag tog Toksanbaj, som han lovat Omash, en ko med kalv till marknaden. Sonsonen gick vid hans sida: han skulle snart börja sina studier, och den gamle tänkte sätta honom i en internatskola. Men mest av allt önskade han att hans barnbarn skulle få se hur han gjorde upp sin affär med Omash, förutsatt att denne kom till mötet.

I går hade Toksanbaj träffat en överenskommelse med chefen för statsjordbruket om ett lagom betungande arbete, och detta gladde honom.

– Driv inte på så kraftigt, sade han till Jergesh. Kalven är fortfarande liten och tappar lätt orken.

Så suckade han: O Allah. Nu skulle han på gamla dar återigen gå igenom samma svårigheter som han en gång gjort för att kunna ge sina egna barn en start i livet. Men det skrämde honom inte. Han bad endast ödet om en tydlig färdriktning och goda föresatser.

1974

VI SLAPP UPPLEVA KRIGET

"Ni slapp uppleva kriget."

Med just de orden inleder gamla människor ofta sina berättelser och minnen av denna avlägsna och svåra tid, och samtidigt verkar de se med avund på oss som lever våra lugna, fridfulla liv och om natten drömmer sorglösa barnsliga drömmar. Det är de, grabbarna från i går, nu åldrade män, som åt oss erövrade rätten till en barndom och nu inte försummar något tillfälle att i förbigående påminna oss om vår obetalda skuld.

I början av kriget var det som om det inte fanns några barn alls. Det vill säga, förmodligen fanns de någonstans, fast inte i vår by. Så snart ett barn kommit till världen blev det hastigt vuxet, och man kunde nästan aldrig höra ett barn som grät eller ljudet av glada lekande barn. Det föreföll som om barnet redan i moderns livmoder vande sig vid umbäranden och fattigdom, och redan från födseln fogade det sig i hungern, vaknade hungrigt på morgonen och utan att ha kunnat stilla sin hunger gick det till sängs på kvällen ...

Nej, det fanns ingenting av hjältemod i detta. Det var en grym oundviklighet. Tiden själv hade redan från början format förnuft och sinnelag. Vid fronterna fördes kampen om segern, på hemmafronten, inklusive i vår egen by, var det en kamp om seger och överlevnad. Barnen, som ännu inte förstått vad krig var, bar redan dess tunga ok på sina axlar.

När vi blev äldre började vi hämta motståndskraft, mod och hopp ur poesin. När vi hörde det hungriga knorrandet i våra magar störtade vi med alla våra sinnen in i sagornas värld och hjältarnas odödliga bedrifter. Trots att vi var utblottade, rotlösa och hade berövats många av livets ljusa ögonblick tyckte vi likväl inte synd om oss själva – vi våndades med Alpamys, den gudomlige hjälten som varken brändes av elden eller uppslukades av vattnet. Från tid till annan, när vi hade turen att drömma om en nygräddad pannkaka i en lustfylld dröm, delade vi den med Koblandy som försmäktade i Zindans fängelsehålor. Medan vi själva saknade skor och kläder, med bara ett enda par stövlar för hela familjen, kunde vi fyrtiotalsungar fälla tårar över en olycklig get som hade dött av kärlek … Och vi växte upp kärva och vänfasta. Växte upp uthålliga och strikta. Vi grät i smyg, tyst.

… Ni slapp uppleva kriget.

Ja. Vi slapp det.

Vintern kom tidigt det året och var ändlös. Den bet sig fast i jorden som katten sätter klorna i mattan. Och vi såg så otåligt fram emot våren!

Det var fortfarande nästan mörkt när min mamma väckte mig:

– Upp Ongarzhan, skolan har börjat igen …

Jag vet inte om jag blev glad att höra denna nyhet eller inte, men mitt hjärta slog en volt i bröstet av min mors vänliga, milda röst. Hon hade varit lite snäv mot oss den sista tiden, och verkade alltid försjunken i sina egna tankar. Men i dag … Det var tydligt att nyheten om att skolan skulle öppnas hade väckt hopp hos henne igen.

Vi var två barn hemma, jag och min syster Jerkinaj. Hon var äldre än jag, men gick inte i skolan. Efter att hon med vissa besvär hade gått ut sju klasser ville Jerkinaj inte resa till Arys för att gå de sista tre åren. Ja, mor skulle inte tillåtit henne. I en jurta kan det räcka med sju år i skolan, sade hon. Och Arys är ingen bra stad, det finns många ligister där. Varför ska jag förlora dig därborta?

När min syster fick höra om ligisterna spärrade hon upp sina redan stora ögon och sade: Jag sätter inte min fot där!

Det var slutet på hennes skolgång.

När jag steg ur sängen hade Jerkinaj redan huggit upp is i nedre Kazankanalen, krossat den och fyllt två påsar som hon körde hem lastade på en åsna. Hon hade blivit en huslig och ordentlig flicka. Ända tills helt nyligen, för ett och ett halvt år sedan, medan far fortfarande var hemma, var hon en typisk lipsill och samtidigt en odåga. Många menade att hon inte var en normal flicka, utan ett busfrö.

Vart tog allt detta vägen? På denna korta tid hade den oberäkneliga och bortskämda Jerkinaj blivit som en omvänd hand: lättsam, tjänstvillig, arbetsam … Hennes rörelser hade plötsligt blivit balanserade och harmoniska, och hennes röst var inte längre gäll och påstridig som tidigare, utan mjuk och rentav kärleksfull. Och allt detta var så påfallande till hennes fördel, med hennes stora ögon, graciösa och smidiga rörelser. Hon rörde sig tyst som en katt, varje gest hade en särskild grace, en egen rytm – det var som om hon dansade fram och inte utförde tunga, ibland övermänskliga sysslor. Och så växte hon upp, och sådan var hon ännu många år senare, när hon blivit en vuxen kvinna, hustru och mor. Den hårda tiden tycktes medvetet förbereda henne för denna framtid – för en kvinnas höga och svåra plikt.

Jerkinaj plockade upp stora blåaktiga isstycken ur säcken och kastade dem i en väldig gryta som kunde ha räckt åt ett helt arbetslag. Hennes slanka figur böjdes utan ansträngning under bördan, och när jag såg på henne tänkte jag att hon för varje dag blev alltmer lik vår mor och skulle växa upp till en vacker kvinna som skulle dra allas blickar till sig.

– Jag hörde att din skola har öppnat igen, sade hon och vände sig mot mig, inte med ett leende, utan snarare, tyckte jag, med ett skadeglatt smil. Hon förstod helt klart att jag på en och en halv månad hade hunnit vänja mig av med skolan och inte var särskilt ivrig att sätta mig i skolbänken igen.

– Det är bäst att du skyndar dig, fortsatte hon, frukosten väntar.

– Ja, ja, sätt dig till bords, sade mor, och det lät nästan högtidligt. Det verkade nästan som om det inte var så mycket för skolans skull som de hade väckt mig, utan för att säga att frukosten var klar. Och faktiskt såg jag något på bordet som jag inte hade väntat mig: längst ned i träskålen med hirssoppa låg det en liten, byxknappsstor smörklick och flöt.

Efter några skedar var skålen tom, men jag skulle ha kunnat fortsätta att äta och äta.

Jag steg upp från bordet, tittade på Jerkinaj och såg hungern i hennes stora ögon.

– Men ni då? Har ni ätit? frågade jag. Min röst darrade.

– Nej ... Eller vadå? Vad sa du?

– Jag frågade om ni har ätit.

– Vi? Självklart ... Vi har ätit vad vi behöver, sade Jerkinaj och visade med handen mot halsen hur mätta de var, mor och hon. Men så vände hon sig hastigt bort från mig och började ösa upp smält is i en kittel med en stor slev.

Jag gick fram till henne och krävde att få veta, trots att jag visste att frågan var för sent ställd:

– Har ni ätit eller inte?

– Herregud, vi har ju sagt en gång att vi har ätit frukost. Sluta tjata!

– Du ljuger! Du bara ljuger! skrek jag.

– Nej, jag ljuger inte!

Hon såg ut som hon skulle börja gråta.

– Appa! ropade hon. Ongar tror inte att vi redan har ätit, du och jag! Säg till honom.

Mor kom in från farstun, såg på oss båda och sade med osäker röst:

– Vi har ätit, Ongar lille, gör dig i ordning för skolan ...

Jag visste att det inte var sant.

När jag hade klätt på mig bredde mor ut en duk vid spisen och hämtade handkvarnen. Det betydde att hon nu tänkte mala vetet som magister Sejdu hade gett oss dagen innan. Och medan de gör detta och medan de kokar det, och innan de sätter sig till bords och äter, kommer de att plågas av hunger. Men vetskapen om att de förr eller senare skulle få lite varm mat i sig gjorde mig aningen lugnare. Sedan mjölkar de kon. Visserligen har hon nästan ingen mjölk längre, men några droppar brukar det bli åtminstone. Våran

Rödkulla skulle ha gått med kalv redan i oktober, och nu var vi i slutet av vintern, och först nu fanns det hopp om en kalv. Mor sade att Allah skulle ha medlidande med oss och låta den röda kon ge oss en kalv.

Sent i höstas samlade vi in så mycket majsblad åt Rödkulla att vi fyllde hela ladan, och fastän våra grannar då och då bad oss om en eller två famnar foder – och hur skulle vi kunna neka dem? – behövde vår ko inte svälta. Att hon inte visste vad krig var för något, det är då ett som är säkert. Hon hade aldrig hört talas om det och ville inget veta. Hon stod där och tuggade, andades ljudligt och väntade på sin kalv.

Men kalven dog. Den dog på grund av sin mors egensinniga natur – ingenting annat … Varje gång inför kalvningen var det som om vår Rödkulla hade mist förståndet: hon slet av alla rep, kunde tugga sönder trossar, men iväg ut skulle hon till varje pris och gå vart hon ville. Medan min far var hemma hittade han henne alltid. Han lärde sig efter hand alla ställen där hon brukade gömma sig för människors blickar och spårade henne. Men inte direkt. Om den stackaren så gärna vill kalva ute i det fria, sade han, så är det vad hon vill. Och sedan gick han ut och letade rätt på henne och återvände alltid med kalven över axlarna. Och bakefter följde Rödkulla kärvänligt råmande, lugn och stolt över sin nya kalv.

Året före blev hon inte betäckt, och allt var lugnt – hon sprang inte iväg någonstans. Men strax före den sista kalvningen var hon som uppslukad av jorden. Vi hittade henne först den tredje dagen i en avlägsen dalsänka, dit inte ens en ung grabb skulle kunnat ta sig igenom utan svårighet, och än mindre en fullvuxen ko. Där stod hon. Hon slickade sin kalv, men vi kunde direkt se att den var död. När hon upptäckte oss stönade hon olyckligt och stirrade på mor med en lång, sorgsen blick, som om hon undrat: "Vad ska jag göra nu? Säg!…"

– Stackars dig, stackars dig, sade mor mjukt och brast i tårar.

Vi lastade kalven på vagnen och gav oss iväg hem till byn. Kon höll jämna steg med oss och höll ett öga på sin kalv, som om hon oroade sig för att den låg obekvämt.

– Varför dog den? frågade jag mor.

– Såg du inget?

– Nej, ingenting.

– Inga spår heller?

– Spår? Det verkade finnas djurspår ...

– Det stämmer. Vargspår. De hade gett sig på henne just som hon var på väg att kalva, och hon kämpade emot, försökte skydda sin ofödda kalv – se här, hon är riven överallt.

Först nu upptäckte jag att kons päls var matt av blod och att vargarnas huggtänder hade lämnat djupa spår i hennes kropp. Stackare, vad hon måste ha lidit medan allt detta höll på!

Från den dagen älskade jag Rödkulla och förlät henne alla hennes påhitt, och hennes envisa försök att befria sig från repen och lämna kätten såg jag inte längre som utslag av lynnighet, utan som frihetslängtan och mod.

Samma dag flådde mor kalven och stoppade huden med halm och gjorde en bulvan.

– Varför gör du så, appa? frågade jag.

– Jag ska lägga den framför Rödkulla när jag mjölkar.

– Varför det?

Jag förstod inte.

– Kanske hon tar miste och tror att det är hennes kalv och slappnar av i juvret, annars kommer vi att vara utan mjölk igen, berättade mor. Hennes ord fick det att svida i hjärtat: Kunde man verkligen lura ett stackars djur så grymt?! Men självklart sade jag ingenting.

På kvällen sköljde mor hinken, hämtade det hastigt hopkomna djurbelätet från ladan och lade det bredvid kon. Kon började slicka den sorgliga skepnaden som skulle föreställa hennes kalv, och stora, tunga tårar tycktes rulla från hennes ögon. Men trots allt började juvret strax att svälla påtagligt, klingande strålar av mjölk strömmade ned i spannen, som snabbt började fyllas.

Låg det enbart grymhet i ett sådant bedrägeri? Nej, uppenbarligen fanns här också en godhet. Och mer än en mamma har genom tiderna tvingats att tillgripa liknande knep. Sedan urminnes tider har kor lurats när deras kalvar dött, och det skedde inte bara för mjölkens skull, utan därför att inte ens känna lukten av sin döda kalv är ännu svårare att uthärda för en ko, det är kanske ännu svårare än att se en djurhud fylld med halm.

Vem vet om detta är sant? Men livet skapar sina egna lagar. Man måste leva för det som lever, det finns inget man kan göra, och när det inte finns något som kan ersätta mjölken är den livet självt.

Jag försökte inse allt detta, att förstå och ta det till mig, men jag kunde ändå inte sova den natten, jag vred mig från sida till sida och kunde inte glömma denna olyckliga dag.

– Vad är detta? frågade mor. Varför sover du inte?

– Vad hade hänt om du hade lagt någon annans konstgjorda kalv hos våran Rödkulla? frågade jag.

– Vadå konstgjord? Och vilken kalv? frågade hon sömnigt oförstående, men vaknade i samma ögonblick till:

– Åh, du tänker fortfarande på den där dockan! Nej, vi får prata om det i morgon, vi ska sova nu.

– Jo, säg, envisades jag.

– Du förstår, min pojke, djur känner igen sina barn på deras lukt. Jag sa ju det …

– Och om skinnet är torrt och inte luktar längre?

– Kon känner igen sin kalv i alla fall, sade hon.

Det gick en kort stund, så viskade hon plötsligt, men ändå så att jag kunde höra alltsammans:

– Åh, vad jag undrar var han är just nu, min stackars grabb?

– Vem då, mamma? Vem pratar du om?

– Jag tänker på din far, sade hon. Det är så länge sen. Kråkorna har kanske redan hackat i hans kropp …

Jag blev så rädd att jag direkt hoppade över från min säng till mammas, och hon körde inte iväg mig, tvärtom tryckte hon mig intill sig och en varm tår föll på min axel – mamma grät utan att själv märka det.

– Kalven skulle säkert inte ha dött om pappa hade varit hemma, sade jag.

– Säkert. Självklart skulle pappa ha hittat Rödkulla, dödat vargen och räddat kalven ... Hon gav till en liten barnslig suck och vände sig bort från mig. Hennes axlar skakade lätt, hon grät tyst, och jag ville också gråta för hennes skull, för min pappa, för den döda kalven och den stackars Rödkulla, för min syster, som tryggt snusade bakom förhänget, för alla och allt ...

Och så gick den långa, smärtsamma natten.

Jag stoppade hastigt ned alla saker i min väska, böckerna och skrivhäftena som jag var beredd att göra mig av med för alltid, och öppnade dörren.

– Hördu! ropade Erkinaj efter mig. Slå inga kanor på isen!

– Jag lovar, svarade jag. Jag förstod vad hon var orolig för. Alla tre använde vi samma stövlar och var tvungna att vara rädda om dem som om de var det dyrbaraste vi ägde. Och på isiga vägar blir sulorna fort slitna.

Våra stövlar var i storlek fyrtioett och både mamma och Jerkinaj drunknade i dem, och mig ska vi inte tala om. Men tack och lov att vi åtminstone hade dem, annars hade vi inte kunnat gå utomhus – varken efter is eller för att hämta ved eller gå till skolan ...

Jag stannade längs vägen som jag brukade för att hämta Kulman. Den stackarn var mycket värre ute än jag: hans kläder var slitna, stövlarna var trasiga och mössan såg ut som en skabbig katt ...

Kulmans mamma var inte hemma, hon hade gått till kolchosen en bit bort på kvällen och blivit kvar över natten. Deras hus såg ut som en ödetorp! Tomt, kalt och kallt ... Kulmans nioåriga syster Zergul stod på huk framför spisen och försökte blåsa liv i glöden. Flickan blåste och blåste, men gödselbriketterna ville inte ta fyr och en halvbrunnen trädgren som var täckt med ett tjockt lager aska spred en stickande rök. Till sist tog Zergul ett djupt andetag och blåste så hårt att askan flög upp i ett moln och rakt i hennes ansikte. Flickan hostade och hoppade åt sidan.

– Vad stånkar du för? Du skulle ha satt eld med ett papper, sade Kulman strängt.

– Var skulle jag få det ifrån? svarade Zergul med gråt i rösten och tänderna skallrande av kylan. Hon hukade sig ned igen framför spisen.

– Vänta, får jag försöka? Ge mig en tändsticka ...

– Jag har inga tändstickor ...

Jag öppnade snabbt min väska, rev ut en sida ur en anteckningsbok och lade den mot en svagt glödande kolbit.

– Nu blåser vi båda två, sade jag.

– Båda två? frågade hon. Varför det?

– För annars kommer papperet att brinna upp till ingen nytta.

Vi blåste så hårt att jag blev alldeles yr, och Kulman blev orolig.

– Blås inte ut den sista glöden, sade han, annars måste Zergul värma sig vid den kalla spisen ända tills mamma kommer.

Men papperet flammade upp som tur var och briketten fattade eld. Zergul klappade i händerna av glädje. Ansiktet var täckt av aska och sot och i hennes stora ögon glittrade återskenet från elden.

Morgonens spiständning var nästan en helig ceremoni i varje hus i byn, och alla levde i ständig oro för att glöden efter kvällselden skulle dö ut helt under natten och inte skulle gå att blåsa liv i på nytt.

Kulman var redan klädd och väntade på mig.

– Ska vi gå? Han plockade upp sin väska.

– Du har inte ätit frukost än, sade jag, och ångrade genast mina ord. Har ni bröd hemma?

– Nej! svarade Zergul. På hennes röst lät det som om det fanns hur mycket bröd i huset som helst och att hon bara ville skämta.

Kulman svarade inte. Men på tröskeln vände han sig om och sade till systern:

– Ta majsen i lådan, det är lite kvar. Stek och ät. Har du förstått?

Flickan svarade inte.

– Hörde du mig? frågade Kulman strängt.

– Ja ... Fast mamma blir arg på mig ...

– Var inte rädd, sade Kulman. Och om det händer någonting, så berätta för mig.

– Jadå, sade Zergul. Jag tar med mig till dig också i skolan.

– Nej! Stanna hemma, annars förkyler du dig.

– Kulman, sade jag, det skulle vara bättre om Zergul gick hem till oss.

Jag ville säga att min mamma skulle kunna ge henne åtminstone något att äta, men jag var rädd att såra Kulman. Men han förstod. Och sade envist:

– Det behövs inte! Hon får stanna hemma.

Han avvisade stolt mitt erbjudande. Med stolthet och värdighet. Och eftersom jag kände till hans envishet ville jag inte vara påstridig.

Vi gick tysta till skolan. Jag såg att Kulman var upprörd. Jag förstod inte hur deras mamma kunde lämna dem utan mat i ett oeldat hus. Fast … Hon var egentligen inte deras mamma, utan bara deras styvmor. Kulmans och Zerguls mamma hade dött för flera år sedan, medan barnen var väldigt små. Hon var sjuk länge och en natt dog hon helt stilla. Deras far väntade i ett år enligt muslimsk sed, och gifte sedan om sig med en änka från ett kollektivjordbruk i närheten. Han gjorde det enbart av oro för att han inte skulle återvända från kriget och lämna barnen föräldralösa. Och efter bröllopet, knappt en månad senare, blev han inkallad och drog ut i kriget och lämnade barnen till denna helt främmande kvinna. Hans hjärta var nära att brista av medlidande och oro.

I skolan eldades det inte i kaminen. Kylan vandrade runt hela klassrummet.

Från början hade det suttit tre, ibland fyra elever vid varje bänk, och det var så trångt att det knappt fanns plats för böckerna. Men nu fanns det bara fjorton barn som delade på nio bänkar – håglösa, dystra, plötsligt vuxna. Vi kände oss med ens ovana vid skolan, och skolan hade vant sig av med oss.

Magister Sejdu såg även han dyster ut. Trots att han inte var särskilt ung lyckades han ändå hamna vid fronten, och när han återvände till byn hängde ena rockärmen tom.

Han stod tyst och studerade ansiktena framför sig, som om han på nytt bekantade sig med sin klass. Detta var tredje klassen, en blandad klass av olika åldrar. Jag tänkte för mig själv att vår

213

klass påminde om ett par stövlar i storlek fyrtioett, som stövlarna jag just då hade på mig, men som hade gjort tjänst även åt mamma och Jerkinaj, och mycket väl skulle ha dugt åt en vuxen man om det hade funnits en i vårt hus. Bredvid tioåringarna satt femton- och sextonåringar som av en eller annan anledning inte hade kunnat gå i skolan när det var deras tur. Flera av dem hade rentav hunnit bli vuxna, bland dem Aizhamash, som hade fyllt sjutton. Och tydligen kände hon sig obekväm bland alla småungarna och valde en natt att rymma sin väg och gifta sig med Tleuberdy från kolchosen Aymaut. Grabben hade blivit sårad under de första månaderna av kriget och återvänt hem.

Magister Sejdu kom naturligtvis ihåg oss allesamman perfekt, men ändå, för ordningens skull, tog han sin liggare och började uppropet:

— Asanov!

— Borta.

— Vad är det för fel på honom?

— Hans far är anmäld stupad.

Sejdu var tyst länge, så sade han nästan som för sig själv:

— Jag går dit efter skolan.

Och han ropade upp nästa:

— Atabayev!

— Han är inte här. Han har åkt för att hämta briketter och är inte tillbaka ännu.

— Baribajeva!

— Här! svarade Guldzjemal.

Förut brukade hon sitta vid samma bänk som jag. Hon var den duktigaste eleven i klassen och allas favorit.

— Bokajev!

— Inte närvarande.

— Vad har hänt?

— Ingenting, det är bara det att grabbarna ska bli omskurna i dag.

— Gud sig förbarme! sade Sejdu ofrivilligt, fastän alla visste att hans pojkar inte hade undgått samma öde.

— Isjakov!

214

– Det är samma där …
– Vad är nu detta?

Magister Sejdu var riktigt arg.

– Folket går igenom hemska prövningar, och samtidigt är det …
– De sa att det inte skulle bli någon skola förrän till våren, så
då tänkte de …, meddelade vår ordningsman Kempirbek. Så då
bestämde de sig för att …

Sejdu log ett spydigt leende och alla vi pojkar skrattade högt.
Jag tror inte att någon av oss hade skrattat så mycket sedan kriget
började och barn slutade vara barn. Vår barndom var förbi, borta,
förlorad som kvicksilver i en filtmatta, och ingen hoppades att
den skulle återvända. Visslande över slagfältet, raka vägen till vår
by, hade en välriktad kula genomborrat vår barndoms styva nack-
ar och varit direkt dödande. Och nu plötsligt, under denna lektion,
återuppväcktes barndomen för ett ögonblick i breda leenden och
klingande skratt.

Men bara för ett ögonblick. Så drog den sig tillbaka igen. Och
var och en av oss återvände till sina egna dystra funderingar.

Jag tänkte på tårarna i Rödkullas ögon, och hur hon slickade
belätet av sin egen kalv. Stackars djur! Jag undrar om hon genom-
skådade bedrägeriet. Men jag visste redan att mödrar kysste och
kramade sina döda barn nästan mera kärleksfullt än de gjort med-
an dessa levde. Och nu hade jag själv fått uppleva detta.

”Kråkorna har kanske redan hackat i hans kropp …” Hur kun-
de min mor tänka på min far i sådana hemska ordalag? Min far,
vars sånger hela byn fortfarande mindes, min far, som kunde hitta
vår Rödkulla var som helst och bära hem en våt, varm kalv. Som
brukade kasta oss högt i luften när han kom hem från arbetet.
Jerkinaj och jag väntade alltid på honom utanför porten, och han
turades om att kasta upp oss och fånga oss i sina starka armar …
Och för sin sista fredslön hade han köpt oss var sin sobelmössa
och sagt: Här får ni, mina föl, och nästa gång, om Gud vill, så
ska jag ge er mamma en likadan … Hela sitt liv och alla sina för-
hoppningar hade han fäst vid oss, vid sina barn och sin hustru.
Var fanns han nu? Någonstans på den snötäckta stäppen … en …

Nej, det var omöjligt! Hon borde inte ha använt de orden.

– Baribajeva! Vad är det med dig, Baribajeva?

Jag vaknade till av lärarens höga röst och såg på Gulzhamal. Hon grät med ansiktet gömt i händerna. Vår lärare verkade helt förvirrad.

– Vad är det, Gulzhamal? Vad har hänt? frågade han och strök flickan över ryggen med sin enda hand. Varför gråter du?

– Inga brev … Det har redan gått tre månader nu …

Lärarens tafatta smekning fördubblade flickans smärta över sin far. Hon snyftade tyst, hennes tunna axlar darrade och tårarna ritade mönster i skolbänkens svarta yta.

Alla satt tysta. Magister Sejdu också. Vi tittade på Gulzhamal, vi tyckte synd om henne och tyckte synd om oss själva. Och från våra halvöppna munnar kom moln av frostig ånga, som röken från en cigarrett.

Magister Sejdu tog upp en stor och ren näsduk ur sin ficka, lyfte försiktigt Gulzhamals huvud under hakan och torkade hennes ögon, med de långa ögonfransarna som var hopklibbade av tårar.

– Gråt inte, sade han mjukt. Det kommer fler brev. Posten fungerar inte så bra nu, så vi måste vänta tålmodigt …

– Min mamma säger … Gulzhamal vacklade och blev tyst.

– Vad? Vad säger din mamma?

– Att någonstans kanske kråkorna redan hackar i honom.

Herregud! Kråkorna igen! Jag rös till. Magister Sejdu gick långsamt tillbaka till sin plats och satte sig. Hans ansikte var grått. Han satt tyst länge, som om han samlade kraft, och när han till sist tog till orda darrade rösten.

– Mina barn, började han, säg aldrig efter dessa ord, utan försök att glömma dem. Och tala om för era mödrar att det är onda ord. Och tro inte på dem, våga inte tro på sådana ord! Nej, sade han hårt. Det som ingen har sett är en lögn. Och era mödrar har aldrig sett kriget, eller sett en kråka hacka på en människa. Mina barn, lyssna på vad jag säger! skrek magister Sejdu och slog näven i pulpeten:

– Jag har sett mer än de, jag vet mer än de, och jag har en gång

216

varit nära att bli begravd ...

Ja. Ja, så var det ... Förra våren hade lärarens familj fått ett svart papper med hans namn och orden "stupat i hjältemodig kamp". Hans hustru och hans barn grät – inte tårar, utan blod, och modern föll på den kalla jorden och rev sitt ansikte. Huset skakade av gråt och klagan, sörjande släktingar kom överallt ifrån. Tiden gick, och lärarens familj började vänja sig vid snaran som ödet hade dragit åt om dem. Livet krävde sitt – arbetet, de vardagliga bekymren och omsorgen om barnen ... Men plötsligt en dag kom ett brev från Sejdu. Han skrev att han var allvarligt sårad och hade legat länge på slagfältet omgiven av döda soldater. De var alla på väg att begravas i en massgrav, då någon märkte att en i mängden rörde på huvudet en aning. Och sedan ännu en och ytterligare någon. Allt som allt återvände sex soldater från den andra sidan. De fördes till fältlasarettet för vård. Men Sejdus kompanichef visste ingenting om detta, och det var han som hade skrivit brevet till byn om den hjältemodige soldatens död.

Sejdus eget brev slutade med orden att han snart skulle återvända hem.

Det är svårt att säga vilken chock som var störst för lärarens fru och gamla mor – när det svarta brevet kom, eller när de fick brevet från den livs levande Sejdu. De blev nästan galna av lycka och grät och skrattade om vartannat och trodde att ett mirakel inträffat, samtidigt som de inte vågade tro på det. Och barnen sprang runt i hela byn och ropade ut sin glädje: Koke lever! Koke kommer hem!..

Och snart blev det en hejdundrande fest för hela byn. Hur kunde den kallas annat, när en av hedersgästerna vid bordet var en man som alla hade trott vara död och begraven?

Magister Sejdu möttes av en hel folkmassa utanför byn – allt från böjda gamlingar till barn som bara kunde krypa. Och alla grät av lycka. Även vår lärare grät.

Det ska sägas att folket i vår by på det stora hela var känslosamma människor. Oavsett om det kom goda eller dåliga nyheter från fronten, om dottern i en familj rymt hemifrån för att gifta

217

sig eller återvände hem olycklig, om en kalv råkat dö för grannen, eller om någon bara råkade sjunga en vacker visa, så kom tårarna. Kunde det kanske vara för att människorna fortfarande bar med sig en urgammal lyhördhet, godhet och förmåga till medkänsla med sina grannar som ärvts genom generationer från deras förfäder? Eller hade det möjligen sin upprinnelse i det faktum att ödet genom århundraden hade vänt ryggen åt dessa enkla människor, slagit dem i ansiktet eller nacken, och att den oupphörliga smärtan och vreden stannat i deras hjärtan? Fast mera troligt var nog ändå att folket i byn ärvt denna fallenhet för tårar, eftersom deras söner så ofta slitits från sina hem för att dö mitt i ingenstans, i ett främmande land. Alla dessa döda! All denna sorg! Och jag skulle också kunna förklara känsligheten hos våra bybor med deras outsläckliga törst efter lyckan. De har alltid levt med en dröm om fred och glädje, en dröm som många gånger frusit till is i deras hjärtan. Och alla vet vi ju att is har egenskapen att smälta och förvandlas till vatten. Och därför smälter den vid ljudet av en vacker sång och av ett oundvikligt öde under blodiga och hemska tider, då en moders sorg vid trettio gravar över trettio söner delats lika mellan människorna, trängt lika djupt i allas hjärtan. Därför ger också nyheten om den döda kalven skäl till tårar, och tårar faller lika väl vid glada bröllop, när man tänker på hur unga flickor under gångna tider rövats bort, kastats över ryggen på en häst och förts bort, Gud allena vet vart.

Ja, sannolikt hade närheten till tårar ett blandat innehåll – minnet av en smärtsam händelse, en banal besvikelse i vardagen. Men sorgen hade lärt dem att värdesätta stunderna av glädje, och tårarna var inte enbart ett uttryck för mänsklig sorg utan också för ett glädjerus, en oförmodad lycka, och för tacksamhet mot ödet för ett ögonblick av ljus.

Denna outsägligt mirakulösa dag grät magister Sejdu inte bara av insikten om att han hade överlevt, rymt från själva helvetet, återvänt till sin familj och att han, om Gud så ville, skulle uppleva mycket mer i livet. Nej, det var också tårar av sorg. Vår lärare sörjde alla dem som aldrig skulle återvända hem till sina barn, hustrur, åldriga föräldrar och alla dem som mött honom utanför byn i dag. Han sörjde alla dem som stupat, alla dem som inte fick en grav, dem som aldrig skulle återvända hem, och änkorna och de faderlösa barnen …

På den stora festen sjöng folk sånger, mestadels sorgliga, som skar i hjärtat. Inte minst gamla Katsha, vars röst alla nu har glömt, och alla lyssnade förstummade, ingen annan kunde den här sången, inte en enda person. Och det var en vacker sång. Var, när och av vem hade hon lärt sig den, och hur hade hon kunnat behålla den i sitt huvud i årtionden? Hur kunde hon bevara de bittra och ljuva orden, den sorgsna och smeksamma melodin? Hur höll hon allt detta kvar i sitt skröpliga och plågade minne?!

Antagligen hade inte ens gamla Katsha själv kunnat svara på detta.

Och vi små, vars barndom var bränd av kriget, satt tysta vid dörren, ingen lade märke till oss, ingen intresserade sig för oss. Men frånvaron av uppmärksamhet störde oss inte det minsta. Nej, så skulle det vara. När allt kom omkring var vi inte mer än barn och visste vår plats.

Alla tittade på Sejdu. Hans tomma ärm överraskade inte eller skrämde någon, det var som om det alltid hade varit så. Bara vi barn viskade till varandra först:

– Titta, han har förlorat en arm …

– Jag ser. Vad är det för konstigt med det? Han lever i alla fall …

Ja, magister Sejdu satt där vid bordet levande och vi tittade på honom, och var och en av oss önskade bara att vår far skulle återvända från kriget, om så med bara en arm. Det är inte så förskräckligt. Man kan leva vidare.

Så sjöng Sejdu några krigssånger, och även om ingen förstod texten lyssnade de på honom tysta, spända så de knappt andades. Det var långa ryska sånger. Tårar rullade utför hans insjunkna kinder, men han torkade inte bort dem, han märkte dem förmodligen inte själv. När vi började i skolan fick jag ibland för mig att magister Sejdu skämdes för de där tårarna.

… Så han sade:

– Jag blev också begravd en gång, men här står jag framför er! Sedan tillade han:

– Lyssna inte på vad andra människor säger, utan lita på att era fäder kommer att återvända.

Gulzhamal grät inte längre. Jag undrade hur det kom sig att min mor och Gulzhamals mor hade sagt samma ord om sina män? Skoningslösa ord om kråkor som hackar deras döda kroppar? Hur kunde ett sådant grymt sammanträffande vara möjligt?

Den dagen lärde jag mig älska Gulzhamal mer än jag någonsin älskat henne. Jag ville gå fram till henne och sätta mig bredvid henne igen vid samma skolbänk. Jag ville att ett mirakel skulle ske: att jag skulle vara den som hittade hennes far och hjälpte honom att ta sig hem. Då skulle Gulzhamal glömma hur man gråter!

Utanför fönstren stannade en dragkärra. Läraren lade igen boken och sade:

– Det blir inga lektioner i dag. Spring ut och lasta av kärran. I morgon ska vi börja elda här i skolan.

Vi störtade ut på gården.

Vi var på väg hem från skolan längs en väg upptrampad av barnafötter i snön. Framför mig gick Gulzhamal. Hennes skolväska släpade i marken i en alldeles för lång rem, och Gulzhamal stoppade den till sist under armen.

Jag sprang i fatt henne.

– Ojbaj! ropade hon förvånat. Vart ska du ta vägen? Ska du inte hem?

– Jag följer dig hem först.

– Det var värst! Varför ska du följa mig? Tror du inte jag kan ta mig hem själv?

– Säkert. Men du var ledsen och grät i skolan …, stammade jag.

– Än sen då? Varför påminner du mig om det? sade Gulzhamal strängt. Vad angår det dig? Och hon vände sig bort.

Jag tror att jag sårade henne, jag kunde se det i hennes ögon. Men det låg inte bara harm i dem, utan också stolthet. Och stoltheten passade henne, den gjorde henne i det ögonblicket särskilt vacker, nästan vuxen.

– Du förstår, sade jag, jag tänkte … I skolan i dag tänkte jag på samma sak som du, för i går kväll sa min mamma precis samma sak om kråkorna …

– Nähä? invände Gulzhamal. Det är omöjligt!

– Jag skulle aldrig ljuga om en sån sak! sade jag upprört. Jag blev så förvånad. Och så tyckte jag synd om dig. Jag ville rentav sätta mig vid din bänk igen, om du vill förstås.

Hon såg länge på mig, som om hon aldrig sett mig förut, och ganska oväntat sade hon:

– Du verkar bli precis som alla de andra.

– Vad menar du med det? Var har du fått det ifrån? Vad har jag sagt dig för något?

– Jag har hört att det bara är slynglar som gillar att ragga tjejer på det viset, smörar för dem med en massa vackra ord och försöker fjäska in sig.

– Nej, hördu! Jag försöker inte alls fjäska in mig, jag frågade bara om jag fick sitta vid din bänk.

– Men varför? Varför måste du byta plats?

– Ja helt enkelt för att … Om du börjar gråta igen … då kan jag försöka lugna dig, torka tårarna med näsduken och så. Jag vill inte att någon annan ska göra det! sade jag ivrigt. Jag vill inte att läraren heller ska göra det! Förstår du? Du kan tänka vad du vill om mig! Till och med kalla mig för slyngel om du vill.

Jag var på vippen att vända och gå min väg, men jag märkte hur Gulzhamals kinder blossade upp och läpparna darrade.

– Nej, sade hon bestämt. Du får inte sätta dig hos mig.

– Varför?

Hon svarade inte, vände sig bara bort och sprang hemåt.

Jag skyndade också hem. Men jag hade inte ens hunnit halvvägs när jag stötte på Kulman. Han stod mitt i snön och trampade runt i sina trasiga stövlar.

– Nå, hur gick det? Fick du följa henne hem?

Kulman hade sett mig när jag följde efter Gulzhamal.

– Nej, sade jag, utan att gå in på vad vi hade sagt. Hon sa att hon ville gå ensam.

– Äh! sade Kulman överlägset. Du vet inte hur man fixar en tjej! Det är ingen match. I början ska de alltid vara lite fina i kanten, men sen så ...

– Håll truten! Du har ingen aning om någonting, du bara hänger dig på!

– Skulle inte jag ha en aning? Jag är inte döv, tack och lov. Jag hörde hur du tiggde om att få sitta vid hennes bänk och att du skulle torka tårarna på henne och inte tänkte låta läraren göra det. Jag hörde allt!

– Du fattar ingenting, Kulman. Jag tycker bara synd om Gulzhamal. Du gillar ju henne också och det gör alla de andra med.

Kulman svarade inget och jag tog hans tystnad som att han inte kunde svara. På vuxnas sätt (vi höll alla på med det i den åldern) frågade jag nedlåtande:

– Svara då! Varför säger du ingenting?

– Hur ska jag veta det? svarade Kulman, plötsligt osäker. Jag vet ingenting om mig själv. Och han återföll i sitt tidigare tonfall, och det kändes obehagligt och till och med sårande för både mig och Gulzhamal:

– Över huvud taget är det tydligt att fallet är oklart. Ta det lugnt, broder, allt kommer att ordna sig för din del ...

Jag vände på klacken och lämnade Kulman utan att se mig om.

* * *

Nästa dag red jag till skolan på vår gråa åsna – kölden var alltför hård. På det viset sparade mamma och Jerkinaj dessutom våra stövlar.

På vägen tillbaka bestämde jag mig för att ta Kulman med mig, trots att jag inte hade pratat med honom på hela dagen och inte ens närmat mig honom.

Kulman blev väldigt glad.

– Jättebra! Vem vill väl knata i snön och kylan i såna här dojor?

På vägen hem återkom Kulman till gårdagens samtal.

– Och du, kompis, är allt en slug rackare, hörde jag hans giftiga röst bakom min rygg.

– Vadå? Vad pratar du om?

– Jo, att du är slug. Du är nere i tjejen och drar en massa skrönor om att du bara tycker synd om henne.

Detta tänkte jag inte ta emot! Varför stack han sin stora näsa i saker som inte angick honom?

– Ner från åsnan! Fort! skrek jag.

Kulman behövde inte tvinga mig att säga detta två gånger – han hoppade av och blev stående där han var, fortsatte inte framåt. Jag rörde mig inte heller. Av någon anledning slog mig tanken att Kulman måste vara hungrig, och om jag tog hem honom till oss skulle mamma ge honom mat, dela upp mellan oss det som hon hade lagat till åt mig. Jag såg honom stå och huttra i sina slitna kläder och trasiga stövlar ... Han såg ut att frysa till och med i armhålorna. Och jag väntade. Om han bara hade sagt "Förlåt mig, Ongar", skulle jag ha gett efter.

Men han stod alldeles tyst. Om jag hade ångrat mig och bett honom sitta upp på åsnan igen skulle Kulman förmodligen ha ansett mig besegrad i vårt gräl. Och det ville jag inte, för saken handlade inte bara om mig, den handlade om Gulzhamal: han hade förolämpat också henne med sitt dumma prat.

Till byn var det fortfarande säkert två kilometer kvar. En iskall vind blåste från norr. Min stackars åsna var hungrig, trött och frusen – han hade ju väntat på mig utanför skolan i flera timmar! Han kunde nätt och jämnt röra benen i den djupa, klibbiga snön. Öronen var fällda och isiga tårar hängde under ögonen. När Kulman klev av fick åsnan nya krafter och ökade farten, och där det fanns lite snö sprang han nästan och hade tydligen bråttom hem till stallet och hoppades att det skulle finnas mat som väntade på honom.

Stackars åsna! Kunde han förstå att det var viktigare för oss att mata kon än att ge honom mat? Fastän detta naturligtvis var orättvist! Den enda anledningen till att Rödkulla inte behövde svälta var att en grå liten åsna hade släpat hem mat åt henne hela

223

sommaren. Och åt oss människor bar han brännved. Och bara åt oss? O nej, vi hann inte mer än lämna honom i stallet för sig själv för en kort stunds vila, förrän någon av grannarna dök upp: Får vi låna den gråe ett par timmar, vi ska bara hämta is från bäcken ...

Hur kan man ha hjärta att säga nej? Och det stackars djuret tvingas knäa under tyngden av främmande människors säckar fyllda med isblock.

Ja, och ofta bar han mig till skolan, och det var inte precis nästgårds! Så fort jag kom ut ur huset på morgonen visste han vad som gällde och ställde upp med sin magra rygg. Över huvud taget gjorde han lydigt allt som folk bad honom om, och när han sedan var tillbaka i sitt eländiga stall fick han äta resterna efter den bortskämda Rödkulla, som låg där i sitt varma bås. Och han klagade inte, utan tog allt för givet, så folk borde inte tjata om envisa åsnor, det är inte rättvist. Och jag måste erkänna att jag ibland blev irriterad på den gråes foglighet. Vad har man för nytta av att vara så snäll? Ingen alls! Det är enbart till skada ... Både för djuren och människorna.

Jag trodde att vi hade hunnit ett bra stycke bort från Kulman, så jag tittade bakåt, men kunde inte se om han följde efter eller om han fortfarande stod kvar. Jo, han rörde på sig, han var på väg ... Han tog några steg, så böjde han sig ned och skakade snön ur sin trasiga känga med fingrarna, eller försökte trycka tillbaka tyget i hålet.

Grät han av kylan eller av ilska...? Nej, detta var trots allt för elakt. Jag borde inte ha kastat av honom.

– Hördu, Kulman! Kom nu, var inte dum!

– Ge dig iväg!

– Kom och sitt upp! försökte jag igen.

– Jag dör hellre!

Han sprang så fort att han snart hann ikapp oss, jag kunde nätt och jämnt hålla jämna steg med honom på min stackars åsna och fortsatte att ropa åt honom: "Sitt upp, sitt upp på åsnan, hör du?" Men han skakade bara på huvudet. Jag märkte att en av fotlindorna hade ramlat ur skon och låg kvar i snön. Så nu skulle snön

packa sig inuti skon och Kulman skulle antagligen förfrysa foten.
– Stanna, Kulman! skrek jag och hoppade av åsnan och sprang
vidare framåt och tog honom i kragen.

Kulman gjorde inget motstånd, men han gav mig en blick som
var mer rasande än jag någonsin hade sett i mitt liv. Och jag släpp-
te greppet och stammade:
– Hördu, Kulman, jag är ledsen … Jag ber dig …
– Gör inte det, sade han lågt och gnisslade med tänderna. Jag
hatar när folk förödmjukar sig.
– Jag förödmjukar mig inte, jag ber dig! Du fryser fötterna av
dig!
– Låt dem ramla av helt och hållet! sade han bittert. Jag skiter
i mina fötter! Jag bryr mig inte om någonting! Jag behöver ingen-
ting!

Han såg på mig och jag blev alldeles kall: det var blicken hos
en galning.
– Förstår du? Jag behöver ingenting! Här, titta!

Han sjönk ned i snön, slet av sig båda stövlarna och började
därefter ta av sig sin tröja och ropade med hes röst:
– Ni är avskyvärda allihop! Grymma! Falska! Och varför ljuger
du om att du bara tycker synd om Gulzhamal? Du älskar henne,
du tycker inte synd om henne! Om du tyckte synd om henne skul-
le du tänka mera på att hennes mamma är sjuk, och det finns två
andra barn i huset! Och att vargarna häromdagen rev deras enda
ko, och att de inte har en brödbit i huset! Vet du det? I stället för
att flöda över av kärlek borde du hellre tänka på hur du kan hjälpa
dem!

Med bara fötter stod han i snön och blev gradvis allt blåare och
skakade i hela kroppen.

Jag rusade fram till honom, lade min arm runt hans axlar och
vädjade med tårar i ögonen:
– Kulman, låt bli det där! Klä på dig, jag ber dig! Du kommer
att frysa ihjäl! Tänk på Zergul, om du inte bryr dig om dig själv.
Vart ska hon ta vägen? Jag lovar, jag ska gå till Gulzhamal, jag ska
tänka ut ett sätt att hjälpa dem, men klä på dig nu genast …

225

Jag grät, och mina tårar tycktes ha hjälpt den upprörde Kulman att nyktra till och han drog på sig tröjan. Jag skakade snön ur hans stövlar och hjälpte honom att linda sina blåfrusna fötter i ett par fotlindor. Han lydde mig utan ett ord. Men hur skulle vi göra sedan? Enbart genom att hålla sig i rörelse kunde han rädda sig från en svår förkylning, och om han red på åsnan skulle han vara genomfrusen när han kom fram, i synnerhet som vi måste kämpa mot den isande vinden.

Men att stå stilla var rena vansinnet.

– Kom igen, Kulman, sade jag till sist. Han skakade på huvudet.

– Kan du sitta på åsnan?

– Nej. Jag stannar här, åk du innan du fryser till is.

– Är du helt galen? Hur kan du tänka så?..

Jag slet av mig min vadderade jacka och bredde ut den på snön, lade Kulman på rygg och fäste mitt bälte på ena sidan och släpade den hemmagjorda släden efter mig. Då och då täckte snön Kulmans ansikte, och jag fick stanna och borsta bort den och kände min väns isiga kropp under mina fingrar och tittade in i hans öppna men uttryckslösa ögon med rimfrostiga ögonfransar.

– Strunt samma, Kulman, sade jag. Ha tålamod, vi är snart hemma …

Han nickade lätt med huvudet och jag var glad att han åtminstone kunde höra mig, att han förstod mig, att han levde och inte hade förlorat medvetandet.

Vinden ökade i styrka och när vi till sist nådde byn var det full snöstorm. Solen hade gått ned och det var skymning. Vi kom äntligen fram till Kulmans hus. Jag märkte att en vagn hade kört ut genom grinden och försvunnit i snöyran.

– Vem är det som har varit här? frågade jag lutad över Kulman. Vems var vagnen?

Han svarade inte. Han var medvetslös.

* * *

Under nio dagar kom jag inte ur sängen, utan svävade i feber-dimmor. Mamma och Jerkinaj var uppskrämda, fruktade det onda ögat och bakade sju pannkakor och delade ut till grannarna. Till detta åtgick hälften av allt mjöl vi hade i huset.

Nio dagar är ingen lång tid i ett vanligt människoliv. Men om man lägger till alla sorger som kan drabba en person under den-na tid, och alla glädjeämnen, och sedan delar dem i nio delar, får man så mycket sorg att om det var en flod skulle den kunna svälja vilken båt som helst.

När du slits mellan uppgivenhet och hopp verkar nätterna oändligt långa, och solen synes stiga enbart för att flamma upp och sedan åter sjunka och slunga tillbaka allting i mörker. För att inte falla i förtvivlan lägger gamla män och gamla kvinnor stjärnor och söker tecken i tiden, och om alltsammans skulle visa fel gissar de på nytt, och om igen, tills spådomen slår in. Och människor lägger sig att sova i hopp om lyckliga drömmar ...

Nio dagar allt som allt. Och till vår lilla by kom under denna tid två dödsbevis och, som en lindring för sårade hjärtan, även fyra triangulära brev med glädjande besked från män och fäder som alltjämt var i livet. Men dessa trianglar hade färdats i över tjugo dagar! Vem kunde veta vad som kunde följa? Livet krängde och gick från sida till sida som en fiskares båt i stormen.

En av dessa nio dagar kom ett brev från far. Fem sidor ur en notesbok med rutat papper. Hela byn kom för att lyssna till nyhe-terna från fronten. Gulzhamals sjuka mor var också där: ett barn i famnen, det andra hängande i mammas kjol.

Magister Sejdu blev ombedd att läsa. Och han läste brevet inte bara en gång, utan flera gånger, för byborna strömmade till hela tiden, och de som hade varit där från början ville gärna lyssna om och om igen. Och nästan alla grät medan de lyssnade, och gratu-lerade oss med tårar i ögonen. Den dagen insåg jag hur glädje, inte bara ens egen, utan också andras glädje kan förvandla människor, ge dem livslusten tillbaka. Vad mamma och Jerkinaj beträffar behöver jag inte säga något mer än att de var galna av lycka.

I en stor gammal kittel stektes vita baursaki. Var i all världen hade de fått tag i mjöl och fett? Hade de tiggt ihop allt detta, eller hade folk haft alltihop med sig? Mor var beredd att sälja Rödkulla för detta tillfälle, och köpa tre–fyra getter i stället och slakta en av dem för att fira brevet.

– Kasim har själv köpt henne, så låt det bli en offerko, och Allah kommer att tacka oss för det frikostiga offret, sade hon.

Men folket sade nej. Så kan du inte göra. Du får vänta tills din man är hemma, sade de. Låt honom bestämma vad ni ska göra med Rödkulla.

Stackars mor! Hon hade inte förstått att brevet var skrivet för tre veckor sedan. Allt kunde ha hänt sedan dess. Hon tycktes tro att far hade suttit gömd på en säker plats alla dessa dagar och nätter, och inte rört sig ur fläcken, och alla kulor hade flugit högt över hans huvud eller långt till höger och vänster, inga hemska, farliga kulor hade kommit åt hans håll … Måtte hon bara fortsätta att tänka så, det var det bästa för henne.

* * *

I Toktasyns hus var det fest. Vi pojkar satt som vanligt vid dörren och ingen brydde sig om oss. Och det hade vi heller inte väntat oss. Vi sträckte på halsarna för att se honom bättre, Toktasyn, och för oss är detta att han haltar ingenting som stör, utan tvärtom något som på sätt och vis passar honom. Någon bar in två stora skålar pilaff, och vi åt, och den här gången önskade vi nästan att våra farsor skulle komma hem och halta.

Ingen hade däremot hört något på länge från Gulzhamals far, eller Kulmans. Men på något egendomligt sätt blir det så att när glädjen bryter ut i en familj, så är det som om sorgsenheten lämnar alla övriga hus, där svarta vingar länge har svävat över taknocken. Och sorgen svider inte längre lika djupt, och ingen känner avund mot den som ödet har förbarmat sig över, åtminstone för en kort stund. Och detta sker inte bara av vänlighet, utan också för att ingen vet vad morgondagen kommer att föra med sig till det hus där det i dag är fest.

Trots allt kan den som delar andras glädje, men inte själv fått uppleva den, känna sig särskilt förtvivlad, nästan berövad sitt allra sista hopp. Särskilt när de lyckliga, som blivit skonade av ödet, inte har förmåga att tänka sig in i andras öden.

Så var det till exempel med vår kamrat Nurali, som blev alltför generöst bjuden på starkvaror när de firade hans farbror Toktasyn som återvänt hem från kriget.

Han kunde självklart inte gå till skolan på flera dagar, och när han hade återhämtat sig kom han och förklarade självsäkert:

– Min farbror är tillbaka och far kommer snart hem. Och han ska ge mig en pistol. Så snart han hittar en som duger kommer han tillbaka, det skrev han i brevet.

Kunde vi föreställa oss det? Naturligtvis trodde vi honom och såg på honom med oförfalskad avund, i själva verket var han i våra ögon den lyckligaste personen på jorden. Bara Kulman satt där som om han inte hört någonting och inte avundades någonting. Över huvud taget hade han blivit alltmer innesluten i sig själv och talade knappt med oss. Till skillnad från mig var han bara sängliggande i fyra dagar efter den där händelsen.

En natt vaknade jag av höga röster: mamma pratade med en annan kvinna, båda var oroade och upprörda.

– Apyraj! Tänk att det kan finnas så hjärtlösa människor! Att bära sig åt på det viset mot ett litet barn! Rösten lät arg. Tänk att slå ett barn för en näve majskorn! Ska flickstackarn dö av svält?

– Det är precis vad jag säger, svarade mamma. Ongar och Kulman råkade hamna i en snöstorm just den dagen och båda två blev sängliggande i feber. Och plötsligt hör jag någon skrika ute på gatan. Jag rusar ut och ser Zergul komma springande barfota i snön direkt till vårt hus, gråtande, barhuvad, med håret på ända.

– Åh, appa! skriker hon (hon kallar mig alltid för mamma) och klamrar sig fast vid mig som om hon ville gömma sig, som en sparv gömmer sig för höken. Så tittar jag upp och får se Panzaj komma farande, svart i ansiktet av ilska och med eldgaffeln i högsta hugg. Nå, jag håller flickan bakom ryggen och frågar:

– Vad har hänt, Panzaj? Vad har barnet gjort dig? Och hon skriker:

– Det är inte ditt barn, inte ditt bekymmer! Det är min flicka, jag gör vad jag vill med henne! Och du ska inte försöka gömma henne, den där lilla skitungen.

Och hon började slita i Zerguls arm. Och flickan höll fast i mig med alla sina krafter och fortsatte att bönfalla medan tårarna rann:

– Lämna mig inte, appa, lämna mig inte till henne. Rösten var så bevekande att det sved i hjärtat.

– Din skitunge, skriker Panzaj, har du hittat en beskyddare? Gå hem, hör du? Annars släpar jag dig i flätorna. Så börjar hon klaga för mig:

– Det är inte klokt! En hel skål med majs stekte hon och delade ut till barnen! Och i morgon – vad ska vi tugga på då? Stenar? Så vände hon sig till flickan igen:

– Hem med dig! Sätt fart! Och hon började dra och slita i flickan. Vi ramlade nästan omkull.

Jag är ledsen för barnet, men jag vill inte ställa till med skandal, och hela byn vet att hon är en grälmakare, Panzaj. Flickan ber och bönar:

– Lämna mig inte, appa, jag vill inte hem, hon säger att hon ska stoppa mig i ugnen! Jag ska vika dig dubbel och kasta dig i elden, säger hon ...

Jag stod inte ut längre.

– Hör här, Panzaj, jag ska ge dig en skål med majs, fastän jag knappt har någonting kvar själv, sade jag. Men plåga inte barnet. Folket här i byn tar hand om sina valpar och kattungar, och du ger dig på ett nioårigt barn. När hennes far kommer tillbaka, vad säger du då? Tja, barnen är kanske inte dina, men du har värmt dig i deras fars armar! Akta dig så att inte flickans tårar blir en förbannelse över ditt onda huvud!

Panzaj fortsatte att gräla och gorma, men till sist lugnade hon sig. Jag tog Zergul vid handen och ledde henne till deras hus. Och nästa morgon bestämde jag mig för att gå och se vad som hände där, och samtidigt ge Zergul min Jerkinajs klänning, som fortfarande var hel, nästan som ny. Jag gick iväg, men Panzaj var inte hemma. Zergul sa att hon hade gett sig iväg till kolchosen ett stycke bort. Kulman låg i en smutsig säng och yrade. Jag la min hand på pannan och kände hettan. Mitt hjärta värkte av medlidande. O Allah, säger jag, hur kunde hon gå ifrån en sjuk pojke? Och Zergul måste ha gråtit hela natten, hennes ögon var svullna och ansiktet likaså.

Jag sprang hem och hämtade lite vetesoppa som jag hade lämnat åt Ongar, jag blandade upp den med mjölk och värmde. De åt båda, och Kulman verkade återhämta sig. Han frågade:

– Hur mår Ongar?

– Han ligger sjuk.

– Jag blir tvungen att stiga upp, sade han, men sjönk utmattad ned på kudden. Mor sade åt mig att det inte var hon som hade tvingat mig att gå barfota i snön, och att jag måste komma ur sängen i dag. Sätt igång och gör nytta, jag har inte tid att vara nanna åt er här, sade hon.

Jag vände mig bort för att dölja mina tårar av medlidande och ilska för de stackars barnen. Tänk bara – det är inte nog att vi vuxna lider. Vad man än säger så har vi lättare att acceptera det oundvikliga i sorgen. Men barnen?.. Varför måste de lida? Detta evigt förbannade krig!

* * *

Steg för steg började värmen återvända. Fönsterrutornas frostmönster suddades ut och smältvattnet droppade med ett sprött klingande ljud, himlen blev gradvis vårblå. Ännu någon tid, och så skulle den stränga, grymma vintern ligga bakom oss.

Ja, vintern hade varit skoningslös: den hade krävt ett pud vete – sexton kilo – från varje familj till fronten, men byn hade redan förut knappt om det: man åt en dag, svalt i två, gladde sig åt den magra födan i en dag och led två dagar av hungerkramper i magen. Men vad kunde vi göra – det var krig!

Det kom inga brev från far, och mor suckade tungt om natten och grät tyst, i smyg för att jag inte skulle höra. Men nog hörde jag ...

En morgon gick jag ut för att mjölka Rödkulla och såg plötsligt en stare sitta på en hopsjunken snödriva. Vilken glädje att se vårfågeln! Det gick inte att ta miste på: när staren kommit var vintern till ända! Fågeln vred på huvudet och flöjtade överraskad: Vad är detta? Jag vet att det är vår och ändå ligger snön ...

– Appa! ropade jag. Koktem!

– Vad säger du? Var? Var är han? skrek mor och kom som skjuten ur en kanon ut genom farstudörren och föll raklång på marken och svimmade som om hon hade snavat på tröskeln. Hinken med aska som hon hållit i handen rullade nerför trappan.

– Pappa! nästan skrek Jerkinaj av lycka och flög som en svala förbi mig till grinden.

Och först då insåg jag vad jag hade ställt till med. Jag hade ropat "koktem!" – vår! – och de stackarna hade trott att jag ropade "koke!" – far!

Med möda släpade jag in mamma i huset och placerade henne bekvämt, men jag visste inte hur jag skulle få liv i henne igen. Så flög Jerkinaj in genom dörren. Hon såg helt vild ut.

– Var är han? ropade hon och sprang fram till mig. Ljög du?

Jag förklarade att de båda två hade hört fel, att det inte var mitt fel att staren hade kommit, och att jag hade ropat Vår! i stället för Far!

Utför Jerkinajs kinder rullade tårar av bitter besvikelse. På detta sätt, först av glädje, och sedan av sviket hopp, nästan krossades två hjärtan som längtat sig sjuka, kraftlösa och plågade. En spöklik översinnlig lycka flammade upp och släcktes ut, och inte bara detta, det blev ett dråpslag mot min mamma och min syster. Under lång tid kunde mamma inte komma till sina sinnen och vandrade runt som i en klibbig dimma, någonstans mellan vakenhet och sömn. Och jag tänkte för mig själv att det nog inte finns något grymmare i världen än ett barns otröstliga gråt och smärtan hos en kvinna vars hopp har blivit sviket.

Ni slapp uppleva kriget …
Nej, vi upplevde det aldrig.

Och snön var nu äntligen borta, och värmen kom. Som om den dragit till sig alla sorger som fallit över människorna, suckade jorden mjukt och befriade sig från sina isiga fjättrar. Var det hennes fel att vintern varit så lång och hård? Var det hennes fel att tiderna var så grymma och obarmhärtiga? Nej, jorden – hon skulle komma att bevisa för människorna att hon var oskyldig till allt som varit. Hon skulle bevisa det genom att offra alla sina livgivande krafter till markens blomning. Och slätterna, dalarna, trädgårdarna och skogarna skall grönska, och bära rik frukt …

De överlevande vintermagra djuren kände vårens dofter och drog ut till de ännu hungrande stäpperna. Naturen återföddes, boskapen återupplivades, drömmar och förhoppningar återuppväcktes också i de hjärtan som för länge sedan tycktes ha gett upp allt hopp.

Och en dag just denna vår blev Nuralis karska ord besannade: hans älskade far återvände hem. Visserligen hade han inte kunnat hitta den rätta pistolen åt sin grabb, men hem kom han ändå, levande och nästan oskadd: han släpade bara sitt styva vänsterben en aning när han gick. Så mot bakgrund av de dödsfall och skador vi hört berättas om och sett tycktes det oss grabbar att hans far, som fortfarande levde, och hade armar och ben i behåll, på sätt och vis var väl bibehållen. Och folket i byn betraktade nu hans hus som heligt och Gudi behagligt. Just detta hus var inte längre enbart dyrkat, vid alla möjliga tillfällen försökte folk gå in i huset, få någonting att äta eller enbart en slät kopp te: det ansågs vara ett gott omen, och påstods även vara lyckobringande.

Vi betraktade Nurali som en oändligt lycklig grabb. Inte tu tal om det! Nu hotade honom inga faror, och den långa vägen genom livet skulle denne lyckans ost naturligtvis vandra bekymmerslöst. Utan att inse det betraktade vi honom som en av Guds utvalda.

* * *

… Sådden började. Oxar, hästar, kor och åsnor – alla spändes de för plogen, och folket tog hackor i sina händer och arbetade sida vid sida med boskapen från morgon till kväll. Och sådden hade knappt avslutats förrän ännu en nyhet spred sig i byn: Nuralis andra farbror hade återvänt från fronten.

Ja, Allah höll i sanning sin skyddande hand över den familjen!

I samband med broderns återkomst ordnade Nuralis far en fest som ingen hade haft eller kunnat ha på länge. Numera när någon återvänt eller det kom brev från fronten brukade folket i byn fira det i all blygsamhet och enkelt, eftersom familjerna sedan länge inte hade råd. Men när det någon gång hände kom alla: unga som gamla, och så hade det varit ända sedan krigets första dagar.

Men det hjälpte inte – nästan ingen människa kom under hans tak. Inte på grund av någon illasinnad avund – nej, naturligtvis inte. Snarare var människor förbittrade på ödet, som belönar den ene med glädje och lönar den andre med bitter sorg. Naturligtvis erkände ingen detta högt, men det låg bitterhet i de tunga suckarna, i blickarna, och det sätt varmed folket började undvika detta lyckliga hus, där de för inte länge sedan försökt titta in.

Känsliga för de vuxnas sinnesstämningar började också vi barn gradvis dra oss undan våra kamrater – dessa ödets utvalda. För inte länge sedan hade vi lyssnat till Nuralis ändlösa berättelser från kriget, så som det hade präglats i hans fars och båda farbröders hjärta och minne. Och nu undvek vi Nurali, utan att själva inse varför, för att han och vi var som himlen och jorden, den klara himlen och den försåtliga jorden, för ingen kan höra en från himlen, oavsett hur högt man ropar. På samma sätt slutade vi att höra Nurali och hörde honom inte ens när vi lyssnade.

Det öppnades en avgrund mellan hela klassen och denne ende pojke. Ingen kunde förklara det, och Nurali själv förstod det minst av alla. Ja, hans far och två farbröder hade undgått döden, men stod han därför i skuld till någon? För inte länge sedan hade han tillsammans med sina kamrater längtat efter sin far, inte annorlunda än vi andra. Livet hade behandlat honom vänligt, gett honom tillbaka vad det hade tagit. Nog borde alla glädjas med honom! Men vi … Nej, ingen kunde givetvis förebrå honom någonting, alla hälsade när de mötte honom, tiggde honom om en extra skrivbok eller lånade honom sin, ingen var ogin. Men om han plötsligt var borta, inte kom till skolan, fanns det ingen som bekymrade sig för honom, ingen gick hem till honom för att hälsa på och ta reda på vad som hade hänt. Herregud, vad kan väl hända med en grabb som har sin far hemma?!

En gång, inte långt från kanalen, spelade vi boll och lekte "tusen pilar". Vi grabbar delade upp oss i två lag, och det blev en spelare över, och alla bad Nurali att lämna spelet. Just honom, och ingen annan!

Han gick fogligt åt sidan och satte sig i gräset, för det fanns inget annat för honom att göra. Solen värmde i ryggen och han somnade. Och när han vaknade igen var han alldeles ensam: vi andra hade sprungit hem för länge sedan.

Svettig och stel efter att ha sovit i solen kom Nurali på benen och tittade bort mot skolan. Det var tyst och tomt. Och Nurali kände sig helt ensam, övergiven av alla och ingen frågade efter honom. Och för första gången sedan hans far hade haltat in i deras hus kände pojken en djup, värkande sorg i hjärtat.

Den sista tiden kom det allt fler positiva nyheter från fronten, folket i byn levde upp, blev gladare och började se mera optimistiskt på framtiden. Med nya förhoppningar drog folket ut till arbetet på fälten.

Vi hade sommarlov. Lov, men ingen ledighet. Varje familj blev tilldelad en jordlott, och med skäror i händerna gick vi ut för att skörda vid gryningen, när fåglarna sjunger särskilt högt.

Orynsha, Gulzhamals mamma, hade fått brev från sin man, men redan efter ett par dagar var hon som förändrad, sjuk och svag. Så kom hon på benen och följde med i skörden.

Hennes stycke gränsade till Kulmans. Orynsha hade med sig en ettårig pojke som ingen kunnat ta hand om. För att skydda honom från solen byggde hon en liten hydda av kurajgräs. Men pojken ville inte sitta i den, och då och då kröp han ut och grät och letade efter sin mamma. Snart blev vi så vana vid hans gråt att det var som om vi inte hörde honom alls, och Orynsha själv brydde sig inte särskilt om honom, hon fortsatte med sitt arbete och tittade inte ens åt barnet. Men så snart han blev tyst kom hon störtande till pojken, driven av modersinstinkten att barnets tystnad inte bådade gott. Det visade sig också att pojken hade hittat skalbaggar, maskar och andra kryp och stoppat i munnen. Han hade för vana att stoppa allting i munnen: växter, pinnar, stenar och till slut hade Orynsha inget annat val än att knyta igen barnets mun med gasbinda. Annars blev det omöjligt att arbeta i fred.

Vi kikade på barnet, som förgäves försökte trycka in någonting olämpligt i munnen genom gasbindan, och skrattade tyst. Han var väldigt rolig när han höll på.

Kulman arbetade bäst av alla, och alla såg det. Från morgonen ända till den blå skymningen rätade han inte på ryggen. Zergul gjorde sitt yttersta för att hålla jämna steg med sin bror, men hon var tre år yngre och betydligt klenare än sin bror. Kulman släppte aldrig systern ur sikte för ett ögonblick, och när han hade gjort klart allt som hon inte hunnit med, glömde han aldrig bort att berömma henne:

– Duktigt gjort, Zergul, jättefint … Hur skulle jag klara mig utan dig?

I början av vårterminen tog han med sig flickan till skolan, första klass, men på rasten stormade hon storgråtande in i vårt klassrum och ville inte gå därifrån.

– Jaha, sade magister Sejdu, då får hon sitta bredvid dig, Kulman, så hon vänjer sig, och sedan gå tillbaka till de små.

Så vände han sig till flickan.

– Men du kommer inte att störa lektionen, väl?

– Nej, viskade hon. Jag kan också skriva bokstäver.

Kulman gav sin syster en anteckningsbok och penna, och hon satt verkligen tyst som en liten mus och skrev flitigt bokstäver, ord och till och med siffror och hjälpte till med sin rosa tunga som stack ut emellanåt. Och två månader senare, när de hade lyckats övertala henne att återvända till första klass, visade det sig att Zergul inte hade någonting där att göra, och inte ens i andra klass – så mycket hade hon hunnit lära sig på den här korta tiden. Och under förutsättning att Kulman skulle hjälpa sin lillasyster tog magister Sejdu i slutet av året och flyttade henne tillbaka till sin klass, den här gången för gott. Snart visade det sig att hon inte bara klarade sig utan hjälp, utan att hon till och med alldeles själv, när dockorna var glömda, kunde klara av tredje klassens program. Lärarna kunde inte dölja sin förvåning och beundran för denna begåvade nioåring i trasig klänning och snedtrampade skor som hennes bror hade vuxit ur.

Så tillsammans med Kulman flyttades Zergul upp i fjärde klass.

* * *

När jag sökte med blicken efter Kulman på åkern, märkte jag att han knappt talade med sin styvmor, och när hon bad honom ut-rätta någonting åt henne gjorde han det under tystnad och försök-te samtidigt se till att Zergul alltid höll sig i närheten av honom och inte försvann iväg någonstans. Flickan undvek själv sin styv-mor, kanske för att Panzajs ansikte var slutet, missnöjt. Dessut-om mindes Zergul säkert den glödheta eldgaffeln i styvmoderns hand, och hon höll sig instinktivt på säkert avstånd från henne för säkerhets skull.

Det kändes bittert att se denna familj.

Framåt kvällen var alla, både vuxna och barn, mycket trötta, rörelserna blev långsamma och oregelbundna. Och inte att undra på! En hel dag under en sol så het att sköldpaddsäggen kläcktes framför mina ögon. Först vid solnedgången, när solen sakta gled ned i sitt osynliga bo, blev det lättare att andas. Men vid det laget var krafterna helt uttömda och alla hade bara en tanke i huvudet – att lägga sig och sova så snart som möjligt.

Under en av dessa sena eftermiddagstimmar observerade skör-defolket i strålglansen från den sjunkande solen en ensam ryttare som närmade sig från byn. Ett moln av rödfärgat damm steg upp från hästens hovar. Ryttaren kom närmare, svängde med armarna och höll sig med svårighet kvar i sadeln.

Alla släppte sina skäror och liar, och när ryttaren kommit tillräckligt nära för att det skulle vara möjligt att höra honom ropade han för full hals:

– Suyunshi! Goda nyheter! Suyunshi!..

Det var vår unge herdepojke.

– Ojbaj! Vad betyder det här? undrade kvinnorna oroligt. Får vi höra? Fort, berätta, varför ropar du om goda nyheter? Vad har du för goda nyheter med dig?

Herdepojken red så nära Orynsha och Gulzhamal att han nästan slog omkull dem.

– Baribaj är på väg hem! Hör du det, Orynsha? Baribaj är tillbaka!

Orynsha stöp i marken som hon gick och stod. Hon brast i högljudd gråt och i hennes tårar rymdes allt: förbittringen över ödet som hade utsatt henne för dessa långa och grymma prövningar, tacksamheten mot samma öde för att äntligen ha hörsammat hennes böner och tårar och belönat henne för alla hennes plågor, hennes försakelser och ängslan … Många andra grät med i rena glädjen och bara Gulzhamal stod som förstenad. Kulman och jag tyckte oss vara de lyckligaste i hela sällskapet, eftersom vi älskade Gulzhamal, led med henne och hennes syster, som nästan från fyraårsåldern hade börjat hjälpa sin mor i huset, och lillebror, vars mun var hopbunden med gasbinda för att han inte skulle stoppa i sig en massa skräp, en ettåring som tvingats lära sig att just när barnet gråter, begriper mamma ingenting. Vi var lyckliga, det finns inget annat ord för det!

Orynsha hade lugnat sig och grep pojken, som hade lyckats göra sig fri från bandaget och lyckligt mumsat i sig en lerkoka och var nedsmord till oigenkännlighet.

– Herregud! Min lilla kamelunge, mitt lilla föl! Herregud! grät hon och kysste det smutsiga ansiktet. Vår far lever! Min far är på väg hem, förstår du det? O Gud! Så du ser ut! Far kommer att fråga: Vem är den där lortgrisen? Var är min egen batyr?! Vad ska vi säga till honom? Kom så springer vi hem fort, fort och tvättar oss i ansiktet och väntar på pappa. Gulzhamal, skynda dig! Spring hem och tvätta dig i ansiktet och gnugga din lillebror vit. Spara inte på vattnet, ta så mycket du behöver ...

Hon var som besatt, förstod ingenting, kunde inte svara byborna som lyckönskade henne, förvirrad sprang hon hit och dit tills hon slutligen rusade hemåt med pojken i famnen.

Baribaj möttes av en folkmassa som ingen sett maken till ens den dagen då vår magister Sejdu kom hem från sjukhuset. Orynshas utdragna sjukdom, tre hungriga barn, och framför allt det viktigaste som Baribaj skrivit i sitt sista brev – i morgon går vi ut i strid – och på hela sju månader efter det brevet hade det inte kommit några nyheter över huvud taget – allt detta hade gjort byborna oroade och fått dem att ägna sig åt de dystraste gissningar.

Nu kunde man urskilja konturerna av kärran långt borta, genom en svävande slöja av damm. Den började försvinna ned i sänkan och alla rusade iväg ditåt, och vi grabbar var förstås de första. Gulzhamal följde också efter med den ovanligt rentvättade Gulbahram vid handen.

Vanligtvis gick det till så här: mannen som återvände från kriget befann sig redan där, i sänkan, och hoppade ur vagnen och fortsatte till fots, eller sprang byborna till mötes om han kunde. Men den här gången blev det av någon anledning inte så. Och vi blev tveksamma och saktade på stegen. Var det kanske någon främmande som kom? Och en av kvinnorna frågade till och med högt utan att vända sig till någon särskild:

– Är det vår kärra det där?

Kusken hörde kvinnans röst och bromsade in, för vägen gick inte längre:

– Det är eran, ropade han.

– Men var är i så fall Baribaj?..

– Hördu! skrek någon. Du har inte mött en vagn med Baribaj?

– Jo, här är han, eran Baribaj ... Han ligger här, svarade den enögde kusken i sliten kappa, och rösten var mycket låg och nästan ursäktande.

239

Orynsha trängde sig genom folkmängden och rusade fram till den långa kistlika lådan som vanligen brukade vara lastad med gödselbriketter, bränsle och is ... Hon böjde sig ned över den och skrek och skrek som en vansinnig, snyftade och började slita sitt hår. Och när hon för en sekund tystnade hördes en hes, dämpad, främmande röst från en osynlig Baribaj:

– Jag lever, Orynsha, gråt inte ... Du kan behöva mig igen ...

Han återvände hem till byn utan sina ben och med bara en arm, som dessutom var amputerad vid armbågen. Orynsha hjälpte honom att resa sig en aning i den djupa lådan, och först då såg vi hans huvud och axlar. Stora tårar rullade utför hans grå, orakade kinder.

– Pappa! Pappa! Åh, nej! grät båda hans flickor när de trängde sig fram till kärran och började krama, kyssa och hålla i honom. Ett ynkligt, smärtfyllt leende drog över faderns ansikte, som om han med detta återsken av ett leende ville säga till sina barn: Nu är ni glada, men det är inte er pappa som har kommit tillbaka till er, det är bara de ynkliga resterna av honom.

Men ändå blev det en hejdundrande fest! Nu behövde byn inte längre spara och snåla som man hade gjort under vintern, och folket hade mat att stoppa i magen. I två kittlar, stora som hinkar, kokades gröt – ät så mycket ni orkar. Sedan sjöngs det sånger ända tills solen gick upp.

Sjöng gjorde också den olycksdrabbade Baribaj. Fast ingen kunde stämma in i sången, för den hade han själv komponerat när han låg i flera månader på lasarettet, och det var en klagan över det obarmhärtiga ödet, en förbannelse över kriget, det fanns till och med verser om att det skulle varit bättre för honom att få dö på den plats där fiendens granat slet sönder honom.

Alla grät medan de lyssnade till sången och försökte förgäves att hitta ord som kunde trösta den stackars krymplingen. Men var fanns de nu, dessa ord? Och jag sneglade i smyg på Baribaj – att titta öppet på honom skulle ha känts obehagligt – och jag tänkte:

240

Ja, nog skulle jag ha tagit emot en sådan far. Jag skulle ha matat honom själv med sked, precis som den olyckliga, men ändå lyckliga Orynsha matade honom med gröt just då.

* * *

Så blev det åter höst. Det var dags att börja skolan, men fram till den tjugonde september arbetade alla eleverna i jordbruket och hjälpte till i skörden.

I fjärde klass råkade det bli så att jag hamnade i samma bänk som Gulzhamal. Hon var nu helt förändrad, mera pratsam, gladare, avvisade mig inte, berättade mycket om sin far, som hon älskade, mer än någonsin tidigare, verkade det.

En gång tog jag mod till mig och påminde henne:

– Varför kallade du mig ligist den gången?

Hon log och visade sina jämna vita tänder.

– Vad är det för särskilt med det?

– Du kan väl tala om för mig, trodde du verkligen att jag var en ligist?

– Stör mig inte, sade hon och lutade sig över sitt skrivhäfte. Det var ditt eget fel.

– Jag gjorde inget fel då ...

– Tyst i klassen, sade magister Sejdu och såg på Kulman.

Kulman satt med sin lillasyster Zergul, men inte för att hon behövde hjälp. Systern var så duktig i skolan att hon hade blivit Sejdus favoritelev.

– Hon säger att jag har gjort fel, klagade Kulman, men hon visar mig inte var.

Alla skrattade. Det var typiskt Zergul!

– Ta det lugnt, du hittar det nog sen, log läraren ...

I samma ögonblick gläntade någon på dörren och vinkade till läraren med ett finger. Han gick ut, men kom strax tillbaka, blek och upprörd.

– Alla går hem, sade han med halvkvävd röst. Vi fortsätter i morgon ...

Vi satt orörliga, en skrämmande tystnad spred sig i klassen.

– Hörde ni inte vad jag sa? Samla ihop era böcker och gå hem, sade läraren strängt.

Vi reste oss och sprang ut.

Jag behövde inte vänta till nästa dag – mamma berättade för mig och Kulman vad som hade hänt: alla som hade fyllt sjutton var inkallade till krigstjänst. Och i vår klass fanns några av dem.

En stor folkmassa hade samlats utanför skolan. Mödrar, systrar och bröder stod och grät, medan de nya rekryterna stod i en grupp för sig, deras ansikten verkade inte ledsna alls, snarare tvärtom. De log, pratade, tittade på varandra, och det såg ut som om alla utom just de undrade vart de skulle och varför de skulle dit och vad som väntade på dem där, ute i kriget. Vid sjutton års ålder hade de kanske ännu inte haft tid att ta farväl av sin barndom?..

Jag såg på Maden – den längste och vildaste av dessa sjutton-åringar – och drog mig till minnes en händelse.

Alla i klassen hade fått order om att hjälpa till med att skaffa bränsle till skolan för hela vinterns behov, och var och en av oss skulle leverera två säckar med gödselbriketter. Jag spände vår gråa åsna för vagnen, och tillsammans med Kulman lastade vi fyra säckar fulla och for iväg. Men på spången som var lagd över diket välte vår rankiga vagn, och glada över den oväntade friheten yrde briketterna i luften och flöt bort på vattnet. Mängder av dem! Lutade över åkanten försökte vi fånga in dem, men våra armar nådde dem inte, och diket var för djupt, vi vågade inte hoppa i och sprang runt som yra höns utan att veta vad vi skulle göra.

Då fick vi syn på Maden, som kom gående med en säck på ryggen.

– Hallå där! skrek han. Varför springer ni runt därnere som en skock änder? Och ropar efter mamma, tillade Maden lätt nedlå-tande åt oss småglin!

Vi berättade om våra problem.

Utan ett ord började Maden hastigt klä av sig. Han kastade av sig tröja, byxor, skjorta och skor och hoppade naken i vattnet. Vi stod kvar på stranden och fångade blöta dyngbriketter, som han skickligt fiskade upp och kastade till oss. På något sätt påminde han mig om en sagohjälte som ensam stred mot jättarna – jag hade läst om dem i tidningarna som ibland kom till byn ... Vi beundrade hans smidiga kropp och starka muskler, även om vi såg hur blå han var av kylan och hörde hur tänderna skallrade.

– Hej och hå! Ta emot! skrek han och slungade iväg en projektil. Ta emot! Och här kommer en! Stå inte och sov! Hoppla! Fyrtioen, fyrtiotvå ... Hoppla! Här kommer den sista!

– Herregud! ropade han triumferande, som om han just hade nedlagt den siste av sina fiender, och hoppade upp ur vattnet och dansade runt framför oss för att få upp värmen och inte behöva blöta ned sina underkläder.

– Att ni inte skäms, era småglin! skällde han. Om inte jag hade varit här skulle ni kommit hem tomhänta. Och då skulle era mammor ha randat rumporna på er.

Han stod där spritt naken, men med en hjältes triumferande hållning.

Naturligtvis skämdes vi inför Maden för vår hjälplöshet, men det viktigaste var att nästan alla briketterna var räddade och för detta var vi överfyllda av tacksamhet och välvilja mot honom.

Och nu stod han där mitt i gruppen av rekryter, en pojke och samtidigt en äkta djigit, och i morgon en krigsman. Och för oss två var han den ståtligaste av dem alla, den mest värdiga och tappra.

En blåögd äldre man i uniform kom ut ur skolan.

– Hur är det, krigare? ropade han till artonåringarna. Är ni redo att ge ert liv för fosterlandet?

– Vi är redo! vrålade rekryterna som om de hade övat på svaret.

– O Allah! utropade Madens mor. Hon hade redan fått ta emot ett begravningsbevis för sin man och sin äldste son. O Allah! Hon började springa efter sin yngste, men blev strax hejdad.

Avresan var planerad till tidigt nästa morgon. Våra pojkar skulle få sällskap av ytterligare trettio rekryter från den närliggande kolchosen.

Vi tillbringade hela natten tillsammans med de vuxna i Madens

243

hus, som var packat av folk från grannskapet. Vi försökte sitta så nära Maden som vi kunde, för om några timmar skulle han vara borta, och vem kunde veta om detta inte var sista gången vi såg honom? Eller skulle han kanske komma tillbaka utan arm, som vår lärare, eller rentav helt lemmalös, som Baribaj?.. Eller skulle han bli odödlig i sin sista strid, och i hans ställe skulle det komma ett svart papper hem? Och det kunde hända, det var tänkbart att han skulle bli en hjälte och hans namn en legend?!

Oavsett vad som hände var en sak klar: han skulle inte längre finnas bland oss i skolan, och han skulle aldrig mera släpa dynga på ryggen för att hålla skolsalarna varma, och vi skulle aldrig mera skida med honom i de snöiga bergen eller simma i floden … För oss smågrabbar skulle han vara borta.

Jag mumlade något sådant utan att tänka mig för. Maden skrattade.

– Äsch! Vad du pratar! sade han. När jag kommer hem har du nog hunnit gå ut tian!

– Hur då? Ska du kriga i sex år?

– Åh, det tänkte jag inte på! Du har ju sex år kvar! Nej, jag kommer säkert tillbaka tidigare, kanske om ett och ett halvt år, knappast mera, för kriget kan inte hålla på i evighet. Var inte rädda! tillade han. Varför skulle jag vara rädd? Jag är inte rädd för någonting. Jag tycker synd om min mamma, det är sant, men det är också allt … Nej, Jag är inte rädd! fortsatte han som för att övertala de övriga, men först och främst sig själv. Varför skulle jag vara rädd för Fritzen? Är vi kanske sämre än de?

Det var sent på kvällen när vi for hem, Kulman och jag. Från Maden till oss var det en och en halv kilometer, eller kanske lite mindre. Vi hade en kall vind i ryggen och släpade oss hem på trötta ben och gick tysta: det fanns inget att prata om, men vi tänkte samma tankar.

Vinden avtog emellanåt, men blev strax åter hård och vinande, och det verkade som om det ibland förvirrade våra upprivna och oroliga tankar, ibland tvärtom nystade upp dem och gjorde dem enkla och tydliga. Kanske till och med nu, medan Kulman och

244

jag kämpade oss genom det tjutande mörkret mot våra hem, låg våra fäder någonstans på slagfältet, blödde och stirrade upp mot den bleknande himlen före gryningen, på den gradvis bleknande, slocknande stjärnan över deras huvuden – det sista ljuset i deras liv. Och ändå tänkte de på oss, på sina söner. När de försvarade sitt fosterland försvarade de samtidigt sin heliga familj, som var ett stoftkorn i den stora världen och okänd för alla andra än just dem. Och ingen förutom de brydde sig om ifall hemmet fortfarande existerade, om en älskad hustru ännu levde, eller sönerna – hoppet och glädjen i deras liv, det liv de hade gått ut för att skydda och utsätta för fiendens eld. Och där låg de kanske blodiga och hjälplösa, var och en under sin egen bleknande stjärna.

Hur oskyddad och maktlös hade naturen inte skapat människan! I sin grymhet berövar den fadern det sista, det allra sista ordet från sonen – Far! Den kan inte förmås att låta sönerna känna att just i detta ögonblick dör deras fäder någonstans i främmande land. En man ger sitt liv för att försvara sitt land och sin familj, medan hans son skrattar av glädje över att lyckas rädda några blöta briketter ur ett dike! Och om natten sover barnen gott och pojkarna blir omskurna och det ställs till fest för dem – och så dras de vid näsan av den mest beräknande bedragaren av alla: ödet! Så grymma är livets lagar! Grymma och förrädiska ...

Utan att märka det hade vi kommit fram till Kulmans hus. Och återigen såg jag en okänd vagn köra ut genom grinden. Jag såg på Kulman, men han vände sig bort utan ett ord.

* * *

Men så återvände den råkalla vintern. Ihållande snöstormar tog vid ...

Byn skickade nästan hela sin skörd till fronten, det blev inte mycket kvar till familjerna i husen, knappt så det räckte för att överleva. Och åter började kampen mot kylan och hungern, men nu tycktes hela byns existens utmana ödet: "Hur du än hånar oss har vi inget att förlora, och därför räds vi dig inte ..."

245

Brödet som sändes till fronten, det bröd som fuktats av kvinnornas, åldringarnas och barnens svett, återvände med ytterligare två begravningsbevis och flera svarta brev. Det kom också ett brev från min far.

Den här gången lyssnade inte mor på någon – hon tog vår Rödkulla till kolchosen, som just hade en transport av kött till fronten, och kom tillbaka med två getter och två får. Det ena slaktades omgående, och det ställdes till fest i huset. Rödkulla och hennes vänner for med särskild transport följande dag och lämnade kvar sin uppstoppade kalv som minne.

En av de stormiga vinterdagarna svepte en isande nyhet genom byn – Baribaj var försvunnen.

I kvällningen hade han kört ut i sin vagn. Orynsha hade lyckats fästa ett slags protes av läder och bomull vid stumpen av hans enda arm, och med hjälp av denna protes kunde han skjuta ifrån mot marken och på det viset kunde Baribaj ibland ta sig till byn för att besöka sina vänner. Naturligtvis bara i torrt och varmt väder.

Men nu var det snöstorm!

Först trodde Orynsha att Baribaj hade tagit mod till sig och bestämt sig för att prova på att ge sig ut en vinterdag. Men det blev sent på kvällen och han hade fortfarande inte kommit hem. När hon hade lagt barnen sprang Orynsha till byn. Vinden slog nästan omkull henne. Hon gick ända till de mest avlägsna husen, väckte upp folket, men ingen hade sett Baribaj någonstans.

Vart kunde han ha tagit vägen i sin lilla vagn, och i denna storm och i mörkret?.. Byborna steg upp ur sina sängar och klädde på sig, sprang åt alla håll, ropade och skrek, letade i varenda vrå, sökte i alla diken, men ingenstans hittade man några spår efter Baribajs hjul.

Först på morgonen, när snön och vinden avtagit, uppenbarades den hemska sanningen: Baribajs kropp återfanns i ett djupt dike bakom hans eget hus.

Under kriget hade människor på något sätt blivit vana att ta ordet död i sin mun, ty många hade sett den och hört talas om den. Men den olycklige Baribajs död kom som en sådan chock för alla, att också de djupt religiösa var beredda att förbanna skaparen själv. Du blinde Allah, hårdhjärtade Allah, onådige Allah, sade folk, utan rädsla för vedergällning.

Alla såg på Orynsha och kunde inte dölja sin förvåning: hon grät inte! När männen bar in hennes olycklige make i huset och lade honom på mattan och började skrapa bort snön och isen från ögonen och kinderna med sina naglar – uppenbarligen hade han gråtit strax innan han bestämde sig för att dö – då lämnade hon rummet, men återvände omedelbart. Hon stod och såg på Baribaj länge under tystnad, med torra ögon och inte bara med vrede, utan med ett slags raseri, mellan sammanbitna tänder: den stackaren! Och så försvann hon ut.

Grannar kom in och förde oväsen, och då härdade Orynsha inte ut längre och brast i gråt. Men hon grät inte länge, torkade ögonen med näsdukssnibben och vände sig till kvinnorna:

– Nej. Gråt inte ... Det gör ingen nytta. Om tårar kunde hjälpa, om Allah skulle lyssna till dem, då skulle han vara mer barmhärtig. Men han är blind! Han är döv! Han är förhärdad! Hur många böner vi än sänder till honom, hur ofta vi än tigger om barmhärtighet är detta svaret vi får. Nej, han tvingar mig inte att be eller gråta längre. Även om han straffade mig med yxa för mina ord, kommer jag att upprepa dem.

Hon vände ansiktet mot taket och ropade med kvävd röst:

– Du kan inte skrämma mig längre! Hör du?

Kvinnorna stelnade i skräck. Det blev fullkomligt tyst, som om alla förväntade sig att djävulen Jabrayil skulle komma flygande in i huset i nästa sekund, riva hjärtat ur den trotsiga kvinnans bröst och stiga upp till himlen igen. Men ingen vågade avbryta Orynsha för att påminna henne om det syndiga i hennes ord och om det oundvikliga straffet. Men hon hade ännu inte sagt allt.

– Gråt inte. På nytt svepte blicken ur de uttorkade ögonen över de församlade kvinnorna:

– Och släpp inga gråterskor in i mitt hus. Jag vill det inte! Jag vill inte att Baribaj skall begråtas, så att denne illvillige Gud ska höra gråt och glädjas åt att han inte ansträngt sig förgäves. Varför

247

dräpte han inte min man i kriget? Varför misshandlade du honom
och tvingade resterna av hans kropp att leva? Han plågades, plå-
gade oss, tvingade barnen att se sin faders stympade kropp ... Du
olycklige Baribaj! utropade Orynsha bittert och ropade åt barnen:
— Vad sa jag? Våga inte gråta! Gulzhamal! Gulbahram! Hör ni
mig?

Flickorna satt gömda under en fårskinnspäls invid kaminen.
Moderns rop fick dem att tystna på ett ögonblick, men man kunde
se att deras axlar skakade länge av gråt. Och på sängen lekte Bari-
bajs lille son glatt med kattungen, och då och då sträckte han den
fläckiga kattungen mot någon av de vuxna och sade: "Ta! ta! ta ..."

Nästa morgon fördes Baribaj insvept i vit svepning på sin sista
resa. Alla stod med nedböjt huvud sorgset tysta, när de plötsligt
fick höra vallpojkens glada rop från gatan:

— Suyunshi! Bered er på en glädje!

En sedan länge bortglömd och återuppstånden soldat hade
återvänt till byn. Hans begravningsbevis hade varit ett av de första
som anlände. Den hemkomne var Nuralis äldste farbror — hans
fars tredje bror, som tillsammans med sina två andra överlevande
bröder nu satt i Baribajs hus. Här fanns även den återvändandes
hustru Aksana med sina barn. Kvinnan hade länge betraktats som
änka ...

Bröderna flög upp som yra höns och Aksana var nära att svim-
ma av chocken. Hon var på väg att glida i golvet från bänken där
hon satt och måste stödjas och placeras i en av barnens sängar.

— Be om vad du vill, viskade hon och fångade herdens blick,
vad du vill, förutom mitt liv, för mina barn och min man behöver
mig. O Allah, jag välsignar dig och tackar dig för att du lät mig leva
så att jag fick uppleva denna dag ...

Av rörelse lämnade Nuralis släktingar huset utan att ens ta av-
sked av den avlidne och hans familj. De verkade fly från detta hus
— en sorgens boning. Nej, detta var inte ett utslag av själviskhet,
och ingen skulle ha uppfattat det så, ingen skulle tro att glada
människor i sin glädje genast skulle glömma en annans olycka.

Och ändå ... Trots allt fanns det något som skar i folkets hjär-

248

tan. Det var helt enkelt otroligt – alla fyra bröderna återvände levande från kriget! All denna glädje förunnades en enda familj, samtidigt som den vanställda kroppen av den ende mannen och fadern till de båda barnen skulle bäras ut ur sorgehuset. Aldrig hade Baribaj på något sätt visat sig sämre än någon annan, och han hade kämpat som en hjälte. Men han förmådde inte leva som en rotstock – han fann sin egen död.

Och återigen blev detta enda hus just sådant som det varit före kriget: de fyra brödernas hem, fjärmat från de övriga i byn, en osynlig vägg av främlingskap reste sig på nytt.

Ingen utom bröderna och Aksejnep gick ut för att möta den hemvändande brodern och krigaren. Ingen grät av glädje. Folket stod kvar vid Baribajs svepta kropp. Till och med barnen, som alltid sprang främst av alla för att vara de första som fick se den hemvändande soldaten, och som skulle varit beredda att springa för denna sakens skull ända till horisonten – även de hade dröjt kvar i huset och på gården hos den avlidne.

Så fanns det kanske trots allt en omedveten känsla av avund i människors hjärtan som de inte ville kännas vid? Vem vet? Avunden är inte enbart svart. Men om en familj skickar fyra söner ut i kriget och alla fyra återvänder till fadershuset, och en i annan dör den ende mannen, hur kan man då undgå en känsla av avund? Andras glädje mildrar inte den egna sorgen. Nej, det kan den inte. Den kan däremot framhäva grymheten i det egna ödet än mera hänsynslöst. Tack och lov, tack och lov, att dessa fyra fortfarande levde, det skulle inte ha varit lättare för någon om en av dem hade dött. Allt detta är sant. Men ingen ville gå till det lyckliga huset, men varför – det kunde folket inte förklara för varandra eller ens för sig själva. Allt kan inte förklaras!

Men framåt kvällen mjuknade på något vis allas hjärtan, den lätta isen smälte och några av byborna kom till minnesstunden för Baribaj och andra gick till festen för att hedra Nuralis farbrors hemkomst. Men dessa var blott ett fåtal, och familjen blev förtörnad. Men knappast för att gästerna var få, utan för att de uppträdde onaturligt, liksom besvärat. Även dagens hjälte, som först inte anat någonting, uppfattade genast stämningen hos dem som kom och blev nästan tårögd av besvikelse. Men snart gick detta över, och han lade ingen skuld på gästerna. Folk fick tycka vad de ville, men hans hemkomst sammanföll med dagen för den olycklige Baribajs begravning!

Två veckor senare föll Nurali plötsligt i gråt mitt under en lektion. Alla blev förvånade: Vad hade han att gråta över? Att längta efter? Eller att oroa sig för? Och om han gråter, borde vi andra kanske tjuta som vargar!

– Hur är det fatt, frågade magister Sejdu och gick fram till pojken.

Nurali reste sig och torkade tårarna mot skjortärmen, snörvlade och sade snyftande:

– Vi … våra … alltså, vi ska flytta …

– Varför det? undrade läraren. Vart då? Varför?

Nurali började gråta igen, den här gången så tårarna strömmade, och genom tårarna lyckades han få fram:

– Jag vet inte. Långt bort … Jag vill inte! Jag vill inte flytta någonstans!

Då tyckte alla vi grabbar synd om vår klasskamrat, som var den mest tursamme och lyckligast lottade av oss alla.

Några av de äldre i byn försökte tala med Nuralis far.

– Varför ska ni flytta härifrån? Har vi sårat er på något vis? undrade de. Är vi på något vis skyldiga till detta? Stanna i byn, vi kommer att dela både glädje och sorg tillsammans …

Andra sade till Nuralis far:

– Din grabb gråter. Skona din pojke. Ja, och det är tjockt med snö på vägarna, och isigt. Ni kan inte ge er iväg i det här vädret!

Men nej, övertalning hjälpte inte.

När vagnarna var lastade och alla var redo för avfärd, skrek Nurali och klamrade sig fast vid ett träd, och hans far fick använda alla krafter för att slita honom därifrån. Pojken placerades i den ena av vagnarna och hölls i ett fast grepp. De båda vagnarna gav sig iväg och krympte och krympte alltmer inför våra ögon. Snart kunde vi inte längre se mössan som Nurali vinkade åt oss med när han lämnade byn.

Gruppen av åtföljande började skingras.

– Kom så går vi hem, Orynsha, sade mor och tog den förstenade kvinnan under armen:

– Kom. Varför ska vi stanna här?

Orynsha svarade inte. Hon stirrade tyst mot de vita fälten som hade uppslukat de båda vagnarna med deras last.

– Orynsha, nu går vi hem. Vad står du här för? Har du blivit alldeles tokig?

– Det är inget fel med mig! sade Orynsha skarpt och vände långsamt blicken från slätten och såg på mor:

– Men varför ska vi tillbaka till en by som människorna flyr ifrån? Människor som inte kunde bära lyckans börda! Ha-ha-ha! Plötsligt brast hon ut i ett fruktansvärt, skallande skratt. Ha, ha, ha! Herregud, jag står inte ut! Det är så komiskt!..

Det var ett hårt, onaturligt, hysteriskt skratt. Alla ryckte till och vek undan från henne, bara min mamma stod kvar vid hennes sida, klappade henne på axeln och försökte försiktigt lirka med henne:

– Skratta inte, Orynsha ... Hon stirrade upp i det skrattande ansiktet. Lugna dig ... Vi går hem till mig och vilar oss och tar en kopp te och värmer oss med ...

– Nej! avbröt Orynsha häftigt. Jag vill inte ha något varmt te! Jag vill bränna mina läppar! Och hon brast åter ut i skratt, klingande glatt utan spår av sorg. Så kunde en riktigt lycklig kvinna ha skrattat, som väntat på sin älskade man eller son.

Då försökte mamma bli sträng i tonen.

– Nu går vi härifrån! Och sluta upp med det där! befallde hon. Vi har inget mer att göra här! För Guds skull, tillade hon, något försiktigare, snälla vän, för Allahs skull ...

– Allah? utbrast Orynsha förvånat. Vem är det? Rösten var öppet hånfull:

– Har du glömt att Allah dog för länge sen? Men gråt inte över honom, gör inte det, han förtjänar det inte!..

Hon vände ryggen åt mor och gick sin väg. Hennes steg var ostadiga, kappan var oknäppt, händerna djupt nedtryckta i fickorna ...

251

När vi kom hem fick jag och Jerkinaj order om att städa upp och plocka i ordning, medan mamma skyndade iväg till Orynsha.
– Jag tycker inte om det här, sade hon. Jag måste veta om vi vågar lämna barnen ensamma med henne.

Hon kom tillbaka sent, jag sov redan, och på morgonen ställde jag inga frågor, och jag hade bråttom till skolan.

Men Gulzhamal var inte i skolan den dagen. Och hon var inte där nästa dag heller, men magister Sejdu frågade inte efter henne. Och vi visste redan allihop att det fanns ett nytt problem i deras hus: någonting var fel med Orynsha, det var farligt att lämna henne, och det fanns ingen som kunde ta hand om de små barnen utom Gulzhamal.

Jag drömde: Alla männen i vår by har återvänt hem. Alla ... etthundratrettiotvå personerna har stigit av tåget vid den närmaste stationen. Bland dessa finns också sådana som sedan länge har registrerats som stupade och begravda. Folket kan inte tro sina ögon. Men de är ju döda! Och vår herdepojke skrattar högt och skriker: De lever! De lever allihop! Det var ett misstag! Alla lever! Och han hoppar upp på sin häst och galopperar iväg mot stationen.

Hela byn springer efter. Men det är för långt, benen är tunga och lyder inte, andan räcker inte, och läraren Sejdu ropar: Skynda er, skynda er annars åker de tillbaka till fronten! Och vi springer med våra sista krafter, snubblar, ramlar av ren trötthet, kommer på benen igen och springer vidare, och vi förföljs av en irriterande röst: Gråt inte! Gråt inte!.. En välbekant röst. Bekanta ord. Ja, Det är Orynsha! Hon springer tillsammans med Sejdu, skörten på hennes döde mans vapenrock flaxar i vinden. Och hennes fötter är bara. Gråt inte! Gråt inte! – Nej, säger hon. Och mina fötter blir inte kalla, tänk inte på det, men jag har inga stövlar, för de lämnar inte ut stövlar till benlösa soldater: det finns ingenting att sätta dem på!..

Hennes hemska ord får oss att rysa, trots att vi alla svettas duktigt av språngmarschen. Men stationen kommer inte närmare, vi kan inte ens se den. Och då vänder sig magister Sejdu till den löpande skaran och säger att det inte finns någon mötesstation här över huvud taget, för i förrgår flyttades den närmare byn, och vi märkte den helt enkelt inte, utan sprang bara förbi. Vi måste skynda oss tillbaka …

Och som en sammanpackad hjord vänder vi tillbaka, men av någon anledning hamnar Kulman och jag efter de övriga, och strax kommer Baribaj i fatt oss på sin låga rullvagn. Han kör så fort att när han skjuter ifrån mot marken med kryckan som Orynsha har tillverkat åt honom så virvlar snön upp. Vi får inte plats allihop i vagnen, säger han, så klättra upp på min rygg, så kör vi förbi allihop och kommer dit först … Men vi tycker synd om Baribaj – det skulle bli för tungt för honom! Då säger han: Det var ju också otur att jag skulle gå och dö just nu, annars skulle jag ha kommit tillbaka till byn i dag tillsammans med alla de övriga … Jag ville inte dö, men jag ville skona familjen … Och tyst börjar han gråta.

När vi närmar oss stationen får vi se en flock kor komma emot oss. Åtta stycken är de. Just de som har skickats till fronten för en tid sedan. Vilken tur att de har kommit hem igen! Men då kommer vår Rödkulla fram till mig och frågar: Var är min kalv? Vad har ni gjort av den? Mamma dyker upp från ingenstans och säger: Den dog ju för dig medan du var här. Kommer du inte ihåg det? Och mamma låter på rösten som om hon bad kon om förlåtelse. Han är död, men huden är fortfarande kvar, säger kon. Jag skulle ha fått liv i den igen om du inte hade kastat huden till hundarna. Stora, arga tårar rullar ur Rödkullas ögon, och hon kastar sig mot oss och vi ryggar skräckslagna tillbaka. Varför kastade du huden åt hundarna? frågar Rödkulla hotfullt och kommer allt närmare. Vi börjar gråta, och Orynsha skriker befallande: Gråt inte! Gråt inte! men hennes röst drunknar i magister Sejdus kommandon: Fortsätt framåt! Skynda på! Och jag säger till vår Rödkulla: Var inte arg, vi har inte gett bort huden, den finns därhemma. När vi kommer tillbaka kan du få liv i din kalv. Jag kan göra det själv, pappa hjälper mig, han kommer tillbaka i dag. Och då kommer din kalv aldrig att dö, och pappa kommer att bära den om halsen, på ryggen …

Men på något sätt tappar jag rösten, och nu hör jag bara Orynsha: Gråt inte! och magistern: Skynda på!..

Jag vill hinna ikapp de andra byborna, de är redan långt borta, och mina ben lyder inte, jag kan knappt röra dem, och varje steg verkar vara mitt sista. Men om jag inte kommer fram till stationen, så kommer pappa aldrig tillbaka! Mamma måste åtminstone hinna fram. Mamma! MA-A-AMMA! Jag skrek av skräck och vaknade av min egen röst.

Bleka och skrämda stod mamma och Jerkinaj bredvid min säng.

– Vad är det med dig?

– Är du sjuk?

Jag svarade inte. Jag försökte räkna ut om jag var glad att det bara var en dröm, eller om jag var ledsen. Men jag hade svårt att förstå. Först måste jag minnas allt.

Jag gömde huvudet under täcket, men kunde inte sova. Rummet var fortfarande mörkt, endast ett svagt gryningsljus sipprade in genom fönstret.

– Mamma, sade jag tyst, var blev den av, den döda kalvens hud? Den som låg i uthuset.

– Varför vill du veta det, min vän? svarade mamma försiktigt. Vänd dig om och försök sova. Oroa dig inte för det.

– Jo, tala om för mig. Är fågelskrämman borta?

– Jag vet inte var den är, jag har inte sett den på länge.

– Va? Då har kanske hundarna rivit söner den?

– Kanske det, svarade mamma. Kanske det. Varför behöver du veta allt detta? Sov nu i stället ...

– Jag drömde att våran Rödkulla kom tillbaka och grät och var arg och sa: "Varför har ni kastat min kalvs hud åt hundarna? Jag skulle ha blåst liv i honom", så sa hon ...

Mamma var tyst länge. Den gamla sorgen tycktes leva upp inom henne igen, hon viskade tyst: Den stackarn, den stackarn ... Så sade hon:

– Vi tänkte stoppa den med hö och hänga upp den i taket i ladan, ingen skulle komma åt den ... Och så glömde vi ...

– Mamma …, började jag igen.

– Ja …

– Och om tant Orynsha …, om hon liksom inte blir frisk igen, vad händer då med hennes barn?

– Du ska inte fundera på det! Hon blir nog frisk!

– Och om hon inte blir det? Vad händer då? Vad ska barnen göra?

– Vi kommer nog på något så att de klarar sig. Alla kommer att hjälpa till …

Hon suckade tungt …

Jag kunde inte somna om. Ända fram till morgonen såg jag för mig själv en röd ko gråta bittert och längta efter sin kalv. Och jag såg små barn som var alldeles föräldralösa.

– Mamma, vad är det för vagn som brukar stanna till hos Kulmans? Vet du inte det? Och varför skriver aldrig deras far?

– Jag vet inte. Hur skulle jag kunna veta det?

– Jag drömde om Kulman också. Han grät och sa att hans far inte skulle komma tillbaka, herdepojken hade bara ljugit.

– Nå, om han grät i drömmen så kommer han att skratta när du är vaken, sade mamma och fortsatte: Stackars barn … Jag kan inte begripa hur deras styvmor kunde jaga Zergul med en glödhet eldgaffel! Tänk om hon hade fått tag i henne! Nej, nu får det vara nog, min pojke. Jag måste stiga upp snart, och jag har inte fått mycket sömn ännu. Nu får det vara färdigpratat!

Och jag sade ingenting mera.

*   *   *

Ända från tidiga våren började Orynsha vandra runt i byn, alltjämt barfota, barhuvad och med det tjocka håret tovigt och matt, med strimmor av grått. När hon stötte på någon av byborna, stannade hon, såg länge på den hon mötte och sade alltid "Gråt inte …" och gick långsamt vidare.

Ibland klättrade hon upp på taket till sitt hus och sjöng högt. Och då och då knöt hon fast ett rep vid en lång stör och började fiska därifrån, uppifrån taket. Samtidigt skrattade hon så att man blev alldeles förskräckt.

Tidigare hade Orynsha ofta varit mycket sjuk: ena dagen på benen, så två dagar i sängen. Nu gick hon barfota i snön och smältvattnet, men det bekom henne inte på något vis – tvärtom blev hon till och med friskare, lade på hullet, kinderna fick färg och blev rundare, fastän de helt nyligen varit gulbleka och infallna.

Så samlades folket i byn till möte och beslutade att Orynsha måste föras till sjukhuset i staden. Kollektivjordbruket ställde upp med en vagn. Tidigt på morgonen körde magister Sejdu, Kulman och jag fram till deras hus. Vi hade bråttom, för när som helst kunde hon ge sig ut att vandra Gud vet vart och då skulle vi förmodligen inte hitta henne.

Men ingen kunde ha anat vad vi skulle hitta i huset! Orynsha var i färd med att med våld tvinga den femåriga Gulbahram till bröstet och krävde att hon skulle suga. Flickan kämpade emot och skrek och magistern lyckades med knapp nöd dra henne ur mammans hårda nypor.

– Hur är det fatt, Orynsha? frågade Sejdu vänligt. Du är inget barn.

Han ville antagligen säga "Är du alldeles från vettet?", men han tyckte synd om henne. Hon knäppte igen koftan och hälsade sina besökare nästan kokett:

– Vad förskaffar mig den äran, kära gäster?

– Vi hade tänkt att ta en tur till stan, svarade magistern lättsamt. Och då tänkte vi att Orynsha kunde följa med, hon behöver säkert gå på torget och köpa kläder till barnen.

– Till stan? svarade Orynsha misstänksamt och ängsligt och gav magistern en genomträngande blick.

– Ja. Vi har vagnen här utanför.

– Nej! sade Orynsha bestämt. Jag har inga ärenden till stan. Där finns bara en massa patrask.

– Vad pratar du för strunt, patrask? skrattade magistern. Och du behöver inte vara ängslig, du får tre starka karlar med dig.

Han nickade åt Kulman och mig. Du kan ta Gulzjemal med dig.

– Jag åker ingenstans! skrek Orynsha, som om vi försökte tvinga henne med våld. Ingenstans! Hon flög upp och gömde sig längst bort i ett hörn av rummet, som om hon ville rädda sig undan en fara.

– Hör nu på, Orynsha, sade magister Sejdu lugnt och tog ett steg närmare, men kvinnan gav upp ett skrik som om hon hade blivit misshandlad.

– Försök inte! Kom inte hit! Jag vet nog vad ni är för ena ...

Magistern blev tvungen att använda våld. Han drog fram ett tjockt rep under kavajen och slog det snabbt runt Orynsha ett par varv och låste armar och ben.

Lilla Gulbahram började gråta och skrika:

– Dumma farbror! Släpp min mamma! Ni gör henne illa!

Hon ryckte och slet i magistern för att han skulle släppa hennes mamma.

Gulzjamal hade förstått alltsammans från första början. Hon tog sin syster i famnen och sprang ut ur huset för att själv slippa se och för att inte visa sin lillasyster hur de hämtade hennes mamma. Med sin enda arm kunde Sejdu inte hantera Orynsha, som plötsligt blivit moltyst, men med vår hjälp bar vi tillsammans ut henne och placerade henne försiktigt i vagnen, som vi hade täckt med halm. Vi behövde i stort sett inte göra någonting, så stark och smidig var hans enda arm. Inte för inte brukade folk säga att all kraft hade gått över från den andra armen som blev amputerad på lasarettet.

Vagnen startade med ett ryck. Vi undvek att se oss om, om vi hade gjort det skulle vi ha sett Gulzhamal gråtande med en gråtande pojke i famnen och Gulbahram som grät och kramade sin systers klänningsfåll; vi skulle ha sett deras ögon uppspärrade av skräck. Det skulle ha varit alltför svårt. Sejdu klatschade till den magra märren med sin piska, och överraskad av den ovanliga behandlingen spratt hon iväg.

Framme i staden åkte vi direkt till sjukhuset med den helt passiva Orynsha, som nu verkade ha försonats med sitt öde och var likgiltig inför allting. Hon togs omedelbart om hand och läkaren

lovade oss att göra allt som stod i hans makt, men att behandling-
en skulle ta lång tid.

* * *

Vi återvände hem två dagar senare. På vägen gjorde magister Sej-
du ett uppehåll på kolchosen och lyckades köpa tio kilo vete åt
Orynshas barn. När han kom tillbaka från lagret med sitt byte
blev vi varma om hjärtat – åtminstone en tid framöver skulle bar-
nen slippa gå hungriga – och skyndade till deras hus.

Gulzhamal var den första som kom utrusande när hon hör-
de ljudet av vagnshjulen. Hon trodde naturligtvis inte att det var
hennes mamma som hade kommit hem, Gulzhamal visste att hon
skulle få stanna på sjukhuset, och hon var till och med lättad, hon
hade sett med skräck hur mammans tillstånd blev värre för varje
dag som gick. Men samtidigt lyste en stråle av hopp inom henne –
för människan är det naturligt att tro på mirakel. Men när hon såg
att hennes mamma inte var med i vagnen blev Gulzhamals ansikte
först uppgivet och hennes läppar darrade. Det syntes som om hon
i detta ögonblick hade drabbats av känslan att bli föräldralös, som
hon inte hade haft så länge hennes mor var hemma, trots hennes
lynniga humör.

Sejdu kysste Gulzhamal på kinden och berättade utförligt hur
fort det hade gått att lämna Orynsha på sjukhuset och hur väl hon
hade uppfört sig – hon skrek inte, och försökte inte rymma sin
väg ... Läkarna lovade att bota henne, och han själv, Sejdu, skulle
besöka Orynsha på sina lediga dagar och kanske till och med ta
med sig barnen någon gång. Om läkaren tillät det förstås.

Över huvud taget försökte han lugna Gulzhamal och gav hen-
ne sedan vetesäcken och sade:

– Det här är för den första tiden ... Jag skaffar mera, så oroa
dig inte.

Flickan tackade, men visade inte mycket glädje, hämtade bara
en hink från farstun, hällde upp vetet och lämnade tillbaka den
tomma säcken till magistern.

– Jag går till kvarnen i morgon, sade hon.

– Var är småttingarna? frågade Sejdu.

– De sover i sina sängar. Var skulle de annars vara? svarade Gulzhamal på en vuxens sätt, ungefär som en mamma som är trött av alla bekymmer.

Hon hade nästan hunnit bli vuxen under den här tiden sedan hennes mamma hade blivit sjuk. Det fanns ingenting barnsligt i hennes rörelser eller i hennes sätt att uttrycka sig, och hon hade i själva verket förändrats från en storasyster till husets överhuvud.

Vi blev stående en stund vid dörren och var på väg ut, när Gulzhamal vände sig till Sejdu:

– Jo, våra pojkar ... De som blev inkallade förra året ...

– Ja? Vad är det med dem? avbröt magistern otåligt.

– En har stupat ... Maden.

– Det kan inte vara sant! När? Vem har sagt det?

– Den kom ett svart brev i går morse ...

Vi hoppade upp i kärran och for till Madens hus. Sejdu ville inte, ja kunde inte, tro på den förfärliga nyheten. Om detta var sant borde någon på kolchosen eller på lagret där han hämtade vetet ha berättat det för honom. Nyheter av det slaget brukade spridas omedelbart runt byn. Men alla gillar inte att rapportera om olyckor, så kanske ...

Jag tänkte tillbaka på Maden den dagen då han stod upp till midjan i det kalla diket och kastade gödselbriketter till oss medan han käckt ropade: Hoppla! Fyrtioen! Hoppla! Jag kunde höra hans röst lika tydligt nu som om Maden hade suttit bredvid mig på vagnen. Jag kom också ihåg hur han dansade omkring naken framför oss för att torka och bli varm, och hur han den sista kvällen berättade för oss och sig själv att han inte var rädd för någonting, men att det var synd att lämna mamma. Han var nästan som en djigit i våra ögon, trots att vi gick i samma skola. Kommer vi aldrig att höra hans röst igen? Aldrig? Men det fanns ingen annan som Maden, och kommer aldrig att finnas! Och om man har slutat leva vid arton års ålder, varför var det då nödvändigt att födas, dricka modersmjölk, lära sig gå, gråta, skratta?.. Varför skulle hans far och mor ha räddat honom från sjukdomar, tröstat honom och gett honom de bästa bitarna när de åt? Vad var det för mening med alltihop? För att en förlupen kula skulle göra slut på hans liv?

Magistern bad oss att inte gå in till den stackars mamman. Vi väntade vid grinden och lämnade inte vagnen. Han kom ganska snart ut igen, mörk i ansiktet, förtvivlad, och sade åt oss att gå hem och gick sedan i andra riktningen, tydligen för att lämna hästen och kärran där han hade hämtat dem.

Vi ställde inga frågor.

Och Kulman och jag vandrade genom den mörklagda byn, förbi sedan länge vilande hus, och vi var tysta, nedstämda av de nyheter vi just hade fått. Vinden knuffade oss framåt i ryggen, precis som den där gången i snöstormen, med isiga händer, samma stjärnor brann på himlen, fast i dag var de många fler än då, de trängdes på himlavalvet och blinkade ibland till varandra.

– Ongar, sade Kulman tyst.

– Ja?

– Minns du kärran som stod framför vårat hus?

– Jag frågade vems den var och du sa inget.

– Den där kärran … Han började andas tungt, som om han ansträngde sig för att hålla tillbaka gråten när han fortsatte:

– Den kommer från en annan gård. Min styvmor kör den ofta, och ibland kommer hon hem tillsammans med honom, och han stannar över natten hos oss. Jag sover i ladan allt oftare nu.

– Zergul då? Ser hon verkligen detta?

– De bäddar åt henne i hallen. Och det är kallt där ute. Första gången ville Zergul inte, men styvmor hotade henne igen med ugnen. Tyst med dig, sa hon, annars stoppar jag dig i ugnen. Hela tiden tjatar hon om samma sak och skrämmer upp flickan så att hon gömmer sig för mig också, och berättar inte ens något för mig. Och när vi tog avsked av Maden – du minns att vi satt nästan hela natten i deras hus – då, när jag kom hem nästan trampade jag på Zergul i farstun. Jag visste inte att de hade skickat ut henne ur rummet. Hon var vaken och insvept i en filt, men frös och kunde inte hålla sig varm. Jag frågade vad som hade hänt, men först sa hon ingenting, hon var rädd, och sen fick jag sanningen ur henne. Om du inte förklarar vad som händer här så går jag min väg, sa jag, och du kommer aldrig att få se mig igen. Då erkände hon att det var en konstig man där som brukade sova hos oss. När jag hörde det ville jag bryta mig in i rummet och slå ihjäl dem. Och jag hade kanske dödat honom, men jag tänkte: De kommer att sätta mig i fängelse, och vem har då Zergul att ty sig till? Vem vill ta hand om henne?

Jag var rädd för Kulman. Om han plötsligt skulle drabbas av raseri, glömma sig själv –vad kunde inte hända då? Men samtidigt tyckte jag också synd om honom. Hur kunde jag göra annat? Vi hade vuxit upp tillsammans, gått i skola tillsammans, delat allt, men han hade tigit och lidit så länge och ensam burit en sådan börda inom sig. Vänner gör inte så. Men jag kunde naturligtvis inte visa min besvikelse mot honom nu, det var försent.

– Ongar!

– Ja?

– Du förstår, ibland vill jag bara ge mig av någonstans, jag vet inte vart, någonstans där ingen känner mig. Men hur ska jag göra? Zergul har bara mig kvar, det finns ingen annan. Och vad skulle far säga? Du kan inte föreställa dig hur synd det är om honom. Mannen går ut i kriget, och hans fru (han kunde inte förmå sig att kalla Panzaj vare sig mor eller styvmor) sätter sig i en annans vagn eller tar emot en annan man i sitt hus. Och samtidigt kan det ju hända att vår far förblöder och dör någonstans långt borta ...

Hans röst darrade till och avbröts i en viskning, och jag var rädd att Kulman skulle börja gråta. Men nej, han var en viljestark person. Han kunde ta sig samman.

Jag följde honom hem. Vid porten stannade Kulman plötsligt och såg ned i marken.

– Vad är det? frågade jag. Har du tappat någonting?

– Nej. Se här, nu igen, samma hjulspår.

Ja, spåret var färskt och ganska djupt.

– Det här är hans kärra. När vi åkte till stan stod den inte här.

Så han har varit här igen. Kulman reste sig plötsligt och stod länge tyst. Jag såg inte hans ansikte i mörkret, men jag hörde honom gnissla tänder.

– Gå hem, sade han.

– Nej, jag går inte, svarade jag, rädd att lämna honom ensam: Vad skulle hända om mannen nu låg hos Panzaj? Kulman kunde göra något som han aldrig skulle kunna göra ogjort ...

– Gå, upprepade han. Jag står och vilar en stund, sen går jag in.

– Jag vill följa med dig.

Han sade inte emot och vi steg över tröskeln till rummet.

Panzaj och Zergul sov. Kulman vred upp veken på lampan som stod i fönstret. Panzaj hade hört fotstegen:

– Oljan brinner slut, sänk lågan.

I lampans sparsamma flämtande sken såg jag Kulmans bleka ansikte. Hans läppar darrade.

Och då hörde vi Zerguls tunna, späda gråt. Kulman vek undan filten från hennes huvud.

– Hur är det med dig, Zergul? Har någon varit dum mot dig? frågade han upprört. Nå? Varför säger du inget? Berätta vad som har hänt!

Zergul försökte gömma huvudet under filten, men han hejdade henne. Flickan snyftade, det verkade som om hon hade gråtit länge och inte kunde lugna sig. Hon skulle säkert ha gråtit högt om hon inte varit så rädd för sin styvmor.

– Låt henne vara! röt Panzaj strängt. Du var mig också en vän i nöden.

Men Kulman var inte rädd. Han gick fram till Panzajs säng och frågade hotfullt:

– Varför gråter hon?

– Hon spillde fotogen, det är därför hon tjuter! En stor flicka som inte ens kan tända en spis!

Svaret verkade inte passa honom. Han gick tillbaka till Zerguls säng.

– Varför gråter du? Får jag höra, var inte rädd! När jag är hos dig behöver du inte vara rädd för någonting eller någon. Förstår du?

Han tvingade flickan att sitta ned, och jag kunde se att ansiktet var svullet av tårar, och de långa ögonfransarna klibbade samman.

– Jag frös … Jag var ensam och ville sätta på spisen och så råkade jag spilla lite fotogen …

– Och Panzaj, var har du varit? frågade Kulman trotsigt och duade henne avsiktligt.

Zergul ryckte till av överraskning. Panzaj stirrade ilsket på Kulman. Så här långt hade det aldrig gått tidigare.

– Hon … hon åkte iväg i vagnen med den där farbrorn … Hon kom nyss tillbaka.

Panzaj flög upp som en panter och rusade mot Kulman:

– Håll käften, snorunge! Du ska skita i vart jag går och med vem jag går! Försöker du spionera på din mamma? Va? Håll käften på dig!

Kulman verkade inte lyssna på sin upprörda styvmor.

– Kom den där farbrorn hit igen? frågade han. Har han sovit här igen?

– Nej, viskade flickan. Han åkte bara och hämtade henne.

Panzaj lät höra en högljudd suck av lättnad, som om en stor sten hade fallit från hennes bröst. Men Kulman trodde henne inte.

– Säg som det var! krävde han. Sov han här?

Panzaj blev rasande.

– Herregud! utropade hon. Vad är det med honom i dag? Vem har lärt dig dina busfasoner? Du skrämmer bara barnet med ditt skrikande …

– Hon kommer inte bli rädd för mig, sade Kulman och betonade ordet *mig*. Jag är hennes bror.

– Och jag är hennes mamma!

– Nej! Du … Du … Du är inte vår mamma, du råkar bara vara gift med vår far!

Panzaj skakade som i feber. Hon grep eldgaffeln och måttade ett slag mot sin styvson, men han ryckte den enkelt ur hennes händer, slängde den i ett hörn och vände tillbaka till den olyckliga Zergul.

– Berätta! Var han här eller inte?

– Jag har ju redan sagt det, svarade Zergul med låg röst. Han hämtade henne bara.

Hon talade så tyst att Kulman var tvungen att böja sig ned för att uppfatta allting.

– Det är sant! förklarade Panzaj plötsligt med fast stämma. Han kom för min skull! Och han tillbringade natten med mig, och jag – med honom! Än sen? Vad kan du göra åt det? Det är inga barn som jag har fått, utan vargyngel! sade hon bittert. Riktiga vargyngel!

Kulman verkade något bragt ur fattningen av styvmoderns beslutsamma och uppriktiga erkännande. Han var förvirrad och visste länge inte vad han skulle säga eller göra. Ja, om hon skaffat sig en karl, vad kunde han göra åt det?!

Han kastade sig på systerns säng, begravde ansiktet i kudden och grät bittert, medveten om sin egen maktlöshet.

Jag såg att han grät för att han blivit förolämpad på sin fars vägnar och för att han inte kunde stå upp för sin egen ära, för Panzaj var en vuxen kvinna och skulle göra precis som hon ville.

Jag rörde vid hans axel, men han stötte undan min hand.

– Gå … Jag behöver ingen …, sade Kulman genom de halvkvävda snyftningarna.

– Lugna dig, gör inte så här, försökte jag förvirrat.

– Lugna mig? Jag kan inte! Jag kan inte! Låt mig vara …

Han hoppade upp ur sängen, rev från väggen ned ett stort fotografi av sin far, som med ett obekymrat leende betraktat allt som försiggått i hans hus. Kulman hade uppenbarligen helt förlorat kontrollen över sig själv och skrek med bitter vrede:

– Var är du? Varför kommer du inte? Varför skriver du inte? Du har blivit förnedrad – känner du inte skammen?

Han kramade fotografiet och föll i gråt igen.

Panzaj hade suttit på sängen och betraktat sin styvson under tystnad, men när hon hörde hans sista ord – att hon hade vanhedrat sin man – störtade hon fram till Kulman och grep honom i kragen och började skaka honom så att mössan flög av och faderns fotografi föll ur hans händer.

– Vem är en skam för din far? skrek hon. Tala om vem det är som anklagar honom.

– Du låg med en främmande man, och du tvingade min syster att sova i en oeldad farstu! Min far kommer aldrig att förlåta dig för detta!

Panzajs ansikte mörknade återigen. Hon släppte Kulman, ställde sig och såg på honom länge under tystnad, och med betoning på varje ord sade hon:

– Nej. Jag har inte kränkt din fars heder!

– Det är en skam! avbröt Kulman. Och han kommer att få reda på det!

Panzaj var tyst igen en lång stund. Det verkade som om hon övervägde ett svårt beslut, men inte kunde finna modet att säga allt. Och ändå talade hon:

– Han kommer inte att få veta någonting, er far. Hennes röst var låg och till och med sorgsen, och det skrämde mig. Ingen får någonsin veta!

Kulman måste också ha anat olyckan, allt han kunde göra var att viska:

– Varför?

– Därför att han har stupat, din far ... Han är död sen länge ...

– Du ljuger! Du är en lögnare! skrek Kulman igen och såg på sin styvmor med vild blick. Jag blev rädd att han skulle kasta sig över henne.

– Nej, jag ljuger inte, fortsatte Panzaj tyst. Jag tyckte bara synd om er otacksamma människor, och det var därför jag inte sa något. Men eftersom du har förolämpat mig för att jag trampar på din fars ära och allt det där, så säger jag dig sanningen: Du har inte längre en far. Förr eller senare skulle du ha fått reda på det ändå. Och den som kommer till mig och som jag går till är inte en främmande man, som du säger, Kulman. Det är min förste make. Jag hade fått en begravningssedel för honom, men han kom helt enkelt tillbaka! Sådant händer. Och detta är hela sanningen ...

Kulman begravde sitt ansikte i kudden igen, hans axlar ska-

265

kade av snyftningar. Zergul grät också uppgivet och klamrade sig fast vid sin olycklige bror.

* * *

När jag kom hem berättade jag för min mamma om hela det hemska uppträdet. Men det visade sig att hon hade vetat alltsammans länge. Ja, det svarta papperet om farbror Iljas hade kommit för nästan tre månader sedan, och folk visste, men skonade barnen, och höll tyst. De gamla människorna i byn beslutade att Panzaj inte skulle lämna barnen medan de fortfarande var små, och i detta beslut låg såväl omtanke, som – tycktes det mig – en stor portion grymhet.

* * *

Gråtande, utblottade, halvdöda slavarbetare...

I två hela månader var det enda ord som genljöd i byn: Fred! Fred! Hur länge hade de inte väntat på att få ropa ut det där korta ordet! Ett ord som står för livet självt. Och hur dyrt hade de inte fått betala för denna möjlighet: änkor, föräldralösa, svältande, gråtande, utblottade, halvdöda slavarbetare...

Etthundratrettiotvå man från vår by hade gått ut i kriget, bara fyrtioåtta kom tillbaka. Den fyrtionde var Buribaj. Men kriget dödade också honom!

Och sin barndom återfick ingen – den offrades på krigets altare.

* * *

Knappt hade segerdagen firats med tårar av glädje och sorg, förrän Panzaj till sist flyttade ihop med sin man, som hade återuppstått från de döda. Hon erbjöd sina styvbarn att följa med henne, men de ville inte överge sin faders hus. De båda, Kulman och Zergul, såg sig inte som barn längre och bestämde att de kunde klara sig i livet på egen hand.

Ni slapp uppleva kriget ...

Ja, kriget slapp vi ...

1985

TRANSITPASSAGERAREN

Ett envist höstregn duggade för andra dagen i följd. Det hade börjat med en bullrande, hotfull vind, som efter att ha lugnat sig något övergick i ett genomträngande skyfall som drev alla människor inomhus.

Försonade med sitt dystra öde tystnade de gulnade löven i väntan på ännu kärvare prövningar från annalkande frostiga tider.

Zejnep hade ingenting särskilt att göra i stan, och båda regndagarna satt hon i självvald isolering i sin tvårummare på andra våningen i ett femvåningshus i utkanten av stadsdelen Airport. Här fanns varken stora affärer, biografer eller parker, utan bara en handfull varustånd och enstaka skomakare och järnhandlare. Och en tidningskiosk. Men om vi ska vara riktigt noga får vi inte glömma bort skjutbanan, som stöttade upp ena väggen åt järnhandlaren ...

Zejnep hade länge känt sig ganska nöjd med enbart starkt te och bekymrade sig inte nämnvärt över sina tomma grytor och kastruller, och i dag hade hon på det hela taget gett efter för en besynnerlig apati och brydde sig inte ens om att gå till affären på morgonen för att köpa bröd och lite mjölk att hälla i teet. Hon kände sig till och med för lat för att gå till grannarna och låna en del småsaker. Så hon vandrade runt i köket, korridoren och rummet och höll tillgodo med vad Gud hade sänt i hennes väg.

Det var svårt att säga om solen hade gått ned eller om det var dimman som hade tätnat, men på något vis hade det mörknat och alla föremål i hennes lägenhet hade förlorat sin form och blivit till enbart mörka fläckar mot de vita väggarna.

Det hade alltså mörknat, inte mer med det ... Vilka speciella bekymmer och problem kunde människorna ha i detta hus? Vad kunde det finnas som deras tid eller kraft inte räckte till för? Allting fanns ju tillgängligt och till och med inom räckhåll. Däremot fanns inget behov av att göra upp eld, bära vatten … Man behövde bara gå och handla ett par gånger i veckan och sen var det inte mer med det. Ingen behöver en och man själv behöver inte bry sig om en människa. Ja, livet i staden är så här, somliga blir knäckta av det, andra enbart kalla och likgiltiga. Men man kan inte skylla på någon, var och en har sitt eget liv, sina egna bekymmer. Och om någon skulle knacka på hos en granne så blir man som regel stående i farstun och ber om ursäkt för att man stör. Ursäkta att jag besvärar …

Zejnep hade varit pensionerad i drygt en månad. Nu när jag äntligen får min ledighet kommer jag inte lyfta ett finger, hade hon tänkt drömmande, men tji fick hon – nu när hon nått fram till sin pension visade det sig att det var mycket bättre när hon arbetade, hon var sig själv, utförde det arbete som hon hade framför sig. Och det fanns ingen tid att grubbla, hon var sysselsatt, och på kvällen var hon trött, som alla vanliga människor. Men när man inte har någonting för händer finns det ingenstans att gå, det finns så många saker att ändra på, så många tankar att omvärdera, överallt frågetecken! Och om det bara hade varit så att varje syssla hade sin början och sitt slut, men det har de inte, det finns inget slut och ingen nytta med något, det är som om man trampade runt i en cirkel. Av alla vardagsbekymmer återstår bara känslor och suckar … Och bekymren om barnen. De har sitt eget liv, och Zejnep har hela tiden känslan att de inte klarar sig utan henne, att de hela tiden väntar på att hon ska rycka in och ta hand om allting åt dem. Hon kunde inte ens föreställa sig att hennes söner, som hade varit gifta länge, lyssnade mer på sina fruar än till sin mammas råd, och även om de ibland förde henne på tal tycktes de kunna klara sig utan henne. Den tanken dök trots allt upp hos henne emellanåt, men hon avfärdade den lätt. Det hade faktiskt funnits en tid då de skulle ha gråtit blod om hon var borta en enda timme. De kastade sig om halsen på henne och grät bittert, som

269

om de varit ensamma i världen … Hennes man hade dött när hon hade fyra barn som kommit i tät följd, och Zejnep tvingades ta ett tungt och slitsamt arbete för att kunna försörja dem. Förskolorna var lätt räknade vid den tiden och på morgnarna fick Zejnep placera ut barnen hos sina vänner, och på kvällen, efter jobbet, samla in dem runt hela staden. På den tiden kom de rusande till sin mamma så snart de fick se henne, som om hon varit deras enda frälsning. För att komma hem måste de byta buss två gånger, och klockan åtta var de hemma i en kall lägenhet. Omgående satte de glatt igång med att sätta fyr i kaminen, värma vatten och skala lök. När det var läggdags för andra barn satte de sig till bords för att äta kvällsmat. De hade knappt hunnit äta klart förrän femåringen Jertay somnade med huvudet på bordet, och de äldre, som hade hunnit krypa i säng, ropade i kör: Mamma, kom och lägg dig hos mig. Medan hon fortfarande var upptagen med att plocka undan och göra i ordning ropade hon tillbaka: Jag kommer, jag kommer, och barnen somnade utan att vänta på henne. Bara sjuåringen Nazipa, som varit som ett yrväder alltifrån vaggan, trotsade sin mammas order att gå och lägga sig, och hängde i mammas kjolar, hjälpte till att diska, städa huset, medan munnen gick oavbrutet och hon berättade om allt som hade hänt under dagen. De var aldrig färdiga förrän långt efter midnatt. Nazipa kramade henne hårt om halsen.

– Vad har ni gjort i dag? frågade Zejnep sin dotter, medan hon lyssnade på sin utmattade kropp som längtade efter vila.

– Vi lekte. Sen gick vi ut på promenad.

– Med vem? Vart gick ni?

Zejneps ögon höll på att falla samman av sig själva.

– Med en flicka som bor bredvid mormor. Hon skulle gå och handla, och så fick jag följa med. Hon köpte ett hårband. Blått, jättevackert …

– Och sen då?

– Sen åt vi glass … Hon köpte glassen och åt upp den.

– Men ni då?

– Jag åt ingen glass … Jag får inte, du har själv sagt att om jag blir sjuk så kan du inte gå till arbetet och då får du inte pengar så det räcker.

Zejnep suckade tyst, så att hennes dotter inte skulle märka något, och försökte svälja klumpen i halsen, och svarade med överdriven likgiltighet.

– Bra gjort ... duktig flicka! Och sen då, gick ni hem sen?

– Nej, hon visade mig till parken, det finns en liten park alldeles nära, så vi gick dit. Och vi åkte flygmaskin. Det var jätteroligt! Hon satte sig i planet, och jag stod på marken och tittade på, och vi hade så roligt, mamma!

– Varför gick inte du också på planet?

– Jag? Det snurrar bara i huvudet, jag stod på marken.

– Nej nu är det dags att sova!

Nazipa hade redan somnat, innan hon hade hunnit berätta färdigt om glass och flygmaskiner och allting annat.

När Zejnep hade befriat sig från sin dotters armar vände hon sig mot väggen och föll i gråt – tyst-tyst för att inte väcka någon.

Och nästa dag skulle hon ur sängen innan det ljusnat, ruska liv i barnen igen, ge dem te och leverera dem till sina förstående vänner. Och en gång – varför hade hon lagt en sådan struntsak på minnet? – hade den äldste, elvaårige Bektur, som så småningom blev osams med sina bröder och systrar och hamnade ända borta i Sachalin som fartygskapten, en gång hade han haft ett allvarligt samtal med sin mamma: Det går inte att köpa något för femton kopek, ge mig trettio! Så kan jag köpa två piroger och en flaska lemonad, annars får jag gå hungrig ända tills jag kommer hem. Zejnep hade tittat noga på den stolte Bektur och gett honom femton kopek extra som hon hade sparat till sin egen lunch. Pojken hade hävt upp ett lyckligt skratt, hon mindes det så väl, och gett henne en smällkyss på kinden.

Han hade åtminstone haft tur i livet, en bra inkomst, och måtte alla få en lägenhet lika lätt med Guds hjälp. Hennes näst äldste, Nartai, var en olycksfågel, en som livet igenom snubblar på jämna marken, går vilse bland tre tallar och därför hyser agg mot allt och alla ... Och trots allt – så tillgiven han var, han kunde inte somna förrän hans mamma kysst honom godnatt. Ja, på den tiden var det mamma från morgon till kväll. Blev de rädda ropade de på mamma, om de var glada så var det återigen: Mamma! Utan mamma kunde ingen ta ett steg i sina små liv. Men nu … Nu behöver de varken några råd, eller hennes varma händer, eller femton kopek.

Efter pensioneringen hade Zejnep haft så mycket att tänka igenom och omvärdera, så många minnen att bearbeta att allting gick runt i huvudet för henne. Hon funderade över sitt förflutna liv, på sig själv, på sina barn. Och oavsett från vilket håll Zejnep närmade sig det förflutna och nuet, återfann hon inte barnens varma tillgivenhet från förr. Och det verkade som om barnen från och med nu var borta och aldrig skulle komma tillbaka till hennes skyddande vingars skugga. De skulle aldrig återvända till föräldrahemmet, samlas omkring henne och ropa Mamma! från alla håll. Så vem behövde henne? Ingen?! Är detta själva livets lag? Att modern som föder sitt barn i smärta, uppfostrar det, tar hand om det – och barnet sedan reser sig och går och bär sitt öde runt om i världen, suddar bort minnet av den som skänkte det liv, som vakade, som avstod de bästa bitarna av allt … Och om de så småningom återvänder till det gamla hemmet är det bara för att kasta en handfull jord på moderns grav. Och det händer också att barnen inte hinner fram till de sista minuterna … Sådant händer. Vem har ordnat det så i världen? Är det människorna? Är det Gud själv? Ingen vet, men det är så det sker här i livet, och Zejnep är inget undantag från regeln.

Och nu när hon gått i pension plågades Zejnep av samma tankar om natten. Och nu detta regnande dessutom … Det pressade tungt på hjärtat och det fanns inga krafter att lyfta huvudet, räta på axlarna och betrakta världen lugnt och självmedvetet. Zejnep kom ihåg att hon redan innan, långt före sitt äktenskap, hade funderat över livets obeständighet och dess förgänglighet, hon hade gått med dessa för sin ungdom konstiga tankar. Men den gången var de hastiga och övergående, som lynneskasten hos ett hingstföl. Och livet syntes oändligt – allting låg i framtiden, och vad ensamheten var förstod hon inte alls. I den dagliga brådskan, de oändliga sysslorna som visade sig vara livet självt, märkte hon inte hur hennes ungdom hade försvunnit, åren av blomstring och lidelse hade försvunnit någonstans, som om de aldrig funnits. Allting var så bråttom, livslågan falnade och vad händer nu? Återstår då bara detta enda: vi får inte störa barnens liv, inte tränga oss på?

Av barnen bodde bara ett i staden – Jertay, han som alltid somnade vid bordet. Han hade ringt i går och sagt att han och hustrun tänkte flytta in hos henne för gott ... Ja, den gossen hade gett henne bekymmer så det räckte! Han var bara tjugofem och hade redan varit gift två gånger. Tidigare hade Zejnep haft en trerumslägenhet. Men när Jertay tog med sin fru blev Zejnep tvingad att byta till en tvåa för att han skulle få en egen vrå. Svärdotterns humör var inte det bästa, och Zejnep var till och med glad när de unga flyttade till en egen etta. Till en början försökte den unga hustrun sätta sig på tvären: Vi kommer att skaffa barn, och ni har redan fått alla ni ska ha, så jag tycker att vi borde ha tvårumslägenheten. Zejnep var benhård: Visserligen ska jag inte ha fler barn, men mina barnbarn kommer plötsligt resande och ska ha en plats att bo. Jag kommer inte att sitta ensam resten av mitt liv. Och ni har en tunga som en orm! Jertay kunde inte komma överens med henne, och ett år efter lägenhetsdelningen separerade de. Zejnep blev inte det minsta upprörd av detta, utan ganska glad, och mor och son kunde åter umgås. Och förra året gifte Jertay om sig, men denna gången var det ett lyckligt äktenskap. Men snart lämnade de unga henne. För svärdottern var det för lång väg till Institutet (hon var fortfarande student), och för Jertay var det för långt till jobbet. Och så flyttade de till stadens centrum, till svärföräldrarnas hus. Men Zejnep hade fostrat alla sina barn och gjort folk av dem just här, i denna stadsdel, och hade gått till sitt arbete varenda dag utan att klaga på avståndet. Ja, nuförtiden sätter unga människor större värde på sig själva än vad vi dumskallar gjorde i vår ungdom! sade hon till sig själv.

Och nu vandrar Zejnep runt i lägenheten och sneglar ömsom på dörren, ömsom på den svarta telefonen: Var ska det ringa? Ska Jertay och svärdottern komma genom dörren eller kommer telefonen att ringa? Men telefonen var tyst, och lika tyst var det utanför dörren.

Regnet verkade tillta. Skulle det kanske bli snö? Vindbyarna piskade regnet, eller om det nu var snö, mot fönsterbrädet ... Otålig av att vänta gick Zejnep ut i köket och satte sig för att dricka te. Hon värmde tekannan långsamt, fyllde den långsamt, tittade ned in i den tomma mjölkflaskan och flyttade undan den till mitten av bordet ... Precis när hon höjde skålen till sina läppar ringde dörrklockan en öronbedövande signal. Hon hade väntat på detta hela dagen, men hon blev så skrämd att hon nästan tappade skålen. Hjärtat dunkade i bröstet, och Zejnep reste sig hastigt och gick mot dörren och upprepade tyst för sig själv: Det är de! Mina kära! De och ingen annan! När hon lämnade köket ringde klockan en andra gång.

– Ett ögonblick, ett ögonblick! ropade Zejnep och skyndade mot dörren. Här har jag gått och väntat hela dagen, och plötsligt måste man springa benen av sig! De kunde gott ha ringt en gång åtminstone.

Vänligt grumsande öppnade hon dörren.

– Var har ni hållit hus? Var så goda och ... Zejnep avslutade inte meningen och stod stum, som om hon förlorat talförmågan. I dörröppningen stod en helt främmande man i sextioårsåldern, drypande våt. Vattnet rann från hattbrättet. Zejnep stirrade tyst på främlingen, ur stånd att säga ett endaste ord.

– Vem ... söker ni någon? frågade hon något skrämd och därför en aning skarp i tonen.

– Jag vet inte hur jag ...

Främlingen försökte åstadkomma ett leende, men hans läppar blev bara till en grimas.

– Det är alltså ni som bor här nu, sade han, utan att riktigt se direkt på Zejnep, utan snarare på dörrhandtaget och karmen, stoppningen, tröskeln, och strök sedan försiktigt med fingrarna över dörren. Mannens egendomliga beteende gjorde Zejnep ännu mer misstänksam. Hon drog åt sig dörren för säkerhets skull. Främlingen fingrade på dörrhandtaget och sade tyst: Jaså ni håller fortfarande? Hejsan...!

Han verkade inte se Zejnep, trots att hon stod framför honom medan han samtalade vänligt med dörrhandtaget … Zejnep blev rädd och upprepad lite snävt:

– Vem är ni? Vem söks?

Främlingen vaknade upp och insåg äntligen var han befann sig och såg förvirrad på Zejnep.

– Jag är … Jag är bara på genomresa … Mannen tog av sig hatten och skakade av vattnet. Jag tog en taxi från flygplatsen och kom hit … Jag har letat efter det här huset länge. Allting ser annorlunda ut, så mycket har förändrats. Ja, livet står inte stilla.

– Jag förstår inte, sade Zejnep med en nervös axelryckning. Vems hus letar ni efter?

Mannen skakade av sin hatt igen och stänkte ned en del av väggen och grannarnas dörr. Zejnep fick också några droppar över sig.

– Varför stänker ni på mig? Vem är ni? Och vad gör ni här? Vem söker ni?

Zejnep gjorde en rörelse med handen och tänkte slå igen dörren. Främlingen log plötsligt vänligt och såg henne rätt i ögonen.

– Jag ber så mycket om ursäkt för min klumpighet, sade han och tryckte ilsket ned den blöta hatten på huvudet, som om det var hattens fel att regnvattnet flög åt alla håll.

– Jag bodde här en gång. Tiden flyger så fort … Det har gått tjugo år sen jag var i den här stan. En hel evighet! Med åldern brukar människor tänka mer på det förflutna än på framtiden. Framför oss har vi slutet, bakom oss – melankolin, sorgen. Jag hoppas att ni förlåter mig, för Guds skull, här kommer jag neddimpande från skyn rakt i huvudet på er och börjar prata en massa gallimatias … Ta den här detaljen – Han rörde åter vid dörrhandtaget och skrattade plötsligt:

– Den har en egen historia, men självklart behöver ni inte höra den just nu, sade han och tittade försiktigt på Zejnep. Jag får intrycket att ni inte betraktar främlingar på samma sätt som stadsbor ofta gör. De ser alltid tjuvar överallt. Ni har ett vänligt ansikte. Det måste finnas barn i huset …

275

Värmen i mannens röst, som var lugn och avspänd, dämpade Zejneps oro något, och hon slappnade av gradvis och betraktade främlingen uppmärksamt.

– Det här är en något egendomlig situation, sade hon utan att veta vad hon skulle göra. Det verkar inte finnas någon anledning att bjuda er att stiga in, Jag känner er inte, men jag kan inte gärna stänga dörren rätt i ansiktet på er. Att stå på tröskeln så här är inte heller så lämpligt. Ni ser ut som om ni har badat med kläderna på. Ni får väl komma in, när ni nu har bott här en gång. Ni är kanske intresserad av att se lägenheten. Jag hoppas att ni inte har för vana att råna människor...!

– Gud sig förbarme! Tack så mycket! utropade främlingen lättad. Jag tänkte be er om att få komma in, men jag vågade inte.

Han steg över tröskeln och började omedelbart se sig omkring i lägenheten. Hans blick sökte sig bort i den mörka änden av korridoren. Han lade genast märke till en stång på väggen över klädhängaren och mumlade överraskad.

– Jaså den där är fortfarande i livet, ser man på!

– Ta av er skorna, ni är säkert blöt om fötterna. Ingen kommer att bära med sig den där apparaten.

– Tack, tack, log den obetvinglige främlingen. Tusen tack. Han tog hastigt av sig rocken. Om ni låter mig titta vidare ..., sade han och pekade.

– Varsågod och titta, det är det ni kom hit för, sade Zejnep och satte fram ett par tofflor åt honom. Mannen hade stigit in med skorna på och såg förvirrad ut.

– Åh, förlåt, jag glömde att ta av mig skorna. Han stannade på tröskeln, som om han samlade sig till att hoppa i vattnet. Han märkte att värdinnan observerat hans förlägenhet och slog ut med armarna i en uppgiven gest.

– Det är så många år sen. Han tog upp en näsduk ur byxfickan och lade den nervöst i fickan på kavajen.

De fortsatte in i rummet som låg mellan sovrummet och korridoren. Här stod en soffa till höger om ingången, en tv i motsatt hörn, ett bord med fyra stolar ... Sedan såg han ytterligare två sängar, ett slitet gult nattduksbord och en låg golvlampa. Rummet var perfekt rent, välstädat och på något vis – trist.

Därefter inspekterade han långsamt sovrummet och köket, medan Zejnep stod och väntade mitt i lägenheten.

Och när mannen kom fram till Zejnep märkte hon hur upphetsad han var. Han slog ned blicken och talade med låg röst, nästan som om han måste anstränga sig:

– Jag heter Ajtore och mitt efternamn är Askarov. Jag är bara här på genomresa, eller, som det heter numera, transitpassagerare. Ja, jag har fortfarande tre timmar på mig innan planet lyfter. Jag skulle ha varit i Novosibirsk nu, men jag fick veta att det var dimma och inget flygväder, och så landade jag rätt i er lägenhet.

– Jamen då så, sade Zejnep hjärtligt, eftersom ni har lite tid innan ert plan avgår, så hinner ni dricka en kopp te eller två, så ni blir varm, så kan ni resa vidare.

– Antingen är jag gjord av glas, eller så kan ni se rakt igenom mig, det är något som jag drömmer om! skrattade Ajtore avslappnat. Jag är beredd att missa mitt flyg, bara jag får lite varmt te.

– Följ med då … Eller vänta, varför ska jag tvinga någon som har rest över halva jorden att trängas i mitt kök? Jag serverar det hellre här. Zejnep visade på soffan och täckte soffbordet med en ny vaxduk. Även om ni bor långt borta, så är ni den förste innehavaren av den här lägenheten! Så jag bjuder er på bröd och salt i ert eget hem!

Ajtore lämnades ensam i rummet. Zejnep stängde köksdörren för att stänga ute slamret av tallrikar och fat, och lägenheten blev tyst. Återigen hördes vindens vinande utanför fönstret och regndropparnas smatter mot rutorna. Hur många gånger hade han just i detta rum lyssnat till samma höstkonsert? Och soffan stod också på sin plats, vilket inte var så förvånande, lägenhetens planlösning gjorde det omöjligt att hitta någon annan placering. Han hade redan blivit varm och kände sig bekväm och kände sig ena ögonblicket som en total främling och i nästa sekund som den rättmätige ägaren till lägenheten. Ja, det finns ingen kraft som är starkare än tidens kraft! Det verkade som en evighet sedan de hade lämnat det här huset, men å andra sidan var det som om det hade hänt i går. Han fick rentav för sig att hans mamma skulle dyka upp i dörröppningen ... Min gosse, är du äntligen här? Varför är du så ledsen? Åh, du är ju alldeles våt...! Och hon skulle rusa fram till honom med en torr skjorta, en varm morgonrock och stryka honom över hans våta gråa hår. Fastän han var sextiofem, och om hans mamma fortfarande hade levt skulle han fortfarande vara hennes lille gosse. Ja, det är vad hon skulle ha kallat honom...! Nu bor andra människor i huset, andra röster hörs. Så egendomligt, allting kändes så välbekant, så förtroligt, att han fick för sig att de andra skulle flytta ut, och dessa väggar skulle kollapsa, försvinna. Men nej, andra människor hade kommit hit för att bo, samma väggar accepterade dem som sina släktingar och livet fortsatte. Dörren till det angränsande rummet öppnades plötsligt tyst. Ajtores hjärta började slå snabbare. Det var som om någon kom ut genom dörren på bara fötter. Han hörde till och med sin döende mammas svaga röst: Ajtore, ay, Ajtore, är du törstig? Även när hon var döende frågade hon om han var törstig ... Allt han hade kvar var bilden av henne som han bar inom sig. Om någon tid skulle också han själv vara borta från det här livet, men först då skulle minnet av hans mamma försvinna samtidigt med honom. Och då – för alltid – blir det som om hon aldrig funnits i världen, aldrig visat sig på denna jord och aldrig lämnat den. Och andra människor kommer bullrande att inta sin plats. Men sådan är tillvaron. Det korta ögonblicket från vaggan till graven kallas just så – ett liv.

Ajtore ryste i hela kroppen och en varm dimma kom för hans blick. Så egendomligt det kan tyckas, både smärtsamt och ljuvt, att minnas det förflutna. När de bodde i detta hus, ett bullrigt, roligt liv! Nu finns ingen kvar från det livet utom han. Döden går aldrig vilse, han finner alltid ett sätt att komma dig nära, och en dag kommer han och lägger sin snara runt din hals. Eller hade han kanske redan tagit sin boning inom honom, i hans lekamen och väntade tålmodigt på sin tid och gömde sig som vakteln i vetekärven. Ajtore lyfte sina kalla, rynkiga händer och höll dem framför ögonen, och plötsligt fick han en känsla av att de inte var hans egna händer, utan någon annans, en främling, som han aldrig sett. Skrämd gömde han snabbt händerna under bordet. Hans värdinna kom in med te och kakor på en stor silverbricka.

De vardagliga orden som brukar sägas i sådana ögonblick, träffade honom som en elektrisk stöt.

– Hade ni tråkigt här alldeles ensam?

– Ähm ... nej, svarade han förvirrad. För att inte förråda sitt tillstånd skrattade han nervöst.

– Jag tror att ni var helt förlorad i era minnen.

– Ni har rätt, det sägs ju att tankarna kan få makt över en människa dit hän att man inte vet om man ska skratta eller gråta.

– Gå inte vilse, känn er som hemma, sade Zejnep hjärtligt. Hon hällde upp te i en skål och satte framför sin gäst. Ajtore brände sig vid den första klunken te, men hejdade sig ändå inte utan tömde skålen i ett drag och räckte den till Zejnep. Värdinnan fyllde den omedelbart. Utan att dröja, och med påtagligt välbehag, tömde han även den andra koppen, och tog först då ett djupt andetag, såg uppmärksamt på Zejnep, som om han nu först insett var han befann sig och hur han kommit hit.

– Jag var alldeles torr i halsen, sade han som ursäkt för sin tetörst.

– Drick lite mera.

Ajtore sträckte omgående fram sin skål.

– Det är ganska egendomligt, sade han. När jag var på semester på Krim bryggde jag många gånger samma indiska te i en och samma tekanna. Men min uppfattning är att te som lagas av en kvinnas hand är betydligt smakligare.

Denna enkla komplimang från en helt främmande man berörde Zejnep angenämt, det var länge sedan någon hade gett henne beröm som värdinna.

– Ibland beror det på vattnet, sade hon blygsamt och tittade ned. Just i det ögonblicket ringde telefonen, som hade varit tyst hela dagen, och Ajtore och Zejnep tittade båda på den.

– Det måste vara min son Jertay. Han skulle komma hit, men

varför ringer han nu? Zejnep skyndade till telefonen för att svara.

– Hej! Vad är det som har hänt? Varför är ni så sena? Var har ni varit? Ni skulle ha kommit i morse, och nu är det redan kväll. Vadå? Vad är det för jobb? Har du din *kelin* med dig? Väntar ni på din storebror? Var ska han komma ifrån? Har hon aldrig träffat honom? Dröj inte för länge bara! Hon lade på luren och återvände till bordet.

– Den skurken har gett mig gråa hår i förtid, sade hon ilsket och hällde upp te i Ajtores tomma kopp. Hon fortsatte:

– Ena stunden ska han bo här, andra stunden ska han bo där. Dit hustrun bestämmer, dit går han. Nuförtiden är unga människor så karaktärslösa, det är bara hemskt. De kan inte säga ett ord till sin fru. Man blir så förbaskad! Toffelhjälte!

– Den yngste?

– Ja. Hur visste ni det?

– Bara en gissning … min egen var en riktig vettvilling. Han höll mig verkligen på halster. Jag hamnade nästan i fängelse för hans skull.

– Vad säger ni?! Herregud, vad hade ni då gjort?

– Jag? Fråga mig vad jag *inte* hade gjort: jag hade inte uppfostrat den slyngeln.

– Vad hade han hittat på?

– Tja, hur ska jag beskriva det … Han var med i ett gäng grabbar och tjejer som var nere vid sjön och badade. De hade druckit en del. De började larva omkring och kasta varandra i vattnet. Min grabb och hans kompis tog tag i en av de andra och höll honom i armarna och benen och kastade honom i sjön. De väntade på att han skulle komma upp till ytan igen, men han syntes inte längre. De hoppade i och började leta. De dök i fem minuter och hittade honom till sist … och det visade sig att han hade fått kramp och drunknat. De gjorde konstgjord andning, men grabben var död när de kom fram till sjukhuset. Som ni förstår blev det polisutredning och rättegång. Min son och hans vän hamnade i fängelse. Jag blev omplacerad. På mitt jobb fanns det såna kolleger som hela tiden gick och väntade på jag skulle råka ut för någonting. Och här fick de chansen!

– Det var en tråkig historia ... Blev det karl av er pojk till sist?
– Jo, svarade Ajtore korthugget. Fast sen dess har allting gått
på tok för honom. Han är som en kamel på isen – så snart han
kommer på benen faller han igen ...

Zejnep märkte hans reaktion och ställde inte fler frågor.
De satt tysta och visste inte hur de skulle fortsätta samtalet.
Ajtore kände att värdinnans humör hade förändrats efter hans
historia och tolkade det på sitt eget sätt, att han redan hade för-
brukat hennes gästfrihet. När han hade druckit upp sitt te ställde
han skålen ifrån sig och lade handen över till tecken på att han var
nöjd, hade fått upp värmen och nu tänkte tacka för sig.

– Drick lite mera te, sade Zejnep tyst. Ajtore tog upp sin näs-
duk ur fickan, torkade läpparna och var precis på väg att tacka
henne för gästfriheten och gå, när Zejnep bröt tystnaden.

– Min mellanpojke ... han var inte mycket bättre än er. Som
barn snubblade han över sina egna fötter, och så gör än i denna
dag. Han har också suttit i fängelse ...

– För vadå?

– Slagsmål. Det var den här jäkla vodkan som ställde till det för
honom. Alla unga grabbar blir som galna, de kan varken dricka
eller roa sig. Så snart de har fuktat sina läppar så ska de göra upp.
Det var så vår grabb hamnade snett. Han och ett par kompisar
hade åkt på skördearbete till Kustanaj, och de råkade i luven på
ett par rekryter. De slog ut ett öga på den ene och slet av örat på
den andre. Bar sig åt, med andra ord. Polisen grep allihop och
satte dem i häkte. Den ene grabbens far var tydligen minister.
Och sonen säger till vår grabb: Om du tar allt på dig alltsamman
och säger att du var ensam i slagsmålet, så kommer farsan att fixa
ut dig senare. Vår tokdåre till son gick med på det. Den där sluge
jäkeln lurade i honom att om han också åkte in skulle han inte
kunna fixa ut vår grabb. Vår pojke vittnade om att han hade gjort
alltsamman ensam, slagit ut soldatens öga och slitit av den andre
örat. Kort sagt, alla släpptes, och vår grabb åkte i fängelse. Och
ingen hade minsta avsikt att hjälpa honom, de lyfte inte ett finger.
Jag sprang runt på alla kontor ensam, skränade som en fågel och

sprang. Men till ingen nytta, jag spillde mina tårar i onödan. På alla kontor berättade jag om hur min son blivit lurad och fått klara sig själv, att han inte höjt sin hand mot någon, att han kommit till platsen för slagsmålet efter alla andra … Och jag min toka skrev åt alla håll och skadade bara mig själv. Lag är lag, fick jag höra, och ingen kan vrida den efter eget gottfinnande. Men alla förstod att min son hade skrivit det där olyckliga pappret på den andres tarvliga inrådan, alla visste det, men vad kunde de göra! Det är inte konstigt att talesättet säger att det som skrivs med penna inte kan huggas bort med yxa. Sex år fick han och jag fick mitt straff.

Zejnep började gråta bittert, som om hennes son just hade fått sin dom samma dag. Hon tog upp en stor näsduk ur fickan och torkade ansiktet och ögonen.

– Men den andre då? Ministerns son?

– Vad brydde sig han? Han går fortfarande fri, som om ingenting har hänt. Jag pratade med honom och hans far. Men inte brydde de sig om vad jag sa. Var er son inblandad i slagsmålet? Ja. Lämnade han en skriftlig bekännelse? Ja. Vad vill ni att vi ska göra? De båda pratade som om de var papegojor. De hade kommit överens i förväg.

– Vilket pack! sade Ajtore ursinnigt. De där som trampar hedern under fötterna, spottar på samvetet! Åh, hur många av dem vandrar omkring på jorden? Jag har sett tillräckligt många såna skurkar i mitt liv, kära syster … Förresten, ni verkar vara yngre än jag, och jag hoppas att ni inte blir sårad om jag kallar er som det brukas kazaker emellan – syster?

Zejnep, som just hade gråtit, lade ifrån sig näsduken och skrattade. Det gamla såret hade sedan länge läkt, och även om det ibland väckte tårar ersattes de lika lätt av skratt.

– Det får mig att tänka på den gamle gubben som ville kalla en annan gubbe för svärfar. Vad är jag för en syster? En gråhårig kvinna … Det är lika dumt som att sätta sadel på en ko.

– Ja, det är pinsamt, jag har suttit här så länge, ätit bröd och salt vid ert bord, och har fortfarande inte brytt mig om att fråga efter ert namn. Vad heter ni, syster? Ajtore betonade avsiktligt skämtsamt det sista ordet.

– Jag heter Zejnep. Men alla kallar mig *azhe*. Så kallades en av mormödrarna i släkten. Ni borde veta att vi kazaker inte kallar äldre kvinnor vid förnamn, och om en yngre kvinna har samma namn kan det inte användas. En av mina äldre bröder gav mig namnet på familjens äldsta, Zejnep, så att hela byn skulle akta sig för att kalla mig vid förnamn. Han fick bara roa sig med detta en kort tid, en av mina fyndiga *zhenge*, svågrar alltså, började kalla mig *azhe*, det vill säga mormor, och då förstod alla att mitt namn var Zejnep. Och så blev det: *azhe* hit och *azhe* dit. Så jag blev mormor från barndomen, jag har fått heta så hela mitt liv, och nu vill ni kalla mig syster!

Uppenbarligen var Zejnep själv road av historien om sitt namn, och när hon berättade om det lät hon med ens sorglös och glad, som om hon inte hade några bekymmer i världen och himlen över henne alltid var ljus och molnfri. Ajtore förvånades över att se detta tillstånd bokstavligen förvandla henne, göra Zejneps ansikte vackert, tilldragande, och han tänkte för sig själv att liknande stunder i hennes liv måste ha varit mycket, mycket sällsynta. Zejnep tog en klunk av sitt kalla te och tystnade och blickade ned i skålen som om hela hennes liv speglades där. Denna kvinna verkade ha haft betydligt fler sorgliga upplevelser i livet än glädje, mer arbete än vila och fler förluster än segrar hade blivit hennes lott, men trots detta bröts hon inte ned, gav inte upp och kunde fortfarande kämpa, uthärda, dela andras sorg, delta i andras liv. Allt detta insåg Ajtore som i ett enda ögonblick. Han fylldes av en varm, öm känsla, som rymde en oändlig sympati och uppriktig medkänsla.

– Så ligger det alltså till, suckade Zejnep och slog ut med armarna, som för att förklara att allting i livet inte kan förutspås. Och när går ert flyg?

– Oj, jag glömde alldeles bort mitt flyg! Ajtore såg hastigt på klockan. I såna här fall rusar tiden snabbare än en häst. Vi har knappt haft tid att prata, och fyrtio minuter har redan gått. På flygplatsen verkar varje minut vara en evighet. Jag tror att jag ska

283

börja dra mig åt det hållet. Det skulle förmodligen bara ställa till besvär om något av era barn tittade in.

– Jag tänker för min del på om min slyngel till pojk skulle börja mucka gräl med er. Annars kunde vi bli sittande här i all evighet. Flygplatsen ligger alldeles om hörnet. Och taxi kommer i strida strömmar. Sätt er. Jag skulle kunna sätta in köttet i ugnen …

– Nej, nej, tack för er gästfrihet. Jag tror regnet har avtagit. Ajtore nickade mot fönstret. I det här vädret borde ni sitta inomhus och dricka ert heta, underbara läckra te … I morgon är det måndag, och då måste ni gå till ert arbete.

– Ni envisas med att tro att jag är yngre än jag är! skrattade Zejnep. Vadå för arbete? Jag har varit pensionerad i en månad redan. Det här är er lillasyster, käre storebror.

De skrattade båda åt tanken.

– Just det! Vem hade kunnat tro att ni var pensionerad!

– Trodde ni att jag fick mitt gråa hår först i dag? sade Zejnep och samlade ihop skålar, tekanna och övriga tillbehör på brickan och försvann i riktning mot köket.

– Och en skarp tunga på köpet! Det kan inte ha varit lätt för de unga lejonen att öppna munnen, ropade Ajtore efter henne. Eller för den stackars maken heller att ha en sån hustru.

– Nej, det var inte lätt för honom. Det kanske var därför han dog så hastigt och lämnade mig ensam med fyra barn.

Ajtore insåg att hans skämt hade gått för långt och förvånades över hur Zejnep snabbt hade parerat hans blunder.

– Jag ber om ursäkt. Jag trodde inte att ni skulle ta mina ord så hårt. Hur länge sen är det?

– När han dog var den äldste elva och den yngsta var fyra. Hur gammal är ni själv? Enligt min mening kan en dam fråga en herre om hans ålder?

– Varför inte? Självklart kan ni det.

Ajtore suckade, lättad över att Zejnep inte tagit illa upp.

– Jag är sextiofem. Jag är äldre än profeten. Det är skrämmande att föreställa sig: om profeten hade levt i våra dagar skulle han redan varit pensionär, inte sant?

Ajtores skämt följdes av en sådan skrattsalva från Zejnep att en av skålarna ramlade av brickan och gick i bitar. Skärvorna landade framför Ajtore. Han plockade upp dem och såg på Zejnep, som fortfarande skrattade högt:

– Det betyder tur!

– Må det bli så, svarade hon och följde honom till dörren. Det regnar ordentligt, och jag hoppas att ni inte behöver vänta länge.

– Det gör ingenting, jag hejdar första bästa bil som ska åt mitt håll.

– Jag ska hålla tummarna. I vår ålder är det ingen konst att få en förkylning. Vänta ... ni kan ta det här.

Zejnep tog ned ett paraply från hyllan.

– Ni själv då?

– Jag är hemma.

– Och i morgon eller i övermorgon? Eller kommer det inte att regna längre i Almaty?

– Det gör det nog, men då köper jag ett nytt. Affärerna stänger nog inte när regnet har slutat. Ta det! Ni måste komma hem frisk till era barn. Ni har sett ert gamla hem och fått minnas allt som varit. Berätta för er fru: Jag har hälsat på i vårt första hem, där vi bodde som nygifta, och jag mindes hur vi var unga tillsammans. Nu bor där en pensionär, jag blev bjuden på te som hon själv hade lagat, hon hälsar, kommer ni att säga. Och om det skulle slumpa sig så, varsågod och hälsa på igen.

Zejnep kände på rockärmen.

– Ja, den är fortfarande våt. Jag borde ha strukit den med ett hett strykjärn. Ta av er den, jag gör det nu.

– Nej, det kommer inte på fråga. Tack i alla fall! Han lade handen mot sitt hjärta:

– Jag har redan gett er så mycket besvär. Gud välsigne er. Ajtore sträckte fram sin hand. Zejnep tvekade förvirrad, torkade helt i onödan händerna på sitt förkläde och höll fram handen. Ajtore tog hennes hand, varm och smidig, och Zejnep sänkte blicken med det så typiskt kvinnliga sättet att visa artighet och blygsel. Han såg henne rakt i ansiktet och sade:

– Ni och jag har berättat så mycket för varandra, men vi skiljs åt utan att egentligen känna varandra. Jag reser och ni blir kvar. Vi hade ett fint samtal, inte sant? Öppet och obesvärat. Vad mer kan jag säga? Jag hoppas att vi lär känna varandra bättre nästa gång. Om ni skulle befinna er i våra trakter, är ni välkommen.

– Jag tittar in. Jag har ofta ärenden till Norra ishavet, skämtade Zejnep och släppte hans hand.

De sade adjö ännu en gång, och Ajtore gick.

Dörren smällde igen bakom honom. Det blev en genomträngande tystnad i huset. Zejnep stod länge kvar vid dörren. Hon kunde höra folk som pratade på första våningen, en dörr smällde igen och sedan blev det åter tyst.

Zejnep gick tillbaka ut i köket. På brickan låg skärvorna av den sönderslagna skålen. I öronen ringde fortfarande Ajtores röst: Det betyder tur! Hon gick tillbaka till vardagsrummet och fram till bordet. Hennes blick föll på stolen där hon nyss suttit. Zejnep kände att hon ville sjunka ned i den stolen och sitta länge och titta över bordet … dit bort, där hon för en kort stund sedan hade sett Ajtore.

Den plötsliga tystnaden i huset fick känslan av tomhet att återvända och en växande oro fick makt över henne. Och en annan, fortfarande vag känsla vaknade inom henne, började omärkligt växa och oroa, och hade snart bedövat henne, som en gråtande röst från stäppen om natten. Zejnep blev rädd, tog det som ett dåligt omen och bad till Allah om lyckliga dagar för framtiden. Hennes känsliga, nervösa fantasi väckte skrämmande bilder till liv: ett utdraget skyfall som växer till en stormflod, barn utspridda runt om i världen, en försvunnen Jertay. Allt detta fyllde henne i hennes ensamhet med rädsla. Hon gick till telefonen och lyfte luren. Den fungerade … Hon vände sig plötsligt och gick fram till tv:n. Återigen föll hennes blick på stolen. Det är mitt straff, varför är den så lockande? Om jag nu sätter mig ned, viskade hon till sig själv, vad är det för fel med det? Men så snart Zejnep slog sig ned på sin förra plats uppenbarade sig en silhuett på motsatta sidan av bordet … Hon ryste. Jag är bestämt helt galen. Vad betyder allt det här? Hon reste sig nervöst. Hon var på väg ut i köket när hon tyckte sig höra att ytterdörren öppnades och någon kom in i rummet. Hennes hjärta bultade när hon gick för att se efter. Det var ingen där. Hon lugnade sig och släckte ljuset i korridoren. Återigen gled samma silhuett förbi i mörkret ... "Ni och jag har berättat så mycket för varandra, men vi skiljs åt utan att egentligen känna varandra ..." En sådan vänlig och behaglig röst ... Hon ryste som om hon hade blivit duschad med iskallt vatten. Herregud, den gamla tanten är bestämt helt galen, hennes hår är redan grått, men hon uppför sig som om hon var en jäntunge ...

Hon stod kvar så en lång stund ... Och allt detta berodde på att det aldrig hade varit en främmande man i hennes hem. Hur ofta hade hon inte varit ensam, helt ensam, hur många gånger hade hon inte mött soluppgången ensam, men aldrig hade Zejnep känt sin ensamhet så intensivt som nu.

Längtan tryckte hennes hjärta, och lägenheten kändes som en liten bur. Hon slog sonens telefonnummer. Efter några signaler svarade en sjungande röst:

– Hallååå ... Hon kände igen äktenskapsmäklerskan.

– Hur har ni det, lever och har hälsan? Jag ville bara veta hur det står till med Jertay och hans utvalda. De lovade att komma nu på eftermiddagen, och nu är det redan kväll. Jag har suttit här som en tjudrad bandhund och väntat på er. Sover han? Är det inte för tidigt för det? Vadå? Är han full?! Hur har han hunnit med det? När han ringde mig för ett tag sen var han spik nykter. Nej, jag påstår inte att du har supit honom full ... Nej, han har helt slutat dricka. Åh, Allah, han hade lidit nog av denna förbannade vodka! Var är han, får jag prata med honom? Vaknar han inte? Och var är hans brud? Hemma? Jag förstår inte: La honom i sängen och gick? Vart kan han ta vägen..? Jag misstänker ingenting! Jag säger bara: Om hon vill gå ut, varför då inte ta med sin man? Eller varför kommer de inte hit till mig? Han kan sova här också, vad det anbelangar. Väck honom! Väck honom, säger jag! Det är min son! Häll åtminstone kallt vatten över honom, så han kan komma till telefonen!

Det blev tyst i andra änden, äktenskapsmäklerskan måste ha gått för att väcka Jertay. Tänker hon verkligen hälla kallt vatten över honom? tänkte Zejnep och ropade hastigt i luren: – Hallå, försök utan vatten, han kanske vaknar ändå! – men insåg att ingen kunde höra henne och mumlade: Hon fick en jäkla fart, den subban!

Efter några minuter kom rösten i telefonen tillbaka:

– Hallååå.

– Nå? Vaknade han inte? Va? Sa han att han skulle ringa? Då sover han inte i alla fall? Åh, den lymmeln, låt honom bara visa sig för mig! Okej, ta inte illa upp. Se till att han ringer, jag ska inte störa er längre. Guds fred!

Zejnep lade på luren och började gå runt i rummet. Slarver! sade hon bittert, hustrun går på fest, och han ligger och snarkar. Vad fick honom att vilja sova? Om han är så trött kan han sova ut hos sin mamma. När ska han få något vett i skallen, och när ska han bli vuxen?!

Telefonen ringde.

– Kära nån, nu har han vaknat! Hon sprang till telefonen.

– Jertay..? Hon hejdade sig.

– Vem sa ni? Åh, är det ni … I telefon låter ni helt annorlunda. Jag kom inte ihåg ert namn i hastigheten … Vadå? Det beror på den där idioten. Inte än. Han ligger och sover. Går planet enligt tidtabellen? Försenat? Tre timmar! Så besvärligt. Kom hit, i så fall. Kom, säger jag … Jag kände mig plötsligt så ensam när ni hade gått. Ensam, säger jag.

Zejnep skrattade och försökte låta obesvärad.

– Jag blev plötsligt rädd att det skulle bli hagel. Det har regnat hela dagen. Det åskar … Åska, säger jag. Hör ni? Inte det? Konstigt! Hör här!

Zejnep höll telefonen mot fönstret.

– Jag är fortfarande kvar. Jag lyssnade på åskan. Hörde ni inte? Okej, ni hade en timme tills planet skulle gå, men det blev framskjutet i tre timmar, alltså fyra timmar att vänta … Det duger inte! Vad ska ni göra? Zejneps röst fick en klang av medlidande.

– Just det, ni kan gå till hotellet. Ja, det är givetvis bekvämt. Absolut, det kan ni göra. Jag behöver inte känna mig förnärmad. Gud sig förbarme. Jag vet inte … Jag lovade att ringa igen. Vadå? Ni har inte bråttom, berätta mer exakt … Vad är det för fel på det? Varför är det besvärligt? Kom hit om ni vill. Det här är i alla fall ert hem. Kom nu och bråka inte!

Zejnep lade på luren och tänkte efter. Herregud, nu får jag snart en gäst, och det finns inget kött i huset?! Hon skyndade sig till kylskåpet och öppnade det. Där fanns ingenting som dög. I frysen låg en kyckling, en halv anka, två eller tre revben utan kött och diverse andra oätliga produkter. Hon såg på klockan: tio minuter över sju. Jag borde nog springa till affären innan den stänger. Hon hittade sin handväska, tömde ut alla pengar på bordet och räknade. Och funderade. Det var åtta dagar till pensionen. Om jag köper kött och socker och delar resten med åtta, så blir det femtio kopek om dagen. Varför skulle jag inte kunna leva på te och bröd i en vecka? Det är till och med nyttigt – och jag slipper gå ut. Å andra sidan väntade hon en gäst, en trevlig person, och de skulle sitta och prata, och hon skulle slappna av och känna sig som en människa.

Hon städade huset noga ännu en gång, klädde sig fin och lade fram sin kasse vid dörren, för att vara beredd att springa till torget så snart Ajtore hade kommit.

Äntligen, det ringde på dörren, nu var han här! Zejnep rusade upp, skyndade sig ut i köket och ropade: Kom in! Hon skramlade med disken som om hon varit fullt upptagen. Under tiden hörde hon Ajtore komma in och stänga dörren tyst efter sig och ställa sig och vänta obeslutsamt, som det anstår en man i ett främmande hus. Sedan hörde hon honom ta av sig skorna … En halv minut senare kom Ajtore försiktigt längs korridoren, och när han fick se Zejnep, som inte haft tid att ta emot sin gäst vid dörren, log han besvärat.

– Här har ni mig igen, precis som ordspråket säger: Där du en gång ätit dig mätt, dit ska du gå när du är hungrig. Ni känner ju kazakerna, när de tigger om *naswar* att tugga så hänger de sig fast som kardborrar, ni blir aldrig av med dem. Jag ser att jag har hindrat er i ert hushållsarbete.

– Det är inget att göra åt, det är ett evighetsarbete. Zejnep visade in sin gäst i vardagsrummet och pekade på soffan.

– Jag springer till affären.

– Nej, nej, inte för min skull, Gå inte och handla! Jag ser ut som ambulerande slöfock, det går inte för sig! Jag blir bara generad.

– Jag skulle handla åt mig själv, och just då ringde ni, min shoppingväska står klar, ser ni? Även om det inte finns gäster i huset, så måste folk ändå äta. Jag har väntat på den här idioten hela dagen, och han ligger hemma och sover … Oj, vad jag pratar, och butiken stänger snart. Jag är strax tillbaka. Ska jag sätta på tv:n?

– Nej, nej, det behövs inte.

– Ni kan titta i det här fotoalbumet så länge. Ni kanske känner igen några av era vänner från Almaty.

Zejnep lade ett gammalt, slitet sammetsalbum framför gästen, med fotografier som stack ut åt alla håll, och gick mot dörren. Hon hade redan hunnit ut i trappan när Ajtore ropade åt henne.

– Köp mig en flaska vin. Ofärgat.

Zejnep tänkte på innehållet i plånboken och gjorde en grimas.

– Ofärgat? Menar ni vitt?

– Ja.

– Jaha … Jag brukar aldrig köpa alkohol …

– Det är rätt billigt … Han sträckte fram en femtiorubelsedel.

– För alla pengarna?

– Nej! Ajtore skrattade. Om vi köper för hela pengen så drunknar vi i det. En flaska räcker.

Zejnep var på väg att sträcka ut handen efter ännu en sedel, men hejdade sig i tid och sade en smula irriterat:

– Det här är alldeles för mycket…! Jag kan köpa en flaska vin själv, stoppa undan era pengar! Jag hade satt fram en vinflaska på bordet i alla fall. Jag kan se att ni alldeles har glömt våra vanor efter alla besök i främmande länder. Vilken kazak skulle lägga pengar på en flaska i ett hus som han besöker för första gången? Zejnep visste inte hur det sista ordet hade undsluppit henne, men

290

hon rodnade och bet sig i tungan. Skäms! Hur kunde jag slänga ur mig något sånt?

– Jag tänkte på det själv, och sen bestämde jag mig för att det var ofint att ta med mig en butelj till en främmande dam. Förlåt, naturligtvis. Ta pengarna, låt det vara som en gåva för visningen av ditt hus.

– Nej, jag bjöd inte hit er för att visa upp bruden, stoppa undan er papperslappar och visa dem inte igen!

Hon såg hastigt på sedeln och viftade avvärjande.

– Kära ni … Det var inte min mening …

– Zejnep är mitt namn, påminde hon.

– Ja, Zejnep … ni måste ju förstå att jag inte kan komma tomhänt som gäst i ert hus hur många gånger som helst? Eller tror ni att jag inte har något samvete?

– Självklart, sade Zejnep.

– Se där, ni håller med mig. Ta den då.

– Nej! Hon viftade med händerna igen. Jag menade inte så!

– Då går vi och handlar tillsammans.

– Nej vet ni vad! Vilken skam! sade Zejnep och nöp sig i kinden som kazakiska kvinnor brukar göra när man kommer in på pinsamheter. Hon fortsatte i en viskning, som om någon lyssnat på dem:

– Vad ska grannarna säga? O Gud! Nej, sitt bara. Jag kommer snart!

Zejnep tog sin väska och skyndade nedför trappan. Ajtore såg efter henne och skakade på huvudet, log.

När han blev ensam plockade han försiktigt upp albumet och började långsamt bläddra igenom det. Bilden på första sidan var fastlimmad, kanske för att den inte skulle kunna tas bort. Det var en bild av en man i helfigur. Det syntes på honom att fotografiet var taget på femtiotalet: vit stalinjacka, keps med stukad skärm, ridbyxor och pösiga kromstövlar. Mannen såg väldigt självbelåten ut, med käckt uppsvängda mustascher, ena handen på höften, ena benet utställt och en arrogant fråga i ansiktet, accentuerad av ett leende: "Det här är jag, vem är du?" Till höger, på en hög trebent piedestal, stod en liten vas med konstgjorda rosor. Mannen lutade sin andra armbåge mot denna piedestal och frågade med hela sitt utseende: "Nå, varför står du där bredvid mig?" På sidan av vasen fanns en snirklig inskription: "Vänta på mig." Ajtore brast ofrivilligt i skratt. Vänta på mig! Herregud, varför ska alla vänta på dig? Av allt att döma var fotografiet inte taget vid fronten, det såg mera ut som om han hade vandrat in i bilden på promenad genom en basar, där han nyss inhandlat sin kostymering. Varför ska vi vänta på honom?

På baksidan var ett annat foto fastklistrat. Och på detta såg man en smärt flicka med glatt och öppet ansikte som var klädd i randig klänning med bred krage. En tjock fläta vilade på den höga barmen. Zejnep, gissade Ajtore när han studerade de flickaktiga dragen – samma tjocka hår! Hon log också en aning, men såg mest förvirrad ut. Trots att fotot var tummat och hade gula fläckar runt kanterna förmedlade det ungdomens skönhet och friskhet och en stilla känsla av lycka. Tiden är så grym! tänkte Ajtore högt för sig själv, utan att ta ögonen från den unga Zejnep. – Människan är din förströelse, och skönheten är en billig leksak! Först smickrar du och vårdar oss, och sedan berövar du oss allt och lämnar oss i stället med rynkor, smärtande rygg och en slocknad blick.

Han studerade återigen bilden av mannen. Fan, så självbelåten! Är det uppblåstheten för makten över Zejnep? – tänkte Ajtore svartsjukt.

Telefonen på bordet ringde som besatt. Först märkte Ajtore den inte, men efter den femte signalen sneglade han ofrivilligt åt apparaten. Men telefonen slutade inte ringa. Tydligen var den som ringde en påträngande person, eller också visste den säkert att abonnenten alltid var hemma.

Till sist upphörde telefonen att ringa. Ajtore suckade ofrivilligt av lättnad och återvände till albumet. Många av bilderna lade han undan utan att titta på dem. Medan han bläddrade igenom bilderna tänkte Ajtore för sig själv att denna samling av bilder, som var hämtade från olika tidsperioder, beskrev Zejneps liv och de människor som omgett henne. Och tillsammans med dem frystes samhällets liv, dess smak, seder och kultur i bilderna … Allt detta visar sig kunna återspeglas i ett vanligt familjealbum i ett genomsnittligt hem. Med denna tanke i bakhuvudet började han betrakta bilderna av främmande människor med förnyat intresse, men just då började telefonen ringa igen. Den slutade inte förrän den tionde signalen hade förklingat. Ajtore böjde sig åter över albumet, men telefonen ringde på nytt och ännu mer pockande. Ajtore reste sig, gick fram till telefonen och bestämde sig för att säga att frun i huset var utgången. Han tog upp luren långsamt. Rösten i andra änden började knattra på nervöst, som om samtalet hade pågått länge och man hade kommit ihop sig om ett eller annat:

– Hallå? Mamma! Varför svarar du inte? Sover du eller har du varit ute? Varför bråkar du med Aigulinas mamma? Varför? Tror du inte att jag kan tala för mig själv? Vem är jag, tror du? En snorunge som inte kan ta ett steg utan dig? Hallå? Mamma! Varför säger du inget? Hallå!

Ajtore lade på luren. Jag borde inte ha tagit telefonen, tänkte han.

Telefonen ringde oavbrutet, men den här gången ignorerade Ajtore den.

Tio minuter senare var Zejnep tillbaka. Hon steg in genom dörren och ropade från tamburen:

– Nå, har ni gjort er hemmastadd än? Det visade sig att de inte säljer vin på kvällen, så jag fick tigga mig till två flaskor.

– Två? Varför så mycket? Låt mig … Ajtore tog hennes kasse och gick mot köket.

– Det var tungt, vad har ni här?

– Det är inte mycket man får tag i så här före stängningsdags. Men låt nu mig ta hand om middagen, så kan ni sätta er och vila så länge.

– Kommer inte på fråga, jag vilade mig tillräckligt på Krim, jag vill hellre hjälpa till i köket.

Zejnep spolade av köttet, tog ett stycke vitost från kylskåpet och lade alltsammans i en gryta.

– Er son ringde nyss, sade Ajtore. Jag lät bli att svara två gånger

293

och stod inte ut den tredje gången. Han måste ha trott att jag var ni och skällde ut mig.

– Usch! suckade Zejnep. Vad sa han? Vem sa ni förresten att ni var? frågade hon oroligt.

– Oroa er inte, jag gav inte ett ljud ifrån mig. Han visste säkert inte om han hade ringt rätt nummer. Han ringer nog tillbaka snart.

– Hur visste ni vad jag har för telefonnummer? Jag har inte gett det till er.

Ajtore studerade etiketten på vinflaskan och svarade:

– Åh, jag blev tvungen att tillgripa ett lumpet knep, sade han, tittade upp och log. När jag gick fick jag numret av er granne som bor i lägenhet fem. Lyckligtvis visste han det.

– Ni är då inte blyg av er! Zejnep såg forskande på sin gäst. Varför ville ni ha mitt nummer?

– Varför? Jag ville säga adjö igen innan planet gick.

Ajtores svar kom så uppriktigt att Zejnep plötsligt blev varm inom sig.

– Lyckades ni träffa era vänner från Almaty? frågade hon för att avleda det farliga ämnet. Ni måste ha en del bekanta här.

– Ja, självklart, varför skulle jag inte det? Men jag tror inte att någon av dem kommer ihåg mig. I vår ålder söker ingen efter någon och ingen saknar någon. Man träffar en person som man inte har sett på trettio år, och fem minuter är tillräckligt för att prata med dem. Och jag har inte deras telefonnummer. Jag kunde nätt och jämnt hitta det här huset … Tidigare fanns det en kamin att elda med. Ser ni? Han pekade på ett igenmurat hål i väggen ovanför gasspisen:

– Det var en skorstenspipa här. Vi fick bära kol i hinkar upp till andra våningen, och på morgonen tömma ut askan … Ett sånt slit! Då fanns det ingen telefon, och ingenting annat heller. Fäst inte så stor vikt vid mitt prat, lyssna med ett halvt öra, så ska jag berätta vad jag minns. Ska vi säga så? En gammal man behöver inte matas med bröd, låt honom prata bara.

– Jag vet inte … Jag vill inte minnas något annat.

– Just det. Men ni kan inte kasta bort det förflutna eller radera ut det. Jag minns allt ... Och jag anser att det som var dåligt bara var något enskilt ögonblick, en mindre del av en människas liv. Och livet...! Ni vet hur många gånger en människa skrattar och gråter i sitt liv, vad hon drömmer om och vad hon fruktar. Åh, jag var en stor romantiker som barn! Jag hade så bråttom att bli stor att jag såg fram emot det varje morgon, som om jag hade kunnat växa över natten. Jag minns att jag ritade av min hand på ett papper, och sen jämförde jag bilden med min egen hand så snart jag vaknade på morgonen. Ibland passade handflatan inte in i teckningen. Jag sprang sen till min mamma med ett glatt skrik: Mamma! Jag har blivit en djigit! Mamma brukade ta pappret i sina händer och kyssa det och säga: Åh, mina små fingrar! Var är hon nu..? och vad har jag gjort för henne? Ingenting!

– Det finns ingen anledning att sörja nu, sade Zejnep tröstande, utan att märka hur rörd hon var själv. Hon försökte avleda hans tankar och frågade avsiktligt glättigt:

– Höll ni på länge med att rita av er hand?

Ajtore vaknade upp ur sina minnen och gav henne ett tacksamt leende.

– Oh ja, länge! På den tiden hade jag bara *en* önskan – att bli vuxen, och inget annat! Det var en besatthet. Jag var övertygad om att människan är kärnan i universum, att en vuxen man kan göra allt, att han är som en skapare – en outtömlig skatt av allt gott i världen och fiende till allt som är ont. Och det faktum att vid dygdens sida går skändligheten, ja det skulle visa sig att vi vid den tiden inte observerade. Så på det viset rusar vi framåt, ikapp med åren, och när vi blivit vuxna och ser oss omkring – Ajtore slog ut med armarna – då ser vi: en färglös grå existens, full av intriger och skvaller. Lika surt och beskt som detta rumänska vin. Han såg nyfiket på Zejnep och undrade:

– Kokar teet redan? Jag bara pratar och pratar. Har ni inte tröttnat på att lyssna?

– Nej, sade Zejnep, som hade lyssnat mycket uppmärksamt, Det är intressant att höra på er. Tro mig, jag har aldrig pratat med någon människa på det här viset förut. Jag menar någon man ...

Ni måste ha en särskild gåva. Kom, så sätter vi oss i vardagsrum-
met medan köttet blir färdigt. Sätt er på er gamla plats, så tar jag
min. Då så, nu är ni hemma hos er själv igen.

Zejnep följde ett par steg efter och frågade:

– Ska jag ta med mig det här också?

– Vadå?

– Det här sura och beska?

Ajtore gav ifrån sig ett kort skratt.

– Ja, ta med det! Ingenting att göra åt, hälsan är i alla fall inte
densamma som förr. Insidan tål inte starkt längre.

De slog sig ned igen precis så som de hade suttit i tre timmar.
Zejnep tog med teet och allt annat hon behövde på samma bricka.
Den här gången såg dukningen betydligt festligare ut. Det var nog
därför Zejnep jublade.

– Allt kan göra en kvinna ledsen eller glad, sade hon. Jag skäm-
des då när jag bara gav er en enkel kopp te.

– Ni gör er då bekymmer! Jag behövde ingenting annat just då,
mer än varmt te.

– Då har jag mer än uppfyllt er önskan.

– En gång i tiden kom vi till Almaty för att studera, vi hade en
djigit med oss, hans namn var Sachan. Han skaffade sig inga vän-
ner, pratade inte med någon och åt alltid ensam. Varje vecka fick
han pengar hemifrån byn. Men vi gjorde av med vartenda kopek
långt före nästa månads utbetalning. Vi bodde i källaren hos en
rysk gammal dam. Sju eller åtta killar i ett rum. Allt vi fick in la vi
i en gemensam pott, men han, den fan, ville inte vara med. Därför
fick han öknamnet Kulaken. Och en gång hade vi slut på pengar,
vi ligger där och är hungriga.

– Åh, era stackare! Hur klarade ni det då?

– Jo, nästa morgon började vi tjata på Kulaken, plågade ho-
nom från alla håll: Köp oss en tallrik soppa, allihop!

– Nå, och sen då?

– Men Kulaken låtsas som ingenting, tiger som muren. Men
plötsligt – o, Allah! – väser han mellan tänderna: "Okej då, era
skitstövlar, kom!" Vi klädde på oss på ett ögonblick och stod

uppradade som får vid mathon och väntade. Kulaken stack iväg
uppför trappan från källaren och vi följde efter, alla sju, som gäss-
lingar. "Det här, killar, det är en oförglömlig dag!" sa en av oss,
det var en filur vi hade med. "Jag tror minsann att det är manna
från himlen som har fallit över oss!" Vi tystade honom med några
vassa knytnävar mellan revbenen: "Håll käften. Om han hör det,
så ångrar han sig!"

– Skulle han verkligen ha vägrat helt plötsligt?

– Det kunde mycket väl ha hänt! En gång blev vi tvungna att
vända om halvvägs … Nå i alla fall, vi klev in i matsalen, som
låg på Nikolskij Bazar. Kulaken ställde sig i kö. Packat med folk!
Vi är sju man, så vi tar ett eget bord. Vi ser att Kulaken kallar
på oss och räcker över en hel meter med bongar. Vi hämtade
maten och satte fram den på bordet.

– Så han gav er att äta?

– Ja, ja. Vi tog sju halva portioner soppa. Inte mer. Och vi
behövde inte någon kötträtt, det hade varit att önska för myck-
et! "Hördu …" säger då filuren. "Tog du inget mera?"

"Ni bad ju själva om soppa. Ät nu, era jävlar, och håll käf-
ten!"

Så reste han sig och gick. Och vi satt där och bara gapade.
Sen kastade vi oss över den smarte som hade kommit med för-
slaget: "Du skrämde bort honom, han skulle kanske ha beställt
något mera!"

– Och vadå?

– Vad händer nu…? Varken bröd eller huvudrätt eller ef-
terrätt. Vi hällde i oss var sin halvportion kall soppa och gick
tillbaka till källaren.

Zejnep skrattade så hon grät och gömde ansiktet i händerna
av förlägenhet.

– Där ser man! Ni lurade mig. Jag gjorde precis som er kulak
och gav er bara en kopp te, som ni hade bett om. Vad pinsamt!

Doften från köttet på spisen spred sig från köket.

– Vadå pinsamt?! svarade Ajtore och ryckte på axlarna. Jag är
en fullkomlig främling. Jag blev serverad te, och jag var tacksam

för det. Vilken annan kvinna som helst skulle inte ens släppt in mig genom dörren.

– Ja, förresten, varför har min son inte ringt? Vi kanske inte har hört telefonen medan vi pratade.

– Nej, Jag tror inte att någon har ringt.

I samma ögonblick ringde det på dörren.

– Gud hjälpe mig! började Zejnep i panik. I det här huset är det antingen telefonen eller dörrklockan som skrämmer slag på en. Hon reste sig och blicken svepte över bordet:

– Hur gör jag nu, sade hon skräckslaget. Det är något av barnen.

Ajtore såg hjälplöst på henne, som om han ville säga: Vad kan jag göra? Det här får du klara själv.

– Det var värst vad vi har brett ut oss här … Hon sa att han var full och sov… Jag ville ingenting särskilt. Om hans fru var där så får jag stå med skammen! Förstår de oss över huvud taget?

Klockan ringde nervöst en andra gång.

Zejnep ropade, som om hon var upptagen med något brådskande.

– Jag kommer! – trampade iväg på tå, tog Ajtores kappa och hatt:

– Kom hit! Skynda dig! Stå här, som om du just hade kommit in.

– Så. Vem ska jag föreställa?

– Vem…? Rörmokaren! Nej, det går ingen på, ni är nykter och har inga verktyg. Från fastighetskontoret…! Nej! Ni är röstvärvare!

– Vem ska jag jobba för?

– Jag vet inte. Vem som helst, bara ni kan agitera för det.

– Men vi har väl inga val just nu?

– Nej, men sen kanske … eller också har ni gått vilse. Ni är en vanlig förbipasserande!

Samtalet var redan hysteriskt.

– Det får räcka, det finns inte tid! Stå där bara som förstenad.

Zejnep gick för att öppna dörren. Ajtore knäppte händerna bakom ryggen och stod stilla med sin våta hatt på huvudet.

Zejnep började förvirrat prata med en man i farstun, hon hade knappt öppnat dörren. Lyckligtvis varade samtalet inte länge, och en minut senare slog ytterdörren igen med en smäll.

– Vem var det? frågade Ajtore, som inte hade hunnit hämta sig från chocken.

– Vem? Er vän, fan ta honom.

– Min?

– Den som ni fick mitt telefonnummer av, gamlingen i lägenhet fem. Han kom för att berätta att en respektabel herre hade letat efter mig och bett om mitt telefonnummer, och han hade gett honom det, och för detta bad han om ursäkt.

– Jag var rädd att det skulle vara Jertay.

– Grannen är så känslig, och det är inte mitt fel. Ser allt, hör allt. Och vad som är förvånande är att oavsett vem som besöker vem här i huset, så hamnar de alltid hos honom. Varför står ni här?

– Ni sa åt mig att stå som förstenad.

– Står man på det viset då? Ni hade händerna på ryggen.

– Hur skulle jag ha stått då?

– Så här!

Zejnep ville visa honom, men efter ett ögonblick ryckte hon på axlarna:

– Som förstenad. Hur är det man gör? Jag minns när jag var barn, jag gick med mamma för att hämta ved, och när jag kom på efterkälken sa hon alltid: Varför står du där som förstenad? Hur stod jag då? Zejnep sänkte armarna till sidorna, sträckte på nacken och stod som en trana, men efter några sekunder tappade hon balansen och grep tag i Ajtores arm för att inte falla.

De skrattade länge och Ajtore frågade glatt:

– Vad skulle barnen säga om de såg oss nu?

– Gud förbjude! Zejnep kastade försiktigtvis en blick mot dörren. Kom, teet är nog kallt nu.

– Låt dem komma, sade Ajtore och satte sig på sin plats. Så får vi bekanta oss. Jag är varken tjuv eller rånare. Tidigare ägare till denna lägenhet. De kommer nog inte att slå mig.

– Kanske det, svarade Zejnep och slog upp te i hans skål, men min drummel till pojk kommer säkert att påminna mig senare om att jag har suttit med en gammal gubbe och varit så glad och trevlig, fastän jag alltid är arg på oss. Det skulle vara typiskt för honom. Berätta nu för mig hur ni fick för er att flyga till jordens utkant?

Ajtore såg med ett lugnt leende på Zejnep och rynkade pannan, så att ögonbrynen drog ihop sig tätt över näsryggen.

Han satt en stund och stirrade ned i botten av sin skål, och plötsligt sade han:

– Tänk om jag fick en gäst i mitt hus i Jakutsk?

– Hur så? Om ni får en gäst kommer väl er fru att hälsa honom välkommen, sade Zejnep försiktigt.

En lång tystnad följde. Det föreföll som om Zejneps oförsiktiga fråga och Zejneps malplacerade anmärkning hade kylt ned deras bräckliga förtrolighet. Ajtore kände det omedelbart och bestämde sig för att rätta till situationen.

– Vi brukade alltid vara glada att ha gäster. Och ni också?

– Inte bara förr, jag är alltid glad nu också.

Ajtore uppfattade en förebråelse i hennes röst. Vad pratar jag för strunt? tänkte han för sig själv, irriterat. Här har en komplett främling dukat fram allt som finns i huset, och du pratar om gästfrihet!

Av någon anledning hade Ajtore fått intrycket att mycket hade förändrats sedan den avlägsna tid då han lämnade sitt föräldrahem och att kazakernas nedärvda gästfrihet hade sinat, nötts ut av tiden, som en kaftan med fyrtio lappar. Men fastän Zejnep bodde i staden såg han hos henne samma slags hjärtlighet och värme som man i hans tidiga barndom mötte i varje hem, när man utan betänkligheter välkomnade var och en som råkade komma inom fyrtio steg från den egna jurtan, utan att fråga vem han var och varifrån han kom: gästen bjöds in i hemmet och allt som huset förmådde dukades fram på bordet, ibland även godsaker som givits åt barnen. Om det skulle inträffa att en person som steg över tröskeln till någons hem möttes av husets herre med frågor om hans ärende och vem han var, då skulle denne bli utpekad som en grobian och tölp i hela byn. Men i dag väntar ingen på besök, ingen gläder sig längre åt en gäst. Om någon stiger in och säger:

Jag vill veta om ni lever i välgång och lycka, tittar alla på honom som om han var från sina sinnen. Han mindes detta lika tydligt som om det hade varit i går.

... Hans mor hade varit svårt sjuk och kom inte ur sängen. De två äldre bröderna höll på att driva en besättning av kolchosens boskap till staden och kunde på sin höjd vara tillbaka inom en vecka. Det var en sen, så kallad svart, höst, när de kalla vindarna blåser i en vecka när de väl satt igång. Ajtores mor fick tillbringa några dagar i total ensamhet. Vinden ven över stäppen, tjöt i trädens grenar, rasslade i vassruggarna och tycktes skrapa djupt i själen. På natten lyssnade de uppmärksamt till vindens tjut och ryste vid varje ljud. Mamma frågade: Vad är det för knackande? Är det någon där? Något klang till i farstun – vad var det? Varför skäller hunden så? Vanligen var huset fullt av gäster, men nu, till all olycka, fanns det inte en själ. Vid tillfällen som dessa är människor glada att se vem som helst, var och en som stiger över tröskeln, och de väntar på gäster med samma förväntan, som om det gällde slutet av en lång fasta ... Ajtore gick ut på gården. Vinden ylade, rev i själen, och det hördes bara ett ljud – ett oupphörligt jämmer från den nakna stäppen, det var allt. Sedan klättrade han uppför den rangliga stegen till vinden och höll handen över ögonen och stirrade ut i fjärran. Allt var dött, som om världen var utspridd för vinden och bara de själva fanns kvar på denna stäpp. Denna ensamhet väckte hos Ajtore en smärta som gick in i själen. Den bitande vinden, det glädjelösa, glanslösa livet, fattigdomen, hans sjuka mamma och det kalla huset, alltsammans väckte ett självmedlidande som fick tårarna att komma. Han frågade sig själv: Varför är människan så hjälplös och eländig? Eller är jag för ung? Och när jag växer upp och blir vuxen, blir allting annorlunda då? Nu hade han vuxit upp, kommit på fötter, Ajtore, nu hade tinningarna grånat, men frågan: Varför är människan så svag, så hjälplös? förföljde honom alltjämt.

Av någon anledning påminde Zejnep, som satt mittemot honom, om Ajtores mor. Det måste vara deras medfödda inställning att inte visa bort en enda av kvinna född varelse som gjorde dem så lika ...

301

– För att vara ärlig, sade Ajtore och återvände från den avlägsna värld dit minnet hade fört honom, har jag länge varit frestad att berätta för någon varför jag for till världens ände och vad jag hittade där som fick mig att leva. Kan ni föreställa er att det finns ögonblick när en person plötsligt kan berätta de mest privata ting för en fullkomlig främling, sånt som han har förträngt i åratal? Jag vet inte varför, men den senaste tiden har jag befunnit mig i den situationen. När jag var på semester på Krim blev jag nära bekant med en gammal man från södern. Han berättade hela sitt liv för mig, från födseln ända till den stunden då han kommit till Krim på semester. Och mer än en gång ville jag själv berätta min historia för gubben, men jag kunde inte förmå mig. Av rädsla. Inte han, men jag själv, var rädd att dra mig hela min historia till minnes … Det var därför som jag började prata om något annat när ni frågade. Jag måste ta mig samman, förstår ni?

Zejnep såg förvånad och samtidigt rörd på sin gäst, som just varit så långt avlägsen och nu återvänt, dämpad, likt en galopphäst som återvänt till stallet uttröttad och längtande efter vila, och själv så förtroligt blottar sitt inre … När hon betraktade hans synbarligen lugna, till och med kyliga, ansikte tycktes det henne plötsligt som om hon hade stupat i en grop i mörkret, att hon hade begått en oförlåtlig synd eller någonting liknande … Gästfrihet i all ära, men i dag har du gått för långt! sade hon till sig själv. Han må vara en utmärkt människa, men varför skulle du släppa in honom i ditt hem och stå på tå för honom? Vad ska han tro? En pigg tant för sina år! Vad får mig att tro att han är en god människa? Och även om han skulle vara det, vad har det för betydelse? Måste vi dra in alla vi möter i vårt hem? Och han är också en skön juvel. Kom hit igen, sade jag och på direkten kommer han springande. Han breder ut sig som om han vore i sitt eget hus, som om han hade flyttat tillbaka. Ja, jag har verkligen tagit i. Jag passar upp åt en man från gatan … Och vad gör jag nu? Tar ifrån honom tekoppen och pekar på dörren? Jag sade "Kom", och det gjorde han. Har du glömt hur tomt det blev när han åkte till flygplatsen? Vem var det som stod för dina ögon som en uppenbarelse? Ja, du har förlorat din frid, och nu anklagar du honom ...

Antagligen har den som levt länge hemifrån känt en längtan efter sina hemtrakter och vill prata med sina landsmän. Kazakens själ bor i hembygden, är det inte så..? Och vi har ett ordspråk: En hund stannar där den matas, och hjärtat hos en äkta kazakisk *batyr* är bundet till fädernejorden. Sedan barndomen mindes Zejnep dessa ord: I stället för att vara sultan i ett främmande land är det bättre att *leva* som en sultan i sitt hemland. Och alla kazaker har alltid varit beredda att byta en framskjuten ställning i främmande land mot en blygsam existens i sitt hemland. Kanske också han hade längtat efter sitt modersmål nu på ålderns höst. Och det fanns också ett annat ordstäv: En djigit som går fyrtio steg från sin egen tröskel, går fyrtio steg närmare ensamhet och hemlängtan. Och han själv var inte fyrtio steg bort, utan Gud vet hur många kilometer hemifrån! *All right*, om du nu har ställt till det så här, så får du stå ut med det. Och han verkar vara en mycket hederlig person.

Ajtore var medveten om hennes tvivel och ansträngning att hitta en acceptabel ursäkt för sin oväntade vänlighet, och kände sig själv glad och smickrad av hennes bemötande.

– När man är långt från sitt hemland, sade han och läppjade på vinet, kan man inte bli fri från mörka, bittra tankar. Säkert är många människor som befinner sig i främmande land glada över att vara mätta, ha tak över huvudet och kläder på kroppen, och betraktar den plats där de finner allt detta som sitt hemland. Men själv kunde jag aldrig göra det. Hur jag än försökte kunde jag aldrig glömma mitt hemland. Jag ville hem ... Men det fanns en anledning, det var som en vägg. Hemlängtan plågade mig, i varje ögonblick bar jag den med mig. Totalt utpinad ... Här – han viftade med handen mot fönstret där staden brusade – här har jag många släktingar och vänner. De *var* många. För tjugo år sen. Om vi träffades skulle vi kanske omfamna varandra och fälla tårar. Men om jag ska vara ärlig känner jag mig främmande inför dem. Jag vill inte träffa dem eller skriva till dem. Om någon hade talat om för mig att en människa kan bli så främmande för de platser där han föddes och levde lyckligt, så skulle jag ärligt talat inte ha trott det. Men här blir det nödvändigt, så är det ...

Bekymmerslösheten och munterheten från nyss, då han beskrivit en man som stod som fastfrusen vid sin plats, var så plötsligt ersatt av en sorg, en obesvarad längtan, att Zejnep kände sig både fängslad och skrämd.

– Det är svårt för er att prata om det. Nej, sade hon försiktigt och hällde upp mera te: Till och med ert ansikte har förändrats.

– Det skulle vara möjligt för mig att ingenting säga just nu, men hur länge kan jag hålla själen i band? Och när kommer jag att ha mina vägar förbi här igen? Han log svagt. Ni är inte en främling, ni är ägare till min tidigare lägenhet, och det betyder något. Ni ska veta att jag med avsikt tog vägen från Simferopol till Jakutsk via Almaty.

Ajtore satt tyst en stund, så hällde han upp ett glas vin åt sig.

– Egentligen är alla Guds barn gäster på denna jord, sade han vagt. Och även i den ställningen väntar man sig något glatt och ovanligt varje dag. Alla väntar, som man brukar säga, både tiggare och kung. Jag har redan nämnt att jag har många bekanta, vänner och släktingar här i stan. Genom åren har vårt förhållande svalnat så mycket att jag nu är enbart rädd att gå längs gatorna här. Och jag är rädd ... Rösten darrade plötsligt till, Ajtore tystnade, men behärskade sig och fortsatte:

– Jag inbillar mig att om jag tar ytterligare ett steg kommer jag att vandra över min sons ben ...

– Herregud, vad är det ni säger? utbrast Zejnep och ryggade tillbaka, ögonen var uppspärrade. Ben? Gud förbjude! ...

– Ja, just ben. Människoben. Jag tror att om jag vandrar genom stadens gator kommer mina fötter att trampa på min pojkes ben.

Zejnep var skräckslagen. Oförmögen att resa sig, röra sig ur fläcken. Hon stirrade på mannen som sagt dessa ord medan han smuttade på sitt vin.

– Minns ni att jag berättade om min son som hamnade i fängelse i ett skandalöst rättsfall? Det var vår förstfödde. Pojkens liv blev aldrig till något. Han kom ut ur fängelset och började arbeta som murare på en byggarbetsplats. Han skötte sig bra och allt var redan glömt. Han tjänade hyggligt med pengar, han hade så det räckte till allt och han tiggde aldrig oss om något. Vänner och gamla kompisar dök upp. Telefonen ringde hela tiden och det var bara honom de sökte, varje gång jag lyfte luren så ville de tala med Murat. De ringde mitt i natten och tidigt på morgonen. Hans mor undrade hela tiden hur folk kunde klara sig utan Murat. Ibland svarade vi att han inte var hemma, så att pojken fick sova. Vid den tiden hade de strukit alla anmärkningar mot mig för att jag inte hade hållit ordning på min son, jag hade fått tillbaka mina förtroendeposter och började sakta avancera i tjänsten. Jag blev utnämnd till biträdande chef för Geologiska undersökningen och folk började redan prata om att jag bara var ett steg från chefsstolen. Nu har jag hört att hela förvaltningen blivit ett stort ministerium ... Och då, när allting började se ljust ut, kollapsade plötsligt alltsammans, allting gick åt skogen. Några av mina så kallade vänner blev rädda att jag skulle bli avdelningschef och började förfölja mig med grundlösa klagomål, förfalskade handlingar. Kort sagt bestämde de sig för att ta heder och ära av mig. Det är en vanlig metod. Oj, vad de hittade på om mig! Jag skulle ha sålt saxaulskog och stoppat pengarna i egen ficka, jag hade delat ut välbetalda anställningar till mina släktingar, och på en middagsbjudning skulle jag ha supit mig full och skällt på sovjetregeringen. Jag delar ut bonusar till mina familjemedlemmar och delar pengarna med dem, jag hade tre fruar, påstod någon, och så vidare, och så vidare. Jag blev uppkallad till partikommittén och tvingades bevisa att jag inte sålt någon skog, och att jag inte dekade ut bonusar till mina vänner. Jag hade inte sagt ett knyst mot sovjetregeringen, jag hade inte tre fruar, utan bara en. Jag återvände hem först vid midnatt, fruktansvärt upprörd, och hade inte ens hunnit dricka te när telefonen ringde. Vi gissade att det var någon som sökte Murat igen. Min hustru gick och svarade. Och Murat hade inte kommit hem ännu, han hade åkt till arbetet på morgonen och ännu inte kommit tillbaka. Sånt hände ju titt som tätt, men man kan ju inte styra en ung mans liv hur långt som helst. Min hustru satte luren till örat och gav plötsligt upp ett hjärtskärande skri … Det var polisen som ringde och vakthavande bad oss komma omedelbart. På polisstationen såg vi pojkens nerblodade jacka. De hade hittat hans anteckningsbok i fickan och vårt telefonnummer. Min hustru fru svimmade och fick föras till sjukhus i ambulans.

Vi fick inte veta någonting mera om vår pojke. Det gick fem dagar, det gick tio dagar. Var han död, eller levde han? Och om han var i livet, varför var jackan täckt av blod? Om han var död, var fanns kroppen?

Alla arbetskamraterna kallades till förhör, men de visste ingenting. Det var bara en av hans vänner som hade sett honom köpa biljett till långfärdsbussarna vid bussterminalen. När hon frågade vart han skulle svarade han: Till månen. Det var det enda spår som fanns av honom. Vår mellanson, som är gift och bor i en annan stad, letade också efter honom som besatt, men förgäves. Det mest smärtsamma för min del var att se hur min fru och min dotter led av detta. När de tog upp hans nerblodade jacka och brast i gråt visste jag inte vart jag skulle ta vägen … På kvällarna blev vårt hus till en stenbur. Vi gick runt i rummen moltysta eller grät tyst för oss själva …

– Åh, Gud! Bevare mig, en sån fasa! Zejnep såg sig skrämd runt i rummet. Och sen då? Hittade ni honom?

– Ja. Efter ett år.

– Efter ett år? Herregud! Hur gick det till?

– De la om en gata och hans kvarlevor hittades under asfalten. Han hade fortfarande sitt id-kort i byxfickan. Och överkroppen saknades …

– Vad menar ni? skrek Zejnep skräckslagen. Det räcker! Säg inte mera, jag ber! Vilken grymhet…!

Ajtores egen historia hade uppenbarligen smält isen i hans bröst, han satt hopsjunken en lång stund, upprörd och blek. Teet stod och kallnade, och det glada humör som han hade haft med sig in i huset för andra gången var som bortblåst.

Zejnep tog en handduk från stolsryggen bredvid sig och torkade ögonen. Hon betraktade Ajtore, hans dödsbleka ansikte visade tecken på liv och kinderna började åter få färg. Ajtore tog av sig glasögonen, plockade upp sin näsduk och torkade glasen försiktigt. Så tog han en klunk av det kalla teet och satte långsamt ned skålen.

– Jag ska fylla på med lite varmt vatten, sade Zejnep dämpat. Ajtore fortsatte att sitta orörlig, som om han ingenting hörde.

En gravlik tystnad hade lägrat sig i rummet. För varje minut som gick kändes det alltmer smärtsamt och outhärdligt tryckande för Zejnep. Hon fick plötsligt dåligt samvete inför denne fullkomlige främling för att hon var oförmögen att återställa hans sinnesfrid, inte kunde trösta honom, och nu visste Zejnep inte vad hon skulle ta sig till härnäst. Hon var också irriterad över att den här mannen, som hon knappt kände, satt där som om han inte brydde sig om sin värdinna och inte hade för avsikt att försöka mildra det tunga intryck han hade gjort på henne. Jag är tydligen den enda som ska förstå andras sorg, medan alla andra inte bryr sig om min? Jag är den enda som ska springa benen av mig för andras skull, stå på tå, fladdra runt inför alla som en fjäril. I hela mitt liv har det varit så här. Hela mitt liv! Jag har skaffat mig gråa hår för andras skull, men aldrig tänkt på mig själv. Redan som liten fick jag ta hand om min sjuka mamma. Hon var sjuk länge och hade inte lämnat sin säng på tio år. Sedan hade hon småsyskonen, och då har man inte mycket tid att tänka på sig själv. Och när hon, den stackarn, for som ett torrt skinn från den ena till den andra, kunde åtminstone *någon* ha sagt: Det är synd om dig, tänk lite på dig själv! Inte ens de som hon betraktade som goda människor sade ett ord. Och när bröderna och systrarna växte upp och blev sina egna var det ingen av dem som sade: Tack för att du slet och stod i för vår skull och offrade din ungdom.

Hennes mamma hade dött i hennes armar strax efter att Zejnep hade gift sig. Hon var den enda som satte värde på dotterns uppoffringar. Innan hon dog sade hon, med ögonen fulla av tårar:

– Vi har varit en enda olycka för dig. Liksom sungulagräset växer in i melonens rötter, har vi sugit all saft ur dig. Och jag har varit likadan, med mina ständiga liggsår ... Du har gjort rätt för min vita mjölk, min kära. Vad gör man, omsorgen blev din lott, men den ges inte till alla, sägs det. Och den som får den lotten i livet kastas mellan vatten och eld. Skaparen formar en sådan själ från början, lyhörd och generös. Det är uppenbart att Guds nåd har fallit över dig. Misströsta inte. Gott lönas inte alltid med gott, men förtrösta på Allah så ska han belöna dig ...

Och hittills har moderns spådom uppfyllts ord för ord. Det goda hon gjort hade aldrig kommit tillbaka som något gott till henne själv. Och alltjämt hade hon, som hennes mamma sagt, förlitat sig på Gud, och att han självklart var ärevördig och inte hade glömt henne.

Och nu kände hon skuld inför denne främling.

– Men varför skulle någon göra honom detta? Zejnep var den första som bröt tystnaden. Ajtore ryckte till och såg på henne med oförstående ögon, som om han just hade vaknat till liv och inte kunde räkna ut vem hon var eller var han befann sig.

– Kanske är det mitt fel, suckade han. Kom ihåg, jag sa ju att när min son dömdes var jag också utsatt för trakasserier sedan lång tid tillbaka. Jag terroriserades på alla sätt, fick en offentlig reprimand, blev omplacerad. Den här historien påverkade min son väldigt starkt. Han började känna skuld för att en tanklös handling hade kostat både honom och mig så mycket. Varje gång jag besökte honom i lägret grät han och bad om min förlåtelse. Jag försökte lugna honom, talade om för honom att allt skulle lösa sig och bad honom att inte anklaga sig själv för allvarligt. Senare fick jag reda på att han hade skickat brev från fängelset till alla höga myndigheter och bett dem att inte straffa mig för hans misstag och skrivit att jag inte lärt honom att göra ont mot människor.

Och gradvis glömdes denna historia bort, min pojkes liv förändrades. Jag själv började stiga i graderna. Det var vid den här tiden som ministerposten blev ledig, och jag utsågs till en av kandidaterna. Mina medarbetare menade att mina chanser var större än de övrigas. Och det var då intrigerna satte igång, brev började dyka upp överallt: hans son var i fängelse, han hade fått en sträng reprimand, degraderats ... Allt detta presenterades på rätt plats, som om det hade hänt nyligen, nästan i går. Och i slutändan var min kandidatur överspelad. Det var en tid då anonyma brev hade mycket stort inflytande. Även om breven var osignerade visste jag exakt vem som låg bakom dem. Men vad kan man göra? Den som inte åker fast är ingen tjuv.

Men så småningom fick alla reda på vem som hade skickat de anonyma breven: det visade sig vara en gammal vän till mig, även han kandidat till posten som minister. För att undvika att hans handstil skulle avslöja honom hade han dikterat breven för en alkoholiserad granne. Men när han fått sin ministerpost blev han arrogant och glömde bort sin medhjälpare. Men grannen sökte upp ministern och ville ha ersättning för sin hjälp, men ministern viftade bort honom: Kom tillbaka i morgon, tills grannen tröttnade. Han söp sig full och sökte upp ministern på hans kontor och anklagade honom inför flera vittnen. Ministern ringde polisen, och grannen fick femton dagars arrest.

Efteråt berättade han alltsammans för min son. Och min pojke bestämde sig för att hämnas: han väntade på ministern vid entrén och gav honom stryk. Tvingade honom dessutom att erkänna att det var han som låg bakom de anonyma breven. Men det fanns inga vittnen till detta. Ministern blev rädd och lovade att han skulle ta ansvar för vår familj för resten av sitt liv. Och för att min grabb skulle hålla tyst erbjöd han honom mycket pengar. Han vägrade naturligtvis och sa att detta inte var slutet på historien. Så ligger det till …

Ajtore suckade tungt och tystnade.

– Jag tvivlar inte på att det var han som dödade min son. Men ingen har sett något och ingen kan vittna. Och överkroppen hittades aldrig.

– Men arbetarna? De som grävde. Frågade ni dem?

– Det är länge sen. Det var svårt att veta vem som hade asfalterat just den delen av gatan det året. Men efter ett långt letande fick vi fram efternamnet på två arbetare, men det visade sig att båda två var döda. Och så försvann den enda tråden. Vi kunde inte stanna kvar här i stan. Vi hade inget annat val än att ge oss av vart som helst. En av mina närmaste vänner, en jakut, var chef för ett stort företag i Jakutsk, jag berättade alltsammans för honom, och han stödde mig. Det var så vi hamnade i världens utkant.

– Hustru, barn, alla tillsammans?

– Min fru dog förra året. När hennes sons ben upptäcktes miste hon förståndet. Hon började prata med sig själv, gick ibland ut på gatan och letade efter resterna av sin son. Jag började försumma mitt arbete, all min lediga tid tillbringade jag med henne, och såg till att hon inte hittade på någonting. Till sist gav hon sig ut i en fruktansvärd snöstorm för att leta efter sin son, och kom aldrig tillbaka. De kunde inte ens begrava henne – de hittade henne inte ... I Jakutsk upprepade hon hela tiden samma ord: "Här kommer jag aldrig att hitta ett stycke av mitt hemland som räcker till en grav." Jag kan åtminstone andas kylan av detta främmande land. Ingen tog notis om hennes ord. Så slutade det ...

Ajtore hade avslutat sin berättelse och lutade sig tillbaka i soffan. Zejnep tog händerna från ansiktet och sträckte sig fram för att hälla upp te med en van handrörelse och märkte inte hur hennes tårar droppade ned på bordduken.

– Vilket vidrigt liv vi lever, sade hon tyst. Jobbar och sliter, vänder ut och in på oss själva som om vi skulle leva för evigt, bits och slåss, skrattar och gråter, fångade mellan eld och vatten, och varje ögonblick tänker vi: Ett steg, ett enda steg till så står jag på tröskeln till paradiset. Och sen ... försvinner vi spårlöst. Om något tiotal år kommer de som sett oss och känt oss också att försvinna. Och sen är allt förbi! Som om vi aldrig funnits till. Även gravarna kommer att jämnas med marken en gång. Vem behöver dem? Vad kom du till denna världen för, varför lämnade du den, vad lyckades du fullborda? ...

Zejnep skrämdes av sina egna tankar, begravde ansiktet i handduken och grät bittert, otröstligt. Vad såg hon? Handlade det om det förflutnas hårda villkor och den hopplösa barndomen, eller den innehållslösa och överflödiga existens som låg framför henne, eller kanske föreställde hon sig det bittra människoöde som slutat i en namnlös grav i den eviga tjälen? Ajtore kunde inte avgöra det med bestämdhet. Hittills hade han tydligt förstått en enda sak – denna märkliga kvinna som satt mitt emot honom ägde ett förbluffande oförstört sinne. Herregud, hon hade tagit hans sorg till sitt hjärta och grät över den.

Ajtore förundrades återigen över enkelheten, ömheten och det outrannsakliga mysterium som utgjorde en kvinnas själ, och varken Ajtore själv, eller tio, hundra, tusen av de klokaste männen på jorden skulle kunna lösa detta mysterium, inte ens om de samlades i en evig kongress. Och de skulle gå igenom livet utan att förstå det allra minsta om en kvinna.

– Även om en far eller mor råkar ha tjugo barn, och de båda har sina favoriter, fortsatte Ajtore att tänka högt, så kommer det tjugonde inte vara mindre älskat på grund av att det finns nitton andra barn. Efter mitt första barns död uppstod ett hemskt tomrum ... Herregud! Redan som liten var han så morsk och kaxig. Ibland tror jag att det var hans läggning som ledde honom på fel spår. Ibland anklagar jag mig själv: Varför skulle jag sträva efter den där ministerposten? Jag minns så väl när jag gick till mitt arbete, då brukade han säga till mig på skoj: Pappa, glöm inte att ge mig sonens andel. Grabben var bara några år när jag i ett anfall av känslosamhet sa till mina barn: Ni barn ger alla föräldrars liv kraft och mening. För det enda ordet *pappa* från någon av er skulle jag kunna gå genom eld och vatten. När ni litar på mig, när jag känner att jag är er enda riktigt nära vän, att ni utan mig är hjälplösa små lamm, känner jag en våg av stolthet inom mig. Barn står aldrig i skuld till sina föräldrar, som vissa tror, tvärtom: föräldrar bär alltid på en skuld till sina barn för att dessa har skänkt dem så mycket glädje ...

Ajtore log något mera glatt:

– Det var därför han skämtade när han bad mig om pengar: Ge mig sonens andel.

Ajtore skrattade kort, Zejnep svarade med ett osäkert leende. Men denna lilla stråle av värme löste inte den smärtsamma bedövningen. En tanke kom för henne, som på ett ögonblick kunnat flyga runt universum och den här gången lyckades bränna hennes själs hemliga skrymslen. Medan hon lyssnat till denne främmande

311

mans bittra historia om sitt liv, om hans kärlek till sina barn, kom Zejnep att minnas sina egna barn, som fått växa upp utan en far, utackorderade på olika håll och kanter i väntan på sin mamma, och hon kände heta, bittra tårar stiga upp i halsen. För att inte brista i gråt samlade hon sig snabbt och började hastigt duka av bordet: hon tömde de halvdruckna teskålarna och fyllde på med hett te ur kannan. Så bytte hon vattnet i vattenkokaren och satte i väggkontakten.

– Föräldrar är så upptagna av sina barn att de inte märker att de själva åldras, började Zejnep för att föra in samtalet på ett annat ämne. Man springer runt med dem, man vänder ut och in på sig själv, man har aldrig tid att betrakta sig själv utifrån. Man gör allt för att ge dem en bra start i livet, och de växer upp och flyger bort som yra höns åt olika håll. I synnerhet smågrabbarna. Som mina ... Utspridda i alla riktningar, och ingen av dem tänker ett ögonblick på att mamma kan behöva ett vänligt ord och en smula uppmärksamhet. Man får vara nöjd om de hinner fram till begravningen, och kanske till och med kastar en handfull jord på graven, men inte ens det kan man vara riktigt säker på. Min dotter är en annan sak, hon lider med en – Zejnep talade ganska fritt, som om hon öppnade sitt hjärta för en nära vän. Hon fortsatte:

– Min stackars mor brukade säga att det är bara dotterns hjärta som värker för mamma. Jag vet inte om ni har hört det ... Det sägs att när vi kommer till den andra världen ska änglarna på domedagen väga våra synder och goda gärningar på våg. Och människan är en svag varelse, så hennes synder väger ofta över det goda. Far och mor är inte heller utan synd, och det visar sig att de har gjort mindre gott i sina liv än ont. Så de hamnar i den flammande elden. Fattiga föräldrar ser sig om och söker efter någon som kan räcka en hjälpande hand. Men vem kan hjälpa, om ingens situation är bättre? Och förvånande nog kan en vanlig ficknäsduk visa sig tjäna en god sak i nästa värld. När föräldrarnas synder är några pund för tunga och de är på väg att hamna i *tozak* – skärselden – träder dottern fram med ett rop: Låt mig brinna i helvetets eld! och kastar sin näsduk i den vågskål där de goda gärningarna ligger. Så tack vare dottern vinner modern och fadern frälsning och hamnar inte i helvetet … Detta visar sig vara den stackars dotterns andel.

Ajtore hade aldrig tidigare hört denna legend, och med oväntad styrka slogs han av dess enkla visdom. I sin upprördhet glömde han till och med sin sorg, som alldeles nyss hade pressat som ett tunnband över bröstet. Om vi jämför det elände och lidande och den förnedring som kvinnor har tvingats utstå sedan Adam och Eva med männens elände, skulle kvinnorna ha ett högt berg och männen en liten kulle, som inte ens en bekväm person skulle ha några problem att bestiga. Han visste inte vad andra ansåg, men hade för länge sedan konstaterat att detta var sant. Och därmed behandlade han alla kvinnor med samma sympati, och så långt det stod i hans makt skänkte han dem alla det bästa och godaste som en människa kan bjuda en annan människa. Han tänkte på kärnan i legenden, det var som om han på nytt hade gjort en enastående upptäckt, om kvinnans storartade och gränslösa inneboende generositet, och en förunderligt glädjerik och djup känsla av lycka och ömhet genomfor honom. Med hela sitt hjärta hängav han sig åt detta sällsynta tillstånd, oförmögen att förstå vad som hade drabbat honom. Zejnep tog åter till orda.

– Min enda tröst i denna värld är min enda dotter – hon såg blygt på Ajtore, som om hon undrade om han tänkte säga emot.

– Jag tänker på Nazip, tillade hon som om hon redan hade fört henne på tal.

– Ni förstår, redan från vaggan började hon inse vad fattigdom är. Min flicka fick bara leva i elva år … Det finns ingenting hemskare för en mor än ett barns död. Som ni nyss sa är alla barn lika kära för en far och en mor. Man kan inte skjuta något av dem åt sidan för att det är mindre begåvat, eller för att det är besvärligt. Och ändå – Zejnep försökte tala lugnt, men återigen fick hon en klump i halsen – har vart och ett sin egen plats. Särskilt en liten flicka, hon som växte upp och förstod allt, var så lydig i allt … och att förlora denna lilla … Hon kunde inte längre hålla tårarna tillbaka, och Zejnep föll i stilla, ljudlös gråt. – Den stackars flickan var inte ens sjuk särskilt länge. Hon låg bara i tre dagar. Bara tre ... Hon var så lugn och mild. Hon ligger i sin säng och förstår allting, och säger:

– Mamma, när vi kommer till den andra sidan ska jag ge dig tre näsdukar, och hon tittar upp mot himlen. Här är de, alla tre är klara, säger hon och tar fram tre rena, oanvända, prydligt vikta näsdukar under kudden.

– Vad skulle jag säga? Jag skrek bara: Vad är det du pratar om, min lilla stackare? Vad är det för andra sida? Jag blev så rädd, så rädd. Men hon fortsatte lugnt:

– Men du har inte gjort några synder, inte sant? Hon såg så uppmärksamt på mig:

– Då ska jag ge de här näsdukarna till dem som står framför elden. Hennes röst var så ren och klar. Jag tänkte inte på att hon kunde dö. Om jag hade vetat att det skulle bli så ... Ja, om jag hade vetat, vad kunde jag väl göra? Jag gav henne lite varmt te och satte mig bredvid henne på sängen, och hon sa:

– Mamma, när de kör mig till kyrkogården, kommer du hålla min hand då, säkert? Gå inte för långt bort, snälla!

Då blev allting skrämmande, olyckan verklig ... Zejnep tystnade. Ajtore kunde inte uthärda den blytunga tystnaden, han frågade hest:

– Hrm ... Vad dog hon av?

– Det var mitt fel, för jag var väldigt sjuk då, och jag kunde inte sätta foten utanför dörren. Ni vet, barnen hade sin skolgång på olika ställen. På vintern, när jag hade samlat in dem över hela stan, råkade flickan komma vilse. Vi höll på att gå på bussen och Jertay, som gick i första klass på den tiden, lyckades hitta en sittplats, och medan hon försökte stiga på stängdes dörren.

– Och vad hände sen?

– De kom med henne nästa morgon ... De hade hittat henne och körde henne hem.

– Hur kunde det gå till?

Zejnep lutade huvudet i händerna och snyftade.

– Några arbetare hittade henne ... i ett gammalt rivningshus.

Där hade hon tillbringat natten ...

– Herregud, hur i all sin dar ...?

– Så gick det till ...

– Jaha ... Hur kunde hon hitta det så snabbt?

Zejnep lyfte huvudet och såg på honom med tung blick.

– Varför frågar ni om det?

Hennes ansikte uttryckte ett sådant lidande att Ajtore ryste.

– Jag är ledsen, jag ska inte ställa några fler frågor. Förlåt mig!

Zejnep kom steg för steg till sina sinnen. Men hennes läppar och händer darrade utan att hon kunde kontrollera det.

– Människorna har blivit odjur! sade hon plötsligt med hat i rösten. Allesamman bestialiska monster! Vilddjur! Hur kunde de, hon var ju bara ett litet barn. Jag ska berätta, ett ögonblick ... Ingen talade om det för mig, jag fick ingenting veta först. Kort sagt, den kvällen våldtogs hon av ett gäng odjur som lämnade henne att dö i det där gamla huset.

Ajtore kunde inte säga ett ord, rummet blev med ens mörkt. Han hade hört många hemska historier och hade själv överlevt det brutala mordet på sin son. Vad fick människor att utföra dessa vidriga grymheter? Den frågan hade plågat honom länge, men han kunde inte finna ett svar, och till sist slutade han tänka på det. Men nu var smärtan tillbaka! Herregud, vad har hänt med oss? Varför har vi blivit så kalla och grymma?

– Min mormor var en intressant person, fortsatte Zejnep, nu något lugnare och på avstånd från det hemska samtalet. – Hon tillät inte att någon av kvinnorna i huset födde i smyg. Och släppte aldrig höggravida kvinnor ut på vägarna. Om någon av svärdöttrarna råkat i olycka och gått till sina föräldrar ställde hon till med ett förskräckligt rabalder och hämtade själv tillbaka henne. Hon sa så här: Ett barn som föds på fel sida av moderns tröskel blir ont och elakt! Men dagens kvinnor föder allt oftare utanför hemmet. Kanske vår mormor visste något särskilt, och det var därför hon envisades? Hur kan vi i dag veta vad hon menade? Vi lyssnade inte på henne, förstås! Vi skrattade till och med bakom ryggen på henne och sa till varandra att det där var vidskepelse!

Innan Zejnep ens hunnit tala färdigt var det något som fräste i köket, som när en kittel kokar över. Det vardagliga ljudet återförde dem direkt till vardagen från alla sorgliga minnen. Zejnep rusade upp och ut i köket och ryckte i farten med sig en handduk från bordet.

Ett barn som föds på fel sida av moderns tröskel blir ont och elakt! Ajtore föll åter i tankar ... Den här gången tycktes det honom som om frågan om stickan i fingret hade hamnat i skymundan, slutat gnaga på hans sinne och gett rum för en oväntad lösning. Så tycktes det i alla fall ... Född på fel sida av moderns tröskel ... Hur visste hennes mormor det? Vem hade berättat det? Varför har aldrig jag hört något liknande? Vad är den hemliga meningen med detta? Varför försummade vi de gamlas sanningar och såg dem som skadliga? Dessa enkla ord kanske innehåller hemligheten, men vi förstår det inte, vi kan inte förstå det. Göms här månne inte själva sädeskornet, fröet till all begynnelse? Kanske är det just detta som vi kallar folkets visdom?

Han lutade sig tillbaka i soffan och sneglade ur ögonvrån mot köket. Zejneps silhuett syntes genom den öppna dörren. Hon lyfte snabbt över köttet från kitteln. Han tog en klunk kallt te, satte skålen åt sidan och hans blick föll på vinglaset. Under samtalet hade de uppenbarligen helt glömt bort dem. Ajtore tog glaset med avsikt att dricka, men satte omedelbart ned det på bordet igen. Hur kan man dricka vin efter detta samtal, som var så fyllt av lidande och sorg?

Från köket kom en lockande doft av kokt kött. Ajtore var rastlös av naturen, och att artigt sitta stilla var en plåga för honom. Dessutom beslöt han att skaka av sig stelheten i kroppen och reste sig och gick ut till Zejnep, som höll på att skära upp ångande, doftande kött på ett skärbräde. Allting gick med en väldig fart, som om hon just hade insett att gästen inte hade tid att sitta hur länge som helst. Hon lämnade köttet halvskuret och började skala löken.

– Låt mig skära löken, föreslog Ajtore, som såg att Zejnep hade svårt att klara alla sysslor samtidigt. Hon hade inte märkt att hennes gäst stod bakom henne och tappade kniven av förvåning.

– Gud sig förbarme! Jag trodde ni var i vardagsrummet ... Hur hittade ni hit?

Ajtore skrattade åt Zejneps förskräckelse och uppfångade samtidigt i hennes ord den värme och ömhet som är naturlig när man umgås med sina närmaste. Och samtidigt som han fångade denna ömhet kände han en glädje som gick in i hjärterötterna och en välbekant, men sedan länge bortglömd, känsla av lycka värmde honom inifrån.

– Vet ni var kazaken har sin mage?

– Ingen aning, så Gud hjälpe mig! svarade hon med ett leende. I nacken?

– Nej, det var fel! skrattade Ajtore. Kazakens mage sitter i hans fingrar, så här:

Han spärrade ut fingrarna framför Zejneps ögon.

– Nej, Jag ser ingenting. Fingrarna kan jag nog se, men ingen mage.

– Det är problemet! Självklart, om vi hade haft en mage som hängde på våra fingrar skulle alla sett den, då skulle det inte finnas något att fråga. Och jag ställer den här frågan för att innan kazakens fingrar bränner sig på köttet känner han sig inte mätt. Det är hela filosofin! Ajtore och Zejnep skrattade, de hade lika roligt åt hans enkla skämt.

– Så ni ville skära köttet? frågade Zejnep, medan hon med ärmen torkade ögonen, som var rödgråta av löken.

– Just det! Ni har en enastående förmåga att exakt gissa vad jag helst vill! När jag nyss steg in genom dörren gissade ni direkt att jag ville ha varmt te.

– Jag undrar: En man som är kall och våt, vad kan han annars önska sig? Det begriper vilken dumbom som helst. Eller ni ville kanske hellre ha ett par isbitar?

– Ska detta föreställa en kniv? sade han och kände med fingret mot bladet. Fy, det här är bara ett handtag, och inte en kniv!

– Vad väntar ni er, i ett hus där det inte finns en man, där är knivarna som vedträn och yxan är en hammare?

Ajtore vände skålen upp och ned och drog eggen flera gånger längs botten.

– Nåja, nu kommer den att skära någotsånär, sade han, och började dela köttet. Har ni lagat så mycket kött för två? Ska vi äta allt det här?

– En kazak kan aldrig få för mycket kokt kött. "Det för otur med sig om det finns för mycket mat" – hos den som säger så brukade förfäderna gå hungriga från bordet.

– Det är omöjligt att invända mot detta, ni är visdomen själv! Han skar ett litet stycke ångande kött, stoppade det i munnen och svalde omedelbart utan att tugga. – Fransmännen skulle kunnat bjuda en hel delegation på trettio engelsmän på en middag som denna för två.

– Vad kan ni göra åt det? I så fall måste de trettio engelsmännens jobb vid bordet utföras av två kazaker. Nu är det upp till bevis, det finns ingen utväg!

Under sitt uppsluppna samtal märkte de inte själva hur köttet skivades, degen lyftes ur grytan, kryddblandningen förbereddes. Deras glada, älskvärda småprat minskade tyngden av bittra minnen, slätade ut rynkorna. Två personer som för några timmar sedan varit fullkomliga främlingar för varandra, som inte haft en aning om den andres existens, återvände nu till vardagsrummet och satte sig ned vid ett dukat festbord. Främlingskapet som hade vuxit mellan dem under deras svåra berättelser hade skingrats som en bergsdimma, och var borta. Ajtore slog upp vin i glasen och bestämde sig för att utbringa en skål för denna dag, som – vare sig de skulle betrakta den som lyckad eller misslyckad – skulle bli ihågkommen under återstoden av deras liv, eftersom ödet, som dittills hade sneglat på dem med ovilja, nu öppet log mot dem i detta hem … Medan han tyst bearbetade allt detta i sina tankar med glaset i sin hand, ringde dörrklockan i samma ögonblick en kort signal.

Än en gång stelnade de till och såg förvirrade på varandra.

– Äntligen, sade Zejnep, och ställde hastigt ifrån sig glaset på bordet. Jag trodde att Gud hade glömt mig. Hon skrattade en smula ansträngt, onaturligt. Ajtore uppfattade att rösten var irriterad.

Dörrklockan ringde igen, krävande och högt.

– Vad ska jag göra? frågade Ajtore.

– Sitt kvar! befallde Zejnep och sprang ut i korridoren. Vem där?

– Jaag ...

– Jertay, är det du?

– Ja, det är jag ...

– Herregud, han kan knappt tala!

Zejnep hade knappt hunnit öppna dörren ordentligt innan Jertay snubblade in i lägenheten. Genomvåt från huvud till fot, trasiga armbågar och knän ... Korridoren fylldes omedelbart av en stank av gammal fylla. Zejnep höll sin son under armarna och började dra av honom ytterrocken.

– Hur ser du ut? Jag fick höra att du sov, var har du varit någonstans?! Hur har du blivit så full?

– Aigul ... var är hon? Är hon här?

– Hur ska jag kunna veta var din fru är?

– Jo, hon är här! Hon rymde från mig! Du säger ingenting med avsikt!

– Ta dig samman! Varför skulle jag gömma din fru? Vad bråkade ni om?

– Asså...

– Vad var det ni blev osams om den här gången?

– Jag ska visa henne!... Tiggare! Hon säger att jag är en tiggare...! Det räcker inte att döda henne! Hon har stuckit, det aset! Om jag bara hittar henne ska jag slå ihjäl henne! Hennes mamma sa att hon hade åkt hit ...

– Lugna dig. Allting händer i de bästa familjer, sade Zejnep och lät stött. Ta av dig!

Som han gick och stod, i regnrock och stövlar, lunkade Jertay efter sin mamma. Han fick syn på det dukade bordet i vardagsrummet och en vithårig man som satt där ensam. Han stannade upp och stod stel som en mumie. Han gnuggade sig i ögonen för att försäkra sig om att han inte inbillade sig.

– Oj, mumlade Jertay berusat. Jag trodde det var Aigul, men
det sitter en gammal gubbe här … Om hon hade varit här … Han
drog med fingret över halsen. Jag skulle slitit huvudet av henne!
Fattar ni?

Jertay vacklade fram till bordet och hällde upp ett glas vin.

– Er välgång! sade han och såg fånigt på Ajtore.

– Tack, svarade Ajtore utan att röra sig. Jertay tömde glaset och
vände sig till sin mor. Zejnep stod i dörröppningen, varken död
eller levande.

– Är det säkert att hon inte är här? frågade han bistert.

– Ja.

– Var är hon då?

– Det vete sjutton var hon finns, din Aigul! sade Zejnep, oro-
ad av såväl sonens uppdykande som hans uppträdande. Att detta
skulle hända mitt framför ögonen på Ajtore var särskilt irriteran-
de.

– Okej, jag är inte här! sade Jertay och tömde Zejneps glas.
Kör hårt, gamle man! ropade han åt Ajtore och stapplade mot
ytterdörren.

– Vart ska du ta vägen, Jertay? Det öser ned! protesterade Zej-
nep och försökte hindra sonen, men den storvuxne pojken knuf-
fade henne åt sidan, sparkade upp dörren och försvann. Hans
mamma, som inte visste om hon skulle springa efter honom eller
stanna där hon var, blev stående i dörröppningen och ropade ef-
ter honom med tårar i rösten:

– Vart ska du, Jertay? Äktenskapsmäklerskan kommer att
ringa. Vad ska jag säga till henne…?

Nedifrån hördes dörren slå igen. Jertay hade gått ut genom
den stora porten mot gatan.

Zejnep stod orörlig vid tröskeln en lång stund. Vart skulle han
nu? Och till vem? Bara han nu inte hittar på några dumheter, att
han kunde dricka sig så berusad! Jag borde ha sprungit efter ho-
nom och släpat honom tillbaka, men han har helt tappat huvudet.
Tänk att ge sig ut i det tillståndet …

Medan tankarna flög runt i huvudet på henne kunde hon se

genom fönstret hur Jertay försvann i natten.

Zejnep återvände uppgiven till sin gäst och satte sig ljudlöst på sin stol. Ajtore kände sig fortfarande besvärad.

– Jag tycks ha varit en oturlig gäst för er, sade han för att släta över pinsamheten.

– Nej, Det är inte ert fel, sade Zejnep tyst. Middagen är kall. Allting är förstört ... Herregud, vilken kväll, är det inte det ena så är det något annat.

Hon lade upp kött på Ajtores tallrik:

– Pröva åtminstone, snälla ni.

Ajtore åt några bitar av det kallnade köttet, tuggade på de klibbiga degknytena utan aptit och såg på klockan.

– Det börjar bli dags ..., sade han uttryckslöst, utan varken beklagande eller glädje. Det är dags för mig att ge mig av.

Zejnep gav honom en skål med varm buljong.

– Drick det här innan ni går. Den är gjord med kvarg.

– Är den? utropade Ajtore glatt överraskad, som om han hade hört en oväntad nyhet, och med synligt välbehag började han dricka denna tjocka *sourpa* med kazakisk kvarg som gav buljongen en syrlig smak.

– Härligt! Jag vägrar äta något annat efter att ha smakat er buljong, sade han och smackade med läpparna. En av mina jämnåriga kamrater reste tre gånger runt hela Asien och Europa. Och så snart han kom hem var det första han bad om just att få laga till en sourpa som denna. Det är konstigt, brukar han alltid säga, vi kan inte uppfinna en kvarg som håller i hundra år, men i stället bygger vi skyskrapor som ska stå för evigt, vad är det för mening med det? Vi brukar skämta med honom: I nästa liv frågar nog ingen efter vad du åt eller drack. Och antagligen inte heller vad vi byggde för hus, säger han.

Zejnep förstod att Ajtore berättade denna välbekanta skröna enbart för att bryta den tunga tystnaden som lagt sig efter Jertays påhälsning. Han reser strax, sade hon till sig själv. Och vad ska jag göra? Och vad ska jag säga till barnen? Hur kan jag se er i ögonen? Hur ska jag förklara allt: kvällen, en främmande man, vin ...

Sedan hennes egen man avlidit hade ingen annan man kommit in i hennes hem. Hon hade själv inte ens drömt om att det skulle kunna hända ... Hon visste naturligtvis att det fanns andra relationer mellan en man och en kvinna än de rent officiella eller släktbundna, men eftersom något liknande aldrig hade hänt henne verkade själva tanken närmast syndig. Hon hade levt sitt liv ensam, inte för att hon skulle ha varit rädd att straffas för sin synd, utan bara för att det inte var svårt för henne att leva ensam. Och plötsligt hade hennes son sett henne ensam med en man. Nu kände hon det som om hon hade skämt ut hela sin familj, som om hon hade förlorat sin värdighet och heder som mor inför sina barn. Zejnep råkade i panik, helt ur balans.

– Jag har haft det så hela livet, sade Ajtore plötsligt, med ett kort skratt. Jag har lärt mig att inte ta åt mig...

Zejnep såg frågande på honom. Ajtore svarade med ett leende.

– Jag talar om mig själv. Sen jag var liten har det varit så. Om jag ville ha någonting väldigt mycket så fanns det alltid ett hinder. Det berodde på att därifrån – han pekade uppåt – fanns det någon som ständigt bevakade mig. När det inte finns några önskningar varken syns eller hörs han, men så snart det finns någonting som kittlar intresset – då är han där på ett ögonblick. Här och i dag – samma sak! Det är min väktare som dyker upp igen. Han hittade ett knep för att få din yngste att dyka upp här.

– Kazakerna brukar säga om såna: en människa som går fel vart hon än går.

– Kanske det ...

– När ni var liten och tog era första steg fick ni kanske inte vara med om den gamla ceremonin *tusau kesu*, när de symboliska fotbojorna klipps av från barnets fötter.

– Intressant ... Det har jag aldrig hört talas om!

– Inte?

– Aldrig!

– Jag kan se att ni växte upp utan någon övervakning, som gräset i vägkanten sträcker sig mot himlen och inget annat.

Ajtore ryckte på axlarna, som om han bad om ursäkt.

322

– Kanske det. Våra lärare lärde oss att folkliga sedvänjor och traditioner var rester från det förflutna. Hur som helst, det är en helt annan historia. Men varför gjorde man tusau kesu?

– För att barnet ska lära sig att gå stadigt i livet. Som en symbol för de osynliga bojor som hindrar det lilla barnet från att gå binder man en tvinnad tråd vid barnets fötter när det redan har börjat ta sina första steg, och sen sätter man barnet på marken och skär av tråden och låter barnet ta sina första steg utan bojor. Som en ceremoni. Det betyder att barnet från och med nu inte ska snubbla vid varje försök, utan ha framgång i allt det företar sig.

– Och det är allt? Så varje gång jag råkar snubbla fortsätter jag att tänka "Varför gör jag det?" Och det visar sig att mina fötter fortfarande har varit bundna ända sen jag var barn. Säg mig, kan jag göra det nu?

Zejnep tittade på honom länge och ingående och utan att vara säker på om han skämtade eller menade allvar. Hennes blick fick Ajtore att sluta le.

– Jag menar allvar, sade han och rodnade en aning.

– Det går inte. Det är sextiofem år för sent.

– Men man brukar säga bättre sent än aldrig.

– Det passar inte här.

– Nåväl, går det inte så går det inte. Men tack för bröd och salt. Av allt mitt hjärta. Jag är tacksam mot ödet för att det var ni som flyttade in i det hem som en gång varit mitt, att det uppmuntrade mig att besöka min gamla bostad, att jag hade turen att få en liten pratstund med er ...

– Sluta, vad är det ni säger, herregud!

– Ja, jag avskyr själv stora ord. När jag tycker om en person vill jag gärna säga det, men när jag öppnar munnen förvandlas tungan till trä. Och när jag hör hur andra utan tvekan strör vackra ord omkring sig, hur de sprider ut sina känslor, känner jag mig generad över att människor inte skäms för att tala med sån lätthet. I såna fall klandrar jag inte den som ljuger, utan den som låter sig övertygas. Jag märkte inte ens hur de vackra orden kom ur min mun. Men i alla fall vill jag säga tack för att ni finns i denna värld, och trots att denna lägenhet tillhör staten är ni inte desto mindre härskarinna över dessa fyra väggar!

Zejnep ville säga något, men Ajtore fick henne med en hand-rörelse att vara tyst.

– Ni menar att jag pratar för mycket igen. Tänk inte på det, det är en bagatell. Jag vållar ingen större skada om jag någon gång i livet säger några uppriktigt menade ord till en människa. Tro mig, ni har gjort er förtjänt av dem. Vi kunde ha skilts utan ett ord, men vi kommer inte att träffas igen. Aldrig mera. Så jag bestämde mig ... Jag tror inte att jag har sagt någonting överflödigt. Han ryckte på axlarna. Om vi tänker efter så visar det sig att på vår lott i detta liv har fallit betydligt mera bitterhet än sötma. Nåja, så är det bara, också detta är vårt öde! Ajtore reste sig med ett vemodigt småleende.

– När jag var barn fanns det i byn en gammal man som hette Barachat. Zejnep var åter lugn och behärskad. Det var en fattig-lapp, en trashank, ingen visste vad han levde av. Han bar ingen-ting annat än en gammal uniformskappa över sin nakna kropp. Barachat levde av att valla vår boskap. Ibland kunde han luta sig mot sin herdestav och säga som så: "Det finns bara arton tusen levande varelser i detta jordiska universum. Och för att skapa var-je varelse olik alla de övriga måste Allah den högste varje gång befinna sig i en särskild sinnesstämning, en ström av godhet, själens storsinthet. Och till din stora ära, du skapare, ska sägas att du inte gick mig förbi med din uppmärksamhet när du skapade dessa arton tusen varelser. Det kunde varit din vilja att göra mig till en hund, en gris, en insekt, en mask, en myra, men tackad vare du som gjorde mig till människa och gav mig herdens stav och anförtrodde mig att valla byns boskap!" Jag hörde honom säga detta mer än en gång ... Kanske låg det en djupare mening i dessa ord som var uppenbar för en intelligent person? När allt kommer omkring strävar människan efter att äga mer, äta fetare, hon har slutat märka det som är intill henne, alla riktar blicken långt bort och ser inte det som är nära ...

Hennes ord verkade på något sätt oroande på Ajtore, han gick fram till Zejnep och såg henne för första gången rakt in i ögonen.

– Ni är en mycket klok kvinna, sade han tyst. Det finns bara en sak jag beklagar …

– Och vad är det?

– Att det finns allt färre kvinnor som ni. Om trettio eller fyrtio år kommer andra att ha tagit er plats. De kommer att vara helt annorlunda än ni i tänkesätt och livsförståelse, deras enda kunskapskälla kommer att bestå av tidningar, böcker och i synnerhet tv. Har ni märkt att mormödrarna som berättade sagor för sina barnbarn redan har försvunnit..?

– Vart femtionde år förnyas folket, vart hundrade år landet.

Ajtore rörde försiktigt vid Zejneps axel, gick hastigt fram till bordet och slog upp vin i glasen och räckte henne det ena.

– Vi är långt över femtio, och våra platser har redan övertagits av de unga, och om ytterligare femtio år kommer de att ersättas av våra barnbarn. Och vi … Oss väntar först vårt eget slut, och därpå glömskan. Vi kommer aldrig att ses igen. Vi går upp i denna himmel, blir till tidens damm … Och nu … när vi har så kort tid kvar att vandra på jorden vill jag, utan att försjunka i sorg, höja denna skål för er. För en kvinna som lever för barnens skull och inte vill skada ens sin fiende, för en så vacker själ. Till er! För detta att ödet, som jagat mig genom hällande regn, förde mig hit till er!

– Herregud, nu är ni där igen! Vilken sorts skönhet kan jag ha?! Jag skäms! Bara inte barnen får höra detta! Drick ni! Jag ska hämta något att tugga till! Zejnep var på väg mot bordet, men Ajtore grep hennes hand.

– Varför säger ni så? Jag menar bara att jag sa de där orden eftersom vi aldrig kommer att träffas igen. Drick ett glas med mig!

– Jag har aldrig druckit vin …

– Aldrig, aldrig?

– Nej, aldrig i mitt liv.

– Inte ens när ni var ung?

– Jag drack inte när jag var ung.

– Det här är otroligt!

– Vad är det som är så förvånande med det? Är det så konstigt att inte dricka vin? Även när jag hade varit på fest kom jag aldrig hem senare än klockan åtta eller nio. Jag har alltid sprungit hem till barnen. De var små i början och kunde inte lämnas ensamma så länge. När de blev äldre skämdes jag för att komma hem senare än de! Min mamma springer ute om nätterna. Festa, dricka vin, och sen lära dem vett och moral?!

– I så fall ... Låt oss ta risken, nu! Ajtore höjde sitt glas. Det kom en klang av kristall när glasen möttes, de såg på varandra med ett leende.

– *All right*, vi tar risken! Halvt på allvar, halvt på skämt nuddade Zejnep pannan och hakan tre gånger med utsträckta fingrar, som om hon bett om Guds förlåtelse, så förde hon glaset till sina läppar och med ens, som en erfaren drinkare, tog hon ett djupt andetag och utan att blinka tömde hon glaset i ett enda drag som om det varit vatten. Nästan förvånad över att vinet hade slunkit ned så snabbt, höll hon upp glaset mot ljuset.

– Fy så otäckt, det ser ut som unket vatten, sade hon med en grimas. Surt!

– En vän till mig säger att vin bara är ett förord till ren vodka eller så kallad alkohol.

– Alkohol? Din vän är en skämtare. Jag var så ängslig, förberedd, som om jag skulle hoppa i kallt vatten, men det här är nonsens. Är det verkligen detta som män blir fulla av?

– Åh, ja, verkligen! Och ett ordentligt rus blir det. Har ni inte sett hur det går till därute när de raglar fram?

Ajtore ville visa hur berusade människor raglar, men resultatet blev mer naturalistiskt än han hade avsett: han snubblade över soffan och stångade nästan omkull värdinnan med huvudet, och om Zejnep inte hade huggit tag i hans ena axel skulle han ha fallit pladask.

– Gud hjälpe oss, var försiktig! Ni ville bara visa hur fulla människor går, och ni slog nästan ihjäl er på kuppen!

Ajtore reste sig med ett skratt:

– Det är just sånt som händer!

– Gud hjälpe dem, låt dem svaja, eller blåsa bort med vinden.

Gjorde ni er illa? En påfyllning?

– Självklart! Ajtore fyllde båda glasen. Skål för er igen!

– Blir det inte för mycket?

– Varför det? Det blir bara två gånger.

– Det här är konstigt.

– Vad är det som är så konstigt med det?

– Vet ni … Ingen har någonsin skålat för mig. Det är nästan pinsamt …

– Ingen någonsin?

– Ingen. I dag var första gången.

Ajtore såg noga på henne. De klingade i glasen igen. Zejnep tömde med lätthet sitt glas.

– Det är en bra början. Ni klår mig med hästlängder.

– Ska man dricka, så ska man. Hänger ni inte med?

– Konstigt, sade Ajtore och ställde glaset på bordet. Det är som om jag alltid har känt er. Mer än så, det känns som om jag var hemma hos mig själv.

– Ni *är* redan hemma! skrattade Zejnep.

– Ja, det var mitt hem en gång. Ajtore tog ett djupt andetag. Jag måste gå. Annars kommer Jertay plötsligt att dyka upp igen, och det blir pinsamt. Han sa att om Aigul var här skulle han slita huvudet av henne. Nästa gång tar han kanske fel på person!

– Är det inte konstigt? Människor möter människor och förstår varandra, och sen skiljs de och ser aldrig varandra igen.

– Ja, sånt händer, sade Zejnep och började städa undan från bordet. I hennes rörelser och de hopdragna ögonbrynen anade Ajtore ett slags sorg, vemod, förtvivlan …

Några minuter senare gick Ajtore ut i tamburen och började sätta på sig ytterkläderna. Zejnep räckte honom rock och hatt, och återigen noterade han hennes nästan omärkliga uttryck för smärta … Med varje rörelse, med hennes sätt att räcka fram de olika persedlarna till honom, med hon borstade bort osynliga fläckar och damm från hans hatt, syntes Zejnep omärkligt vilja förlänga ögonblicket, skjuta fram avskedets oåterkallelighet, och han insåg plötsligt med ett sting i hjärtat att mitt i denna bullrande stad, mitt bland skränande barn och med stadsbornas sjudande, stressiga liv alldeles inpå sig, skulle hon vara ensam, utan någon enda person som kunde lyssna, reagera, dela hennes tankar … Även han själv smittades av samma outhärdliga vemod och tungsinne. Och han erinrade sig några ord som en tidigt bortgången vän hade yttrat, som gav en antydan om förnimmelsen hos den som aldrig haft tid att förstå vad livet innebar, och som bara hunnit skrapa på livets yta. Hur var det han sade? Jo … Varje kvinna är en oupptäckt planet, en evigt svårmodig planet …

Forskare i världen kan en dag upptäcka och förklara allt, men det kommer för den sakens skulle inte att bli lättare att leva, för inget av alla genier kommer någonsin att kunna lösa den gåta som döljer sig hos den enklaste kvinna.

Kvinnans själ är alltid sårad. Därför att hon är född att vara ren och öm, och livet är fyllt av smuts och dy … Det finns ingen kraft på jorden som förmår skydda och bevara en kvinnas renhet, den man är ännu inte född som kan leva vid sidan av en kvinna utan att solka hennes renhet. Det finns inga dåliga kvinnor, vi gör dem sådana. När Aralsjön började dö ändrade vissa fiskar färg och kroppsform och började leva i bottenslammet för att fly undan saltet, enbart för att överleva! Och vi själva är som ett krympande hav av saltvatten, har själva förgrovat kvinnans ömtåliga väsen. Vi bär en evig skuld till deras försvinnande ömhet och renhet.

Hur svårt är det inte att lära sig en sådan enkel sak som att förstå en annan persons inre! Men också den som lär sig förstå är maktlös, kommer aldrig att övervinna sin egen hjälplöshet, en brännande smärta fräter hjärtat till stoft.

Försjunken i dessa tankar kände Ajtore tomheten inom sig. Ja, tanken är oändlig, hade någon sagt, det finns ingen början, det finns inget slut! Ingen kan ständigt skåda in i människans väsen, för hon är en avgrund, hon går inte att förstå, du kan aldrig nå botten eller brädden, allt vi kan förstå är att det inte finns någon lycklig person i världen och aldrig kommer att finnas. Man får inte låta känslorna löpa vilt. För att leva fordras fasthet!

– Nå, håll er nu frisk och kry, sade Ajtore och ansträngde sig

328

att inte förråda sina känslor. Vi har mötts och bekantat oss, talat med varandra, och det är dags att ta adjö. Stort tack för bröd och salt och för er uppriktiga gästfrihet! Ska vi ta i hand, eller har vårt möte varit alltför kort för det?

– Jag vet inte … ni vet bäst, svarade Zejnep och slog ned blicken.

– Nåja, om dagens möte blev för kort för ett handslag, låt oss låna lite från kommande möten.

Ajtore hade befriat sig från förlamningen från sina sista tankar och betraktade henne öppet och lugnt. Zejnep höll generat fram sin hand, som om hon var på väg att göra någonting skamligt. Såväl Zejnep som Ajtore kunde känna värmen i detta handslag …

– Adjö, sade Zejnep och befriade hastigt sin hand ur hans fasta grepp. Lycklig resa! Håll er frisk och stark, vart ni än kommer… Sänd en hälsning till hela er familj från ert gamla hem.

– Absolut. Åh, jag ska beskriva alltsammans för dem som ett poem!

Ajtore såg sig om i korridoren som om han ville ta avsked av den, och var redan på väg ut genom dörren när Zejnep plötsligt frågade:

– Ni har inte berättat något om den där stången.

Hon visade med handen, Ajtore vände sig hastigt mot Zejnep.

– Åh, det är en lång historia, sade han och skrattade hjärtligt. För att berätta alltsammans måste jag ta ett senare flyg. För att göra en lång historia kort ville min fru hänga sig i den av svartsjuka.

– Herregud! Kan det vara möjligt att ni har ett sånt förflutet?

– Åh! Det finns mer än så!

– Och jag som trodde att ni inte var sån, jag började till och med tycka om er, och så visar det sig att ni är en kvinnokarl?!

– Nåja … inte direkt. Vi har ju till exempel suttit här länge och pratat, och jag har tagit mig ett par glas tillsammans med er. Om min fru hade varit i livet skulle hon absolut ha beslutat sig för att hänga sig. Skulle ni ha godtagit det?

– Gud förbjude! På grund av den här kvällen?!

– Ni ser själv! Och den historien liknade den här. Jag var på väg hem från arbetet en dag och såg en kvinna som satt vid vägkanten med ett barn i famnen och grät bittert. Jag frågade vad som hade hänt. En trevlig rysk kvinna i trettioårsåldern. Hon var hemmafru, tog bara hand om barnen, hennes man försörjde familjen. Hon hade litat på honom och sett upp till honom som en gud, och en dag lämnade han henne med tre barn. Det yngsta var bara fem månader, hon ammade fortfarande. Hon var desperat, på vippen att börja tigga sitt uppehälle. Och mitt i alltsammans hade hon fått telegram från Magadan: hennes mor var död.

Ajtore såg hastigt på klockan och fortsatte:

– Hon hade inga pengar till biljetten, och ingen att lämna barnen hos. Hon hade gått ut och satt sig vid vägen i ren desperation, totalt hjälplös. Jag gav henne pengar. Hon ville inte ta emot dem först, men jag insisterade. Jag sa att det var ett lån. Jag tog till och med ett kvitto för att inte förödmjuka henne. Och inga flygbiljetter hade hon. De kunde bara köpas på flygplatsen, det var två timmar till avgång. Och precis samtidigt som detta inträffade hade jag blivit kallad till Centralkommittén med anledning av en befordran. Jag blev alltså tvungen att välja: antingen lämna den olyckliga kvinnan ensam eller skjuta upp mitt besök på Centralkommittén. Jag valde det senare. Vi for till flygplatsen, jag svor och domderade, och fick till sist biljetterna och satte mor och barn på flyget. Sen gick jag hem till hennes lägenhet och gav hennes andra två barn mat. Och jag satt hos dem tills hon kom tillbaka.

– Och sen då?

– Hon kom tillbaka. Och grät av tacksamhet.

– Och sen?

– Ja sen … Någon måste ha berättat den här historien för min fru. Hon grät tårefloder. Det var då hon bestämde sig för att hänga sig, satte fast stången och började knyta ett rep.

– Och vad hände med den ryska kvinnan?

– Vasilisa hette hon. Jag hjälpte henne att få ett jobb. Hon var så tacksam mot mig att hon lovade att tända ett ljus i kyrkan.

– Självklart … vad annars. Och hur slutade alltsamman?

– Vi flyttade från stan … Efter den där händelsen med vår son.

– Och … kontaktade ni den där kvinnan när ni kom tillbaka hit?

– Ja, men det visade sig att hon avled förra året.

– Frid över hennes minne, viskade Zejnep.

– Min befordran gick upp i rök och min fru hängde sig nästan. Myndigheter, ni vet, de gillar inte att man kommer försent, och ännu mer ogillar de när man inte dyker upp alls. Jag har ju berättat hur det är: så snart jag har någonting på gång kommer något annat i vägen.

Han nickade farväl och började gå nedför trappan. Zejnep stod kvar i dörröppningen och såg honom gå.

Först när dörren längst ned smällde igen vaknade hon upp och återvann fattningen och gick tillbaka in i lägenheten.

Där härskade nu dödstystnad. Ett ögonblick av livet – dröm eller verklighet? – hade flugit förbi, rört upp hennes tankar och känslor, skrattat för sitt eget höga nöjes skull och övergett henne som ett tidsfördriv för ett par timmar.

Zejnep hade varit ensam länge tidigare. I flera veckor, i månader, hade hon varit ensam inom lägenhetens fyra väggar, men aldrig hade hon upplevt sin ensamhet så intensivt, och aldrig hade hon känt sig lika nedtryckt av den sorgliga tystnad som följde med ensamheten.

Nej, det var ingen dröm, och hjärtat fick inte plats i hennes bröst. Hon hade inte ens kraft att städa undan från bordet. Ajtores varma baryton ringde i hennes öron, och hon kunde se hans lugna ansikte och det ljusa, vänliga leendet och kunde höra hans skratt …

Droppen av värme som fallit i hennes bröst växte, och hennes hjärta fortsatte att komma ur rytmen och bultade av glädje när hon tänkte på Ajtore, och av smärta när hon insåg att han aldrig mera skulle stiga över tröskeln till hennes hem och att hon aldrig skulle se honom igen. Herregud, vad var detta? – vad var detta? frågade hon sig själv utan att förstå vad som hade hänt med henne. – Varför kände jag mig inte ensam förut? Varför ska jag komma ihåg en man som jag bara sett en gång? En förbipasserande, en okänd, och själv har du barn och barnbarn. En sådan skam! Detta är ett tokigt infall! Det var bara den förre ägaren till lägenheten, så vad är problemet? Hon hade träffat så många olika människor förut. Det hade funnits män som hade gett henne öppna förslag: Zejnep, får jag hälsa på och dricka te när barnen har somnat? Hon tänkte inte ens på någon av dem …

Dörren öppnades med en smäll och Jertay störtade in i rummet.

– Var? skrek han innan han ens fått syn på henne. Zejnep gick fram till honom.

– Var vadå?

– Gamlingen!

– Vad behöver du honom för?

– Jag ville bli bekant.

Jertay var redan förändrad, berusningen hade försvunnit, han var som han brukade.

– Han har rest. Det var den tidigare hyresgästen.

– Hitta inte på! Jertay log illmarigt, men slappnade av. Var inte ängslig, mamma! Han lade armen om hennes axlar. Jag har ofta tänkt på det själv, mamma! Tror du inte att vi förstår något? Vi förstår allesamman, allting. Du … du levde bara för oss, för oss alla … du hade inget annat i tankarna.

– Vad pratar du om?

– Jodå, mamma! Nu vid tjugofem har jag förstått ett och annat … Jag är ledsen, mamma…! Vi kommer aldrig att göra dig besviken igen, mamma!

– Var är Aigul?

– Jag vet inte … Jag går inte tillbaka till henne. Hon har skämt ut mig, ja oss alla. Jag ska bli en snäll pojke nu. Du är god som guld! Det finns ingen som du, mamma! Han kramade om henne och grät bittert, precis som ett barn. Zejnep strök honom över håret och kysste honom på pannan.

– Men du är inte tjugofem än, och nu vill du gifta dig en tredje gång?

– Jag vet inte, mamma. Jag vet ingenting! Jag kanske inte ska gifta mig alls. Som du tycker, mamma!

– Din dumma pojke! Förresten, är inte din *kelin* gravid?

– Inte nu längre. Hon gjorde abort.

– Vad begriper du om kvinnofrågor?

– Hon sa så här: Jag vill inte föda en tiggare åt en tiggare, och gjorde sig av med barnet. Hon … hon ska gifta sig med en annan. I dag kom de och misshandlade mig …

– Vad menar du, slog de dig? När jag ringde påstod de att du sov!

– Nej. Jag var helt enkelt medvetslös.

– Min pojke! Zejnep kunde nätt och jämnt få fram ett ord av ilska och upprördhet. De uslingarna! Och din storebror är långt borta, det fanns ingen som kunde ge dig en hjälpande hand!

– Jag pratade med honom i går. Bektur kommer snart att hemma igen. Han ska nog visa dem. Han är fartygskapten! Jag ska berätta allt för honom!

Telefonen ringde.

– Om det är de, säg att jag inte är här! sade Jertay lågt och tystnade.

Zejnep tog telefonen. Det var Ajtore.

– Mitt flyg går strax, sade han. Har ni hört något från Jertay?

– Ja. Han är här bredvid mig.

– Jag ville inget särskilt. De har ropat ut planet, tror jag. Jag ville bara höra er röst en sista gång.

– Tack.

– Hur är det med er? Ni låter orolig?

– Det är inget speciellt … Här är allting lugnt …

– Adjö då!

– Adjö!

Zejnep blev sittande med telefonluren i handen och glömde att lägga på. Alla känslor som hade hopats i bröstet under lång tid sökte åter hennes hjärta. Hon kände inte tårarna … Hon grät tyst med luren i handen.

Jertay var alldeles förvirrad.

– Mamma! Mamma! Vad är det med dig? Varför gråter du?

Zejnep samlade sig, torkade tårarna och rufsade sin son i håret, där han stod på knä framför henne.

– Upp med dig! Och stå aldrig på knä inför någon människa igen!

– Mamma, det är ju du! Det är bara för dig …

– Det gör detsamma. Du kan älska en person utan att stå på knä.

Jertay tog en handduk från soffan och torkade sin mammas ögon.

– Jag lovade ju att jag skulle sluta upp att ställa till det för mig, så snälla gråt inte. Jag vet att du är trött på oss. Allt kommer att bli bra. Från och med i dag är det inte du som ska ta hand om oss, utan vi som tar hand om dig. Jag har tänkt på det länge. Vi kommer att leva tillsammans länge, länge. Nästa år kommer Nartai ut från fängelset. Han tänker bygga ett stort hus på landet. Bektur kommer hem från Sachalin. Då ska vi leva upp…! I det senaste brevet skrev han att han var mycket orolig för dig. Vill du läsa? Hör här! … Jertay, försök förklara allt för mamma, du är yngst av oss, och hon kommer att lyssna på dig. Jag har gjort henne fruktansvärt ledsen. För detta kommer jag att ha skuldkänslor i resten av mitt liv. Om hon kan förlåta mig, så kommer jag. Min fyrarummare kan bytas mot en lägenhet i Almaty. Lägenheten är trevlig, ligger alldeles vid stranden, på andra våningen. Min fru är också beredd att flytta med. Min äldsta grabb har bytt ut sitt tidigare namn Charles mot vårt kazakiska Sharip, och flickan heter inte längre Eleanor, utan Elegy. Jag försöker tala kazakiska med dem. De kommer att skriva brev till sin farmor på kazakiska …

Zejnep satte sig i soffan och brast i gråt. Jertay fnyste, förstod inte hennes tårar.

– Mamma, jag skrev till honom i förrgår. Jag skrev att du har förlåtit oss för länge sen och är glad att de flyttar hem. Jag ljög lite, men det är sant, eller hur? Mamma?

– Ja, ja. Du skrev alldeles rätt, min vän …

Högt upp ovanför huset passerade ett flygplan. Zejnep lyfte på huvudet. Himlen var hög och klar.

– Adjö! sade hon, hennes läppar rörde sig lätt.

– Vadå? Vem säger du adjö till?

Jertay såg på henne, skrämd. Zejnep hade äntligen fått ro i sinnet, hon kände sig på något sätt bättre till mods och viftade bort alltsammans:

– Ingen särskild ... Jag föll i tankar, sade hon och reste sig beslutsamt från sin plats. Får inte livet också er barn att tänka till ibland?

Jertay förstod inte. Han bara kände att hans mammas hjärta var lite oroligt, och för att lugna henne lade han försiktigt armen om hennes axlar.

1985

KABLAN

– *Hundar kan alltså också känna hemlängtan?..*
– *Det verkar så.*
– *Konstigt ... Tänk att hundar*
kan hysa såna känslor... nästan mänskliga!
– *Jo, det är nog så ...*

Ur ett samtal

Våren förändrade Kablan dramatiskt: den förändrade inte bara hans dagliga små vanor, han började också röra sig på ett annat sätt. Han verkade dessutom uppfatta världen annorlunda. Detta var ganska besynnerligt – det hade inte gått mer än fyra månader sedan valpen kom i huset. Och även om hela hans liv under dessa månader förflöt framför ögonen på oss, förvandlades valpen till en reslig hund så omärkligt som om han hade vuxit medan vi tittade åt något annat håll.

Nästan ända fram till gårdagens definitiva slut på vintern, som förmedlades av en liten grönsångare som slagit sig ned i buskarna efter en lång flygning, hade Kablan varit som ett storögt barn. Han hade placerat sitt långörade huvud på sina tassar och sig själv på dörrtröskeln, varifrån han kunde följa precis allt som rörde sig ute på gården och bara emellanåt behövde kasta upp huvudet i valpigt intresserad nyfikenhet.

Förmodligen är det normalt och vanligt för alla levande varelser att växa och bli stora och få idéer i huvudet och foga samman dem till en helhet under intryck av yttre händelser som plötsligt bryter in i livet och förändrar det ... Kablan skulle uppleva åtskil-

336

liga överraskande händelser på en gång, som dramatiskt förändrade hans karaktär och uppfattningen av världen omkring honom.

En vacker dag på förvåren, som för en valp kanske inte var så mycket att lägga på minnet, tog min far och klippte enligt gammal tradition av svansen och öronspetsarna på Kablan, och tog samtidigt bort allt som hade gett honom hans lekfullhet, spontanitet och lurviga och barnsliga charm. Det kändes som om jag delade hans smärta, och jag kunde till och med höra knastret från brosket under den skoningslösa kniven när far klämde fast svansen eller öronen mot tröskeln innan han skar av dem.

Kablan gav inte ett ljud ifrån sig. Men valpens ledsna ögon kastade en sårad blick på far när denne plockade upp svansen efter att ha utfört samma operation på öronen. I sin stelnade förvåning syntes valpen omedveten om det tjocka blodet som droppade från de öppna såren.

Från det ögonblicket vägrade Kablan att gå in i huset: tröskeln blev för honom en osynlig vägg, en bitter barriär som fäste sig i minnet. Och även om det var tydligt att denna kränkande behandling inte berörde hans själ såg valpen misstroget och förvirrat på min far i flera dagar: det var tydligt att smärtan från de läkande såren påverkade honom. Och ändå hade hans kärlek till oss redan blivit väckt och slagit rot inom honom, och inte ens denna oförklarliga grymhet hos hans herre, i någon mån mildrad av ömhetsbetygelser, kunde rubba den.

På en gång försvann dock lekfullheten och hans oskyldiga valpiga upptåg. Han fann inget nöje längre i att jaga efter ett papper som flög i vinden. Han tog inte längre någon notis om de lustiga, runda lammen, som hade gjort honom så förvånad från början, som om de hade blivit utrustade med ben särskilt för att leka med honom, Kablan.

Det var ju alldeles nyss som han som litet valpknyte med försiktig nyfikenhet gjorde sig till vän med katten! Som han plötsligt upptäckte vår gula katt, och Kablan förvandlades till en lustig cirkushäst som lyfte sina tassar lika högt i noggrann marsch, och knyckte lika stolt på nacken. Och i valpens ögon syntes vänlighet och skojfriskhet, och ett barnsligt smil lurade i blicken.

Jo då! Kablan kunde skratta! När jag återvände hem efter att ha varit borta någonstans kunde jag fånga ett leende i ögonen hos Kablan när han kom springande emot mig. Ett lyckligt leende. Där ligger han med sina mjuka öron nästan hängande för ögonen – vad är det han funderar på? Och ropar du till honom nu: Kablan! – så vänder han sig om på en sekund och ser på dig och skrattet yr som gnistor i hans ögon. Han skrattar ...

Fast numera verkade det som många saker inte längre intresserade honom alls. Som förr rullar lammen som runda bollar, eller en killing kommer skuttande, eller till och med en katt som glider graciöst nära – det var som om ingenting längre existerade runt om honom, han var upptagen av sina egna tankar, okända för alla. Så han låg där orörlig med huvudet vilande på tassarna, bara ögonen fästes ibland på någonting i hans närhet, uppmärksamt och allvarligt.

På dessa ögon, så fort de hade öppnats, visste vi att det skulle bli en klok hund. De ägde trygghet. När vår gamla hund året förut slets i stycken av vargarna lovade min fars närmaste svåger att ge oss sin bästa valp så snart tiken hade fått sin kull. Och även om seden strängt förbjöd gåvor som en kniv, en kyckling eller en hund släktingar emellan, såg vi med spänning fram emot alla underrättelser. En herde utan hund är som en skomakare utan becktråd, och det är helt enkelt otänkbart att ha får på bete utan vakthund i Karataus dalgångar, där vargarna om vintern drar sig samman i rövarband.

Tiken fick bara två valpar i kullen. En dotter och en son. De fick gott om mjölk, och när vår valp kunde stå på alla fyra benen bar jag hem honom.

På kvällen återvände far från betesmarken och granskade valpen. Enligt hans gamla tro tillät sig inte en far att ta upp småttingar i sina händer, inte ens för att smeka dem – inte heller valpar. Människans gift i handflatorna släcker viljan hos djuren, själen dödas ..., brukade han säga.

Men först och främst, för att pröva valpen, lyfte han upp den i nackskinnet och höll den länge hängande. Jag skärpte mig för att inte gråta och väntade bara på att valpen skulle gnälla. Och den här valpen hade redan valt ut mig till sin vän. Men den överlevde med värdighet. Valpens vinbärssvarta ögon var lugna och till och med nyfikna. Nästa prövning var hårdare: far lyfte upp honom i öronen. Också den här gången bestod valpen provet och sade inte ett ljud. Det ansågs att detta prov avslöjade förmågan att tampas med vargen ...

– Han kommer att drabba vargen som åskan! En riktig varghund! sade far belåtet och hoppfullt. Vad ska vi kalla honom?

– Vilket huvud! Han ser ut som en leopard, eller hur? Får jag kalla honom Kablan?..

– Kablan? Ja ... Kablan. Han är stark, vild och smidig...! Kablan.

I samma ögonblick tittade valpen plötsligt upp på min far och klippte med öronen. Vi skrattade alla.

– Har ni sett! sade far. Han lystrar redan. Då tycker han också om det. Då får det bli Kablan!

Från detta ögonblick, och till den olyckliga dagen på våren då han förlorade sina öron och svansen, började Kablan leva tillsammans med oss andra som en ny och fullvärdig medlem av familjen. Men samtidigt blev det besvärligt för vår röda katt, kelgrisen. Den forna sorglösa lekfullheten, de fridfulla sovstunderna på spisen, de ostörda matstunderna, de egensinniga promenaderna – kort sagt hela hennes inrutade liv förvandlades till ett tillstånd av konstant ångest. När katten såg Kablan första gången sträckte hon upp sig på raka ben, nästan dansade på stället för att ställa sig med sidan mot faran, ryggen välvdes i en sprättbåge – man fick intrycket att det röda nystanet vilket ögonblick som helst skulle explodera i flammor, och hon gav till ett fräsande med klotrunda ögon. I hennes förtätade lilla kropp pyrde ett vilt hat, medan valpens stora, klumpedunsiga kropp kokade av ohejdbar nyfikenhet. Så gick de varandra till mötes – var och en med sitt i kikaren ...

Och inte förrän till våren, då hunden stannat vid tröskeln för gott, återgick kattens liv i sina lugna fåror.

På höstkanten hade Kablan närapå vuxit till en riktig hund. Rösten hade fått en djup klang, och det hade kommit en vild, hård glans i ögonen. Nu betraktade han fåren med befallande blick och morrade hotfullt åt de olydiga som försökte smita från flocken, och det hände bara ibland att han lät sig distraheras av en fjäril och för ett ögonblick återfalla i sin lekfulla barndom.

Under stilla, enformiga dagar, då jag helt kunde försjunka i en bok, brukade Kablan lägga sig alldeles intill med den ena kraftiga framtassen tungt vilande på mitt ben. Men han tröttnade snart att ligga sysslolös, gäspade ljudligt och började gunga mitt ben med tassen för att väcka min uppmärksamhet. Jag låtsades inte märka någonting, även om jag hela tiden följde hans fuffens i smyg. Kablan gungade mitt ben ännu ivrigare. Till sist kunde jag inte hålla mig längre: Vad är det du vill, kompis?..

Hans muntra ögon vek strax åt sidan, och nu liknade han en busunge som full av ånger och undanflykter försöker se ut som om ingenting hade hänt och hitta på nya knep.

– Har du tråkigt? Erkänn! sade jag. Och det verkade som om hunden i nästa ögonblick skulle börja tala med mänsklig röst.

Men han svarade inte. Kanske kände han sig inte tillfreds i sin valpiga otålighet, blicken slocknade och försvann iväg någonstans långt bort, i riktning mot Karatau.

Jag berättade för far om detta häpnadsväckande tankfulla beteende. Först trodde han mig inte, men han kunde snart övertyga sig själv och stannade långa stunder ensam med Kablan. Och min mamma blev så bestört av våra berättelser att hon började be till Gud att det inte skulle leda till någonting farligt!..

En gång var vi alla tre ute med hjorden. Solen stod högt på himlen, fåren betade, och några av dem hade klungat ihop sig och slumrade. Jag läste en bok som vanligt och Kablan hade slagit sig ned bredvid mig. Han hade långtråkigt och tuggade försiktigt på min ena skospets, och jag gungade automatiskt med benet, och efter hand blev det till en lek. Ju längre bort min skospets rörde sig från honom, desto mer oväntade blev hans attacker, när han i ett plötsligt utfall försökte fånga min sko med tänderna. När jag plötsligt hejdade min rörelse tittade Kablan upp och väntade vaksamt med det tunga huvudet spänt lutat åt sidan. Nu låg jag med avsikt helt stilla och visste att han bevakade varje rörelse jag gjorde. Så petade han försiktigt på mitt ben med tassen. Jag vred på huvudet och kunde tydligt läsa uttrycket i hans ögon: Gunga då! Lek med mig! Jag hade inget annat val än att dingla med foten framför honom, medan jag fortsatte med min bok utan bry mig om honom. Snart tröttnade Kablan på denna lek. Han öppnade gapet brett och gäspade ett par gånger, så lade han sig ned med huvudet vilande på tassarna som vanligt och låg stilla.

Tiden rusar iväg när man håller en bra bok i handen. Plötsligt kunde Kablan flyga upp och tränga sig ned tätt intill mig, nästan knuffade mig i sidled. Det var uppenbart att han inte skulle låta sig nöja med detta – min läsning hade redan blivit förströdd och okoncentrerad eftersom jag hela tiden måste hålla ett öga på hunden. Kablan lade en tung tass på mitt knä. Jag säger inget. Och naturligtvis sätter han upp den andra tassen. Jag låtsas som ingenting. Och då – som en reaktion på min envisa likgiltighet – täcker han över boken med sin stora tass och sneglar på mig, som om han frågade: Jaha, vad säger du nu då ...? Det fanns inte ett spår av leende i den blicken.

– Kablan, Kablantjik, du är en rackare! Jag lade armarna om honom och höll honom intill mig.

Han strålade av glädje. Mjukt och försiktigt bet han i mina händer, drog med mig i leken.

Nu var ögonen fyllda av skratt. Han knyckte min stråhatt och sprang iväg med den långt, långt bort, men var strax tillbaka hos mig igen. Och återigen försvann han iväg, och nu kom han tillbaka med hatten. Men han ville inte lämna den ifrån sig, utan väntade på att jag skulle springa ikapp honom och ta den ifrån honom. Men hur skulle jag kunna det? Och hunden satt på avstånd och väntade på att jag skulle komma och jaga hans leksak. Jag sprang efter honom – jag måste ju fjäska lite för honom, och jag hade roligt själv. Och Kablan lämnade inte ifrån sig hatten frivilligt – vi slogs nästan på allvar, han och jag.

Och typiskt nog råkade han i kampen riva upp ett sår i handen med sina skarpa klor. Jag knuffade undan honom och satte mig på marken och började torka av blodet med ett kardborreblad. Kablan satte sig bredvid mig och tittade på mig och försökte förstå varför jag inte ville leka längre. Jag tog fram en näsduk och band om såret. Nu kan du leka själv, din klumpeduns! sade jag ilsket utan att se på honom.

En stor randig stäppfjäril fladdrade förbi och satte sig precis framför nosen på Kablan, och fällde långsamt samman och spred ut sina färggranna vingar. Att jaga fjärilar var ett av hans omtyckta tidsfördriv, men just nu var hans uppmärksamhet riktad åt ett annat håll, och han registrerade det enbart i minnet. Men fjärilen tänkte inte flyga sin väg, tvärtom – den fladdrade klumpigt med vingarna och flyttade sig direkt till Kablans tass. Han satt tyst och plötsligt morrade han – varför skulle han morra åt en fjäril? Och han slog till henne med sin fria tass och smällde med käkarna.

Jag kunde nu se att han var väldigt uppretad. Men på vem?..

Tio dagar senare blev jag tvungen att skiljas från Kablan för en tid.

En arbetande hund, oavsett hur klok och modig han är, måste tillbringa tid i ett koppel tillsammans med gamla erfarna hundar. Annars blir det aldrig en varghund av den, den kommer inte att ha modet att angripa vargen – det hade min far en gång berättat för mig.

Och han skickade Kablan till herden Bekter, som höll två vilda bestar. Inte ett år gick utan att de gjorde slut på minst en varg, och dit skickade han vår Kablan. För att praktisera.

Jag kände starkt hur mycket jag hade fäst mig vid honom. När jag nu gick ensam med fåren kom jag ibland på mig själv med att tänka att min starka, trofasta och glada Kablan när som helst skulle dyka upp bakom en kulle och okynniga gnistor skulle glittra i hans ögon. Även om kazakerna inte känner saknad efter sina hundar, eller snarare inte vill erkänna det, gick vi alla i vårt hus omkring och saknade Kablan var och en på sitt sätt. Och alla visste det, men sade ingenting. Vid midsommar var Kablan tillbaka. Far hade varit och hämtat honom, och hunden stannade vid dörren, främmande och redan en vuxen hund – ganska stor till växten och på något sätt bister. Han verkade närapå ilsken. Vi rusade ut barfota för att träffa honom, och jag ville genast springa fram. Men han märkte mig knappt, såg nästan rakt igenom mig mot den blå horisonten.

Under dessa månader i ett främmande hus hade pälsen blivit grå, som en vargs, och medan den förut hade varit mjuk kändes den nu sträv som becktråd. De runda, mjuka ögonen hade blivit trekantiga och pupillen hade fått ett drag av grymhet. Bringan var bredare och rundare, som på en jak, och gapet med de kraftfulla käkarna liknade en haj. Allt måste växa och förändras, och barndomen och till och med den ungdomliga ivern hade Kablan lämnat ifrån sig sju kilometer bort på Bekters betesmarker …

Han hade blivit den hund som far hade önskat.

Men jag hade älskat en annan Kablan – med sina barnsliga upptåg och skratt i blicken … Men det är inget att göra åt: en valp kan inte förbli en valp. Allt måste växa, förändras och mogna, och sedan åldras, och det finns inget man kan göra åt den saken, den kan inte hejdas. En liten tröst höll jag för mig själv: de egenskaper som barnet förvärvat i vaggan stannar hos honom hela livet. Och någonstans i djupet av sitt hjärta hade Kablan säkert bevarat sina egenheter som jag älskat så mycket …

Snart kom Bekter farande.

– Min vän, din hund … det är ingen hund – han är ett lejon. Jag erkänner att båda mina hundar viker sig för din. Men jag ska inte ljuga – jag fick aldrig se hur han behandlar vargen, vi mötte inga. Du måste själv lära honom att avsky dem. Om du råkar ha en djurhud, fyll den med halm och hetsa honom mot den. Kablan måste få känna vittringen, sade fars vän medan vi drack te.

De samtalade ännu en stund vänskapligt, men när kvällsvarden och samvaron närmade sig slutet vände Bekter plötsligt samtalet i en annan riktning:

– Min vän, enligt gammal sed vill jag nu be dig om en *kalma*, en vängåva. Vi har ju varit nära vänner i många år, och jag har aldrig

343

bett dig om någonting, och inte heller du, så jag ber dig respektera detta.

Far såg avvaktande på honom. Och Becker fortsatte utan att lyfta blicken från bordet och munnen förvreds av själva ansträngningen att forma orden:

– Min begäran är Kablan. Jag ska inte visa mig njugg i gengäld, du kan be om min häst eller min kamel, och båda mina hundar kan följa med i bytet. Det är inte ofta jag ber om något, jag tänker att grannar emellan kan du inte vägra mig detta, väl …?

En obehaglig tystnad sänkte sig runt bordet. I ögonvrån kunde jag se min far. Hans annars släta, brunbrända ansikte hade bleknat, och hans blick var slocknad och fäst vid teskålen, som om den studerade någonting intressant där. Tystnaden var tryckande och kändes oartig. Med stor ansträngning tog han till orda och valde noga sina ord:

– Begär inte av en sann vän det som han håller kärt – så har man sagt i alla tider, Bekter. Det finns andra prov på vänskap … Du kan be om vad du vill, det gör mig inget. Men icke Kablan. Jag erkänner att jag var beredd på detta, och jag finner din begäran omild. Det brukar sägas att vänners sämja ibland kan hänga på en nypa tobak, men ta inte illa upp, min vän, jag kan inte. Det berättas ju att Gud själv skapade hunden till att inte lyda två herrar. Hur vill du nu dela den? Ta inte illa upp, jag måste göra dig besviken genom att säga nej.

Jag jublade inom mig lika mycket som jag hade oroats i början.

Bekter reste sig i svartaste kränkthet:

– En väns kärlek får du tusenfalt igen. Och du föredrog en hund, som kan köpas för tio rubel … Så sälj den! Han smällde igen dörren och brydde sig inte om att lyssna till fars ursäkter. Huset blev tyst igen.

– Nåja, sade far slutligen. Goda vänskapsband kan inte köpas för en hund …

Jag kände innebörden av de sista orden. Under de senaste elva åren hade hans och Bekters hjordar betat sida vid sida och strövat tillsammans. Våra vinterläger och sommarbeten hade alltid legat intill varandra. Alla kände till detta drag hos Bekter: begäret efter ett vackert föremål väcktes lätt hos honom och gjorde att varken han själv eller ägaren till det begärliga objektet fick någon ro. Oavsett om det var en häst, en sadel eller bara ett stycke vackert porslin, unnade han sig ingen vila förrän han kommit i besittning av det. Till varje pris, också med stöd av urgamla tacksamhetsskulder, skulle han driva sin vilja igenom. I övrigt fanns det ingen som var mer hjälpsam och välvillig än han. Men Gud förbjude att någon vägrade honom något – då blev hans begär till dov fiendskap.

Förra året hade det gällt en sadel som en avlägsen vän hade skickat till far som gåva. Åh, hur gärna ville inte Bekter ha den sadeln! Trots att han visste att det inte är sed hos kazaker att ge bort en sadel så länge ägaren är i livet, det anses vara ett mycket dåligt omen. Ja, och regeln är att sadlar går i arv: från far till son, från äldre bror till yngre; och saknas arvingar går den till den bästa vännen som minne av en helig vänskap ... Så är seden. Och den gången undvek honom Bekter, nästan som för alltid, och far kunde länge inte ge sig någon ro. Förhållandet förbättrades först när far skänkte Bekter sin ärvda piska med silverfäste, och bjöd honom och hans familj på helstekt lamm ...

Det låg i luften att denna gång hade Bekter blivit sårad efter förtjänst. Och att han inte skulle visa sig igen.

Far upphörde aldrig att ångra att han lämnat Kablan till en främlings hus. Efter en så lång träning var det som om hunden inte kände sig hemma. Oavsett hur mycket vi vänslades med honom, oavsett hur mycket jag försökte kela med honom och klappa honom på huvudet som i gamla tider, kunde han gå undan, som om han ville säga: Lämna mig ifred! Och han förblev tystlåten. Tanken att Kablan självmant skulle överge oss för sina tillfälliga kamrater lämnade oss ingen ro.

Han försvann ibland och var borta hela nätterna.

Jag ligger med öppna ögon och känner i mörkret att ingen i huset sover, alla lyssnar till varje prassel utanför. Innan Kablan kom i huset lade vi varken märke till främmande ljud eller tryckande tystnad. Nu tycktes hans låga, hesa skall skydda oss från allt ont.

345

Och när Kablans välbekanta basröst plötsligt väckte oss på morgonen störtade vi alla, även far, ut ur huset, som om vi kappades om att ta emot en familjefader från en långresa. Jag kom förstås först och varje gång blev jag lika förvånad över att i gryningsljuset möta någon som mera liknade en kalv än en hund.

– Kablan, valpen min, din lille luffare! Ömheten bryter igenom i min röst, och även om han inte längre ser ut som en valp och nästan inte tar notis om mig, stryker jag honom över den styva hårremmen.

Kablans avvisande hållning varade lyckligtvis inte länge. Snart hade han äntligen känt igen oss som sina gamla familj. Uppenbarligen hade hans utveckling till varghund inte varit tillräckligt molnfri för att han helt skulle glömma de hemtama platserna från sin obundna barndom. Detta erkännande gladde oss outsägligt.

Men Kablan hade förändrats. Han hade blivit mera självständig och oberoende. Det visade sig också i hans nya vanor: han kunde hålla sig intill oss hela dagen, bevaka fåren eller ligga i solen, men vid slutet av dagen var han plötsligt försvunnen, som om han aldrig hade varit där.

En dag sprang jag efter honom. Och jag upptäckte honom i det höga stäppgräset, det verkade som om han kämpade med sig själv. Jag stannade i förvåning och väntade för att se hur det skulle sluta. Han låg blickstilla och med ens flög han upp i luften, rullade ihop sig till en boll, och så snart han rörde marken gav han upp ett hest morrande och slungades upp som en stålfjäder. Blommorna och gräset omkring honom var kringkastat och nedtrampat, och plötsligt tog han någonting i munnen och slungade det åt mitt håll med en knyck på nacken. En levande klump landade framför fötterna på mig – en grävling. En helt orörlig, illa tilltygad, patetisk grävling, tillplattad som en blöt gammal trasa. Uppenbarligen var detta inte tillräckligt för att ge Kablan luft åt hans raseri. Alltjämt morrande kröp han ihop och såg sig osäkert omkring, det verkade som om han utmanade själva ödet på ett nappatag.

Jag stod kvar utan att kunna säga ett ord, rädd att ropa och rikta uppmärksamheten mot mig. För ett ögonblick trodde jag att

han skulle slita mig i stycken som med den där grävlingen. Men ändå, när jag hade samlat mod, ropade jag med låg röst: Kablan ...
Han vände sig häftigt om och såg på mig.
– Valpen min! Vovven, duktig hund, sade jag med min vanliga röst, men jag kände inte igen mig själv i hans darrande.
Först när Kablan tittade bort och sänkte huvudet, som om han skämdes, återvann jag äntligen fattningen.
Tillsammans sprang vi efter fåren, som hade hunnit långt under tiden. Hela vägen hem tänkte jag igenom Kablans beteende i detalj och kom fram till att detta inte var en tillfällighet – var skulle han annars få utlopp för sin energi och styrka?.. När jag kom hem berättade jag vad jag sett för far, och han blev också övertygad när han hade tänkt efter en stund.
Nästa dag när vi skulle ut med fåren tog far fram ett gammalt vargskinn och packade det hårt med halm. Och på kvällen ställde jag upp fågelskrämman ett stycke från huset. I skymningen gick vi i motsatt riktning tillsammans med Kablan. När vi gick nedför sluttningen blev fågelskrämman tydligt synlig, och far ropade:
– Attack, Kablan! Attack!
Hunden såg uppmärksamt i handens riktning. Till sist fick han syn på vargen, nackhåren reste sig och en skälvning gick igenom hans kropp. Vi hann inte blinka, så var Kablan redan iväg som en pil mot fienden, en sekund senare var kampen över. När vi kom fram var fågelskrämman förvandlad till kaffeved och halmtussar låg spridda överallt. Kablan, som ännu inte hade hämtat sig, stod mitt bland strån och trasor med blodsprängda ögon. Och ett tydligt missnöje syntes i det grinande ansiktet över att fienden gett upp så enkelt ...
– Kablan, Ka-ablan! Stilla! Plats! ropade jag och klappade hunden på ryggen.
Det verkade som om han enbart väntade på att vi skulle ge oss in i striden, med raseri kastade han sig över de ömkliga resterna av fienden. Vi hade fullt sjå med att lugna den uppretade hunden. Först när far hade samlat alla resterna i en säck kunde Kablan lugna sig och följa med oss.

Kablan sov inte en blund den natten. Det vänliga gläfsandet i hans röst hade försvunnit, och morrande hotfulla bastoner sändes ut till alla okända fiender.

En dag blev Kablan och jag djupt förtörnade på varandra. Det var mitt i vintern. Grå låga moln spred vassa korn av snö och gav en antydan om annalkande storm. Vid den här tiden var det för det mesta ljumt i luften, fett ville inte stelna ens. Vinterkläderna blev fuktiga av svett, pälsmössan kändes snabbt våt och kramsnön lockade till lek – snöbollskrig, rulla runt i snön och bara skratta.

Men just den här dan var mitt humör förstört, och det var fars fel. En skolkamrat firade bröllop i byn. Och givetvis var jag bjuden. Vilken herde är inte sugen på fest och trevligt sällskap? Man hinner bli tillräckligt uttråkad ensam ute på betesmarkerna, och ännu mera efter en skränig skola ... I början av vintern var ensamheten nästan outhärdlig, plågande och till och med vild, emellanåt fick man lust att yla. Men människan vänjer sig. Även vid tystnaden. Och ensamheten. Och rädslan.

Men nu, när man plötsligt känner att naturen inte alls är döv, när man har lärt sig att lyssna till tystnaden och betrakta det stilla livet omkring sig, när man inte längre hoppar högt för varenda gren som knäcks och när ens egna tankar, det bullrande hetsiga livet, tycks främmande. Även om detta också är en del av mänskligt liv. Men den fria stäppen, bergsryggarna i fjärran, de färgrika låglandet, blommornas kronblad och grenarnas prassel – allt kommer så nära och blir så begripligt att man inte behöver anstränga sig för att tala med dem ...

Och ett år har gått! Jag kan inte riktigt vänja mig vid tanken, som de andra. Jag kan inte ens få detta ur mitt huvud – herrgården, gatorna, alla bekanta, festen. Jag måste lugna mig och vänta, vara noga med att hitta en anledning att ge mig iväg. Och vilken anledning kunde vara viktigare? Jag skulle på bröllop ...

Var och en förstår nog min glädje när jag tog fram den nya blå kostymen som jag hade köpt till avslutningsfesten. Det gamla

pålitliga gjutjärnsstrykjärnet verkade ha gjort jobbet helt självt, re-
dan på natten hade jag vaxat mina kromläderstövlar tills de blänk-
te och såg redan mig själv i den blå kostymen och stövlarna, till
sist tvättade jag mig och smorde in håret med kardborreolja! Jag
hade sett ut en sadel till hästen. Med andra ord – en äkta djigit!
Och med förkänsla om framgång kunde jag hänge mig åt nattens
drömmar. Så fort solen går upp och dagen gryr är jag på väg ...

Men ... när solen gick upp gick samtidigt alla ansträngningar
och ljuva drömmar till spillo. Jag hade knappt hunnit i kläderna
och var på väg för att sadla hästen, när far kom in: Du stannar
hemma. Jag åker själv, sade han som om det var den självklaraste
saken i världen. Och vad var orsaken?! Han hade slut på nasvajto-
bak. Och han tänkte rida efter den själv. Och jag då? Jag hade inte
sovit på dagar och nätter i väntan på det som skulle komma. Gjort
mig i ordning. Gjort mig fin i håret! Och så nu detta – jag måste ge
mig ut ensam med fåren! Oavsett vad jag sade, hur jag försäkrade
– jag kunde ju ta med mig tobaken tillbaka.

Far lyssnade inte. Vad begrep jag mig på kvaliteten på nasvajto-
bak? Och det var inget som jag kunde göra något åt. Smaken är
delad. Det var bara att tiga och ta emot.

Jag tog av mig mina kläder och kastade dem i ett mörkt
hörn för gott, och struntade med avsikt i frukosten, och drev
ut fåren på betet ännu mer förorättad. Och jag tog inte hästen,
utan gick till fots och tog bara med mig en krokig käpp.

Jag vankar efter fåren, hör bara det entoniga ljudet av mina
egna steg, och allting kokar inne i mig. Och plötsligt träffas jag
i ryggen av en stöt, så oväntad att hjärtat stannar i kroppen
och flyger ut i tomma intet. Och jag själv kastas raklång i snön,
och i fallet vänder jag mig om och ser Kablans glittrande ögon.
Detta var då ett jäkla tillfälle att leka, vill jag skrika åt honom.
Hur kunde han komma ikapp mig så? Jag hinner knappt kom-
ma upp på alla fyra förrän Kablan kastar sig mot mig och välter
omkull mig i snön på nytt. Han springer runt mig, ruskar på
sitt stora huvud med tungan hängande utanför och samlar sig
till nästa anfall.

Stopp, det räcker! Sluta! Bort med dig! skriker jag åt honom som en vansinnig.

Han lyssnar inte, vill inte ens lyssna på mig. Så snart jag börjar resa mig upp kommer han störtande som en rasande tonåring och slår omkull mig i snön igen. Jag flämtar av ilska och förlägenhet, jag har fullt av snö under tröjan och börjar redan skaka av kölden, det är ju trots allt inte sommar. Och Kablan går ett stycke åt sidan och sätter sig att vänta på rätt ögonblick för nästa attack: så snart jag kommer på benen blir jag omkullslagen igen ... Fåren är redan långt borta.

– Stopp, Kablan, är du inte klok?! Nu räcker det! Sitt!

I förhoppning om att han ska lyda reser jag mig upp och tar stöd med händerna. Och i nästa sekund kommer han störtande som en galen kalv, med svansen i vädret!

– Bort härifrån!

Jag måttade med min krokiga stav. Slaget landade på hans öra. Han tog emot det utan ett ljud och satte sig ned, utan att förstå vad som hände.

– Där fick du! Sitt ner nu!.. När ett barn vill gråta drar det i pappas skägg – jag skakade av mig snön och sprang efter fåren utan en blick bakåt på hunden. Han satt bara där, förvirrad och förnärmad.

En halvtimme hade gått och Kablan väntade fortfarande på andra sidan om flocken och visade inga tecken på att komma närmare. I ömsesidig ilska fortsatte vi framåt längs den kuperade platån, där fåren, oroliga och förvirrade hade trängt ihop sig och vände sig mot mig.

- Kablan! Sluta! Är du alldeles galen? ropade jag och tänkte att det var han som hade börjat bråka med oss för att ge igen.

Först då upptäckte jag de tre döda fåren under buskarna ett stycke bort. Jag kände hur håret reste sig under mössan och jag blev iskall och rädd. En del av fåren rusade mot mig, och mitt i hopen såg jag vargarna som grå strimmor. Det var två stycken. Vad skulle jag göra? Jag hade inte geväret med mig, och hade till och med lämnat kvar min häst ...

Utan att veta vad jag gjorde ropade jag: Ay-y! – och blev nästan rädd för min egen röst. Men Kablan var redan där, han måste också ha känt vittringen av främlingar i flocken. Han hade glömt vårt gamla groll, och det fanns beslutsamhet i hans ögon, men också en viss osäkerhet. Han buffade med sidan mot mitt ben, som om han ville säga någonting eller bara känna att jag fanns där bredvid honom, han såg på mig en smula osäkert och plötsligt reste han nosen mot skyn och ylade kort och gällt.

Jag förstod att Kablan, som ännu var oerfaren, inte vågade kasta sig direkt in i striden, osäkerhet och fruktan hindrade honom, men samtidigt växte ursinnet inom honom och hans inneboende kraft fick musklerna att svälla och drev honom framåt. Det var ett ögonblick då hunden behöver stödet från sin ledare. Och jag var tvungen att ta kommandot omedelbart!

Jag grep om min krokiga påk och ropade med darrande röst: Kablan! Kablan! Och även om hunden satt bredvid mig stärkte min röst vår beslutsamhet.

– Kablan! Inte rädd nu! Attack! Ta dem!

Och jag började springa. När jag satte mig i rörelse var det som om Kablan hade övervunnit sin rädsla och han sköt iväg som en pil mot vargarna, som hade hejdat sig tvekande vid ljudet av min röst. När de såg hunden komma tycktes båda rovdjuren lugna sig och utan tvekan gjorde de sig beredda att ta upp kampen. Med ens blev det oklart för mig vem som var vem, det var omöjligt att urskilja i striden. Fåren var spridda i panik över dalen.

Jag rusade efter i Kablans spår. Jag sprang och tänkte på far, som många gånger påmint mig: Även om man är obeväpnad så är en människa ändå en människa, och djuren är rädda för oss ... När varginnan fick se mig sprang hon verkligen undan, men inte långt – hon tog sig upp på en låg kulle och bevakade striden på avstånd, som om hon var säker på att varghannen skulle reda sig mot oss ensam.

Gud vet hur jag svängde min knölpåk när jag närmade mig stridsplatsen, men Kablan kände sig säkrare av mitt understöd och fick varghannen under sig. På ett par minuter var allting över.

351

Jag fångade en glimt av vargens ögon under Kablans käftar, och den uppgivna blicken, om den nu var avsedd för mig eller inte, men vargen bröt sig likväl loss och sprang iväg. Han haltade på ena tassen och lämnade röda blodspår i den nyfallna vita snön när han linkade bort. Men Kablan lät honom inte komma så långt, lätt fångade han upp honom, käftarna slöt sig om nacken och han kastade upp honom i luften på samma sätt som med fågelskrämman framför huset. Flera gånger föll vargen till marken, men hunden lät honom aldrig komma på benen och efter hand växte hans raseri mera och mera. Och slutligen nådde käftarna fiendens strupe, Kablans nosparti färgades rött av vargens blod, och luften kom i hesa stötar ur den besegrade fiendens hals. Vargen dog i plågor. Tassarna kämpade och stötte hunden ifrån sig, den tunna kroppen darrade och käkarna slöts alltmer kraftlöst.

– Det är bra, Kablan, lugn nu, viskade jag försagd och förvirrad och försökte skilja honom från vargen med käppen. Först då märkte jag att det bara återstod en kort stump av den.

Kablan lugnade sig först efter en lång stund. Han stod orörlig bredvid mig, och ett djupt morrande rullade fortfarande inom honom, och raggen ville inte lägga sig. Hans ögon var fortfarande heta, fortfarande drivna av raseri. Vems blod det var som täckte ena sidan och redan hade torkat in, kunde jag inte avgöra.

Först nu kom jag att tänka på varginnan. Men spåret var långt borta.

Jag gick hem och kom tillbaka med vagnen. Jag lastade på den döda vargen och nu märkte jag hur utmattad Kablan var – han vacklade. Jag blev tvungen att låta honom åka. Men närheten till den döda fienden lämnade inte hunden någon ro, jag blev tvungen att täcka över den med en filt. Jag viskade smeksamma ord till hunden. Genom den vaksamma spänningen i Kablans ögon fångade jag ett välbekant leende. Och det fanns nu inte ett spår av morgonens raseri, tillgivenheten och förtroendet som jag känt sedan barndomen stod att läsa i blicken som vändes mot mig.

Just då skämdes jag för det löjliga slaget med käppen. Vad hade Kablan gjort för fel? På gott humör ville han i leken dela med sig

av sin glädje och styrka. Hur skulle han kunna känna till min be-
svikelse inför fars orättvisa beslut?.. Jag lovade mig själv att aldrig
låta min ilska gå ut över någon annan.

Vi körde fram till huset. Jag kallade på Kablan, som hade lug-
nat sig under färden och nu låg stilla på vagnen.

– Hallå, Kablan, sover du? Väntar du på en särskild belöning?
Hoppa ner nu!

Jag kramade om min hjälte. Mina känslor var fortfarande i
uppror vid minnet av den nyss utkämpade striden. Först nu, när
Kablan motvilligt reste sig upp, märkte jag hur illa hans högra
sida hade skadats, fläkts upp som om en kniv hade drivits tvärs
igenom den, och det blödde kraftigt från såret. Jag ropade till mor,
som bara slog ut med armarna när hon fick se såret och den döda
vargen. Hon skyndade sig att bränna ett stycke kamelfilt och strö
på hundens sår.

Såret tog Kablan en månad att läka. Det var hans eget fel, då
han ständigt slickade sin sida. Men han visade sig vara en rastlös
patient, den första natten ville han inte ligga still en minut. Då
bestämde vi oss för att kedja honom, men det gjorde inte heller
någon nytta – hans kärlek till friheten gick inte att förena med
kedjan, han ryckte och slet i den för att göra sig fri, och såret gick
upp och började blöda igen. Jag blev tvungen att lossa kedjan och
släppa honom fri. Mor tvättade Kablans sår flera gånger för att
det inte skulle vara sig.

Ryktet om segern över vargarna spred sig snabbt i trakten.
Många började uppkalla sina nya valpar efter Kablan, och fars
snarstuckne vän Bekter upprepade återigen sin begäran om Ka-
blan som *kalma*, men far ville inte ens höra på det örat. Deras
vänskap var därmed ett avslutat kapitel.

Följande vår, så snart jorden vaknade, hade vi bestämt oss för att
byta från vår gamla betesmark dit vi hade drivit hjorden i tre år.
Den här gången flyttade vi till Bakanasravinen. Det var en väl-
signad plats, eftertraktad av alla boskapsdrivare i trakten: det rika
vattnet gav gott gräs. Och även om inte en droppe regn faller i

Karatau under torrperioden finns det tillräckligt med vatten som samlats under vintern och våren för att räcka till nästa snö. Ja, och marken här var den allra bördigaste; om denna typ av land brukade man säga att om man drar i ett grässtrå här så får man upp en höstack.

Naturligtvis kunde denna plats inte delas av alla och var därför ständig orsak till tvister. Men genom byrådets beslut hade det blivit vår tur att beta i ravinen detta år under den spädaste perioden, när aprilregnen redan har sköljt jorden och vattnat gräset, och majbaggarna just börjat sin flykt i solen. Gräsen växte snart så höga att en sittande man inte syntes i dem. Enstaka måsar flög över den lilla men klara vattenspegeln.

Av en besynnerlig slump visade sig Bekters hjord efter oss på andra sidan sjön. Missförstånd och dolda stridigheter delade upp oss på varsin sida av sjön, som blev en oframkomlig gräns för våra familjer. Men ovänliga människor påverkar inte hundarna på minsta sätt: Kablan, som vuxit upp i ett främmande koppel, nosade sig samman med gamla bekanta och kom snabbt ihop med dem igen.

Och ändå – efter flytten till den nya platsen var Kablan sig inte lik. Såväl på betet med fåren som vid jurtans tröskel låg han länge stilla och sorgsen med huvudet vilande på sina utsträckta tassar. Han var märkbart tunnare, pälsen hängde i testar på hans insjunkna sidor. Vi var rädda att han kunde vara sjuk, men från tid till annan kunde han ge sig hän åt ett slags rastlös glädje, och då kunde hans lekfullhet bli påträngande. Jag fäste fars uppmärksamhet på Kablans beteende, men han hade ingen förklaring.

Och snart, liksom förr, började Kablan försvinna om nätterna. Och som tidigare i hans övergångsålder lyssnade vi till nattens sorlande ljud medan vi väntade på hunden.

När jag tidigt en morgon kom ut på gården stod Kablan nästan vid dörren. Det var inte klart om han ville gå in, eller om han tänkte vända om och övervinna sin uppenbara önskan att korsa tröskeln. Jag kände bara hans önskan att vara tillsammans med oss, men denna olycksaliga tröskel var ett smärtsamt minne som blockerade vägen. Jag insåg detta och försökte trösta hunden med min röst: Kablantjik, var har du varit, säg?..

Kablan var våt om magen – det var tydligt att han hade varit långt borta. När han såg mig sprang han till tältet där vi lagrat salt och spannmål och kom strax tillbaka. Jag kunde inte tro mina ögon: han bar min gamla pälsmössa i munnen. Min mössa, som blivit kvarglömd på den förra platsen när vi flyttade. Kablan stod där stolt, med leende ögon som förr, som om han kände min förvåning och glädje. Han kunde faktiskt känna sinnesstämningen hos sin förare. Jag tog emot min gamla mössa från honom som en gåva.

– Du är så duktig, du är min egen bästa hund. Jag strök hans panna och kliade honom bakom öronen. Jag satte på mig hatten.

– Nå, passar den?

Han såg på mig godmodigt och tittade bort. Visste han att den här hatten var min? Och kunde han vara så glad för att det var just han som hade hittat det som jag hade förlorat? Dessa frågor dröjde kvar hos mig när Kablan, efter att ha fattat sitt beslut, sprang efter fåren med en pojkes lätthet och glädje efter ett väl utfört arbete.

I fortsättningen visste vi vart Kablan tog vägen om nätterna.

– Så hundar kan alltså också känna hemlängtan? frågade jag far.

– Det verkar så.

– Konstigt ... Tänk att hundar kan ha sådana känslor ... nästan som människor!

– Jo, det är nog så ...

– Människan dras till sin barndoms bygder, och hunden dras till den plats där den fått mat. Det talesättet kan vara giltigt för andra hundar, men Kablan var annorlunda.

Allt levande vänjer sig förr eller senare vid omständigheterna, och Kablan var nu här, på en ny plats, och vi var här och vi hade ett arbete att sköta. Ett stycke i taget vande han sig vid den nya betesmarken, och trots fiendskapen mellan människorna, gjorde vänskapen med hans lurviga grannar Kablans liv fullt av händelser och uppgifter. Trots all sin styrka och grymhet i kampen mot vargarna förblev han en tillgiven hund och fortsatte uppenbarli-

355

gen att betrakta Bekters jurta som sitt andra hem och besökte den ibland när han var fri från sysslor.

Mer än en månad hade gått på den nya betesmarken, när Kablan plötsligt, inför våra ögon, förändrades dramatiskt. Bekymren kom plötsligt och obegripligt: han som ena dagen varit en frisk och glad ung hund blev nästa dag kraftlös, ögonen blev matta och sidorna sjönk in kraftigt. Han började gå ostadigt, blev andfådd när det var dags att leda hjorden. Herregud, vad var det för fel med honom?.. Som en vekling ... ett litet barn! Far var bedrövad och arg när han såg på Kablan.

– Kablan, käre vän, hur är det fatt? Säg, vad är det för fel på dig?.. Jag gick fram till honom.

Men Kablan var tyst. Han vände bara huvudet åt sidan med ett svagt gnällande. Far och jag såg oroligt på varandra. Kablan hade aldrig gnällt för någonting så länge vi kunde minnas.

– Herregud, någonting är fel med honom, sade far, och hans ansikte mulnade. Kablan, har du ont? Svara mig, låt mig få veta, vännen min ...

Far strök honom över pannan, kliade honom bakom örat, men hunden svarade inte på smekningarna, flyttade rentav huvudet bort från handen.

Kablan blev sämre för varje dag. Han vägrade att äta. Vi lagade ingen särskild mat åt hunden: maten kom från en gemensam kittel. Ingen kunde påstå att han var krävande, men ibland, om det inte var tillräckligt med salt eller något, kunde han lyfta huvudet från skålen och titta på oss förebråande: Hörni, det här är ingen mat för en hund! Sådan var han, och hans muskulösa sidor och aptiten vittnade om god hälsa.

Så slutade han helt att bry sig om maten, fastän vi gav honom de bästa bitarna. Förtvivlan rådde, ingen vågade säga tanken högt – höll han på att dö för oss?

Under dessa oroliga dagar byggde vi en liten hydda och band Kablan där, så att han inte skulle gå ut och bli liggande i solen. När jag kom med maten skar det i hjärtat att se hur Kablan hade magrat till oigenkännlighet. En sådan praktfull hund bara för någ-

ra dagar sedan, Kablan! Han hostade som om han höll på att kvä-
vas av någonting som satt fast i halsen.

Jag sprang snabbt in i jurtan och berättade för far om hostan.
Hans spärrade upp ögonen och slog sin knutna näve mot knät:

– Va? Vad är det du säger?

Utan att vänta på svar rusade han ut till stugan. Kablan hosta-
de igen, som om han försökte spy upp hostan ur magen. Far blev
svart i ansiktet, hans ansikte förvreds:

– Såna svin! Han strök med handen över hundens mage, tryck-
te lätt och släppte efter, och Kablan gav till ett ynkligt gnällande
och ryckte med huvudet. Vilka fähundar! Vem ... vem kan ha
gjort honom detta ... Vem?! En sån hjärtlös skurk!.. Fars läppar
darrade, jag blev alldeles kall.

– Vad har hänt, far? frågade jag tyst.

– De jävlarna har stuckit en nål i honom. Han har ätit någon-
ting ...

Kunde det verkligen vara sant?! Håret verkade resa sig på mitt
huvud, och en isande skräck for genom mig. Stackars hund, det
var därför han smälte bort framför ögonen på oss: de hade gett
honom ett stycke kött med en nål instucken! Vi visste båda två
vem som kunde ha gjort det, och det fanns inga andra hus i när-
heten. Men vad kan man göra om ingen blir tagen på bar gärning
... Stackars Kablan, som var utan skuld till mänsklig osämja!

Nästa dag, vid middagstid, blev Kablan orolig, ylade klagande,
uppgivet och började bita i kedjan. Det var en plåga att höra hans
jämmer.

– Släpp honom lös, sade far. När allt kommer omkring är han
en fri hund, varför ska han hållas i fångenskap på sitt yttersta ...
låt honom förbli fri.

Orden isade mig inombords.

– Är det ... ska han ... kommer han att dö?

Far sade ingenting. Han nickade bara beslutsamt mot Kablan.
Blicken sade: Släpp honom lös!

Jag gick fram till Kablan. Han såg stilla klagande på mig. Jag
läste frågan i hans ögon: Du min snälla husse, berätta för mig ...

Tala om vad som har hänt med mig. Vad är det som händer, var kommer detta onda ifrån? Är det verkligen slutet ... Jag har precis börjat leva ...

Den stackars hunden visste inte att han var det oskyldiga offret för en svart avund. Detta var han inte i stånd att begripa. Vad kan naturen veta om mänsklig avund och hat, när hon inte känner någon uppdelning i älskade och oälskade barn, inte vet vad hämnd är ...

Jag hade knappt hunnit lossa Kablans kedja förrän han försökte springa runt huset av gammal vana, men efter ett par steg föll han på sidan med kraftlöst spridda tassar och gnällde ynkligt. Framåt kvällen verkade han ha lugnat sig. Vi besökte hyddan då och då för att titta till honom. När mörkret föll bestämde jag mig för att hälsa på honom en sista gång.

Men Kablan var borta.

– Pappa, Kablan är inte där ...

Jag kunde knappt säga ett ord när jag kom in.

– Hur kan det vara möjligt?

Far talade nu med sig själv i en ton som var nästan lugn och lätt irriterad, som om han anklagade sig själv.

– Vi borde aldrig ha släppt iväg honom. Vilken skada! Måtte ingenting ha hänt med honom! Upp på hästen och leta.

Jag sökte igenom hela området dit Kablan kunde ha släpat sig den sista stunden. Jag var till och med hos Bekter, vad kunde jag göra? Men jag hittade honom inte.

Strax före gryningen gav sig far ut för att leta. Jag stannade hemma. Och när solens strålar nått takåsen kom han tillbaka. När jag hörde ljudet av fotsteg skyndade jag ut, men far hade redan stigit av hästen och lagt ned Kablan invid stugan. Jag såg hur far höll hunden i tassarna ... Kablan verkade så lång och så eländigt mager, som en fågelskrämma av gummi som luften släppts ur. Jag greps av en känsla av skuld inför denna hund, det var som om någon hade stuckit ett stycke is i mitt bröst ...

En bra hund visar inte upp sitt lik, säger kazakerna. Kanske ville Kablan inte heller visa upp sig i all sin förnedring när han gick undan så långt han orkade, till den gamla betesmarken där far hittade honom. Kablans sista resa förvånade alla som hörde talas om den. Vad kom hunden ihåg, vad kunde han minnas?

Vid middagstid hade vi grävt en grav åt Kablan högst uppe på kullen söder om Bakanas klyfta. Det var inte brukligt att begrava hundar här, men vi bröt denna fördom. Vi tog avsked av en vän ...

1967

DÅREN I VAPENROCK

Det räckte att någon blott andades: "Oj, Demesin kommer!" för att varenda snorunge i byn skulle sluta gråta, och de lite äldre slynglarna for iväg till någon vrå där de flåsande kunde gömma sig och lyssna till minsta prassel och med skräck och nyfikenhet vänta på att han skulle dyka upp i dörröppningen. Ja, att barnen var småskraja för honom var inte så konstigt, men även många vuxna som tyckte om att skryta för sina barn med sitt mod tappade talförmågan när de mötte Demesin.

Det fanns något speciellt med Demesins utseende, särskilt hans ögon, som sände kalla kårar längs ryggraden även på de mest kavata. Han var ingen storväxt man, men han var bredaxlad och kraftigt byggd, och det fanns inte många som kunde skryta med lika svällande muskler, så han skilde sig avgjort från mängden. Ögonen var alltid lätt röda, nästan blodsprängda, och blicken under den väldiga pälsmössan, som han bar såväl vinter som sommar, kunde få vem som helst att rysa: den borrade sig genom alla han mötte. Den blicken möter man vanligen hos kraftfulla kamelhannar under brunstperioden, och Gud bevare var och en från att komma i vägen ...

Folk var rädda för Demesin på samma sätt som man fruktar det okända och oförklarliga, som man alltid gör klokt i undvika eller vänta ut. När någon fick en åthutning kunde det exempelvis heta "Man kunde tro att man hade med Demesin att göra", eller ännu mera oförblommerat: "Du pratar som token Demesin!" Men om Demesin plötsligt skulle dyka upp störtar samme vasstungade person genast fram för att hjälpa honom att stiga av hästen, samtidigt som han kastar en vädjande blick på de kringstående: "Inte ett ord!"

Demesin hade vuxit upp i byn och här hade han stannat tills han började bli gammal, men för de övriga byinnevånarna hade han i hela sitt liv varit ett mysterium. Han höll sig för sig själv, och det fanns ingen i byn som frivilligt korsade tröskeln till hans hus efter mörkrets inbrott. Mera som en jordkula under tak stod Demesins låga hus i västra utkanten av byn, byggt säkert ett halvt sekel innan den nuvarande enstörige ägaren tog det i besittning. Det lilla huset tycktes klamra sig fast vid foten av kullen, redo att när som helst uppslukas av den. Och precis så verkade det också flyta samman med kullen så snart mörkret tätnade över byn: ett dystert oansenligt pörte som aldrig ens hade förunnats en gnutta kalkslam och som i mörkret förvandlades till ett skrämmande spökhus som folket inte gick nära, dess dunkla dysterhet skrämde bort barnen även på dagen. Och trots att det var omöjligt att urskilja på natten, flöt det plötsligt upp ibland inför allas ögon. Det var som en hägring …

Efter vad som berättades av byns gamlingar, som lägger märke till allt som sker, hade en totalt främmande ung man slagit sig ned i byn i början av trettiotalet … Han skulle ha kommit från Saryarka, eller möjligen Karakalpakstan. Tiderna var osäkra, det var många som drog runt och letade efter en fristad, och vem brydde sig om att ta reda på var de kom ifrån? De fick stanna så länge de behövde och sköta sig själva … Vid den tiden kan han ha varit femton eller sexton, nästan en vuxen man, och han tänkte och resonerade förnuftigt för sin ålder. En underlig vana hade han som folk fäste sig vid: emellanåt försvann han och var borta, och lika plötsligt var han tillbaka igen. Detta hände varje vecka.

Tiden gick och Demesin förändrades nästan inför våra ögon: det fanns något som inte gav honom ro, han hade alltid bråttom iväg någonstans, alltid försjunken i sina tankar, allvarlig, alltmer inbunden. Det blev i längden ohållbart att inte ha en aning om orsaken till hans tillstånd, men till svar på byfolkets frågor mumlade han bara någonting otydligt och blev ännu mer inbunden. Folket i byn var förbryllade över pojkens uppträdande, och de satte en förföljare på honom en gång för att se vad den vilsekomne hade för sig. En vecka senare kom denne tillbaka och berättade: Han gjorde inget speciellt. På fredagen besökte han den gamla begravningsplatsen i Especae, och satt länge vid en grav. En helt nygrävd grav. Han hade inte gett sig iväg någon annanstans, och det fanns inget annat som var konstigt, och det var uppenbart att det inte fanns något att frukta från honom …

Den gamla begravningsplatsen och den nygrävda graven drog honom till sig, som om den lagt en sorgeplikt inte bara på Demesins minne utan på hela hans liv. Detta var anledningen till att han bosatte sig i byn. På vägen hade döden ryckt bort både hans far och hans mor; den unge mannen tvingades först gräva en tillfällig grav åt de båda. Den oväntade förlusten och begravningen fick honom kanske att komma till mognad. Demesin kunde aldrig bryta bandet till de kära kvarlevorna, han kunde inte ens låta sin nya tillvaro få utrymme i sitt liv – det var som om tiden för kärlek, tiden för leenden, tårar och själslig närhet hade slutits för honom här … Senare, när Demesin hittat sitt övergivna boställe i byn, kunde han gräva en ny grav, dit han flyttade sina föräldrar, och varje fredag läste han böner för dem vid graven –så mycket som han kunde eller drog sig till minnes ur de heliga böckerna.

Orsaken till föräldrarnas plötsliga död blev aldrig någonsin känd för någon mer än Demesin själv. Oavsett om det var chocken över att samtidigt förlora sin far och sin mor, eller det faktum att han själv ensam grävde deras gravar och tog avsked av dem för alltid, eller om kanske allt detta tillsammans befästes inom honom, förmådde tiden inte lindra förlusten: Demesin blev alltmer inbunden, alltmer frånvarande och innesluten i sina egna tankar. Allt oftare inträffade det att han lämnade nästan färdigt arbete oavslutat, trots att han till en början utfört sina dagsbeting oklanderligt. Folk blev snart vana vid de plötsliga humörsvängningarna, lärde sig överse med hans stundom orediga tankegångar, även då han ibland pratade fullständig gallimatias. Men människor brukar inte ta åt sig om de inte är direkt berörda: de skrattar bara, och har överseende med tokerier och ungdomssynder och glömmer.

Men rätt som det är har ungdomen flytt sin kos och ingenting går längre att rätta till, utan man får leva med det ...

Demesins tokerier var dock mestadels oskyldiga och väckte enbart förvåning och kommentarer. En gång, detta hände före kriget, tog han tre säckar vete ur sina förråd och körde till marknaden och sålde. För pengarna köpte han femton kilo sötsaker och delade ut till barnen. Hur ofta hände någonting sådant på landsbygden? Barnen tog naturligtvis glatt emot denna frikostighet från en vuxen. Och Demesin kanske kom ihåg sig själv i deras ställe varje gång han kom till dem med gåvor, eller också var det en kompensation för hans bortkommenhet i vuxenvärlden? Vem vet vad som döljer sig i sin nästas själ? Och ryktet om hans fabulösa givmildhet spreds till grannkolchoserna och fick småungarna att gapa av häpnad över en sådan snäll farbror ...

Tilliten till Demesin, trots hans i de vuxnas ögon skrämmande ensamhet, var orubblig hos alla barnen i byn fram till mitten av krigsåren, men fick sig en plötslig knäck en vinterkväll ...

Sorgen knackade på i husen i byn, många tårar fälldes över män som nyss hade dragit ut till en okänd front och återvänt hem som ett namn i ett dödsmeddelande ...

Demesin delade också denna svarta sorg med familjerna i byn och drog sig inom sitt skal – och blev osynlig. Men en dag tog han sitt gevär och steg till häst och galopperade ut på stäppen. När han kom upp på den högsta kullen på vägen började han skjuta i luften och skrämde alla, från små till stora, från vettet. När han ansåg sig ha drivit bort fienden återvände den bistre tokfransen till sitt dystra boning.

Nästa dag delade han dock åter ut karameller till barnen, som han hade samlat på slättmarken bortom byn; barnen närmade sig honom med viss försiktighet efter det som hade hänt dagen innan. Till deras outsägliga glädje hade han en överraskning igen – var fick han så mycket karameller ifrån? Demesin blev plötsligt allvarlig och sade:

– Nu får ni allihop ... vara tyskar ... och skjuta på mig, allihopa! Men jag ska slåss ensam ...

Pojkarna ville inte vara tyskar, men de ställde upp på leken
eftersom Demesin ville det. Gömda bakom snödrivorna överöste
de Demesin med snöbollar. Han å sin sida bombarderade fienden
med en skur av tunga isklumpar. Leken var som en lek, och vem
av barnen ville inte vara med, när till och med en vuxen hukade
sig för snöbollar och rusade runt på slätten som om han var en
av dem.

Snart var Demesin blöt av svett, och glöden i låtsaskriget fång-
ade honom totalt, ögonvitorna var röda av blod. Blandat med
skriken från pojkarna, som fortsatte att kasta snöbollar på honom,
hördes tydligt kvinnornas snyftningar: för ett ögonblick mitt i
snöbollskriget tycktes det faktiskt Demesin som om de var ...
fascister... att de redan var här, och att bara han nu ... omedel-
bart ... kunde stoppa dem. Så snart tanken slagit rot inom honom
blev pojkarna till riktiga fiender, och den rasande Demesin hade
redan kastat sig upp på hästen, som på ett ögonblick slungade sin
herre mot fienderna. Barnen, som såg Demesins stormande an-
fall, trodde först att han hade slutat leka och lämnade också sina
platser. Men när de såg ryttaren komma störtande mot dem, utan
att skona hästen, tittade de på skräckslaget på varandra.

– Rädda er undan! Spring! Demesin har blivit galen!.. skrek en
av de äldre.

Pojkarna förstod inte omedelbart vad som hänt, och de få se-
kundernas tvekan räckte för att Demesin skulle randa flera ryggar
med sin långa piska. Han jagade upp barnen i snödrivorna dit häs-
ten inte kunde gå, och vände sig om mot dem som han just hade
piskat. De stod fortfarande kvar där de varit, snyftade av harm, ur
stånd att hämta sig och försvara sig ...

– Pasjister! skrek Demesin. Fan ta er, pasjister! Jag ska visa er!
Vem tar ni mig för?..

Och i full galopp med ett oartikulerat skri måttade han igen
med piskan mot pojken, som lyckades falla framåt i snön när han
kände hästen närma sig bakifrån. Upphetsad av ryttaren och far-
ten rusade hästen förbi, men en stadig hand vände den tillbaka.

Med sin sjuka fantasi hade Demesin just nu ingen klar tanke i huvudet och skulle ha trampat ned barnen under hästens hovar om någon råkat komma i vägen. Han höjde piskan igen för att slå: snart kommer den att landa på hans nästa offer. Turligt nog kastade en av pojkarna desperat av sig jackan och svängde den framför hästens nos. Den skrämda hästen frustade till och ryckte kraftigt åt sidan och Demesin kunde inte hålla sig fast i sadeln.

– Era djävlar ... pasjister! Jag är upptäckt!.. Hans rop fick de skräckslagna pojkarna att få fart på benen, och ryttaren, som hade fallit av hästen, låg orörlig, som om han verkligen hade dött. Den stackars mannen måste i det ögonblicket ha trott att han hade träffats av en fiendekula ...

Efter denna historia vågade barnen inte närma sig honom.

Efter denna historia började även de vuxna bli rädda för honom.

En av de frostiga vinterkvällarna bröt gråt och jämmer ut i Zjamals hus: hustrun hade just fått meddelandet att hennes make stupat. Familjen bodde mitt i byn, och sju små barn var med ens faderlösa. Den äldste var Mutan, som föregående vinter hade räddat de små pasjisterna från Demesins häst genom att svänga sin vadderade jacka framför nosen på den. Det var Mutan som under den vilda leken fick det sista piskrappet mot huvudet, som gjorde honom sängliggande i en vecka med feberyrsel.

Demesin kom störtande till sorgehuset, som om den dystra nyheten hade nått honom först av alla. Även i den tidiga kvällsskymningen kunde man se hur det ångade från hästen, Demesin hade kommit i sporrsträck. Han blev sittande i sadeln som en mörk skugga framför huset.

Kvinnorna som skyndat till änkan med tröstande ord ropade i skräck: Jemine! och Gud sig förbarme! vid åsynen av Demesin, som satt orörlig på sin häst framför tröskeln, och först när de kommit in i huset återupptog de sina klagorop med förnyad kraft. Någon av dem hade uppenbarligen viskat till de äldste i huset om Demesin, för gamle Akmolda steg ut ur jurtan och frågade artigt:

– Kommer du i affärer, Demesin, eller ...?

Ryttaren svarade inte.

– Vad gör du uppe på hästen? Kom in i huset …

Den pinsamma tystnaden skrämde den gamle mannen, och han var rädd att visa sig oartig mot ryttaren.

– … Och Mutan? Gråter han också?! frågade Demesin så hastigt och oväntat att Akmolda ryckte till.

– Vilken Mutan? frågade den gamle och rösten darrade lätt. Lyckligtvis var det mörkt och ryttaren kunde inte se skräcken i gamlingens ögon, något som denne enbart var tacksam för.

– Mutan som bor här! Känner du inte Mutan?! fräste Demesin, och gamle Akmolda, som kunde sjunkit genom jorden av skräck, stammade:

– Ja … ja då, det gör han. Han gråter också …

Att Mutan var hemma och grät var fullkomligt sant.

Som om Demesin bara hade väntat på att få detta bekräftat vände han sin häst och flög iväg ut på stäppen. Hovslagen var det enda som störde tystnaden. Den halvt bedövade Akmolda uppfattade ryttarens röst långt borta: Pasjisterna är här! Pasjisterna!

Hela natten igenom red Demesin runt, runt, runt den lilla byn …

Och sedan den natten red Demesin ut varje kväll så snart solen gått ned, för att skydda byn mot fienden, som någon föreslog på skämt. För Demesin skulle det visa sig vara fullaste allvar …

Folk som gick utomhus vid midnattstid eller strax före gryningen kunde höra Demesins röst, hans rop och frustandet från hästen, som förmodligen var helt utmattad efter nattens arbete. Om Demesin av någon anledning fick för sig att byn var i fara sköt han i luften, och allt levande, oavsett om de var människor eller djur, fåglar eller herrelösa hundar, flydde bort från byn …

Demesins upptåg gav alltid näring åt skvallret, och ingen kunde se det som ett skämt att vid en tid då alla sover lugnt en stor stark karl nätterna igenom galopperade omkring på hästryggen! När de till och med de mest skeptiska övertygades om sanningen i ryktena, greps folket av en rent mystisk skräck. Över varje hus hängde en orolig förväntan om olycka, och så dessutom denne nattlige ryttare, och till råga på allt beväpnad.

Skräcken underblåstes dessutom av nyckfullheten i hans nattliga vakthållning: till en början bevakade Demesin byn nästan varje dag, därefter varannan dag, därefter var tredje eller fjärde, och det kunde hända att det gick veckor mellan gångerna. Han hade sina egna motiv som drev honom till dessa nattliga rundritter. Uppgången eller nedgången i ryttarens aktivitet varierade, de sammanföll med de svarta papperens uppträdande i byn – så kallades meddelandena om de stupade i kriget. De dagar då det inte förekom någon gråt i byn höll sig också Demesin lugn, men så snart skrin av smärta steg från något hus sadlade han sin häst och red ut på stäppen. Emellanåt bröts denna koppling mellan de nattliga färderna och änkornas högljudda klagan, växlade plats, och många som väcktes på natten av skrin eller plötsliga skott kunde inte längre falla i sömn, utan tänkte med skräck på vilket hus som skulle drabbas härnäst ...

Rykten av det här slaget driver med vinden: de spred sig till intilliggande kolchoser, och vissa tider fick byn väldigt få besökare. De som kom resande av särskilda anledningar – för att träffa släktingar, sköta brådskande affärer – försökte alla bryta upp före solnedgången, eller vände till och med och reste tillbaka, så sker när rykten få eget liv, och det var få som hade lust att möta den gåtfulle ryttaren mitt i natten ...

En dag vid middagstid kom Demesin oväntat instörtande på kolchosordförandens kontor, tydligt upprörd och arg över ett eller annat, och uppenbart frusen i den svåra kylan. Turligt nog var ordföranden inte ensam, han var mitt uppe i ett möte med kolchosens aktivistgrupp. Kolchosordföranden, den halte och enarmade Ormantaj, och arbetskommittén – alla kvinnor ...

Bland aktivisterna väckte Demesins uppdykande största förvirring, som de förgäves försökte dölja med sina försagda, inställsamma utrop: Seså, käre bror ..., Nejmen, min pojke ... Allt efter ålder och erfarenhet försökte kvinnorna hastigt lugna ned den oväntade besökaren, medan de själva som av en händelse försökte maka sig närmare Ormantaj. Blickarna som riktades mot ordföranden var ängsliga.

Inte heller ordföranden lyckades först bemästra situationen – man kunde vänta sig vad som helst av galenpannan Demesin, och vem kunde veta vad det här oväntade besöket bar i sitt sköte?

– Vad … vad hade ni på hjärtat, kamrat D-Demesinov?

Han märkte knappast att besökarens namn blev ett efternamn. Demesin stirrade på honom och såg ut som om han tänkte slå honom till marken med ett ögonkast.

– Jag är ingen kamrat … Jag är Demesin! kom det som ett morrande.

– Javisst … Demesin … ursäkta! Vad är det du vill?

– Skicka mig till fronten! Jag ska förinta alla pasjisterna – varenda en!

– N-nej … det kan du inte …, du kan inte resa härifrån!

Ordföranden hade efter hand återvunnit fattningen.

– Varför inte det?

– Precis som jag säger. Du får inte.

– Då undrar jag varför?

Vid de sista orden mörknade Demesins blick och ögonen sjönk in i sina hålor och musklerna i kindbenen arbetade intensivt.

Kvinnorna vajade som vasstrån i stormen och alltefter tonen i Demesins röst böjde de sig åt den ena eller andra sidan. Just nu böjde de sig samfällt åt Ormantajs håll. Men ordföranden satt tyst. Och ju längre denna tystnad varade, desto oroligare blev aktivisterna: utan att släppa Demesin ur ögonvrån när han närmade sig bordet såg kvinnorna samtidigt bevekande på Ormantaj, deras enda hopp: Svara honom då! Säg någonting åtminstone!

– Du kan inte resa. Det är här … du behövs! lyckades Ormantaj till slut pressa fram, som för att ge damerna åtminstone lite tid att andas.

– Va? Hur då?

Nu var det Demesins tur att stamma, uppenbarligen förstod han just nu inte ett jota.

Trots att aktivistdamerna också satt med gapande munnar, gjorde den skräckinjagande mannens förvirring att de fick tid att samla sig och ordna sina anletsdrag.

– Så här, nämligen …, började en samlad Ormantaj, belåten med den effekt som hans ord haft på Demesin, och följaktligen med större pondus.

"Det ser ut som om denne förtappade varelse tydligen kan betvingas!" tänkte han för sig själv.

Och med fast blick rakt in i ögonen upprepade han med klar och tydlig röst:

– Du behövs här. Du måste skydda våra liv och vår egendom.

Alltsammans slumpmässiga ord som dök upp i Ormantajs huvud – någonting måste han ju svara! Men de hade uppenbarligen imponerat på Demesin. Han stannade upp ett par steg från bordet som skilde honom från aktivisterna som fylkat sig omkring ordföranden. Demesin hade blivit stående med ett uttryck av största ansvarsfullhet i sitt ansikte, som omedelbart hade fått ett högtidligt uttryck. Blicken var fäst på ordföranden, som tyckte sig läsa frågan: Är det sant? Behöver ni mig verkligen? Kan ni inte sova om nätterna om jag inte vaktar …? Och blicken vittnade om en inre känslostorm, något som liknade stolthet: Det betyder alltså att människorna här behöver mig …

– Ja, vi behöver dig! intygade den charmade ordföranden hastigt ännu en gång, lättad över denna förändring hos den oberäknelige besökaren.

Demesin stod stel som en staty. Det såg ut som om han inte hade för avsikt att gå därifrån, i stället malde nya tankar i huvudet, och kvinnorna såg återigen oroligt på ordföranden. Återigen utbröt en plågsam tystnad, en minut som tycktes ändlös för de modfällda aktivisterna.

– Nå, vad säger du?

Ormantaj var den förste som bröt tystnaden, som om han än en gång ville demonstrera sanningens oföränderlighet för kvinnorna: att en man trots allt alltid är en man.

– Jag behöver en släde! fordrade Demesin plötsligt irriterat.

– En släde? Jaha, en släde … släde …, sade Ormantaj förvirrat.

Kvinnorna i rummet visste med sig att när männen nu låg vid fronten var slädar en sak som det gällde att hushålla med, det var

369

ingen struntsak. Men de förstod samtidigt att Demesin ville ha ett omgående svar, annars skulle han aldrig gå därifrån! Och han väntade nu bara på att få som han ville.

– Bra! avgjorde Ormantaj, sannolikt utan att ha en aning om hur han skulle bära sig åt för att göra alltsammans bra i praktiken. Han hade uppenbarligen förväntat sig att Demesin skulle tacka och ge sig iväg i och med detta.

I stället kom följdfrågan, som försatte ordföranden i våldsamt bryderi:

– När?!

– När? ekade Ormantaj och kände irritationen och desperationen stegras till explosionspunkten, men när han tittade upp och mötte galningens blick gick luften ur honom och han muttrade för sig själv: När? När?

Demesin tog ett steg framåt och hade uppenbarligen någonting mera på tungan.

– Kom tillbaka i morgon! bestämde Ormantaj och smällde sin återstående hand i bordet för att verka mer övertygande.

Demesin klev ända fram till bordet och grep ordförandens hand som vilade på bordets gröna kläde och skakade den som man ruskar en trasa och släppte den omedelbart, som om den plötsligt blivit onödig, och rusade mot utgången lika hastigt som han hade kommit in. Dörren slog igen och ordföranden kunde äntligen hämta andan.

– Uff! flämtade han och tittade upp på kvinnorna som trängdes runt honom. Var kan vi få en släde ifrån?

– Det ordnar vi, sade vid bordsändan en söt ung kvinna med ansikte runt som en vetekringla. Hon suckade lika lättad som de övriga, och med hela sin uppenbarelse uttryckte hon vad alla tänkte just då: Detta är en världslig sak. Det viktiga var att vi blev av med drummeln.

En släde hittades trots allt, och ordföranden och aktivisterna fick till och med använda hö från det gemensamma förrådet till foder åt hästen. Och Demesin började efter sitt besök på kontoret verkligen bevaka byn uppmärksamt med tanke på att det nu var

hans heliga plikt. Varje natt drog han ut, inte slumpvis när andan
föll på, utan punktligt varje dag utförde han sitt arbete med exem-
plarisk noggrannhet. Han har hittat sin rätta plats till sist, förkla-
rade ordföranden vid nästa möte med aktivisterna.

... Solen är just på väg ned när Demesin spänner hästen fram-
för släden. Utanpå stövlarna drar han sedan på sig ett par egentill-
verkade skrymmande skydd, tillverkade av en gammal matta, varav
det ena är påtagligt större än det andra. Han sätter en fårskinns-
rock utanpå sin jacka och drar åt pälsmössans band ordentligt om
halsen. Han dricker en stor skål med kvarg upplöst i buljong och
lägger en handfull torkade kvargkorn i fickan för säkerhets skull.
Vaggande som en stor björn hämtar han några knippen klöver
från ladan och lägger under sig i släden som extrafoder till hästen.
Och med ett lätt Tchu! sätter han fart på ekipaget.

För ett utomstående öga är det hela en mycket presentabel syn.

– Tchu! Den frostkalla luften biter i skinnet.

Kvällshimmeln färgas röd, solen går ned. Från det oansenli-
ga, dystra rucklet, som står för sig självt ett stycke från de övriga
tätt sammanvuxna husen, vilka till synes avsiktligt dragit sig på
avstånd från den främmande inkräktaren, flyger nu släden iväg
på gnisslande medar över snötäcket längs den väg som de själva
spårat, och glider runt byn varv efter varv. Det orangeröda ljuset
från den lågt stående kalla solen faller på mannen i släden, som
oavbrutet driver på sin häst med piskan, och sprider ett rosafärgat
skimmer över den porösa, ljusa snön som yr kring medarna; slä-
den och hästen syns nu som en svart punkt som rör sig över den
plana vita slätten.

Slädens gång är särskilt vacker de första minuterna och hästens
steg är praktfullt! Ja, och det ska sägas: under dagen har hingsten
fått vila, fått foder och vatten i rättan tid! Med lust, passion och
med särskild lätthet drar han släden och körkarlen, snön virvlar
med silverstänk på ömse sidor vägen! Hovarna följer lätt i redan
upptrampade spår, följer samma väg, och släden följer, buren med
en lätthet som om den inte färdats genom snö utan glidit på ett
oljat plan – ett blixtsnabbt, ljudlöst glid som trollbinder ögat! Vit

371

rök böljar ur hästens näsborrar och förflyktigas hastigt i den frostiga luften ...

Byn breder ut sig i en perfekt cirkel, som om den hade blivit byggd under en jättelik jurta som sedan lyfts åt sidan och lämnat husen kvar i snön. Ur sneda låga skorstenar stiger blå rök rakt mot himlen, utan minsta avvikelse åt sidan – och varje blåaktig pelare döljer för ett ögonblick släden för betraktaren, tills den dyker upp igen vid nästa hus och tills nästa blåa rök döljer den igen ...

Och ändå jagade just denna bild, trots all sin skönhet, först skräck i folket.

Det var inte släden som knarrade och gnällde natten lång i snön på sin färd runt byn, eller snön som yrde hela natten runt medarna – nej, varken släden eller hästen som frustade i nattens kyla; det kusliga var mannen själv som styrde släden, och inte blott han själv, men allt som hängde samman med hans liv, med hans sinnelag, och med denna säregna plikt. En aldrig tidigare skådad eller upplevd händelse var detta nattliga skådespel som utspelades inför bybornas ögon. Och själva insikten om att någon, varje natt då alla sov, färdades outtröttligt runt vår by, döm själv, kunde sätta skräck i vem som helst; människorna undrade om hemska saker ägde rum på natten, om onda gärningar blev till i det fördolda, som varken människa eller natur förmådde skydda sig emot, och många vaknade i rena skräcken.

De gamla och kloka försökte rentav komma samman och tala förstånd med Demesin: Håll upp med dina tjänster – du skrämmer livet ur våra barn ... Men även om man talade om detta varje dag, och det bestämdes att man skulle samlas till beslut i saken och kalla Demesin, så fanns det ingen som tordes gå till Demesin och bjuda in honom.

Under tiden fortsatte Demesin att åka runt byn flera gånger varje natt. Det förekom inga särskilda missöden, rädslan som sånär hade fått fäste i bybornas hjärtan började gradvis skingras. De officiella representanter som hade utsetts att förhandla med Demesin började också samlas mindre ofta. Efter tre eller fyra veckor slutade de att samlas över huvud taget, och bekymret med förhandlingar självdog. Kvinnorna och barnen, vars trygghet utgjorde själva anledningen till de föreslagna överläggningarna med den välsignade nattvakten, upphörde att vara rädda för Demesins nattliga rundresor – och inte bara det, de väntade själva med spänning på att få se släden fara förbi utanför byn; det var ont om förströelser för vanligt folk vid den här tiden … Och det verkade som om många gillade den ständiga åsynen av släden som drog förbi i den klara vinterkvällen, och det var verkligen en syn för gudar: hästens snabba löpning i den nedgående solens strålar och den silverglittrande pudersnön som steg upp efter ekipaget väckte allmän beundran. Även de mest vresiga gamla gubbarna gjorde det till en stående programpunkt att beundra detta sceneri under kvällstimmarna. Särskilt som denna snart sägenomspunna vaktpatrull med den tyste, evigt vakande nattvakten blev ett slags signatur för byn: ryktet spred sig som en löpeld runt hela distriktet. Från de närliggande kollektivjordbruken började nyfikna strömma till för att med egna ögon skåda detta under som de hört ryktas om och se släden med sin välsignade slädförare glöda i den bleknande solens strålar.

Byn hade nu vant sig vid Demesins nattjänstgöring.

Invånarna i byn sov lugnt utan att störas, varken av några förmaningar eller av nattligt oväsen. Det ligger i människans natur att snabbt glömma sina egna rädslor, det välbekanta tas snart för givet. Och när allt kom omkring – om dörrarna till lador och fähus tidigare var med säkerhet låsta och bommade, så hade dessa försiktighetsåtgärder numera så att säga kommit i andra hand och snabbt förvandlats till sorglöshet. I många hus lämnades dörrarna olåsta: Vem, resonerade man, skulle komma på tanken att bryta sig in när Demesin fanns därute? Och vissa människor var helt enkelt alltför bekväma för att stiga upp i onödan för att lägga på haspen …

Och Demesins gamla smeknamn – Den *välsignade* – började falla i glömska och allt oftare ersättas av det respektfulla namnet Väktaren.

Om någon av en händelse gick ut i kylan mitt i natten, var det första han gjorde att hålla andan och lyssna till stäppens ljud. Och om man i det svaga sorlet från vidderna kunde uppfånga, säg, det gnisslande ljudet från en slädes medar mot den hårdfrusna snön, eller hörde ett trött frustande från en häst som kämpade i selen, eller uppfattade ett dämpat Ajt! från föraren som emellanåt manade på djuret, så kunde man lättad andas ut, för då var allting som det skulle, Demesin vakade ...

Herre, min skapare ... han håller på och sliter för oss ... stackarn ... mumlade någon halvsovande, med en känsla som var varmare än enkel tacksamhet mot denne man som för sin uppoffrande möda förtjänade någonting bättre än ett nedlåtande "stackars karl"; men man hittade inget annat ord för Demesin, och därför tystnade man förläget ... suckade bara medlidsamt och sjönk tillbaka i slummern och sängvärmen ...

Den forna källa till skräck, som Demesin tills helt nyligen hade utgjort för byns invånare, hade vid dessa tillfällen förvandlats till en himlasänd välgörare som offrade sin nattro för bybornas bästa. Det är inte allom givet – därom rådde inget tvivel – att kunna uthärda kyla och ensamhet om natten, när alla andra vid denna tid befinner sig i sängvärmen, i sina närmastes närhet och i ljusa drömmar ...

Vad kunde det bli för tal om tjuvar när inte ens herrelös boskap längre kunde närma sig byn på natten, och till och med byns egna kor och får, som var vana att dra sig ut på stäppen, snart upphörde att ströva fritt omkring! Nyordningen hade dessutom sina poänger. Skulle någon sinkas med sina djur eller av någon annan anledning tvingas driva ut boskapen på stäppen vid en opassande tid, så kommer han obönhörligen att stoppas vid den osynliga gränsen av Demesins anrop: "Vart ska du ta vägen?! Det där skulle varit gjort under dagtid!" Och även om det tog emot de första dagarna att finna sig i denna nya maktutövning så insåg alla att det var meningslöst att försöka förklara någonting för Demesin. Så man fick vackert vända hem igen, vresigt muttrande i skägget och storknande i maktlös ilska. Demesin skickade på detta vis hem först den ene, sedan den andre och den tredje ... Och snart blev byinnevånarna själva vana vid de nya rutinerna. Och om någon av de mest motspänstiga och glömska försökte, och misslyckades med, att smita förbi nattvakten fick han nästa dag höra skämt och gliringar från sina grannar.

Skämt åsido, men under en och en halv månads tjänstgöring grep Demesin trots allt fem tjuvar, som han i tysthet överlämnade direkt till kolchosordföranden och aktivisterna. Fyra av dem flydde visserligen, men lämnade stöldgodset kvar – stulen boskap och flera säckar vete.

Nu hade Demesins tillfälliga tjänstgöring redan blivit en angelägenhet för hela kolchosen, och vid aktivisternas följande sammanträde fattades till och med ett beslut med följande innebörd: precis som alla övriga kuskar och körkarlar fick Demesin tillstånd att byta hästar, att reparera släden i kolchosens egen verkstad, att utnyttja foder ur näringsfonden en gång i månaden, och för egen del erhålla fem kilo vete i månaden.

– Det skulle inte heller vara fel att skriva ut arbetsdagar för honom, föreslog den unga söta och rundnätta aktivisten som hade varit så ivrig att skicka iväg Demesin vid dennes första besök hos ordföranden. Nu såg hon hur belåten Ormantaj var med nattpatrulleringen, varför hon tog upp frågan om arbetsdagar för att ytterligare bättra på hans humör.

Ormantaj funderade.

– Finns det någon lag om detta? frågade han, medan han petade ned sin tomma vänsterarm i fickan.

– Nej, men det kan vi väl hitta på en? svarade den unga kvinnan med ett leende.

Den unga aktivistens anmärkning och leende tycktes viska till honom: Ligger inte allting i era händer redan? Och ordföranden, som inte utan vidare ville erkänna att inte alla nycklar i världen låg i hans händer och därmed erkänna sin hjälplöshet, rynkade pannan för att se tillräckligt betydande ut och sade förstrött:

– Vi får se …

Två dagar senare hade han beslutat att bevilja Demesin arbetsdagar för hans arbete.

– Vi borde verkligen ta reda på hans efternamn och framföra en officiell gratulation, så att han känner sig uppmuntrad, påpekade ordföranden.

Men det fanns inte en levande själ i byn som kände till Demesins fullständiga namn. Men ordföranden vägrade ge upp inför denna komplikation. Den enda utvägen var att fråga honom själv. Vem skulle våga? Alla vägrade, till och med pojkarna som hade brukat umgås med honom tidigare. Inga löften hjälpte. Gamlingarna blev nästan förolämpade och låtsades som om de ingenting hörde.

Aktivisterna löste till sist problemet: med milt våld överläts uppgiften på den rundnätta och söta unga aktivisten, eftersom det var hon som hade kommit med förslaget att utanordna arbetsdagar åt Demesin. Sålunda gjordes en anteckning i protokollet att hon utsetts till officiell representant för kolchosen. Med det muntliga tillägget att det vore lämpligt att avtala villkoren med Demesin under hans tjänstetid.

Solen nuddade just med en kant vid horisonten och Demesin hade redan gjort ett varv runt byn när den unga kvinnan, rund som en äppelmunk, steg upp på sin häst med en bön till allt som var heligt. När hon nådde fram till släden hade solen sjunkit bakom den yttersta kanten av det kritvita slättlandskapet och skuggorna djupnade runtomkring henne i skymningen. Demesin hade länge väntat på ryttaren som närmade sig honom, han hade stannat släden så snart han lade märke till rörelsen långt borta. Snöns vithet skingrade mörkret, och husen bakom henne såg ut att vara ditmålade.

– God kväll, Demesin-kajnaga! hälsade den unga aktivisten artigt.

Att Demesin inte tålde officiella tilltal hade hon insett redan tidigare – han hade blivit rasande på aktivistgruppen den gången när ordföranden kallat honom kamrat Demesinov, och därför inledde hon samtalet med att artigt kalla den råbarkade sällen hon hade framför sig för kajnaga enligt gammal sed.

Hon mötte Demesins långa genomträngande blick, som genomborrade och fyllde kvinnan framför honom med skräck: det kändes som om väktaren ville veta om denna oväntade ryttare kunde duga som föda. Insvept i flera sjalar mot kölden kände den unga kvinnan i förskräckelsen att hennes heta unga hjärta plötsligt täckts av is.

– Jag gratulerar dig ... er ... till ert hårda arbete, kajnaga!.., sade hon så mjukt hon kunde, som om hon smekte en katt.

– Vadå-å-å? Demesin kom på fötter och gick emot henne i sin fårskinnsrock likt en stor björn som rest sig på bakbenen. Det spridda återskenet från snön förstärkte ytterligare intrycket.

Men på avstånd, i skydd av ett uthus, hukade en nyfiken skara aktivister anförda av ordföranden och höll skarp utkik efter vad som hände. "Står de inte och språkar med varandra?.. Jo, det syns att de pratar" ... Gissningar och antaganden fälldes rörande de gester och kroppsrörelser som utväxlades mellan kontrahenterna i meningsutbytet med Demesin. "Ingen tvekan. De pratar!" sade en ung kvinna med skarpare öga än de övriga.

... – Du ... jag menar ... Vi har bestämt att utfärda arbetsdagar åt er sedan i går ... för vakthållningen ..., meddelade i samma ögonblick den rundnätta unga aktivisten för Demesin.

– Vart ska du ta vägen med hästen? avbröt Demesin.

– Vadå? Hästen? Vad menar du?

Aktivistens hjärta fastnade i halsgropen.

– Ojbaj, kajnaga ... Min häst ... jag menar ... kolchosens häst ...

Utan ett ord ryckte Demesin geväret från axeln och avlossade ett skott över kvinnans huvud. Hon föll raklång på marken och låg där orörlig utan att andas. Först när Demesin tog tag i henne som en potatissäck och drog henne bort från hästen återfick hon medvetandet. Hon kämpade emot de starka händerna och skrek desperat:

– Kamr... Vad är det här? Jag är en gift kvinna ... min man kämpar vid fronten! Du kommer att ställas till svars för det här inför domstolen!..

Demesin släpade iväg henne till släden, ställde ned henne på fötterna, och lade en ände av tygeln kring hästens ben så att den

377

bara kunde förflytta sig med sparvsteg. Han hoppade upp i släden och gjorde sig redo att ge sig av.

– Kamrat … kajnaga … jag då? stammade den unga kvinnan, livrädd för det osäkra öde som väntade henne.

– Du står kvar där tills de kommer och hämtar dig. Om de inte kommer så väntar du bara till det blir ljust… rör dig inte. Om du rör dig så skjuter jag dig. Blicken ur Demesins ögonhålor var dödligt kall, och den stackars kvinnan hyste inget tvivel om att han faktiskt skulle skjuta henne om något hände …

– Herregud … Vad hade jag här att göra? snyftade hon. Min Gud, jag är kommen till dödsens pi-i-ina …

Demesin for iväg. Mörkret slukade honom på ett ögonblick, och snart upphörde medarnas gnissel att höras. Fullmäktig medlem av aktivisterna – en tom fras för denne olycksalige galning! Och här står hon ensam på stäppen. Allt som hördes var ljuden från den tjudrade hästen bredvid henne när den flyttade tyngden av sin orörliga kropp från det ena benet till det andra.

Hennes första tanke, så snart Demesin var borta, var att lossa tygeln från hästen och ge sig av därifrån. Nog skulle hon hinna hem långt innan den där galningen var tillbaka?! Hem, ljuva hem … Det verkade just nu som ett ouppnåeligt paradis … Alldeles nära … Men … nej, hon vågade inte ens röra sig ur fläcken. Demesin, han är precis som han är, försök bara räkna ut vad han ska få för idéer i huvudet! Han kan komma till kontoret i morgon och mitt framför ögonen på alla aktivisterna fyra av en salva i skallen på henne. Man kunde vänta sig vad som helst. Nej, det är bäst att vänta – vad som än händer! ”Rör dig inte ur fläcken”, hade han sagt … Låt gå för det, hon ska inte ta ett steg, om hon så skulle stå och dö, bara den där dåren kunde bli övertygad om hennes medgörlighet … Han kanske ger upp …

Medarna gnisslade på nytt och hästen frustade till. Demesin! Hon hade längtat efter dessa ljud, men när hon hörde dem blev hon plötsligt ännu räddare. Skräcken for rakt igenom henne ända ned i hälarna. Kölden, tänkte hon, var ingenting jämfört med kylan som frös henne inifrån. Släden – tänkte hon plötsligt – det är ingen vanlig släde ... Det är Demesins släde ... den glider på ett annat sätt. Byn ska skyddas för fascisterna, förstår ni ... hästen får springa i onödan!.. Och ingen vågar sig hit ut, och hon ... alldeles ensam ... mitt i natten ... vad mera kan han hitta på?

Demesin tog ingen notis om henne. Hans häst gled förbi i passgång och hon fick en skymt av släden. Han hade inte en tanke på att se efter om den stackars flickan stod kvar i kylan, att hon exakt hade följt hans order – han tog inte ett steg åt hennes håll. Där fick man för att man är snäll! tänkte hon ursinnigt. Hon insåg att han helt enkelt hade glömt henne – hon hörde hans feberaktigt upphetsade mummel när han passerade: Där är de! Därborta ... En galning som levde i en värld för sig ...

Förnedrad och genomfrusen i kylan brast hon i tårar igen av maktlös ilska. Vad väntar du på? Upp på hästen och sätt fart tillbaka till byn medan du lever! Men tanken på Demesins dubbelpipiga laddade hagelbössa höll henne tillbaka. Hennes grannar hade det bra i stugvärmen ... Hon tänkte också på aktivisterna, som fortfarande kurade i sitt gömställe – de kunde väl åtminstone bli oroliga ...? Om de börjar frysa kan de stampa igång blodcirkulationen, och om inte det hjälper så kan de alltid springa hem ... Men hon själv? Hon tog nog i för våldsamt med Demesin och hans arbetsdagar!.. Hon kunde ha låtit honom åka där, runt, runt, runt.

– Om jag fryser ihjäl här ute, skrek hon till sist efter honom, så ska du få fan! Släpp mig härifrån, annars tar jag loss hästen själv och rider iväg!

När skrek en kvinna åt dem senast? I drömmen, kanske? Hon märkte knappt ens själv hur skriket steg upp inom henne: antingen hade skräcken drivit henne dithän, eller också var det kölden ... Eller kanske ändå, tänkte hon för sig själv, och hon värmdes inombords av sin beslutsamhet, är det modet som äntligen har vaknat i mig ... Naturen skänker alla mod! Bara nu ... Och nästan rätt i örat på henne skallade Demesins dånande stämma, just återkommen från sin sista runda:

– Hallå där! Var kom du ifrån? Va?! Den unga kvinnan rös till och glömde på en sekund modet som naturen skulle försett henne med.

– Vem är du? ropade Demesin och hoppade ur släden alldeles intill henne.

– Hustru till en Röda armésoldat – Orynsha! Medlem av kolchosens aktivister! Jag är ingen tjuv, om du trodde det…! Hon fick bråttom, som om hon var ängslig att försumma detta oväntade tillfälle att äntligen förklara för galningen vem hon var och varför hon var här.

– Vad gör du här?

– Jag ville be om ditt efternamn …

– Vadå?

Först när hon stängde munnen insåg Orynsha att det var fel tillfälle att förklara anledningen till att hon kommit. Men det som sägs är sagt. Nu fick hon vänta och se hur det hela skulle sluta.

Demesin spände ögonen i henne som om han ville övertyga sig själv om att detta verkligen var en kvinna från byn … Jag är inte någon pasjist, ville hon skrika. Jag talar ju kazakiska! I mörkret verkade han inte kunna se detta, och strök eld på en tändsticka. Herregud! Orynsha stönade nästan, ängslig för nya överraskningar.

– Åh, jag har sett dig! sade han. Men när – var det i går eller i dag?

– I dag! skrek hon och anade skiftningen i Demesins humör.

– Nej! dundrade basrösten. I går!

– Du får bestämma … i går, i går … stammade Orynsha utan att ha en aning om vilken riktning den vilde bevakarens tankar skulle ta.

– Just det! Jag såg dig i går. Var är din häst?

– Där står hon … Orynsha viftade med sin stelfrusna hand mot djuret, som nätt och jämnt var synligt i mörkret.

– Det stämmer. Ge dig iväg!

Åh, denna lycka som befrielsens ögonblick kan skänka en människa! Orynsha hade aldrig insett detta lika tydligt som nu. I denna stund kunde hon inte minnas någonting – varken kriget som rasade någonstans långt borta, eller sin ensamma väntan, hur hon sett fram mot sin mans återkomst, hur hon bett till skaparen att få hem honom levande och oskadd. Nu måste hon komma utom synhåll, försvinna, innan den fördömde Väktaren ändrat sig – blotta tanken fick hennes valna fingrar att bli smidiga och följsamma när hon befriade hästen från dess fotboja. Fort, fort … Demesin hade sträckt ut sig i släden, men släppte henne inte med blicken – möjligen ville han bara ge hästen en stunds vila, kanske var det något annat. Vem kunde någonsin begripa vad som rörde sig under den där evinnerliga pälsmössan …?

Medan hon ansträngde sig att inte se åt Väktarens håll klättrade Orynsha upp på hästen och höll sig fast, utan att ännu helt tro på sin lycka, och började långsamt förflytta sig från denna olyckliga plats.

– Stopp, vänta! hördes plötsligt en röst när hon redan hade hunnit ett gott stycke bort.

Hennes hjärta var på väg att brista av förtvivlan och hon slutade andas. Fanns det någon olyckligare kvinna än hon just nu?.. Hon höll in hästen och vände sig om: Demesin halvlåg fortfarande i samma ställning, och hon kände att han såg på henne – med ett leende.

– Jag kom just på att det inte var i går utan i dag som jag såg dig! ropade han belåtet och hans basröst rullade långt över den tysta slätten.

Orynshas hjärta, som hade fastnat i halsgropen, återvände till sin plats. Hon gav hästen fria tyglar. Herregud! mumlade hon medan hon försökte återvinna andan, glad och lycklig över att detta var allt som Demesin hade på hjärtat. Som om det spelade någon roll när han såg mig … i går eller i dag!.. För min del kunde det lika gärna varit i fjol somras!

Det var först när hon nådde närmaste hus som hon kände verklig lättnad. Först här, oförmögen att behålla behärskningen, lät hon tårarna strömma. Hon grät av bitterhet och uppdämd ångest som hon hade tvingats utstå, av förnedring och svaghet – kvinnans hudlösa svaghet fick till sist sitt utlopp … Först nu kom aktivisterna springande, med ordföranden i täten. De hade just fattat ett desperat beslut att skynda till undsättning och väntade bara på en signal från Orynsha, eller ännu ett skott ... Men när Orynsha själv visade sig var det naturligtvis inte nödvändigt med ett utfall.

– Vad hette han i efternamn? frågade någon i sällskapet när Orynsha värmt upp sig en smula i ordförandens hus, dit hon fördes.

– Det vete hundan! fräste Orynsha och började berätta om sina missöden.

Alla lyssnade uppmärksamt, alla var oroliga, och ingen hade säkert velat vara i hennes ställe.

– Hur skriver vi nu hans namn? frågade ordföranden med ett leende, när historien var slut och var och en av dem på sitt eget sätt hade upplevt den.

– Det får ni själva ta reda på! sade Orynsha och vände sig bort.

Tystnaden bröts av en mörk, maskulin kvinna som värmde ryggen vid spisen.

– Då har vi inte mycket mer att oroa oss för, eller hur? Strunta du i hans efternamn och i hela den där tokdåren, för sjutton!

Hon vinkade ilsket avvisande med handen:

– Eller ska ni kanske skicka någon annan att gratulera ...?

– Du vill kanske gå själv?

Gudskelov är du byggd som en hjälte! hade ordföranden på tungan, men kvinnan tog repliken bokstavligt och exploderade direkt:

– Ja, ja, hela kolchosen ska nu gå och buga för honom, eller hur!.. Han har hjärtat på rätta stället. Hennes ögon krympte av ilska tills de var triangelformade. Det är lika bra att sätta det på papper. Demesin: sina fem kilo spannmål får han redan, utan något efternamn. Alla känner väl honom ändå?! Vi får hoppas att de väger rätt ...

Längre kom de inte. Och i kolchosens officiella tidning började det nya namnet dyka upp: Demesin – Fridens väktare. Från den dagen fick han heta så – Fridens väktare ...

Tiden gick. Ända till krigets sista dagar fullgjorde Demesin sin tjänstgöring. På vintern i släde, på sommaren i en tvåhjulig kärra, varv efter varv for han runt byn, natt efter natt vakade han.

Demesin skulle aldrig ha gett upp denna en gång för alla upprättade post för någon yttre kraft, och mer än en gång vägrade han själve kolchosordföranden passage ända fram till gryningen, och en gång till och med en hög tjänsteman från regionstyrelsen som plötsligt var tvungen att lämna kolchosen vid midnatt i ett brådskande ärende. Nästa morgon krävde denne, topp tunnor rasande och utan att vilja informera sig i ärendet, kategoriskt att ordföranden skulle kasta ut den där galningen med huvudet före. Och ju förr detta skedde, lät han förstå, desto bättre. Ormantaj sade förstås: Ska ske! och i tjänstemannens närvaro utfärdade han omgående en skriftlig order till Demesin: Kamrat si och så friställs härmed från tjänstgöring som …

Demesin fortsatte sitt arbete. I fortsättningen vakade han över byborna utan någon särskild order.

Det var krigets sista år. Från fronten kom glada budskap och folket jublade i väntan på segern. Demesin måste ha känt stämningen: precis som han brukat for han till marknaden och sålde säden han fått ut för sina arbetsdagar, och för alla pengarna handlade han sötsaker som han delade ut till barnen …

En dag, vid middagstid, kom Orynsha med andan i halsen inrusande på ordförandens kontor. Alla glädjeyttringar, liksom sorgebud, var vid den här tiden nära förbundna med händelserna vid fronten. Presidenten blev därför alldeles kall och rusade upp från sin stol.

– Vad är det med dig? Är något på tok?

– Kom med mig! Orynsha drog i hans tomma ärm.

Hon ledde Ormantaj till fönstret och pekade på släden, som syntes tydligt som en svart fläck i den vita snön, och hästen, som stod bredvid och tittade dystert. Solen stod redan högt på himlen och belyste sluttningen där ekipaget var uppställt, och allting syntes tydligt från alla håll.

– Jaha, släden … Än sen?

Demesin hade aldrig gett sig iväg vid den här tiden, han återvände alltid i gryningen …

Ordföranden kände på sig att det var någonting som inte stämde och lämnade fönstret och gick snabbt ut till hästen som stod bunden utanför dörren.

När de kom fram till Demesins upptrampade väg hade hästen, som uppenbarligen tröttnat på att stå stilla, redan gett sig av på sin välbekanta och invanda runda. Demesin satt orörlig i släden, geväret pekade rakt framåt. Ordföranden och Orynsha flyttade sig närmare.

– Demesin! Hör du, Demesin? frågade ordföranden försiktigt.

Demesin svarade inte.

– Var är hans pälsjacka? viskade Orynsha oroligt. Ormantaj fångade hästen i betslet och stannade den.

Demesin satt stel i släden. Han var död. Munnen var halvöppen, som om han velat ropa någonting en sista gång.

Så hade han gett sig ut på sin sista resa, och hållit byn fredad för såväl pasjister som andra banditer …

Demesin begravdes två dagar senare på toppen av den högsta kullen bortanför byn. Hela byn följde honom till graven, som låg ett stenkast från den hårdpackade ringvägen som han själv hade anlagt under vinterns resor. När Väktarens stoft sänktes ned i jorden genljöd ett förtvivlat klagorop från en pojke längst bak i begravningståget.

– Kokema-a-aj!..

Alla överraskades av ropet och vände sig mot rösten. Det var Mutan, som tre dagar tidigare hade rest till en avlägsen kolchos, samme Mutan som hade blivit så obarmhärtigt misshandlad av Demesins piska under en lek som de hade hittat på för några år sedan att han blev sängliggande i en vecka. Samma dag som pojken skulle ge sig iväg hade Demesin skänkt honom sin fårskinnsrock … Den snälle kokemaj Demesin!

Fridens väktare slutade sina dagar tre månader före segerdagen.

Efter hans död kunde folket i byn under lång tid inte vänja sig vid nattens tystnad och vaknade, oroade av någonting de inte själva visste vad det var.

1979

SOCIALISMENS SKYSKRAPOR

Varenda förordning som utfärdades i Moskva brukade som regel
hörsammas omgående i Alma-Ata. Så hade varit fallet ända sedan
Sovjetmaktens första dagar. Besluten från oräkneliga kongresser
och plenarmöten, som var otaliga, flög förbi alla ryska byar och
övriga sovjetrepublikers territorier utan att dröja någonstans på
vägen över Sovjetmaktens jättelika landområden, och landade just
hos oss och verkställdes omedelbart just här hos oss. De ryska
byarna och republikerna hade knappt hunnit höra talas om dessa
beslut innan vårt folk i Kazakstan redan hade kavlat upp ärmarna
och börjat sätta dem i verket. Det är ett välkänt faktum att den
som börjar först också blir först färdig, och medan de ryska by-
arna och de övriga sovjetrepublikerna precis hunnit ta till sig allt
detta nya och långsamt sätta igång, och andra kliade sig i huvudet
och undrade vad i all sin dar alltsammans skulle vara bra för, ja då
hade Kazakstan redan börjat skicka rapporter till Moskva om att
alla uppgifter redan var genomförda, och gnuggade ivrigt händer-
na i väntan på nya uppgifter att ta itu med.

Ett av de viktiga politiska besluten handlade om att utjämna
klyftorna mellan stad och landsbygd. Så snart de centrala orga-
nens beslut nådde Alma-Ata, och därifrån förmedlades till alla
regionala centra, och därifrån till distrikten och slutligen till by-
arna, var de lokala myndigheterna, som var vana att inte skjuta
upp dekret från den högsta partiledningen, omedelbart inställda
på att sätta igång att utjämna. Men hur, på vilket sätt skulle man
nu utjämna klyftorna mellan stad och land? Och vad fanns det nu
för klyftor att utjämna? Hur skulle vi gå tillväga för att framgångs-
rikt och snabbt eliminera dessa skillnader? Detta var frågor som

myndigheterna i många regioner i Kazakstan kliade sig i huvudet inför, det hölls möten, man studerade yttranden från ideologiskt medvetna, välinformerade aktivister.

Vi hade ingen aning om hur dessa frågor löstes på andra håll i landet, men inom produktionsenheten *Socialismen,* underavdelning till det välkända kollektivjordbruket *Kommunismen,* kom man till slutsatsen att den största skillnaden mellan stad och by hängde samman med tillgången till, respektive frånvaron av, flervåningshus. Vad gör en stad till en stad? Flervåningshusen. Vad gör en by till en by? Jo, envånings lerhyddor. Om vi river dessa hyddor och i stället bygger flervåningshus, då kommer den största skillnaden mellan staden och landsbygden att vara utplånad – sammanfattade ordföranden för *Socialismen* Pasjat Barakatov. Sålunda kommer höghus att växa upp i byarna, de kommer att bli våra skyskrapor, med andra ord socialismens landmärken. Pasjat åtnjöt välförtjänt anseende inte bara inom produktionsenheten utan vid hela kolchosen. Om man fick tro somliga hade Barakatov en gång varit ett tuppfjät ifrån att bli upptagen i Timirjazevs jordbruksakademi i Moskva. Han var insatt i dagspolitiken, läste tidningar och förstod sig till och med på skönlitteratur. Förra året hade handelsboden i Pasjats by köpt in Ernest Hemingways roman *Farväl till vapnen.* Vid en tidpunkt då byinnevånarna aldrig hade hört talas om någon sådan författare, eller ens kunde stava till namnet, förbluffade han många genom att med hög röst inför alla människor utropa: Tänka sig att Hemingway finns att köpa i vårt eget snabbköp! Folk gapade av förvåning. Kolchosledningen och stämman antog med utgångspunkt i Pasjats förslag en resolution att i experimentsyfte bygga två flervåningshus vid underavdelningen *Socialismen.* Stämman uppdrog åt arbetsledaren Sepentaj att vända sig till regionkontoret för att skaffa tekniska underlag och ritningar på flervåningshus från byggentreprenörerna och beräkna byggkostnaderna till genomsnittliga priser.

En uppgift som denna är alltför maktpåliggande för att anförtros en enda person, vi bör låta avdelningschefen Barakatov delta, föreslog Sepentaj, men han blev först obarmhärtigt kritiserad av Pasjat och därpå nedsablad av själve kolchosordföranden. Det är inte typiskt för en kommunist att fly från svårigheter. Vad säger partistadgan om detta? Du sviker ditt ansvar, sade de. Eftersom två personer hade uttryckt sina åsikter, vad mer kunde de övriga göra? Partiaktivisterna fördömde Sepentaj skarpt, och det fanns till och med förslag om att partikortet skulle tas ifrån honom och att han skulle avskedas och förvisas från kolchosen. Veterinär Ospan, chef för fårinsemineringsenheten, uttryckte sitt beklagande över att tvingas arbeta i samma kollektiv som en så opålitlig och ryggradslös kommunist. Tjugoen personer deltog i mötet, samtliga kazaker, naturligtvis icke läskunniga i ryska, och om någon kunde tala ryska så var det på en nivå där ordet *kollektiv* ibland kunde förväxlas med *lokomotiv*. Trots detta uttryckte Ospan sina tankar fullkomligt klart och tydligt på ryska. Och eftersom hans inlägg hade framförts på ryska lyssnade mötet uppmärksamt till veterinären. Alla blev övertygade om att Sepentaj icke var en hederlig kommunist, att han var ett reaktionärt element som sökte varje tillfälle att skada den utvecklade socialismens sak, att han var motståndare till beslutet att utjämna klyftorna mellan städerna och landsorten, motståndare till den vedertagna uppfattningen att arbetet för socialismens sak var en kreativ uppgift. Vid detta möte var Sepentaj tvungen att be mötet om ursäkt för sitt ideologiska avfall och sina politiska felsteg, han erkände sina misstag och avgav också ett löfte att med det snaraste, nej omedelbart, rätta sig och försäkrade alla att han skulle uppfylla partiets viktiga uppdrag, oavsett hur svårt det kunde vara, och att detsamma gällde alla uppdrag framgent över huvud taget.

Med enkel majoritet och en nedlagd röst beslutade stämman att förlåta honom.

Följande dag gav han sig iväg till regionkontoret. Eftersom Sepentaj aldrig på egen hand närmat sig sådana viktiga institutioner letade han först upp kontoret till RegstrojProjekt, som låg just bredvid RegProjekt och KazakFisk och träffade där precis rätt person. Denne kunde dock inte fatta några beslut på egen hand.

387

Den fjärde dagen kröntes med framgång: i ett avlägset hörnkontor där fyra unga lejon huserade fanns även en man som avslöjade att han kände en viss arkitekt vid YuzhKazElevatorMedTechSupCon som höll i ett projekt för två höghus. Och om Sepentaj var införstådd med saken kunde man kalla denna person till ett möte och övertala honom att till ett överenskommet pris i kommunismens namn sälja dessa projekt till produktionsenheten *Socialismen.* Sepentaj var överlycklig, han bearbetade ett av kontorslejonen tills han fått som han ville.

I två dagar förhandlade han med arkitekten från YuzhKazElevatorMedTechSupCon. Förhandlingarna hölls på en avskild liten ö i stadens vilopark på restaurang Aral i en varm och förtrolig atmosfär av fullständig ömsesidig förståelse.

En månad senare började resultaten av Sepentajs stadsbesök visa sig. Från regioncentret till produktionsenheten *Socialismen* strömmade en karavan av bilar med byggmaterial, följd av en armé byggarbetare: murare, stuckatörer, arkitekter och grävmaskinister, lantmätare och betongarbetare. Sepentaj kunde inte gärna veta att ritningarna som han köpt till kolchosen för tjugotusen rubel gällde projekt som legat och samlat damm i en glömd låda på Institutet efter att ha blivit avvisade av myndigheterna på alla nivåer.

Ett rykte spred sig över hela regionen att *Socialismen* behövde arbetare, och arbetslösa strömmade till från alla håll. Skaror av folk stod och liftade vid landsvägskanten.

– Tjenare, vart är du på väg?

– Och du själv då?

– Till *Kommunismen.* Jag har stått här i en timme, du får betalt om jag får åka med.

– Nej, bilen är trasig. Jag får vara glad om jag kommer fram till *Socialismen.*

– Okej då, det räcker för min del.

Knappt två veckor hade gått, och det lilla kontoret var fyllt av besökare. Det snurrade i huvudet för Pasjat och för Sepentaj – de visste inte vart de skulle ta vägen för alla obehöriga som trängde på. De hade överlåtit det huvudsakliga arbetet till arbetsledarna och förmännen, och själva var de fullt upptagna med alla besökare. När de hade anställt ett tillräckligt antal personer skickade de hem resten. Till en början visste de inte hur många arbetare som behövdes för att bygga två stycken sjuvåningshus. Folk stimmade och trängdes och gick på som en skock får i en kätte. Vilka skulle de anställa och vilka skulle skickas hem igen? Båda två var lika förvirrade.

– Hur många behöver vi? Vilka av dessa envisa jäklar ska jag skicka hem? undrade Pasjat, som gärna ville ge igen på Sepentaj.

– Om vi säger som så: Hur många arbetare skulle behövas för att bygga ett sånt här hus i stan?

– Det är skillnad på stan och stäppen. Där finns fler bilar och maskiner än människor, och här vi har bara en kran, tre lastbilar, sen är det inte mera.

– Jag frågar inte vad vi har och inte har. Tala i stället om för mig: Hur många människor behöves till ett hus?

– Förutom maskiner ... um-m-m... – Sepentaj rörde på läpparna och räknade i huvudet:

– Hmmm... det ena med det ena, och det andra med det andra ... första våningen tjugo, andra våningen tjugofem ... tredje våningen ... fjärde ... femte ... till ett hus behövs etthundratjugo man.

– Vi bygger inte fem våningar på en gång. Först bygger vi första våningen, sen börjar vi på andra, eller hur? Eller kommer ditt folk att sätta tegel i luften?

– Det säger sig självt, innan första våningen är klar kan man inte börja på andra våningen, eftersom andra våningen byggs på första våningen.

– Det stämmer, kamrat förman. Om du inte själv kan räkna ut alltsammans, kommer du aldrig att kunna begripa hur det ska gå till. Och hur många man behövs, kan du säga mig det?

– Ett huvud är bra, två är bättre. Vi behåller hundrafemtio man och skickar hem resten. Om det fortfarande är för många så minskar vi efter hand tills vi har precis så många som vi behöver.

– Då säger vi så. Sätt ihop en arbetsbrigad! Men håll dig exakt till jobbarnas etniska profil.

Vid den här laget hade de gistna dörrkarmarna till kontoret börjat ge vika, och när besökarna fylldes på utifrån orkade de inte stå emot trycket, och rätt som det var slets karmen loss från ler-väggarna och dörren trycktes rakt in i kontoret. De tio första i kön tumlade över tröskeln och föll till golvet, några av dem fick sina halmhattar krossade. Två eller tre av de fattiga stackarna lyckades ta sig upp ur högen av armar och ben och rusa iväg till myndig-heterna, men innan de hade kommit så långt började de känna sig förlägna och stannade på halva vägen. Sepentaj betraktade strängt en mörkhårig, mager ung man som kämpade vilt under massan av kroppar, och frågade:

– Vad heter du i efternamn?

– Kamysbajev.

– Yrke?

– Murare.

– Nationalitet?

– Konyrat.

– Jag frågar inte vilken släkt du kommer från, utan om din nationalitet!

– Kazak ... Jag råkade höra att du också är konyrat ...

– Dessa kazaker, även när de krossas till mos av en folkmassa är det första de tänker på vilken släkt de tillhör. Det är bra, du är antagen. Och du där, vilken släkt ... jag menar vad heter du i efternamn? Sepentaj pekade på en skallig grabb som låg överst i högen.

– Kopsergenov.

– Yrke?

– Murare.

– Nationalitet?

– Kazak. Jag är också konyrat ...

– Det är lögn, han är nayman! skrek en koppärrig pojke med utstående öron som sprattlade bredvid honom.

– Kazak, kazak, muttrade Sepentaj fundersamt. Ännu en. Det

vore bra om det fanns någon ryss. Om alla är kazaker vet jag inte
hur det slutar ...
— Finns det några ryssar bland er?
Ingen svarade.
— Finns det några ryska murare bland er? ropade han ut i kor-
ridoren, som var som en surrande bikupa.
— Ja! Här, sade en ljushårig ung man i sombrero.
— Vad heter du i efternamn?
— Bekturov.
— Bekturov? Du är väl inte ryss!
— Min far hette Viktor, men när de skulle fylla i födelseattesten
skrev kazakerna Bektur i stället för Viktor.
— Det tror jag så mycket jag vill! Okej, Den lede själv får reda
ut det här, du är antagen!
När Sepentaj hade ropat upp alla folkslag i Kazachstan var det
redan kväll. Utmattad vände han sig till Pasjat:
— En gång i tiden kunde man läsa i tidningen att representan-
ter för hundratrettio nationaliteter levde i vänskap och harmoni i
Kazakstan. Jag har etthundratjugo. Var hittar vi tre till? Vad är det
för folk kvar?
— Finns det någon kurd här?
— Ja.
— Nogaj?
— Ja.
— Och kines?
— Ja då.
— Sjursjit?
— Sjursjit? Skitungar? Såna finns inte ... Vad är det för folk?
— Jag vet inte. Jag hör bara folk säga sjursjit, sjursjit.
Han tittade på folket som stod kvar i korridoren och frågade:
— Finns det någon sjursjit?
— Nej.
— Någon pashtun?
— Nej. De bor i Afghanistan.
— Vi måste ha en sjursjit och en pashtun ... Och vad är du för en?

– Jag? Kazak.

– Vi behöver inga kazaker. Du kan gå.

– Ojbaj, du tror kanske att ett hus som kazaker har byggt kommer att rasa? Vart vi än kommer så blir vi kazaker körda på porten. Vart ska vi ta vägen, vad ska vi leva av?

– Det angår oss inte. Ni får gå till världens ände! Vi måste ha en sjursjit, eller en eskimå om det finns.

– Ojbaj, och om det inte finns något sånt folk, ska vi lägga oss ner och dö?

– Leta upp en, sätt igång!

Ingen sjursjit, ingen eskimå, ingen pashtun svarade ur mängden, hur många gånger det än ropades på dem. Listan kontrollerades noggrant en gång till, och när de hade övertygat sig om att det inte fungerade såg de på varandra.

– Vad gör vi nu? frågade Pasjat dystert. Sepentaj funderade länge.

– Om vi skulle göra så här! viskade han. Vi hittar på åtta nationaliteter som saknas bland kazakerna som är kvar: en får vara pashtun, nästa sjursjit. De är arbetslösa och har inget val, de kommer inte att säga ett knyst. Vi förklarar för dem hur det ligger till, och om inspektörerna ställer frågor så svarar de att de hör till de nationaliteter som saknas.

– Men tänk om utseendet inte stämmer?

– Vad har utseendet med saken att göra? Och vad kan en jobbare ha för utseende? När de sliter häcken av sig på bygget så kommer allihop att se ut som proletärer.

Pasjat stirrade ett ögonblick på Sepentaj.

– Men det är ju en fantastisk räddningsplanka! sade han med ett lyckligt leende. Smart uttänkt, Sepentaj! Du har huvudet på skaft. Då och då åtminstone.

Pasjat fnissade gällt, som om han blivit kittlad. Så harklade sig och kvävde skrattet.

– Bra, bara fortsätt så här, sade han. Men skriv inte allt som du får i skallen, utan välj utseenden som passar till nationaliteten.

– Givetvis. Fast när allt kommer omkring finns det kazaker

som ser ut som vilken nationalitet som helst.

– Just precis. Jag sticker hem nu, och du fixar resten själv. Med dessa ord föste Pasjat undan folket som trängdes i korridoren och gick ut på gatan. Sepentaj offrade inte mycket tid på resten. Han valde bland de väntande ut åtta kazaker vars utseenden enligt hans mening motsvarade de nationaliteter som saknades, och förklarade för dem att om de gick med på villkoren skulle han omgående se till att de fick jobb. Ingen av kazakerna ville gå miste om chansen, och de började ivrigt prata ihop sig på alla håll:

– Ojbaj, vad är det att snacka om? Om det är på det viset kan de registrera oss som sjursjiter eller daggmaskar – vi är lika glada. Det gör inte oss någonting. Och om någon sen skulle komma och fråga vilken nationalitet vi har, så kommer vi att svara precis så som du har sagt. Du måste bara skriva ner det på en lapp, så vi inte glömmer vilka vi är.

Tiden gick och på byggarbetsplatsen där avdelningen *Socialismen* vid kolchosen *Kommunismen* skulle uppföra sina båda sjuvåningshus sjöd det av aktivitet. Redan innan grunden var lagd hade man hängt upp två banderoller vid tomtgränsen. *Socialismen* hade gott om gamla banderoller som samlade damm i förrådet. Sepentaj drog fram två av dem som varit uppspända på stänger och skrapade bort de gamla bleknade slagorden och textade dit nya. I stället för gårdagens löften *Vi skall komma i fatt och förbi Amerika!* och *Vårt arbete i dag skall ge oss Kommunismen 1980!* kunde man nu läsa: *Med förenade krafter för landsbygdens urbanisering!* och *Leve Partiet – skapare av den utvecklade socialismen!* Så fäste han banderollerna på extra långa stänger så att de skulle synas på långt håll. Som chef för avdelningen höll Pasjat radiokontakt med den politiska ledningen varje måndag för att rapportera att bygget framskred i aldrig tidigare skådad takt, och om denna takt höll i sig skulle de båda sjuvåningshusen stå klara inom fem månader i stället för ett år. Han rapporterade att produktionsenheten *Socialismen* under innevarande räkenskapsår återigen skulle uppnå ledande etappmål och i förtid uppfylla Partiets och regeringens uppdrag att eliminera klyftan mellan stad och landsbygd.

Pasjat och Sepentaj höll verkligen ord – de fem månaderna drog förbi som ystra galopphästar och byns folk började förbereda sig inför flytten. I samband med inflyttningen kontrollerade båda arbetsledarna noga att de nyinflyttade skulle vara av olika nationaliteter. De löste sin viktiga uppgift med stor skicklighet. Avdelningen *Socialismen* befolkades huvudsakligen av kazaker, och därutöver av fem eller sex ryska familjer, tre uzbekiska, två azerbajdzjanska, en turkisk, en georgisk, en armenisk och, av någon okänd anledning, en kyzylbasjisk familj, en dungansk plus en koreansk familj som ankommit från Iran förra året. Pasjat utfärdade först ett föreläggande för dessa nationaliteter, registrerade därefter resten av kazakerna som representanter för övriga nationer som var bosatta i Kazakstan och bestämde datum för inflyttning. Totalt bestod Avdelningen av åttiofyra familjer, och de väldiga sjuvåningsbyggnaderna svalde i ett svep alla dessa familjer. Det var bara två eller tre gamla kvinnor som vägrade bo högt upp i luften, och några bönder som inte ville skiljas från sina jordlotter och uthus.

På inflyttningsdagen anlände kolchosordföranden och övriga förtroendemän från ledningen, och ett högtidligt möte hölls på gården framför de nya husen. Vid detta möte höll projektledaren Pasjat Barakatov ett eldande tal. Han framhöll härvid att uppförandet av två vackra sjuvåningars bostadshus inom loppet av blott fem månader, och inte under det år som avsatts för ändamålet, varit möjligt endast inom ramen för en utvecklad socialism, och att arbetarna i de kapitalistiska länderna inte bara var berövade denna möjlighet, de kunde helt enkelt inte ens drömma om någonting liknande. Han fullkomligt krossade, ja förintade kapitalismens alla företag. Vidare brännmärkte han Amerika – den kapitalistiska världens flaggskepp – som bärare av samtliga existerande dödssynder, och Reagan, Amerikas president, visade han upp som den fågelskrämma och pajas denne var. Just här var det en gammal man längst fram som hov upp sin röst:

– Hördu, Pasjat, min vän, tar du inte i lite för kraftigt med de härninga husen du har smällt upp här på stäppen? Varför ska du blanda in Amerika på andra sidan jordklotet, skulle det inte vara bättre om du pratade lite om hur det står till i din egen by?

Pasjat blev rasande och skrädde inte orden:

– Vem sa det? Aksakal Meldesh, var det du? Så du gillade allt-så inte min kritik av den amerikanska imperialismen? Genom att märka ord och vara vrång i stället för att stå som ett föredöme för ungdomen visar du alltid din extremistiska karaktär. Om du känner så starkt för Amerika, så res dit. Vi kommer inte hålla kvar illvilliga människor ett ögonblick. Eller var det kanske inte nog med den kritik som du fick förra gången?

Folket började sorla och tittade ogillande på den vresige gamle mannen för hans försök att försvara det avlägsna Amerika, *Socialismens* store fiende, och förstöra denna högtidliga ceremoni. Det låg mycken sanning i Pasjats ord om huruvida det inte varit nog med den kritik som han fått förra gången. Åtta månader tidigare hade Aksakal Meldesh köpt två fat öl i staden för sina pensionspengar, transporterat hem dem och distribuerat ölen gratis till alla mitt framför kolchosklubben. Massor av folk hade strömmat till för att få gratis öl, och så småningom slutade det hela i allmänt slagsmål. Den gamle mannens dragkärra hade slagits sönder, och båda tunnorna krossades. Nyheten om händelsen nådde först förmannen, och sedan ordföranden för kolchosen. Meldesh blev kallad till kontoret och förhörd:

– Vad menar du med detta? Varför sprider du oro bland folk på det här viset?

– Jag har väl inte gjort något fel? Det enda jag har gjort är att jag ville tacka alla slitna människor med fri öl.

– Varför?

– Vadå varför? Ni påstår ju själva varenda dag att allt kommer att vara gratis under kommunismen. Jag är en gammal man, min ålder ger mig inte mycket hopp om att få uppleva kommunismen som ni pratar så mycket om, så jag använde två pensioner och köpte två fat öl och delade ut till allt folket. Hur skulle jag kunna veta att det skulle sluta i slagsmål?

– Skriv! sade ordföranden till sin sekreterare, som satt bredvid honom. Order!..

395

Gamle Meldesh hade lugnat sig efter den dagen och den allvarliga reprimand han fått för att ha stört lugnet för de arbetande massorna genom olika äventyrliga företag. Pasjat påminde honom nu om detta. Vem vet hur situationen skulle ha utvecklats om inte ordföranden för kolchosen hade påmint honom: "Det är bra, fortsätt ditt tal", varefter Pasjat, efter att ha klarat strupen ordentligt, fortsatte att läsa sitt förberedda tal:

– Tänk inte på dessa två byggnader ni har framför er som enbart hus. Detta är en modell för framtiden, med andra ord en kommunistisk samfällighet. Detta är ytterligare en enastående prestation av de sovjetiska arbetarna. Dessa hus är byggda av representanter för alla nationaliteter som bor och lever i Kazakstan, och därför kunde de färdigställas sju månader före utsatt tid. I dag står mångnationella familjer beredda att flytta in i sina nya hem. Inte bara kazaker, utan ryssar, ukrainare, tatarer, moldaver och vitryssar har deltagit i uppförandet av dessa bostadshus, liksom även representanter för alla övriga nationaliteter som bor och lever i Kazakstan. Som ett socialistiskt föredöme genom sina arbetsinsatser vill jag särskilt framhålla eskimån Sagyntaj Ajbaltajev, pashtun Jergesjbaj Sarmoldajev, sjursjiten Temirbek Sikymov. Och jag vill tillägga ett par ord om denna högtidliga händelse …

Från mängden hördes ett ljud som påminde en oroad bikupa. Först nu insåg Pasjat att han hade sagt för mycket, och hans ansikte antog en förlägen rodnad och såg ut som en brödlimpa nyss uttagen ur ugnen. Det visare sig att han i hastigheten hade glömt att ändra namnen på de personer som han försett med nya nationaliteter.

– Vad har eskimåer här att göra? Och vad är det för sjursjit du talar om? ropade de kontorsanställda och överröstade helt Sepentaj. Bland åhörarna fanns kazakiska djigiter med hustrur, barn och andra släktingar som fått sina namn bortskänkta. Och när en av dem blev kallad sjursjit, en annan eskimå, en tredje pashtun, för att inte tala om alla andra folkslag, ställde deras fruar till med ett förfärligt oväsen.

– Hördu, kamrat diktör, ropade hustrun till sjursjiten Temirbek. Skäms ni inte att kalla min man för en sjursjit eller vad det nu var? Han är kazak! Och inte bara det! Hans förfäder var otrariska konrater som kämpade med Djingis khan, och i varje konrat bor det en kulshygash och i varje kulshygash en taz, och i tazen en bori, och ...

– Man kan inte dela in kazaker i klaner och stammar så där, mumlade den förvirrade Pasjat och bet på sina röda läppar. Men då rann sinnet på eskimåhustrun och pashtuns hustru, och det högtidliga mötet blev till ett bullrigt uppträde. Ordföranden för kolchosen insåg att bullret och oväsendet kunde pågå för evigt, och steg upp:

– Tålamod, kamrater, tålamod! Han höjde handen. Får jag be de nämnda kamraterna stiga fram, så att vi själva kan se vilka de verkligen är.

– De är anställda på *Socialismen*, vi ser dem varenda dag. Varför skulle de stiga fram?

– Det är lika bra att be dem komma fram. Djigiter, var är ni? Kom fram!

Och när eskimån Sagintai, pashtun Yergesbaj och sjursjiten Temirbek steg fram i mitten av församlingen brast alla ut i ohejdbart skratt.

– Förrädare! skrek en berusad djigit och hytte med näven. Ni har sålt er nation för trettio silverpenningar. Jag vägrade och sa: Även om jag måste gå utan arbete och samla skalbaggar på stäppen, så kommer jag ändå att vara kazak. Nu kan ni se med egna ögon! Nu begriper jag varför dessa åtta var glada som barn när de kom ut från Sepentajs kontor!

Mötet började alltmera påminna om ett oroligt hönshus. Ingen vet hur denna exempellösa skandal skulle ha slutat om inte kolchosordföranden hade fattat tyglarna.

– Sluta väsnas! röt han ilsket. Vad är det ni tjatar om? Låt var och en göra som han vill. Vem kommer att lida av det? Numera står det alla sovjetmedborgare fritt att anta den nationalitet de själva önskar.

Han gjorde en lång paus för att kontrollera effekten av sina ord på de församlade, och när tystnaden lagt sig talade han lugnt. I pedagogiska ordalag berättade han för folket vilka åtgärder som hade planerats för att förbättra byinvånarnas liv. Därefter övergick han till aktuell inrikes- och utrikespolitiska frågor, riktade allas uppmärksamhet på problemet med de nationella relationerna, och när han slutligen var övertygad om att de närvarande hade glömt orsaken till sin oro riktade han sig, nu lugnad, till de nya bosättarna med orden: Välkomna till era nya hem! Må ni leva lyckliga! Så klippte han av det röda bandet med en sax.

Men en hastig blick på banden i hans händer störtade de nyblivna lägenhetsinnehavarna in i de båda husen. Först nu kunde kolchosordföranden torka sin svettiga panna och gå till bilen. Dessförinnan hade han dock hunnit att i ocensurerade ordalag läsa lusen av avdelningschefen Barakatov.

På morgonen efter frukost satte sig kolchosordföranden, Pasjat och Sepentaj ned för att skriva en rapport till Partiets distriktskommitté.

"Rapport till SUKP:s distriktskommitté.

Arbetarna vid produktionsenheten *Socialismen*, underavdelning till kollektivjordbruket *Kommunismen* som tillhör Zjetisajdistriktet, som fullt ut stöder partiets och regeringens politik att utjämna klyftorna mellan staden och landsorten, har åtagit sig den hedervärda uppgiften att uppföra två sjuvåningsbyggnader. Byggplanen krävde att allt byggnadsarbete skulle slutföras i sin helhet inom ett år. Som resultat av en heroisk insats av de i avdelningen bosatta jämte inbjudna arbetare kunde två sextiofyra lägenheters flerbostadshus, med totalt 128 (etthundratjugoåtta) lägenheter tagas i drift sju månader före utsatt tid. I går, det vill säga den 21 september 1981, var övertagandet av de båda nya husen helt genomfört. Vi försäkrar att vi också i framtiden står redo att strikt uppfylla alla uppdrag från partiet och regeringen.

Kolchosklubbens styrelseordförande
B. Zjalmuratov,
Partisekreterare
S. Kerejbajev
Chef för avdelningen *Socialismen,*
P. Barakatov
22 september 1981."

För att leverera rapporten utan dröjsmål avreste den lokale parti-sekreteraren Kerejbajev omedelbart till distriktscentret. Dessför-innan hade man kommit överens om att hålla ett möte på kvällen hemma hos avdelningschefen för att informera samtlig personal i ledande ställning vid kolchosen om det rekordsnabba genom-förandet av detta viktiga projekt, och därefter gick var och en till sitt. Pasjat, som inte tyckte om att försitta någon tid, satte sig vid kolchosstyrelsens radiostation, kontaktade avdelningen och in-struerade dem att slakta och flå en kviga och två får tills de kom tillbaka. Eftersom rapporten redan hade levererats till distriktet bestämdes att partichefen inte skulle åka till kolchoskontoret, utan bege sig direkt till *Socialismen,* och hans familj skulle komma dit i sällskap med de övriga.

Samtidigt höll platsen framför de två nya husen på att förvand-las till något som påminde om en kreatursmarknad. Vilda skrän blandades med bräkanden och råmanden från boskapen. Framför huset trängdes häst-, kamel- och åsnevagnar och fullastade lastbi-lar, bandtraktorer och skördemaskiner. Kort sagt, alla former av rullande utrustning som kolchosbönderna kunde uppbringa hade körts in på gården. Alla kånkade och bar sitt bohag från fordonen in i husen. Flytten försiggick i en vimlande folkmassa under en och samma dag. Upphetsade, svettiga människor sprang om var-andra i entréerna, det hördes gräl, grova svordomar, här och där blev det till och med slagsmål.

Först vid midnatt slog sig de uttröttade människorna till ro och lämnade sina oavslutade bestyr till nästa dag. I de nya hu-sen, liksom i hela området, fanns ingen gas. Var och en av de nya och hungriga bosättarna tvingades därför improvisera efter bästa förmåga när hungern gjorde sig påmind. Några nöjde sig med te i en termos, andra hade försett sig med kallt kokt kött, somliga lyckades koppla in en elspis på elnätet och gamle Meldesh med sin kvinna och sonson gjorde upp eld direkt på balkongen och kokade te på tredje våningen. Många kazaker, som var vana vid utrymme framför sina jurtor, gjorde också upp eld och tände stora brasor på platsen framför huset. På avstånd liknade de nya fina

husen minst av allt ett socialistiskt gemensamhetsboende och på-
minde mera om ett brinnande, sjunkande fartyg. Folk sprang fram
och tillbaka mellan husen och eldarna, på ett håll höll någon på
att mala korn i en mortel, någon försökte spika i betongväggarna,
eldar flammade på balkongerna, kaminer på gården sprutade gnis-
tor – kort sagt, det sju våningar höga kommunistiska gemensam-
hetsboendet började spricka i fogarna redan under sin första dag.

Dagen därpå skulle dessa familjer hålla inflyttningsfest, och
husets invånare skulle sjunga, dansa och hoppa långt in på sena
natten enligt de gamla traditioner som bevarats hos alla de hund-
ratrettio nationer som lever i Kazakstan. Människorna som flyttat
in i dessa byggnader – lastbilschaufför, traktorförare, mekani-
ker, hästkarlar, tröskmaskinister, snickare – skulle ställa upp sina
fordon och redskap utanför porten. Och när tre dussin traktorer
som tillhörde de boende i hundratjugoåtta lägenheter startade
sina motorer på en och samma gång i gryningen, då kunde som-
liga människor få för sig att världens undergång hade inträtt, och
ingen kunde garantera att människor inte skulle kasta sig ut från
sina balkonger i ren panik.

Dagen grydde den första morgonen i det kommunistiska gemen-
samhetsboendet. En strålande gryning av det slag som brukar
beskrivas i tidningarna. En lugn, tyst, skimrande morgon. Solen
steg på himlen och i ljuset av denna nya dag tycktes ingenting
varsla om annalkande stormar. Men denna strålande dag bar på
kommande överraskningar till de intet ont anande lägenhetsinne-
havarna i deras nya hem, där de vilade ut efter inflyttningsfesten.

Eftersom detta nu var kommunistiska hus fanns naturligtvis
också toaletter. Och om det finns en toalett så finns det också
personer som gärna vill besöka den. Sjursjiten Temirbek, som var
bosatt på första våningen, brukade som de flesta människor på
jorden börja sin dag med ett toalettbesök. Lägenheten var ännu
inte städad efter föregående kvälls fest, och halvsovande klev han
över tallrikar och glas, koffertar och resväskor och fick slutligen
tag i dörrhandtaget till toaletten, och samtidigt kände han att hans

fötter trampade i någonting kladdigt. Som vanligt började han klaga på sin fru och trodde att hon av misstag spillt vatten på golvet. Men hans näsa uppfångade en misstänkt lukt, och när han insåg att det inte var vanligt vatten blev han stående som förstenad. Eftersom hans fötter redan trampat runt i det blöta tänkte han av gammal vana att då blir det väl inte värre än så här, och drog upp dörren. Och sörjan som hade samlats inne på toaletten vällde nu ut över hans fötter.

Han tog ett språng tillbaka ut i korridoren. Temirbeks familj vaknade ur sin slummer och fann sig plötsligt mitt i ett stinkande dårhus. Från toaletten flöt avloppsvatten ur ett stort tjockt svart rör som var illa fastgjort i väggen, och det fanns inget slut på detta utbrott. Man får förmoda att hyresgästerna i de övre lägenheterna velat utnyttja de kommunala bekvämligheterna. Temirbek flög som en raket uppför trappan. Som om han kommit med bud om en fientlig invasion dunkade han med knytnäven på dörren till sin tatariske granne. En späd, gulhyad gammal kvinna med glasögon öppnade dörren.

– Vad vill ni? frågade hon.

– Vill och vill, farmor. Gud har förbannat oss.

Han sköt den gamla kvinnan åt sidan och trängde sig in i lägenheten och ropade:

– Vem är på toaletten?

– Gud bevare oss, vad säger du?

– Vem är på toaletten? frågar jag.

– Ibatullah sitter där

– Faan, Ibatullah!

Temirbek slet i dörrhandtaget.

– Ibatullah, kom ut! befallde han. Skynda på!

Han hörde Ibatullahs röst något ansträngd:

– Jag kommer, käre vän.

– Du kan glömma ditt "käre vän", min lägenhet är bortspolad av en syndaflod. Sitt inte på toaletten. Kom ut, vare sig du är färdig eller inte! Kom ut meddetsamma!

Ibatullah steg ut, mycket generad, ansiktsfärgen var högröd.

– Dessa kazaker låter en inte ens sitta på toaletten i fred, för-
sökte han skämta. Hur står det till?

Temirbek förklarade hastigt sitt problem. Därpå öppnade Iba-
tullah toalettdörren igen, och när han fick se det läckande röret
skrek han högt. De båda sprang upp på tredje våningen. Där bod-
de en uzbek vid namn Islamzjan. De förklarade situationen för
honom.

– Det kan inte stämma, sade han och skakade på huvudet.
Skithuset kan inte gå sönder på en dag.

– Hör du, du kan stoppa upp dina *kan inte* nånstans. Min lägen-
het är redan full av dynga. Om ett litet tag så kommer skiten att
flyta upp till din lägenhet.

Alla tre sprang upp till fjärde våningen. Där bodde lagerför-
mannen Gamrakeli. Han måste just ha kommit ut ur badrummet,
när de dök upp höll han på att knäppa livremmen.

– Åh, god dag, käre vän! sade han glatt.

– Vänta lite med "gamle vän", men gå inte på toaletten, gör
det inte!

– Varför inte?

– Eftersom … Det ligger till så här …

På femte våningen härskade lugnet. Elektrikern Ivan Krivono-
sov bodde där. Han fick situationen förklarad för sig. Han ryckte
på axlarna:

– Vad vill ni att jag ska göra?

– Vi måste gå till ledningen med det här tillsammans. Vi ska
skriva en anmälan och tala om att vi knappt har hunnit flytta in
i vårt nya hus förrän våra lägenheter översvämmas med avlopps-
vatten.

– Jag har inte tid i dag, sade han och tog en klunk iskallt vatten
ur kranen. Jag måste hämta min fru från stan. Den som har blivit
översvämmad får ge sig iväg. Det tar lång tid innan det når upp till
femte våningen.

– Det här är osolidariskt av dig, sade Temirbek upprörd. Vi
bor här den ene under den andre, vi har ett gemensamt problem,
om grannen ovanför oss inte tänker på människorna inunder, hur

kommer livet då att se ut? Kom med och titta på min lägenhet, så kommer du att fly härifrån så fort benen håller.

De gick ned till första våningen och in i Temirbeks lägenhet. Frun och barnen gick omkring i gummistövlar och höll för näsan. De hade byggt en fördämning av trasor och gamla kläder för att leda undan vattnet, och med sina sista krafter lyckats styra den invällande stinkande floden över tröskeln och ut på gatan. Georgiern Garmakely högg bort tröskeln och en våg av internationell dynga strömmade genom trapphuset och ut i det fria.

Först då märkte de att invånarna i de övriga ingångarna kämpade med samma problem som hade hållit dem själva sysselsatta i över en timme.

Inom kort hade invånarna i båda husen förflyttat sig utomhus.

* * *

Hela kolchosledingen hade samlats hemma hos Pasjat Barakatov. Alla informerades om att rapporten avsänts till distriktet, och folk kom i säng först på morgonen. Enligt en oskriven regel som gällde denna speciella kategori av chefer bäddades det för ordföranden, partichefen, chefsagronomen och avdelningschefen på golvet i hallen. Och de hade just somnat och snarkade obekymrat när tio personer täckta av lort kom tågande i en lång rad in i det främre rummet. Pasjats mamma for upp och skrek skräckslagen.

– Var är diktörn? frågade sjursjiten Temirbek, och överlåt åt kärringen att säga god dag.

– E-e... han var här nyssens ... Är det du, Temirbek? Hur är det fatt med dig – du är ju alldeles blek i ansiktet, som om den onde jagar dig? Är du sjuk?

– Nej, jag är frisk, sade Temirbek hastigt för att komma till saken. Vi måste tala med cheferna.

– De har åkt för länge sen.

– Vart?

– Inte vet jag, de säger ingenting till mig.

403

– Fan också! svor Ivan ursinnigt. Här drunknar folk i dynga, och ingen vet var bossarna håller hus!

I samma ögonblick trängde en högljud snarkning från fyra mansröster genom den väl tillslutna dörren till salongen. Temirbek och Ibatullah hade strax löst gåtan bakom denna snarkning och öppnade dörren, trots gummans högljudda protester, och tittade in i rummet. Först fick de för sig att de befann sig i en maskinstation modell mindre. De tyckte sig se slaktkroppar av nyligen slaktade nötkreatur uppstaplade, och de fyra männen snarkade så att väggarna bågnade och taket lyfte sig.

Ytterligare tre nyinflyttade anslöt till de övriga, och med gemensamma krafter lyckades de skaka liv i de sovande och få dem på fötter. Cheferna ruskade på huvudena och såg på dem med oförstående ögon, som om de framför sig haft dödsänglarna Munkir och Nankir som ställde dem till svars. De förstod ingenting. Långt om länge fick de på något sätt klart för sig vidden av det som inträffat och muttrade: Det är bra, gå nu, vi lovar att komma. Och så snart alla hade försvunnit ut stöp de i säng igen.

När alla chefspersonerna med värkande huvuden och dimmig blick till sist stod uppradade framför de nya sjuvåningshusen hade det hunnit bli middagstid, tålamodet var på upphällningen och hyresgästerna skummade av ilska. Inspektionen kunde börja.

– Ni är obildade allesamman! förklarade Pasjat när han hade lyssnat på de uppretade människorna. Ni uppför er som vildar som är ovana vid civilisationen. Ni har knappt hunnit flytta in förrän ni börjar slakta får och rensar ut inälvorna på toaletten och sen spolar ner slaktresterna i avloppet. Ni borde bötfällas för att ha brutit mot reglerna för det kommunistiska gemensamhetsboendet.

– Jaså, det säger du. Så vi måste alltså betala böter innan vi ens har hunnit flytta in? frågade gamle Meldesh och betraktade honom genom avsmalnande ögonspringor. Såna galningar! Nej du, först av allt ska ni stå till svars för detta!

Han lutade sig plötsligt över balkongräcket och tittade uppåt, där man kunde se en flicka sticka ut huvudet från balkongen på femte våningen. Han ropade till henne:

– Hördu, säg åt din korkade farsa att inte gå på toaletten och inte spola. Är ni alla döva där inne? Om man så bultar på dörren med yxa är det ingen som öppnar! Flickan försvann tyst in i lägenheten.

Efter en lång högljudd palaver gick man runt och inspekterade alla lägenheterna. Allting visade sig stämma. Det beslöts att tillkalla en expertkommission från distriktet. Fram till dess kommissionen undersökt saken kom man överens om att inte använda toaletten, och inte spola i badrummet eller öppna kranen i köket.

Kommissionen anlände en vecka senare. Den stannade inte länge. Den rapporterade sina slutsatser omedelbart. Det visade sig att produktionsavdelningen *Socialismen* hade gjort en sensationell upptäckt med avseende på produktionen av flerfamiljshus: kolchosbönderna hade uppenbarligen bestämt sig för att klara sig utan underjordiskt avlopp till dessa höghus som var avsedda att utplåna klyftan mellan stad och landsbygd.

– Så gick det alltså till. Och jag som undrade hur i all världen de kunde bli klara på fem månader! sade kolchosordföranden när kommissionen hade avlagt sin rapport. Han såg hotfullt på Pasjat och Sepentaj. Gör er beredda att krypa i fängelse. Det finns inget att välja på.

– Om vi hamnar i fängelse, så gör vi det alla tillsammans, sade Pasjat bedrövat, som om han fann tröst i dessa ord.

Denna fantastiska historia spreds i hela distriktet. Det blev ett särskilt möte med partibyrån och en allvarlig tillrättavisning. Men inga hus blir byggda av en tillrättavisning, man kan inte ens installera ett avloppssystem. Efter långa sammanträden kom distriktsledningen överens om att det skulle bli nödvändigt att sätta igång med arbetet på avloppssystemet. Medan nyheten om händelsen spreds runt världen transporterades samma natt den modernaste och bästa utrustning som fanns i distriktet till produktionsavdelningen *Socialismen* för att installationsarbetena skulle komma igång följande dag.

Några kilometer från byn schaktades en stor grop, varifrån man ledde en kulvert på en och en halv meters djup fram till *Socialismens* höghus. Under hela denna tid levde människorna i de båda husen i ett helvete. Somliga av dem återvände till sina gamla lerkojor, andra följde en strikt disciplin, lagade mat på gården över öppen eld, uträttade sina behov på stäppen och gick hem enbart för att övernatta.

Gamle Meldeshs sonson skulle gifta sig, han hade bara gått och väntat på att flytta in i sin nya lägenhet för att kunna fira sitt bröllop. Han blev ombedd att vänta, men han insisterade. När familjen var sysselsatt med bröllopsförberedelserna dog grannen Zjaparchans svärmor. Och grannfamiljen upplevde sin första sorg i det nya hemmet. Och som en följd av detta fick husets invånare vara med om en tämligen omskakande upplevelse: begravningsgästerna som kom tågande med klagovisor – Bauyry-y-ym! – råkade gå fel och hamnade mitt i bröllopsfesten, medan gästerna som kommit till bröllopet välkomnades av gråt och klagorop. I fortsättningen började de forna byborna, som varit vana vid ett stillsamt liv, att undvika varandra, konflikter och gräl bröt ut oftare, och efter hand slutade människorna att umgås med varandra.

Avloppet grävdes med stor entusiasm, men gradvis avstannade arbetet. Efter två och en halv månad hade avloppsstammarna dragits ända fram, och marken under skyskraporna började torka upp. Antingen det berodde på att de tekniska beräkningarna var felaktiga eller på att marken under husen var alltför lucker, i vilket fall som helst började båda husen att sätta sig när jorden torkat och intog en tydligt lutande ställning mot varandra.

Myndigheterna stoppade omedelbart arbetet och gav order om att evakuera husets invånare. Människorna, som i glädjen över sina nya bostäder hade hunnit riva sina gamla fula hyddor, fick nu slå upp tält och tillfälligt flytta in i dem.

Och återigen väcktes missmodet och missnöjet hos dessa människor, som redan hunnit vänja sig vid allt. Distriktsmyndigheterna höll nya sammanträden för att besluta om vad de skulle besluta. Under den mest intensiva skördesäsongen hade människorna ingen håg till arbete, de orkade bara tänka på sig själva, på sin egen sorg och olycka.

1986

LITERARY FICTION
DULAT ISABEKOV

Burning sun, icy wind, living steppe
Short stories

Dulat Isabekov. Kazakh writer. "Burning sun, icy wind, living steppe" –
Stockholm: Gün Publishing House 2020, 408 p.

The book Burning sun, icy wind, living steppe contains several
works by the famous Kazakh writer Dulat Isabekov, the winner
of Soviet state prize – the highest literary prize in USSR and tit-
le People's writer of Kazakhstan. The book is about a country,
an era and people that previously survived many dramatic trials
which still continue to influence Kazakh society.

ISBN 978-91-982449-7-7

Published in Sweden